D0276830
WITHDRAWN
FROM STOCK
MUL LIBRARY

Germanistische Abhandlungen

Bürgerliche Reformationspropaganda

BERND BALZER

Bürgerliche Reformationspropaganda

Die Flugschriften des Hans Sachs

in den Jahren 1523–1525

MCMLXXIII
J. B. METZLERSCHE VERLAGSBUCHHANDLUNG
STUTTGART

GERMANISTISCHE ABHANDLUNGEN 42

ISBN 3 476 00262 4

Satz und Druck: Druckerei Georg Appl, Wemding
Printed in Germany
D 188

INHALT

Abkürzungen

Chorherr	=	»Disputation zwischen einem Chorherren vnd Schuchmacher, darinn das wort gottes vnnd ein recht Christlich wesen verfochten würdt.« (In: LV 3 Spriewald, S. 67 ff.)
EOV	=	»Epistolae Obscurum Virorum« (In: LV 26 Böhmer)
Ev./Luth.	=	»Ain gesprech eins Ewangelischen christen mit einem Lutherischen. Darinn der ergerlich wandel etzlicher, die sich Lutherisch nennen, angezaigt vnd bruderlich gestrafft wirdt.« (In: LV 3 Spriewald, S. 150 ff.)
LV	=	Literaturverzeichnis
Nachtigal	=	»Die nachtigal« (Meisterlied, in: LV 1 Ellis)
R. d. V.	=	»Reinke de Vos« (In: LV 76 Prien)
Scheinwerke	=	»Ein gesprech von den Scheinwercken der Gaystlichen vnd jren gelübdten, damit sy zůverlesterung des blůts Christi vermaynen selig zuͤ werden.« (In: LV 3 Spriewald, S. 101 ff.)
WN	=	»Die wittembergisch nachtigall, Die man ietzt höret überall.« (In: LV 2 Keller/Goetze Bd. 6, S. 368 ff.)

»... yetz mů̊ssen euch ...die Schů̊ster leeren.«

(Chorherr Z. 1055 f.)

»... Reformation.
Jedes Verstehen der Freiheit in neuerer Zeit muß von dieser Epoche ausgehen, in welcher die Grundlagen der modernen Kultur gelegt wurden.«

(Erich Fromm: »Die Furcht vor der Freiheit«, S. 45)

Einleitung

> Ein Eichkranz, ewig jung belaubt,
> den setzt die Nachwelt ihm aufs Haupt,
> in Froschpfuhl all das Volk verbannt,
> das seinen Meister je verkannt. Goethe

Es ist Goethes Verdienst, mit seinem 1776 in Wielands »Teutschem Merkur« veröffentlichten Gedicht »Erklärung eines alten Holzschnitts, vorstellend Hans Sachsens poetische Sendung« [1] den nürnberger Dichter als Gegenstand ernsthaften literarhistorischen Interesses wiederentdeckt zu haben. Dieses Gedicht begründet aber auch im gleichen Maße Gestalt und Diktion eines Sachs-Klischees, von dem sich zu lösen die Forschung seither weder vermochte, noch wohl auch im Sinn hatte.

Goethes Sachs-Bild ist aus seiner polemischen Haltung gegenüber der Dichtung des Barock, die »gelehrter Nachahmung und italienischem Schwulste anheimfiel« [2], zu begreifen, und so ist Hans Sachs für ihn die Verkörperung der »älteren, treulich-ernsten Dichtkunst« [3], der »treue Meister«, der sonntags »Pechdraht, Hammer und Kneipe rasten« läßt, um zu dichten, dabei »Nichts verlindert und nichts verwitzelt, Nichts verzierlicht und nichts verkritzelt;« sondern die Welt so darstellt, »Wie Albrecht Dürer sie hat gesehn« [4].

Aus diesem Gedicht spricht trotz der positiven Akzentuierung eine gewisse schulterklopfende Herablassung, die auch in der spielerischen Adaption des meistersingerlichen Knittelverses und der fast koketten Handhabung sprachlicher Archaismen zum Ausdruck kommt. Schon hier stellt sich Hans Sachs für Goethe als einer derjenigen älteren Künstler dar, deren Andenken aufzufrischen löblich ist, »damit man, ihre Verdienste erkennend, sich alsdann um so lieber zu freieren Regionen erhebe.« [5] Die Sachs-Philologie hat dieses Klischee mit Wagnerischem Pathos versetzt und es solcherart bis heute ständig und unkritisch reproduziert, wobei man sich gern des Goetheschen Vokabulars bediente [6]. So begegnet in der Forschungsliteratur allenthalben der »schlichte Handwerksmann« [7], der »treffliche Meister« [8], der »biedermann« [9], der »wackere nürnberger Bürger« [10], die geistigen Väter kündend. In ihm glaubt man, die »Vereinigung des niederen Handwerks mit der höheren Kunst, des schlichten Treibens im bürgerlichen Stande mit einer staunenswerten Belesenheit« [11] bewundern zu dürfen und läßt ihn »in seinem Innern einen Tempel des Friedens ... erbauen, wohin die Stürme des Tages nicht drangen und wo ihn die Muse besuchte« [12]. Solche und ähnliche Charakterisierung finden sich mit einer Regelmäßigkeit in der Sachs-Literatur, die gewiß mehr über den ideologischen Standort der betreffenden Autoren aussagt, als dem Gegenstand gerecht zu werden [13]. Die ebenso häufige (Ab-)Qualifizierung Sachsens als »Volksdichter« [14] verstärkt den Ideologieverdacht. Dieses zweifach unsinnige Kunstwort – die Vorstellungen vom Wesen der sogenannten »Volkskunst« leugnen die Existenz eines dichtenden Individuums; der »Volksdichter« ist niemals der Repräsentant einer Volksmehrheit – ist in seiner Paradoxie entlarvend: die in den Dichter hineinprojizierten Moral- und Sozialvorstellungen der Interpreten lassen ein scheinbar historisches Verhaltensmodell entstehen, das der jeweiligen Gegenwart als kategorischer Imperativ vorgehalten wird [15].

Der Volksdichtertheorie stehen jedoch die Fakten entgegen.

Hans Sachs äußert sich selbst 1568 [16] im Rückblick auf die Zeit um 1520 über seine damalige wirtschaftliche und gesellschaftliche Situation:

> ...
> auch fiel mir zu in diser zeit
> groß wolfahrt in mancherlei stück,
> als reichtum, er, lob und groß glück.

Urkunden über den Kauf eines Hauses im Jahre 1520 für die zu jener Zeit nicht gerade niedrige Summe von 300 fl [17] und über auf Zinsen verliehene Geldbeträge [18] konkretisieren diese etwas pauschale Angabe.

Wie sehr dieser offensichtliche Wohlstand ihn aus der breiten Masse der Stadtbürger heraushebt, dokumentieren Statistiken über die Vermögensverhältnisse in großen Handelsstädten, wie sie für Augsburg im Jahre 1526 vorliegen: 97% der Bürger dieser Stadt etwa erbrachten ein Steueraufkommen von weniger als 10 fl. und unter ihnen waren immerhin etwa 54% als Besitzlose [19] ausgewiesen.

Danach ist es nicht weiter verwunderlich, »daß Hans Sachs in patrizierkreisen verkehrt hat«, wie E. Goetze anhand der Hss. von Empfängern Sachsscher Schriften nachweisen konnte [20]. Es unterstreicht jedoch die gehobene Position des Dichters in einer Stadt, in der das Patriziat im Unterschied zu anderen Reichsstädten auf die Handwerker nicht angewiesen war und seine dominierende Stellung unangefochten behauptete [21].

Daß es sich bei Sachs um den Vertreter nur einer, und zwar einer privilegierten Klasse handelt, wird denn auch hin und wieder eingeräumt, z. T. schlicht feststellend:

> Das Handwerk, vielleicht auch das Erbe der Frau, versetzte die wachsende Familie in einen mehr als mittelmäßigen Wohlstand. [22],

teilweise aber auch in einer entlarvenden Weise wertend:

> Er führt uns in die plebejischen Haufen, aber man sieht sogleich, er gehört den Edleren an [23].

Die Formel vom »Volksdichter« übergeht jedoch solche Eingeständnisse und spiegelt Allgemeingültigkeit vor:

> Ein Volksdichter – und das war Hans Sachs – pflegt in seinen Dichtungen nicht willkürlichen Privatmeinungen Ausdruck zu verleihen, sondern er ist die Stimme des Herzens seines Volkes [24].

Sachs bleibt für diese Spezies von Interpreten – und sie bildet die überwiegende Mehrheit – der

Mann aus dem Volke, ein schlichter Handwerker [25],

der

mit seinen lehrhaften Dichtungen ... seinen Volksgenossen den besten Dienst getan hat [26].

Bei der Beurteilung von Sachsens Stellung innerhalb der Reformation muß eine ideologisch so verzeichnete Auffassung notgedrungen in einen Zwiespalt führen, der auch in den meisten Darstellungen dieses Gegenstandes auszumachen ist. Einerseits nimmt man Person und Werk des Dichters nur zu gern als Zeugen dafür in Anspruch, daß es sich bei der Reformation um eine breite »Volksbewegung« handelte [27]; andererseits gehören politisches Engagement und kämpferische Parteinahme nicht zu den von Verfechtern dieser Anschauung propagierten Bürgerpflichten, und politisches Handeln oder gar agitatorisches Geschick passen so gar nicht zum liebgewordenen Klischee handwerksmeisterlicher Naivität. All dies erwartet man eher von Angehörigen des »plebejischen Haufens«. Es ist daher nur konsequent, daß zwei Arbeiten zu diesem Thema dem dargestellten Dilemma dadurch zu entgehen versuchen, daß sie Sachs kurzerhand, allerdings mit recht obskuren Begründungen, dem rohen Haufen, d. h. den »Schwärmern« des Kreises um Denck und die »gottlosen Maler« einverleiben [28], womit sie allerdings auch der gesellschaftspolitischen Nutzanwendung der Volksdichterlegende entsagen müssen.

Der übrigen Forschung blieb als Ausweg nur die mehr oder minder gewaltsame Angleichung der Gegensätze, wobei die Fiktion des »Volksdichters« als der offensichtlich brauchbarere Aspekt weitgehend unangetastet bleibt [29]. Der spezifische Charakter des religiös-politischen Engagements Sachsens wird dafür in den Darstellungen umso mehr verzerrt. Inhaltlich wird diese Parteinahme als eine nur religiöse, bzw. ausschließlich ethische umgedeutet [30] – als ließen sich Religion und Politik während der Reformation auseinanderhalten [31]! Formal soll der angeblich gemäßigte Ton der Sachsschen Flugschriften die gegensätzlichen Aspekte verschleiern helfen:

Seine Haltung ist viel milder, treuherziger, versöhnlicher als die des leidenschaftlichen Reformators [32].
Nicht zu erzürnen, sondern zu mahnen und zu bessern ist seine Absicht. (LV 245 Eisen, S. 32f.)
Auch die Mittel seiner Kampfführung sind feiner als die der übrigen Flugblattliteratur. (LV 136 Huber, S. 74)

Mit der Prägung »milde Klarheit« [33] hat Zoozmann diese Auffassung auf den Begriff gebracht [34]. Ganze Abschnitte in den Flugschriften des Hans Sachs, die dieser Auffassung eklatant entgegenstehen, werden entweder verschwiegen (Gervinus, Scherer) oder mit wenig überzeugenden Argumenten bagatellisiert:

Aber der Nachdruck muß meiner Meinung nach dennoch weniger auf das Polemische in dem Gedicht, das gewissermaßen nur aus der temperamentvollen Verteidigung Luthers und seiner Lehre entspringt, als auf diese letztere gelegt werden. (LV 308 Hampe, S. 164) [35]

Hingegen kann man den kämpferischen Charakter der »Weyssagung« von 1527 ohne weiteres zugeben, allerdings erst, nachdem man den »haßerfüllten Geist des

Auftraggebers« [36], des »Eiferers Andreas Osiander« [37] dafür verantwortlich gemacht und das ganze Opus als eine Art Entgleisung des Dichters abgetan hat (Gervinus, S. 412).

Aus dem so konstruierten Bild des Dichters, das gekennzeichnet ist

durch die Milde der Gesinnung und den von der fast allgemein gang und gäben Rohheit und derzeitigen Polemik abstechenden vornehmen und besonnenen Ton; ... nicht zuletzt auch durch die unbefangene Stellung den lutherischen Glaubensgenossen gegenüber, denen der schlichte Handwerksmann ... einen sittlichen Wegweiser aufrichtet und mit deren Leben und Wandel er brüderlich, aber ohne Scheu ins Gericht geht. (LV 139 Kawerau, S. 34),

erwächst Hans Sachs ganz nebenbei aber offensichtlich nicht unerwünscht die Funktion eines Alibis angesichts des protestantischen Zurückweichens vor den eigenen sozialrevolutionären Möglichkeiten: In der Person des Volksdichters verurteilt das Volk selbst das »kommunistische Schwärmertum« und rechtfertigt Luthers »Wider die räuberischen und mörderischen Rotten der Bauern«.

Auch die neueren marxistischen Arbeiten, soweit sie auf Sachsens Rolle in den Auseinandersetzungen der Frühreformation eingehen, sind keineswegs frei von ideologisch bedingten Verzerrungen. Zwar wird die von der bürgerlichen Literaturgeschichtsschreibung aufgebauschte Repräsentativität des »Volksdichters« zurückgeführt auf die tatsächliche Rolle des Dichters als Vertreter des

zünftlerischen, auf handwerkliche Produktion sich stützenden Stadtbürgertums in Deutschland. [38],

wird auf seine »kompromißlerische Haltung« [39] im politischen Bereich hingewiesen und natürlich die »bürgerlich-verächtliche Haltung gegenüber den Bauern« [40] kritisiert. Doch angesichts der bereits von Engels konstatierten Wirkungslosigkeit der »plebejischen Opposition«, die

im Ausdruck ihrer Forderungen höchst unbestimmt bleiben [mußte, und die] am wenigsten festen Boden in den damaligen Verhältnissen fand, (LV 248 Engels, S. 50),

ist man in der heutigen marxistischen Forschung offenbar bestrebt, das »rechtmäßige Erbe der deutschen Arbeiterbewegung« [41] möglichst umfangreich erscheinen zu lassen, und konstruiert deshalb eine

entschiedene Parteinahme [des Hans Sachs] für die revolutionären Inhalte der reformatorischen Bewegung. [42],

indem man ihn auch hier dem Kreis um Denck zuschlägt [43]. Die Wiederaufnahme gerade dieser These ist hier aber umso unglücklicher, als die Phase »revolutionärer Sympathien« auf Sachsens Seite natürlich in die Zeit vor 1525 gelegt wird, der Verweis des Nürnberger Rates gegen Denck, in dem auch Sachs erwähnt wird und auf den sich all diese Theorien stützen, vom Jahre 1526 datiert und der Spruch »Der arm gemein Esel«, der den Sachsschen Gesinnungswandel markieren soll, schon im Jahre zuvor verfaßt wurde.

Über diese abwegige Theorie kommen auch in diese Darstellungen wieder die obsoleten Vorstellungen von »Volkstümlichkeit« [44] hinein, und auch der hier ganz und gar deplacierte »Volkspoet« (LV 129 Gohrisch, S. 237) fehlt ebensowenig. Auch hier bietet sich also ein durchaus widersprüchliches Bild, das den Anschein der Schlüssigkeit nur dadurch gewinnt, daß man einen Umschlag in der Zielsetzung konstruiert, bzw. einen grundlegenden Charakterwandel der bürgerlichen Reformation und ihres Reflexes in der politischen Biographie Sachsens. Diese Vorstellung berührt sich sehr eng mit ähnlichen Überlegungen in der traditionellen Literaturwissenschaft, etwa der These Böckmanns (LV 289) vom Umschwung des »reformatorischen Pathos« in ein »reformatorisches Ethos« (S. 277ff.).

In beiden Fällen geht man vor allem von Luthers »Richtungswechsel« während des Bauernkrieges aus. Eine gründlichere Lektüre der Engelsschen Darstellung hätte aber wenigstens die marxistischen Autoren von dieser Konstruktion abhalten müssen, denn Engels hat gezeigt, daß zu Beginn der Reformation die lutherische Opposition »durchaus noch keinen bestimmten Charakter« hatte (LV 248 Engels, S. 64) und auch gar nicht präziser festgelegt sein konnte. Erst durch den Bauernkrieg kam es – nicht zu einem Richtungswechsel, sondern – zu einer »bestimmteren Feststellung der Richtung Luthers.« (S. 66).

Immerhin ist das hier skizzierte Sachs-Bild innerhalb der Literaturgeschichtsschreibung der DDR offensichtlich noch nicht völlig verfestigt, was etwa in der unterschiedlichen Beurteilung des Spruches »Der arm gemein Esel« zum Ausdruck kommt, der sowohl als »erschütternde Klage« (LV 129 Gohrisch, S. 280) gewertet wird als auch als »Ausfälle gegen die aufständischen Bauern« (LV 307 Gysi, S. 280).

Eine ideologiekritische Auseinandersetzung mit allen Aspekten der Sachs-Forschung kann hier unmöglich geleistet werden; die hier angeführten Beispiele machen aber deutlich, wie geringe Verläßlichkeit den bisherigen Arbeiten gleich welcher politischen oder konfessionellen Provenienz im Hinblick auf die Darstellung der Sachsschen Reformationsschriften, vor allem ihrer Bewertung zuzugestehen ist.

Es bleibt nicht viel, worauf sich aufbauen ließe: Die einschlägigen Abschnitte in den Darstellungen von »Leben und Werk« des Dichters (s. Literaturverzeichnis) enthalten nicht viel mehr als Exemplifikationen des jeweiligen, d.h. hier des immer gleichen ideologischen Standpunktes anhand mehr oder minder vollständiger Textparaphrasen.

Goedekes Forderung, »Sachs aus seiner Zeit heraus zu verstehen« [45], versucht Wernicke (LV 173) für die Prosadialoge zu erfüllen. Die Darstellung des historischen Hintergrundes unter der Überschrift »Die innere Form« ändert jedoch nichts an der Tatsache, daß die historischen »Grundlagen« – obwohl im einzelnen richtige und wesentliche Fakten gegeben werden – unvermittelte Versatzstücke bleiben. Immerhin bietet diese Arbeit eine recht gründliche Untersuchung von Aufbau, Motiven, Redeführung, etc. der Dialoge, auf die man zurückgreifen kann.

Ähnliche philologische Vorarbeiten sind für die Lieder und Spruchgedichte kaum vorhanden, die bislang fast nur das Interesse von Hymnologen [46] und Kunsthistorikern gefunden haben. Das gilt auch und vor allem für die »Wittenbergisch Nachtigall«, denn die Habilitationsschrift von F. Ellis, die gerade das zu leisten sich vornimmt, ist methodisch zweifelhaft und sachlich unzuverlässig (LV 1; vgl. dazu unten S. 42ff.).

Den theologischen Standort Sachsens, den Grad der Abhängigkeit aber auch Unabhängigkeit von Luther haben Kawerau (LV 139), Wernicke (LV 173) und Beifus (LV 119) zu bestimmen versucht. Die Relevanz einer solchen Fragestellung für die Sachsschen Reformationsschriften wäre aber erst einmal nachzuweisen. Überhaupt ist das Problem einer dem Gegenstand angemessenen Fragestellung bisher nie zum Thema grundsätzlicher Überlegungen gemacht worden. Das gilt auch – mit nur wenigen Einschränkungen – für den weiteren Bereich der reformatorischen Flugschriften. Die Erörterung gerade dieses Problems soll mit dem 1. Kapitel die Grundlage für alle weiteren Überlegungen über den engeren Gegenstand dieser Arbeit schaffen.

Kapitel 1

Zum Problem einer adäquaten Methode

> Aber das ist im wesentlichen Tendenzliteratur, Literatur als Mittel zum Zweck, keine reine Kunst mit hohen und höchsten Zielen und Ewigkeitswerten [47].

Mit Ausnahme einiger weniger publizistischer Arbeiten [48] hat man die Flugschriften nicht als einen Gegenstand sui generis betrachten wollen [49]. Historische Arbeiten diskutieren den Quellencharakter oder setzen ihn gar voraus [50], theologische Darstellungen befassen sich mit den religiösen, vor allem dogmatischen Implikationen einzelner Schriften [51], und die Germanisten fragen nach der »literarischen Leistung« [52].

Solche fachspezifischen Fragestellungen sind zwar durchaus legitim und notwendig, nur dürfen ihre Ergebnisse keinesfalls als Kriterien für die Klassifizierung und Wertung eines Gegenstandes mißbraucht werden, dessen Funktion sicherlich nicht in der Erfüllung gerade dieser Normen liegt. Die Flugschriften der Reformationszeit sind nicht in erster Linie Dichtungen, sehr selten theologische Traktate und wohl nie ›objektive‹ Tatsachenberichte. Die Bemühungen der Literaturwissenschaft, sie in die Zuständigkeit der Ästhetik zu überführen, sind dabei ganz besonders unangemessen. Die diesem Kapitel vorangestellte Äußerung Merkers – der immerhin für die Erforschung gerade dieser Epoche wesentliches geleistet hat – ist nur eine aus einem ganzen Chor ähnlicher Urteile, die sich in dem Schlagwort »Lutherpause« vereinigen. Durch diese Abwertung werden die Maßstäbe für eine angemessene Beurteilung der Flugschriften und ihrer Funktion ebenso verzerrt wie durch die Ausführungen einer literaturwissenschaftlichen Gegenbewegung, die gerade die »*dichterischen* Schätze dieses Schrifttums« herausstreichen [53].

Es ist hier der gleiche Vorgang wie bei der literaturwissenschaftlichen Behandlung der Satire zu beobachten, die in ihrer gesellschaftlichen Funktion ebensowenig durch ästhetische Kategorien zu beschreiben ist wie die Flugschriften [54]. In beiden Fällen manifestiert sich offensichtlich das Gefühl der Literaturwissenschaft, für alle »literarischen« Phänomene irgendwie zuständig zu sein, wobei man mangels adäquaten methodischen und theoretischen Rüstzeuges der jeweils zentralen Problematik auszuweichen gezwungen ist.

Geeignete Kategorien stehen schon eher der zeitungswissenschaftlichen Forschung zur Verfügung, obschon der Abstraktionsgrad systematischer Darstellungen dem speziellen Fall der Reformationsschriften nicht ganz gerecht zu werden vermag. Beispielhaft dafür ist die Definition Hagelweides (in: LV 406 Dovifat III, S. 47):

> Die Flugschrift ist ein von einem parteilichen Kommunikator gezielt konzipiertes und gesteuertes Kommentationsmedium, das durch Sachanalyse und Meinungsinformation einen größtmöglichen Rezipientenkreis nachhaltig beeinflussen soll. Es vermittelt daher – neben Aussagen primärer Aktualität – auch Aussagen sekundärer und tertiärer Aktualität.

Die Frage nach dem Aktualitätsgrad der Aussagen stellt sich in der Reformationszeit sicherlich nicht in dieser Weise, da – von besonderen Tagesereignissen (Wormser Reichstag, Leipziger Disputation, erste lutherische Märtyrer) abgesehen – die Gegenstände im Laufe der siebenjährigen Auseinandersetzungen bis zum Bauernkrieg in bemerkenswerter Weise konstant blieben.

Auch läßt sich diese Definition nicht auf sämtliche Flugschriften der Frühreformation anwenden: die öffentlich geführten Auseinandersetzungen zwischen Luther und Emser, Murner und Stiefel und später auch zwischen Luther und Müntzer lassen sich so nicht erfassen, ebensowenig Luthers Thesen oder die großen Programmschriften des Jahres 1520.

Diese Beobachtung rückt auch die Tatsache der offensichtlichen Unsicherheit der Forschung bei der Kategorisierung der unterschiedlichen Flugschriftentypen in den Blick, die sich in der verbreiteten terminologischen Verwirrung manifestiert.

1. 1 Typologie der Flugschriften

In der Literatur wechseln Einteilungen in politische Richtungen, bzw. »ideologische Positionen« (LV 307 Gysi, S. 281) – z. B. lutherisch, katholisch, nationalistisch, revolutionär –, soziale Stellung der Verfasser – Flugschriften der Humanisten, des Adels, des »Volkes« – mit geographischen und historischen Kategorien, die durcheinander verwendet und – wenn überhaupt – nur formal begründet werden. Der Literaturwissenschaft erscheint die Klassifizierung nach Dichtungsgattungen und -formen als eine Naturnotwendigkeit, die nicht hinterfragt zu werden braucht. Der Katalog von »Satire, Pasquill« (LV 80 Schade), »Lied, Spruch und Fabel« (LV 24 Berger) veranschaulicht die dort einzigen Unterscheidungskriterien für dieses Sujet [55]. Spätere publizistische Arbeiten haben sich von diesen Beispielen beeinflussen lassen: W. Bauer (LV 389) zählt z. B. auf:

> die rein theologische Abhandlung ... Schmähschrift, ... Sendbrief, Missive, ... Prophetien. (S. 130 f.).

Ingeborg Kolodziej hingegen scheint von anderen Kategorien auszugehen, wenn sie Schriften nennt, die

> a: der Verbreitung der reformatorischen Ideen,
> b: dem Kampf gegen Mißstände,
> c: persönlichen Auseinandersetzungen (S. 8).

dienen, aber auch sie steht in der geschilderten Tradition, wenn sie wenig später Streitschrift, Dialog und Bericht unterscheidet und die Frage nach der Funktion zugunsten einer Form-Diskussion aufgibt, nur um später resigniert festzustellen:

> Nach den gefundenen formalen Prinzipien ist es nicht möglich, eine Schrift als Flugschrift zu bestimmen ... Durch irgendwelche Besonderheiten im Aufbau hat keine Flugschrift Bedeutung erlangt, kein Verfasser ... die deutsche Literatur in formaler Hinsicht bereichert (S. 163).

Allein aus der Funktion der Flugschriften läßt sich eine operationale Typologie herleiten:

Die Eröffnung eines Meinungsstreites (95 Thesen), die Entwicklung der ideologischen Grundlage einer Partei (»An den christlichen Adel ...«, »Von der Freiheit eines Christenmenschen«, etc.) sowie ihre dogmatische Verfestigung (»Von den guten Werken«, »Von Kaufhandlung und Wucher«, etc.) leisten die *Programmschriften* [56], die dort entwickelten Denkschemata werden in *Propagandaschriften*, für die unterschiedlichen Rezipientenkreise speziell aufbereitet, reproduziert und gegen gegnerische Angriffe und »Gegenpropaganda« verteidigt. Den öffentlich in *Streitschriften* geführten persönlichen Auseinandersetzungen kommt durch die Dialektik der direkten Kontroverse eine besondere Stellung zu. Mischformen dieser Typen sind allerdings nicht selten. Auch in Programmschriften finden sich propagandistische Passagen, in Propagandaschriften ideologische Eigenwilligkeiten und in beiden häufig auch Repliken auf Angriffe einzelner Gegner; ein unserer Typologie entsprechender Hauptakzent ist aber jeweils auszumachen.

Aus der entsprechenden Akzentuierung erklären sich auch die Unterschiede in der inhaltlichen Gewichtigkeit der verschiedenen Flugschriften und ihre stilistischen Besonderheiten. Wenn man von Luther behauptet, er lasse nur seine überzeugenden Argumente für sich sprechen und erspare sich eine wirksame literarische Einkleidung (LV 177 Bornkamm), so charakterisiert diese Aussage weniger Luthers schriftstellerischen Stil – auf den sie in dieser Generalisierung auch gar nicht zutrifft –, sondern sie ist in dem programmatischen Charakter eines großen Teils seiner Flugschriften begründet. Oder wenn man Sachs ein »spruchfähiges Urteil in Glaubenssachen« [57] abspricht und feststellt, daß er

> der geistesgewaltigen Persönlichkeit Luthers verfallen [war], so daß er fortan reden mußte mit seinen Worten, denken mit seinen Gedanken (LV 139 Kawerau, S. 55),

so beweist das nicht Sachsens Naivität, bzw., daß

> einen Mann wie unsern Schuhmacher die Kämpfe auf den Höhen der theologischen Wissenschaft ziemlich unbekümmert

ließen (ebda., S. 51), sondern bezeichnet allein den nicht programmatischen, also propagandistischen Charakter seiner Reformationsschriften.

Untersuchungen über den theologischen Aussagewert werden demnach nur Programmschriften gerecht, Fragen nach historischer Faktentreue haben – wenn überhaupt – nur den »Neuen Zeitungen« gegenüber einen Sinn [58], dem »agitatorischen Genre« (LV 3 Spriewald, S. 9) der Propagandaschriften [59] vermögen sie keine wesentlichen Erkenntnisse abzugewinnen, führen im Gegenteil nur zu den zitierten Negativaussagen und – daraus folgend – zu ungerechtfertigter Abwertung solcher Schriften.

Im Sinne einer anhand der Teichnerreden gewonnenen Erkenntnis Lämmerts (LV 333)

> Art und Grad der Wirksamkeit und literarischer Wert der moraldidaktischen Dichtung unseres Zeitraums sind nahezu miteinander identisch. (S. 300)

muß sich eine angemessene wissenschaftliche Auseinandersetzung mit Propagandaschriften der Reformationszeit an der – in diesem Falle – propagandistischen Wirksamkeit orientieren und wird die Frage nach dem Wert eine Frage nach der Funktionsadäquatheit sein.

Aus einem funktionsorientierten Ansatz ergeben sich auch konsequent die Subkategorien für ein methodologisches Modell: Verfasserintention, propagandistischer Gehalt, Zielgruppe und Wirkung nennt die bekannte Formel Lasswells [60]; Untersuchungen eben dieser Fragenkomplexe unter dem Blickwinkel einer notwendigen Adaption dieser Kategorien an die besonderen Gegebenheiten der historischen Situation sollten aus der methodischen Unsicherheit und den zweifelhaften Wertungen, die für die bisherige Forschung kennzeichnend ist, herausführen [61].

Diese Unsicherheit ist angesichts des Fehlens geeigneter Kriterien auch nur zu verständlich. Wie ist die Popularität der »Wittenbergisch Nachtigall« des Hans Sachs zu erklären, die inhaltlich doch nur die Reprise sattsam bekannter Gravamina mit einer Kurzfassung der Lutherschen Programmschriften verbindet? Was machte den Karsthansdialog umso vieles beliebter als Murners »Großen lutherischen Narren«, der jenem »literarisch« doch so sehr überlegen ist? Wie kann ein Text für einen beliebigen Leser auch nur erträglich sein, der die immer gleichen, schon seit Jahren immer wieder zitierten Bibelstellen zum Beweis der stereotyp wiederholten Behauptung verwendet? Wie ist der unterschiedliche Publikumserfolg von Schriften zu begreifen, die das gleiche Thema mit denselben Argumenten und sprachlichen Klischees behandelten, die aus heutiger Sicht »mit ermüdender Eintönigkeit fast zu Tode gehetzt« (Merker in: LV 73 *Murner*, S. 18) wurden?

Auf diese und ähnliche Fragen sollten propadandatheoretisch [62] begründete Überlegungen Antworten zeitigen.

Läßt sich aber eine an den Massenkommunikationsmitteln des 20. Jahrhunderts entwickelte Theorie für das 16. instrumentalisieren, kann man die doch erst seit Necker gebräuchliche Vorstellung einer »öffentlichen Meinung« als politisch relevanter Macht auf die Reformationszeit übertragen?

1.2 Öffentliche Meinung zur Zeit der Frühreformation

Historiographen der Propaganda zeigen in dieser Hinsicht wenige Bedenken. Sturminger (LV 446), Buchli (LV 397) und Munson (LV 436) belegen die lange Tradition propagandistischer, bzw. werblicher Meinungslenkung, wobei sie die Reformationszeit wie selbstverständlich mit einbeziehen. Auch Reformationshistoriker [63], Publizisten [64] und Soziologen gehen vereinzelt von der Existenz und politischen Tragfähigkeit einer »öffentlichen Meinung« im Deutschland der Frühreformation aus, ohne freilich diese Ansicht sozialgeschichtlich zu verifizieren.

Dagegen erklärt Habermas (LV 411), der dem Komplex Öffentlichkeit in jüngerer Zeit grundlegend nachgegangen ist, bündig:

Eine politisch fungierende Öffentlichkeit entsteht zuerst in England mit der Wende zum 18. Jahrhundert. (S. 69).

Für Deutschland will er eine solche Entwicklung sogar erst dem 19. Jahrhundert zugestehen (S. 45) und urteilt mit Blick auf das 16. über »Neue Zeitungen, Fliegende Blätter, Flugschriften«, die er nicht weiter unterscheidet:

Damit wird die Neuigkeit der historischen Sphäre der ›Nachricht‹ enthoben und, als Zeichen und Wunder, in jene Sphäre der Repräsentation zurückgenommen, in der eine ritualisierte und zeremonialisierte Teilnahme des Volkes an der Öffentlichkeit bloße, zu einer selbständigen Interpretation unfähige Zustimmung gestattet. (S. 27).

So berechtigt Habermas' Insistieren auf dem 18. Jahrhundert als Ausgangsbasis für die Darstellung des »Strukturwandels der Öffentlichkeit« ist, so fragwürdig ist doch – von seinem Optimismus hinsichtlich der Möglichkeit und Fähigkeit zu einer »selbständigen Interpretation« von Nachrichten in der Öffentlichkeit auch zu jener Zeit abgesehen – die generalisierende Bewertung des 16. Jahrhunderts, der die Jahre der Frühreformation offensichtlich entgangen sind.

Habermas hat aber für das bürgerliche Modell einer politisch fungierenden Öffentlichkeit Kriterien entwickelt, an denen sich Struktur und Funktion öffentlicher Meinung zwischen 1517 und 1525 messen lassen:

1. *Voraussetzung* politisch fungierender Öffentlichkeit ist »publikumsbezogene Privatheit« (S. 6). Es muß sich eine »Sphäre der zum Publikum versammelten Privatleute« (S. 38) bilden, die »mit der Erfahrung einer intimisierten Privatsphäre gleichsam im Rücken, ... der etablierten ... Autorität die Stirn [bieten]; in diesem Sinne hat sie von Anbeginn privaten und polemischen Charakter zugleich.« (S. 64).
2. *Medium* der daraus erwachsenden politischen Auseinandersetzungen ist das »öffentliche Räsonnement« (S. 38), das zunächst erprobt wird in einer nur »literarischen Öffentlichkeit« von coffee-houses, Salons, Clubs, etc., die sich durch das Forum der im 18. Jh. entstehenden Massenkommunikationsmittel zur politisch fungierenden Öffentlichkeit ausweitet. (S. 222).
3. *Prinzip* bürgerlicher Öffentlichkeit ist der »allgemeine Zugang« (S. 98), die Erfüllung der »Zulassungskriterien« (ebda.) muß grundsätzlich jedem möglich sein.
4. *Funktion* dieser Öffentlichkeit ist die »Rationalisierung von Herrschaft« (S. 132); gegen die »Arkanpraxis der fürstlichen Autorität«, die der »Aufrechterhaltung der auf voluntas gegründeten Herrschaft« dient, wendet sich das Prinzip der Publizität »zur Durchsetzung einer auf ratio gegründeten Gesetzgebung« (S. 65).
5. *Instrument* zur Durchführung politischer Forderung einer so strukturierten und gezielten Öffentlichkeit ist das Parlament, bzw. »eine Ständeversammlung, die sich zu einer Art Parlament umbilden konnte« (S. 78 f.).

Eben diese Kategorien lassen sich vollinhaltlich und nicht nur analog auf die Periode der Frühreformation übertragen:

1.: Habermas selbst räumt ein (S. 96, Anm.), daß während der Reformation die Religion »Privatsache, die private Ausübung der Religion mithin Funktion und Symbol der neuen Intimsphäre wird ... die sog. Religionsfreiheit [darf] als das historisch früheste Grundrecht gelten.« Von der Basis dieser gesicherten Privatsphäre aus bietet das Publikum dieser Epoche der etablierten geistlich-weltlichen Autorität die Stirn [65].

2.: Auch in diesem Fall ist das Medium der Öffentlichkeit das rational-polemische öffentliche Räsonnement [66] der Bürger, das schon früher geprobt worden war in Organisationen, in denen »zum ersten Male, wohl in innigem Zusammenhang mit der Kirche, dennoch außerhalb ihrer, oft auch gegen sie, eine Pflanz- und Pflegestätte der öffentlichen Meinung herangebildet wurde«: den Zünften (LV 365 Siebenschein, S. 60), wie auch in den »Kultgesellschaften der deutschen Meistersinger« [67], die ja eng mit den Zünften verbunden waren. Das dort geprobte kritische Räsonnement [68] weitet sich entgegen dem Habermasschen Diktum mit und in den Flugschriften der Reformationszeit zu einem öffentlichen aus.

3.: Das Prinzip allgemeinen Zugangs ist zumindest tendenziell gegeben. Luthers Proklamation des allgemeinen Priestertums, sowie vor allem die Propagierung der Intuition des »einfachen Mannes« durch verschiedene Sekten der »Täufer und Schwärmer« dokumentieren diese Tatsache. Die Gruppe der Ausgeschlossenen ist eher noch kleiner als in der Praxis der bürgerlichen Öffentlichkeit seit dem 18. Jahrhundert: im 16. war die Gesamtheit der Christen eingeschlossen.

4.: Die von Habermas zitierte Forderung Lockes nach der Gültigkeit einer lex universalis [69] ist im religiösen Bereich durch Luthers Prinzip »sola scriptura« erfüllt. Das Wort der Bibel, durch Luthers Übersetzung einem breiten Publikum zugänglich, ersetzt das auf Autorität gegründete kanonische Recht der Dekretalen. Die protestantische Polemik gegen »Menschenlehre« und »Menschengesetze« und das Insistieren auf der Rationalisierbarkeit religiöser Vorschriften [70] bezeugen diesen Sachverhalt.

5.: Die Frage nach dem Instrument der öffentlichen Meinung in der Frühreformation ist nicht so unmittelbar zu beantworten angesichts von so verschiedengearteten miteinander rivalisierenden geistlichen und weltlichen Machtträger zu dieser Zeit. Das Reichsregiment war zwar eine Ständeversammlung, zeigte aber keine Ansätze zur Entwicklung in Richtung auf eine paraparlamentarische Institution im Habermasschen Sinne. Für die Reichstage gilt das gleiche, obwohl zumindest eine Flugschrift bekannt ist, die unter Berufung auf das »Evangelium« direkt an den Reichstag in Nürnberg (1523) appelliert [71]. Öffentliche Gesuche an Kaiser Karl V. sind zahlreich [72], aber für diese Schriften ist er der Zielpunkt, nicht das Instrument der öffentlichen Meinungslenkung. Die von Centgraf (LV 179, S. 22) als »Träger dieser auch nach unseren heutigen Begriffen modernen Massenpropaganda« vorgeschlagenen Räte des sächsischen Hofes haben – vor allem Spalatin – sicherlich eine bedeutende Rolle bei der Unterstützung der Sache Luthers gespielt, doch fällt dies unter die Kategorie persönlicher Protektion, die dem Öffentlichkeitsprinzip entgegengesetzt ist. Allein die Räte der Reichsstädte bieten Möglichkeiten öffentlicher Beeinflussung. Wenn die patrizischen Räte auch nahezu monarchische Machtbefugnisse hatten (vgl. LV 251 Jecht), so zeigt sich in der Frühphase der Reformation doch immer wieder, wie sehr die Stadtverwaltungen auf die ›Stimmung‹ der Bürger Rücksicht nehmen mußten. Die wechselvolle Geschichte der Verbreitung und versuchten Durchsetzung des Wormser Edikts bietet ein illustratives Beispiel dafür. Nicht umsonst waren die Reichsstädte der wichtigste Rückhalt für die Reformation: ihre Räte sind als das Instrument der reformatorischen öffentlichen Meinung anzusehen.

Man kann also nicht nur sagen,

> daß der von Habermas analysierte Typus »bürgerlicher Öffentlichkeit« in den ersten Jahren der Reformation *seiner Erscheinungsform* nach antizipiert wurde (Schutte Ms., S. 16);

weit über eine nur phänomenologische Analogie hinaus ist die Frühreformation das erste Beispiel einer politisch fungierenden Öffentlichkeit bürgerlichen Zuschnitts [73].

Konstituens und Forum dieser Öffentlichkeit zugleich sind die Flugschriften. Mit dieser Erkenntnis ist eine propagandatheoretisch fundierte Methode dem Gegenstand dieser Arbeit gegenüber legitimiert.

1.3 Neue Probleme

Das positive Ergebnis unserer Suche nach einer adäquaten Fragestellung konfrontiert uns gleichsam als negative Mitgift mit dem einigermaßen desolaten Zustand auf dem Gebiet der Propagandatheorie und der Erforschung der Massenkommunikation. Zwar ist es richtig, daß diese »zwar einen eigenen Gegenstand, aber keine eigene Methode« [74] besitzt, daß vielmehr die »unterschiedlichsten Fachdisziplinen zur Erforschung aufgerufen« sind, also Geschichte, Philosophie, Sozialwissenschaften, Literaturwissenschaft jeweils einen eigenen Beitrag aufgrund der eigenen sachlichen und methodologischen Voraussetzungen zu leisten haben. Jedoch sollten diese Fachdisziplinen von derjenigen Wissenschaft, der nach der überzeugenden Ansicht des hier zitierten Autors die Aufgabe der »Koordinierung und Synopsis« (ebda.) zufallen, der Publizistik, die Inangriffnahme eben dieser Aufgaben erwarten können, was bisher kaum oder mit unzureichenden Ergebnissen geschehen ist.

Von den in der Lasswellschen Formel zusammengefaßten fünf Hauptaspekten der Massenkommunikation sind die ersten vier von der neueren Zeitungswissenschaft allerdings zu Gegenständen intensiver wissenschaftlicher Beschäftigung gemacht worden. In Typologien des Journalistenberufs, Untersuchungen seiner Stellung im Kommunikationsprozeß (»gatekeeper«) wurde der Frage »who?« nachgegangen (vgl. LV 441 Prakke). Lasswell selbst und seine Schule haben sich mit dem Inhalt von Kommunikation befaßt und der Forschung mit der »content analysis« ein fast naturwissenschaftliches, exaktes Instrument zur Erfassung propagandistischer Gehalte in die Hand gegeben (LV 391 Berelson). Vergleichende Untersuchungen unterschiedlicher Nachrichtenmedien haben Antworten auf die Frage nach dem »channel« erbracht, während die Zielgruppen der Massenkommunikation (»to whom?«) von einer ganzen Reihe von Zeitungswissenschaftlern und Meinungsforschern untersucht wurden (Prakke und LV 437 Noelle-Neumann, etc.). Daß diese Arbeiten sich fast ausschließlich [75] an massenkommunikativen Problemen der Gegenwart orientieren, ist naheliegend und nicht zu kritisieren. Da die dort gewonnenen Einsichten jedoch auf diese Gegenstände fixiert blieben und die Theoriebildung kaum dabei vorangekommen ist, ist eine Übertragung dieser Forschungsergebnisse auf Gegenstände anderer historischer Epochen kaum möglich. Das versteht sich von selbst für Journalistentypologien sowie Medien- und Zielgruppenforschung, aber auch die quantifizierenden Methoden der »content analysis« lassen sich auf die Flugschriftenliteratur nicht anwenden. Das Erfassen offensichtlich propagandistischer Elemente eines Textes, bzw. einer Reihe von Texten über eine bestimmte Periode zur »Messung« propagandistischer Intentionen und Entlarvung propagandistischer Themenwahl würde ein dem 16. Jahrhundert angepaßtes Verständnis sprachlicher Symbole voraussetzen, eine Untersuchung der pragmatischen Normierung der Flugschriftensprache müßte dem erst vorausgehen.

Die für eine historisch nicht gebundene Theorie der Massenkommunikation entscheidende Frage nach der Wirkung und den Wirkungsmechanismen – die letzte der Lasswellschen Fragen (»with what effect?«) – ist von der Publizistik noch kaum in Angriff genommen worden. Sie bleibt entweder beim Postulat nach der notwendigen Lösung dieser Fragen stehen (LV 441 Prakke, S. 131) oder bietet einen Katalog verschiedener Aussageformen und ihrer nach allgemeinem Verständnis zu erwartenden Wirkungen an (LV 412 Hagemann), die sich noch dazu an ästhetischen Kategorien orientieren. Allein mit der Rückkoppelungstheorie in Bezug auf Kommunikationsvorgänge:

> die Aussage des Kommunikators ist das Produkt aus Intention und Erwartung. (LV 411 Prakke, S. 111)

wurde in der Publizistik der Schritt zu einer allgemeinen Theorie vollzogen. Freilich handelt es sich hierbei auch um die Rezeption der Reziprozitätskategorie, die

> alle wesentlichen Beiträge zur Biologie und Soziologie handelnder Wesen

kennzeichnet [76].

Für die Untersuchung unseres Gegenstandes ist diese Kategorie allein natürlich weder ausreichend noch gibt sie Ansatzpunkte für eine neue Methode.

Die von der Sozialpsychologie und der empirischen Sozialforschung entwickelten Methoden, also Tiefeninterview, Meinungsumfragen, überhaupt jedes experimentelle Vorgehen, kommen angesichts eines historischen Gegenstandes natürlich nicht infrage. Eher sind schon Modelle von Kommunikationsvorgängen und aus bestimmten Experimenten gewonnene Modellvorstellungen etwa über Überredungsmechanismen, die Wirkung bestimmter Techniken analog auf entsprechende Vorgänge innerhalb des konkreten Sachverhaltes, den die Flugschriften bieten, anwendbar, was wir an entsprechender Stelle zeigen werden. In vielen Fällen ist jedoch die rudimentäre Theorie der Kommunikationsforschung nicht von den aktuellen Phänomenen zu lösen, an denen sie entwickelt wurde, wie denn überhaupt das

> Problembewußtsein der Wirkungsforschung innerhalb der Kommunikationswissenschaften weiter entwickelt ist als die Methoden [77].

Allein auf dem speziellen Gebiet der Markenartikelwerbung sind aus naheliegenden

Gründen bereits seit längerer Zeit grundlegende Theorien über Möglichkeiten und bestimmende Faktoren kommunikativer Verhaltenslenkung entwickelt worden:

Der Markt ist in Bezug auf die Meinungsverteilung zweifellos das am besten erforschte Sozialgebilde, auf dem die meisten Erfahrungen zur Verfügung stehen. (LV 444 Spiegel, S. 12).

Die Theorien des marketing und die praktische Rezeptur der Wirtschaftswerbung mit den Flugschriften der Reformationszeit in Verbindung zu bringen, mag zunächst ein Unterfangen nicht ohne den Anschein von Absurdität sein. Wenn wir uns trotzdem und ungeachtet des Protests verschiedener Propagandahistoriker [78] für diesen Weg entscheiden, dann nicht nur, weil vonseiten der Markt- und Motivforschung die Vergleichbarkeit, ja Identität von Werbung und Propaganda als selbstverständlich vorausgesetzt wird [79], sondern vor allem, weil auch bei denen, die für eine Trennung dieser Begriffe eintreten, die Unterscheidungskriterien nicht überzeugen können und fast immer journalistischer oder politologischer Abneigung gegen die Identifizierung mit den »geheimen Verführern« der Werbung entspringen, obwohl diese im Grunde ihre Methoden viel offener diskutiert.

Es ist hier auch der gegebene Ort, auf die viel vehementer verteidigte Unterscheidung von Erziehung und Propaganda einzugehen, die für uns angesichts des geschätzten Didaktikers, aber unterschätzten Propagandisten Hans Sachs von Bedeutung sein wird:

... education aims at independence of judgement. Propaganda offers ready-made opinions for the unthinking herd. Education and propaganda are directly opposed in aim and methode ... [80]

So einfach ist das.

Hofstätter unterscheidet weniger nach ›Zielen und Methoden‹, sondern nach dem Zustand des Objektes didaktischer, bzw. propagandistischer Bemühungen:

Eine Betrachtungsweise kann entweder Menschen vermittelt werden, deren Anschauungen hinsichtlich dieses Punktes noch nicht in bestimmter Weise geformt wurden; sie kann aber auch Menschen vermittelt werden, deren Anschauungen bereits in anderer Weise geformt wurden. Im ersten Fall sprechen wir von Erziehung, im zweiten von Popaganda ... Erziehung gibt eine normative Struktur, Propaganda versucht eine schon bestehende normative Struktur durch eine andere zu ersetzen [81].

Danach wäre die Werbekampagne für einen völlig neuartigen Artikel eine erzieherische Maßnahme und das Abgewöhnen kindlicher ›Unarten‹ wäre als Propaganda zu werten [82]. Doob (LV 404) hat in der Kritik der Martinschen Definition die Triebfeder all dieser Unterscheidungsbemühungen benannt:

Martin's the credo of a thinker in a democracy who wishes to praise education and decry propaganda (S. 242).

Erziehung und Propaganda unterscheiden sich nicht in der Sache, sondern allein durch die hinter dem Wortgebrauch stehende Wertung. Propaganda ist außerhalb kommunistischer Staaten [83] ein mit negativen Vorstellungen behafteter Begriff, was vor allem an den Bemühungen von Propagandainstitutionen und -kampagnen ablesbar ist, den diskriminierenden Begriff zu vermeiden: »Public Relations«,

»Volksaufklärung«, »politische Meinungsbildung«, »Informationsamt«, »Reedukation« und ähnliche Euphemismen sind gang und gäbe. Propaganda ist jeweils nur das, was der Gegner tut.

Auch eine Unterscheidung nach Gegenstandsbereichen – politische und soziale Fragen gegenüber ethisch-moralischen – führt zu keinen objektivierbaren Trennungskriterien. Der Hinweis auf die verbreitete Methode, Fragen politischer Gegnerschaft durch moralische Kategorien auszudrücken, mag als Beweis genügen, zumal für die Reformationszeit, wo der Gegner jeweils der Sündige und »Gottlose« war.

Wir werden daher der Markt- und Motivforschung folgend von einer übergreifenden Kategorie der »Sozialstrategie« (LV 395 Berth), bzw. »Sozialformung« (LV 401 Dichter, S. 46) ausgehen und das vor allem von Berth und Spiegel (LV 444) entwickelte sozialstrategische Gesamtmodell [84] zur Basis der weiteren Untersuchung machen.

Daß dieses Modell in seinem grundlegenden Konzept nicht historisch fixiert ist, macht es auch auf unseren Gegenstand anwendbar; daß Terminologie und Paradigmen sich an dem wirtschaftswissenschaftlichen Fachinteresse der genannten Autoren orientieren, sollte nicht zu sehr verwirren, zumal nicht jedem Literaturwissenschaftler gelegentliche Ausflüge in das terminologische Reservat der Marktwissenschaft fremd sind [85].

1.4 Die Marktfeldtheorie

Grundlage dieser Theorie ist die Aufgabe kausalistischer Vorstellungen über den Wirkungsprozeß von Kommunikationsvorgängen innerhalb eines Sozialgebildes zugunsten einer funktionalen Feldtheorie, wie sie u. a. von Kurt Lewin entwickelt wurde [86].

Es ist die besondere Leistung Berths und Spiegels, ein System der

> komplexen Interdependenzen im Feld der Kommunikation [das] die Möglichkeiten konkreter Aussagen oder Vorhersagen über Wirkungen von Kommunikation (LV 435 Maletzke, S. 226).

erschwert, vereinfacht zu haben zu einem Operationsmodell.

1.4.1 Das Feldmodell

Die Entwicklung dieses Modells macht im wesentlichen den Inhalt der beiden umfangreichen Monographien von Berth und Spiegel aus. Wir müssen deshalb darauf verzichten, hier eine ausführliche Paraphrase zu liefern und beschränken uns auf die Darstellung der wichtigsten Aspekte [87]:

Ein Meinungsfeld konstituiert sich durch das Auftreten eines Meinungsgegenstandes (Markenartikel, Weltanschauung, aber auch eine Persönlichkeit oder eine Partei) in einem sozialen Feld. Es schließt sämtliche Personen und Personengruppen des Sozialgebildes (Staat, Religionsgemeinschaft, Verbrauchergruppe) ein, für die der betreffende Meinungsgegenstand aktuell werden kann (Spiegel, S. 19).

Die Struktur des Meinungsfeldes stellt sich unter dem Einfluß eines komplizierten Systems von Interdependenzen her, wobei die »Stellung« [88] jedes einzelnen Meinungssubjektes (Anhänger, Gegner, Indifferente) sowohl von dem Verhältnis zu den übrigen Subjekten des Feldes als auch von der Position gegenüber den mannigfachen, jeweils unterschiedlich gewichtigen Merkmalen des Meinungsgegenstandes abhängig ist.

Während der Reformation bestimmt sich also die Stellung etwa eines Humanisten im Meinungsfeld des Luthertums wesentlich unterschiedlich, je nachdem, ob Luthers Haltung gegenüber der Kirchenautorität oder aber seine Ansichten zum »freien Willen«, etc. im Blickpunkt stehen. Darüber hinaus relativiert sie sich je nach dem Vergleich mit anderen Anhängern des Protestantismus – gegenüber einem Zunftbürger, einem Reichsritter oder etwa einem Bauern.

Jede einzelne dieser Interdependenzen ließe sich zwar nach der Methode Osgoods (Berth, S. 180 ff.) als fester Wert auf einer Skala zwischen den Polen der beiden jeweils möglichen Beurteilungsextreme definieren und auch darstellen. Auch das gesamte Bündel von Beziehungen zwischen *einem* Meinungssubjekt und dem Meinungsgegenstand ließe sich als Summe einer Vielzahl von Osgood-Skalen zusammen und als »Polaritätsprofil« (Hofstätter) oder »Meinungsprofil« (Berth, S. 181) realisieren. Das feinmaschige Netz der Strukturen im Meinungsfeld und die unendliche Zahl von Variablen ließen sich aber nur in der n-Dimensionalität abbilden.

Berths und Spiegels Leistung ist die Reduktion dieser Vieldimensionalität auf eine zweidimensionale Funktion, die durch ein Abhängigkeitsverhältnis von nur zwei Polpaaren innerhalb eines einfachen Koordinatensystems abbildbar wird. Voraussetzung eines hinreichenden Realitätsgrades des Modells ist freilich die Auswahl charakteristischer, möglichst der dominanten Merkmalspaare für die Bestimmung des Meinungsgegenstandes, d. h. seine Position auf einem bestimmten Wert zwischen zwei Beurteilungsextremen muß ein wesentliches Charakterisierungsmerkmal sein.

In der richtigen Auswahl solcher Merkmalspaare entscheidet sich die Instrumentalisierbarkeit des Modells. Sie ist möglich durch die Erstellung von Poralitätsprofilen, wie sie in der Markt- und Meinungsforschung schon lange üblich sind und neuerdings auch in der literaturwissenschaftlichen Wirkungsforschung verwendet werden (LV 367 Sommer/Löffler). Dieses verhältnismäßig komplizierte Verfahren von Umfrage und Auswertung ist für uns weder möglich noch notwendig, weil sich die charakteristischsten Merkmalspaare für die Beurteilung der Reformation durch das zeitgenössische Publikum an den Schlagworten der Flugschriftenliteratur ablesen läßt.

Die Positionen von Papstkirche, lutherischer Gemeinde und ihrer jeweiligen Anhänger während der Reformationszeit lassen sich so beispielsweise zwischen den Merkmalsgegensätzen »nationalistisch – universal« und »antipfäffisch – klerikal« festlegen. Eine ganze Reihe anderer Polpaare wäre denkbar, wie »revolutionär – konservativ«, »demokratisch – autoritär« [89], so daß die Konstruktion mehrerer

Modelle möglich wäre. Es besteht jedoch keine Notwendigkeit dafür, weil es ja hier nicht darum geht, im nachhinein eine reformatorische Sozialstrategie zu entwerfen, sondern einzig darum, die damals in den Propagandaschriften verwendeten Techniken der Überredung anhand des Modells in ihrer Wirkungsweise zu begreifen.

Die Struktur und die Veränderungen des Meinungsfeldes im Reich vor und während der Reformation lassen sich im religiös-politischen Bereich durch die Kategorien des Modells unschwer beschreiben.

Die katholische Kirche hatte über Jahrhunderte die Stellung eines unangefochtenen Monopolisten inne, die in der Bevölkerung psychisch durch Harmonisierung (LV 444 Spiegel, S. 70ff.), vor allem aber durch das Instrumentarium staatlicher und kirchlicher Machtmittel physisch gesichert war.

Ein kaum zu überschätzender Bedürfnisdruck, der seinen Ausdruck in einer Klimax allgemeiner Religiosität fand [90], untermauerte diese Position und trug mit bei zur Konstituierung eines Feldes, das nur aus Anhängern bestand, da für die Eliminierung von Gegnern die Mittel der Kirchenstrafen und Ketzerprozesse mehr als ausreichend waren.

Die graphische Darstellung des Modells (Abb. 1) verdeutlicht diesen Zustand:

Abb. 1

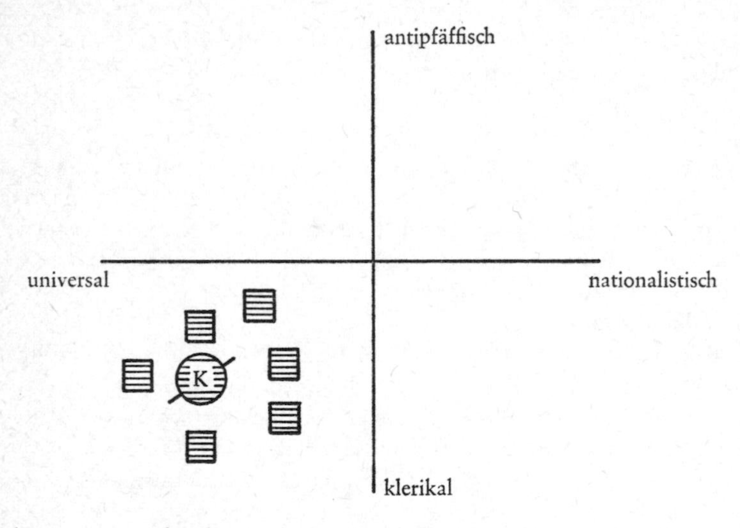

Die Zeichnung verwendet die Berthschen Symbole (S. 188f.): das Koordinatenkreuz bestimmt die Position von Meinungsgegenständen und -subjekten zwischen den Polen der Merkmalspaare. Die Stellung des Meinungsgegenstandes (hier: die katholische Kirche = K) bestimmt sich aus dem Urteilsdurchschnitt der Subjekte, (die in diesem Falle K für ziemlich klerikal und universal halten). Der Ort der Meinungssubjekte (□), in einer hier ganz willkürlich gewählten Anzahl, dokumentiert deren Wunschvorstellung. Die gleiche Schraffur bezeichnet das Anhängerschaftsverhältnis.

Die katholische Kirche hat innerhalb des Feldes nur Anhänger. Ihre Monopolstellung ist gesichert, weil der Abstand von Meinungsgegenstand und -subjekten nur sehr gering ist. Anders ausgedrückt: die allgemein verbreitete Vorstellung von der Kirche entsprach dem Wunschbild der Bevölkerung.

Gesellschaftliche Veränderungen im Reich – die teilweise Desintegration der ständischen Ordnung und die Entwicklung zum Frühkapitalismus und die damit verbundene Identitätskrise im Bürgertum [91] – und Depravationserscheinungen der Kirche und ihrer Institutionen verändern im Laufe des 15. Jahrhunderts dieses Bild. Zwar bleibt innerhalb des Reiches die monopolistische Position der Kirche unangefochten, doch vergrößern sich – in den Begriffen des Modells ausgedrückt – die ›Entfernungen‹ zwischen dem Meinungsträger, bzw. -gegenstand und einem Teil seiner Anhängerschaft:

Abb. 2

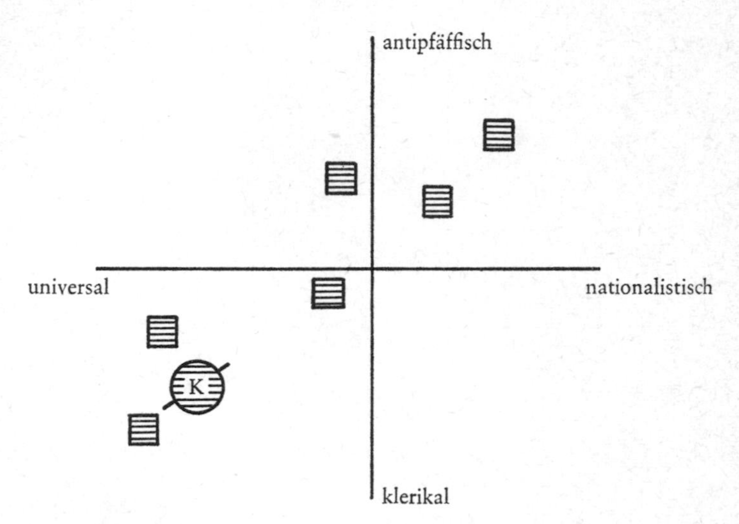

Das Modell zeigt, daß Bedürfnisdruck und das Fehlen einer Alternative ein Fortbestehen der Anhängerschaft erzwingen, die vergrößerte Entfernung dokumentiert jedoch die gewachsene Diskrepanz zwischen dem Zustand der Kirche (in den Augen der Gemeinde) und den Wünschen ihrer Mitglieder. Die schon zu dieser Zeit laut werdende Unzufriedenheit kann sich aber nur in systemimmanenter Kritik äußern, da der im Reich noch völlig intakte und teilweise terroristisch zupackende Machtapparat der Kirche ein Ausbrechen nicht zuläßt [92]. Anders ist es an der Peripherie der kirchlichen Macht, was der Erfolg der Hussitenbewegung beweist.

Die Schwächung der kirchlichen Machtmittel durch den Verfall der kaiserlichen Zentralgewalt und den noch keinesfalls zu einem Schließen des Machtvakuums fähigen Partikularmächten zu Beginn des 16. Jahrhunderts schafft auch im Reich selbst eine Situation, die ein Manifestwerden des bisher nur latenten Meinungsgegensatzes ermöglicht, da ein Ausschalten von konkurrierenden Ideologien nicht mehr mit der Reibungslosigkeit einer intakten Staatsmaschinerie zu bewerkstelligen ist.

Luther befindet sich bei seinem Auftreten in der Situation eines Marktneulings, der in eine »latente Marktnische« (LV 444 Spiegel, S. 102 ff.) einbricht, bzw. gar einen nicht mehr gesicherten Monopolisten in eine Abseitsposition bringt [93], da er dank größerer Übereinstimmung mit den Wünschen der bisher unzufriedenen Teile der Bevölkerung deren zielloser Kritik eine Richtung gibt. Die in Abb. 2 skizzierte Situation ließ eben dieses Ereignis erwarten, da die Struktur des Feldes erkennen ließ, daß ein der Kirche in den beiden hier gewählten Merkmalsaspekten entgegengesetzter Meinungsträger spontan all diejenigen Meinungssubjekte an sich ziehen würde, die ihm näherständen als dem bisherigen Meinungsgegenstand. Damit ergibt sich mit dem Jahre 1517 folgende Situation:

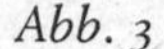
Abb. 3

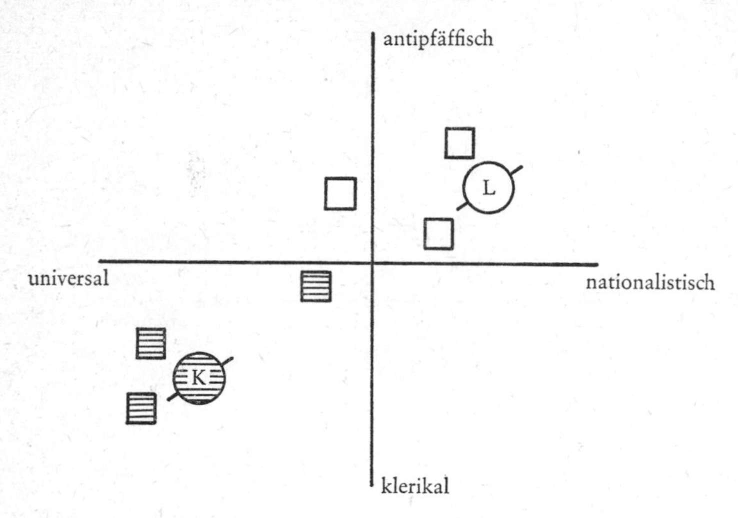

Mit dieser Darstellung haben wir selbstverständlich keine grundlegend neuen Erkenntnisse für das Verständnis der Ereignisse bei Beginn der Reformation gewonnen. Er hat sich jedoch die Übertragung der marktwissenschaftlichen Meinungsfeldvorstellungen auf diesen Bereich als vielversprechend erwiesen. Wir wollen daher die Darstellung des Modells vervollständigen und seine verschiedenen Elemente auf die besonderen Verhältnisse unseres Gegenstandes übertragen.

1.4.2 *Das Imagekonzept*

Am Beginn dieses Verfahrens muß dabei ein Satz stehen, der zu den Gemeinplätzen der Marktpsychologie gehört, bei seiner Anwendung auf die Reformationsschriften aber mit den hier üblichen Betrachtungsweisen kollidieren muß:

Nicht die objektive Beschaffenheit einer Ware ist die Realität in der Marktpsychologie, sondern einzig die Verbrauchervorstellung.

Denn:

das Individuum richtet seine Entscheidungen gegenüber einem Meinungsgegenstand nicht danach wie dieser *ist*, sondern danach, wie es glaubt, daß er wäre (LV 444 Spiegel, S. 29).

Das bedeutet, auf unseren Gegenstand übertragen, daß es wenig sinnvoll ist, Behauptungen, Vorwürfe, Invektiven der Flugschriften an einer wie immer gearteten objektiven historischen Realität zu messen – und sie danach natürlich als unwahrhaft zu verwerfen [94] –, da für das Verhältnis von Papstkirche, Luther und ihren jeweiligen Anhängern nicht das jeweilige So-Sein ausschlaggebend war, sondern das wechselseitige Vorstellungsbild, *das Image*.

Das Imagekonzept löscht allerdings die jahrhundertelangen Streitigkeiten [95] protestantischer und katholischer Autoren um Wahrheit oder Lüge der Behauptungen und Anwürfe aus dem jeweils gegnerischen Lager mit einem Strich aus. Nicht das Verhältnis von Propaganda und Realität ist zu untersuchen, sondern es ist zu fragen, was von dieser Propaganda zu ihrer Zeit geglaubt wurde und von wem:

Die Realität im sozialen Feld ist allein das Phänomenale, das unmittelbar Angetroffene; nicht aber, jedenfalls nicht allein, die nackte, objektive Beschaffenheit, die uns im Leben wohl kaum einmal völlig gesondert begegnet (Spiegel, S. 30).

Mit der Akzeptierung dieser Prämisse begeben wir uns aber vor allem der Gefahr, in die so verbreiteten, immer mit dem Anspruch der Objektivität auftretenden, tatsächlich aber parteilichen Wertungskategorien wie »Wahrheit – Manipulation – Lüge« zu verfallen, die in der entsprechenden Literatur um so mehr diskreditiert sind, als die gleichen Verfahrensweisen, die man bei politischen oder ideologischen Gegnern verurteilt, für die eigene Seite sogar noch empfohlen werden:

Imperialistische Ideologen wenden solche Methoden an, um die tatsächlichen gesellschaftlichen Verhältnisse zu verschleiern, sie benutzen die »Macht des Wortes«, um den gesellschaftlichen Fortschritt zu behindern. Eine marxistische Pragmatik hingegen könnte die Einsicht in die tatsächlichen gesellschaftlichen Verhältnisse fördern und die Erkenntnis der objektiven gesellschaftlichen Faktoren beschleunigen helfen (LV 417 Klaus, S. 31).

Gegensätzliche Begriffsbildungen in der bürgerlichen Literatur wie etwa »Verführung« und »Anleitung«, »Manipulation« und »Aufbereitung« und vor allem »Propaganda« und »Erziehung« liegen auf der gleichen Ebene.

Wahrheit ist eine semantische Kategorie; bei der Propaganda und jeder anderen Form von Sozialstrategie handelt es sich jedoch um pragmatische Relationen. Nicht »Wahrheit« ist hier ausschlaggebend, sondern »Evidenz« (vgl. LV 417 Klaus, S. 139) [96], womit auch aus dem linguistischen Begriffsapparat die Notwendigkeit des Imagekonzepts bestätigt wird.

Einzig sinnvolle Wertungskategorie ist die der Adäquatheit [97]. Dem bei dieser Argumentationsweise naheliegenden Vorwurf des »Technokratentums« können wir umso gelassener entgegensehen, als selbst ein ausgewiesener, wenn auch nicht unumstrittener Marxist wie Georg Klaus die Notwendigkeit dieser Betrachtungsebene ausdrücklich betont [98]. Der ausgesprochene Instrumentalcharakter sozialstrategischer Methoden bedingt die Möglichkeit positiver wie negativer Verwendbarkeit. Das ist schon seit Augustinus bekannt [99]; hier ansetzende Wertungen haben nur den Charakter von Glaubensbekenntnissen [100].

Wir werden uns auf die pragmatischen Kategorien beschränken und auf eine scheinbare Verwissenschaftlichung subjektiver Aspekte verzichten, die, dem Gegenstand aufgesetzt, ihn nur zum Vorwand nehmen.

Welche Bedeutung das Imagekonzept für eine adäquate Bewertung propagandistischer Mittel und Methoden besitzt, ist den bisherigen Reformationsspezialisten entgangen. Nur eine Bemerkung von Lortz (LV 259) zielt in diese Richtung, ohne daß der Verfasser freilich diesem Aspekt weiter nachgegangen wäre:

... jene übertreibende Meinung war in Deutschland die tatsächlich herrschende ... Und dies ist für die geschichtliche Wirkung das Ausschlaggebende (Bd. I, S. 79).

Die wissenschaftliche Fundierung des Imagebegriffes hat von Untersuchungen Lippmanns über Stereotypien [101] und Hofstätters über »rufartige Gebilde« (LV 415) ihren Ausgang genommen. In Deutschland sind sie vor allem von Kleining weitergetrieben worden.

Mit Hinweis auf die einschlägige Literatur [102] stellen wir hier nur die wichtigsten Kategorien zusammen.

Das Image eines Meinungsgegenstandes ist
- das Ergebnis aller Einflüsse, die vom Gegenstand selbst, von der Propaganda für und gegen ihn, von Urteilen anderer Personen, etc. ausgehen,
- ein komplexes psychisches Gebilde, das sich auf der Bewußtseinsebene zu bloßer Sympathie, bzw. Antipathie verdichtet,
- ein »integrierter Komplex« (LV 444 Spiegel, S. 36f.), in dem Einzelaspekte nicht ohne Einfluß auf das Ganze geändert werden können.

Ein Image besteht aus »wirkenden psychischen Energien« (LV 419 Kleining, S. 201), die ihm eine »Brückenfunktion« für jede Handlung des Menschen zuweisen:

... ohne Vorstellung (Image) von einer für das Subjekt positiven Veränderung des Objekts durch die Handlung, kommt es zu keiner Handlung (LV 395 Berth, S. 27).

Charakteristisch für das Image ist eine Tendenz zur Typisierung und »Überprägnanz« [103], die umso deutlicher hervortritt, je größer die Plastizität ist, d. h. je beschränkter der Zugang zur objektiven Beschaffenheit des Meinungsgegenstandes ist.

Mit der Einführung eines Meinungsgegenstandes in ein soziales Feld entsteht sein Image, d. h. beim ersten Kontakt des Meinungsträgers mit auch nur einem Angehörigen des betreffenden Feldes, sei es auch nur ein mittelbarer Kontakt durch Hörensagen, bildet sich ein Image – ein »Spontanimage« [104]. Das ist für die Konstruktion des Modells bedeutsam; denn die Position eines Meinungsgegenstandes im Koordinatensystem der jeweiligen Merkmalspaare wird durch den Beurteilungsdurchschnitt – das »Durchschnittsimage« (LV 395 Berth, S. 196) – der Anhänger bestimmt [105]. Daraus ergibt sich, daß bei seiner ersten Einführung

Der Ort ... eines Meinungsgegenstandes im sozialen Feld ... durch den Ort seiner spontanen Anhänger (LV 444 Spiegel, S. 29).

definiert ist [106].

Dieser theoretische Schluß wird durch die Praxis bestätigt [107] und ist geeignet, auch für das hier untersuchte Meinungsfeld wichtige Aufschlüsse zu geben:

»Objektiv« war der Vorwurf katholischer Propagandisten, Luther plane einen Aufstand, wie er in den »Buntschuh«-Behauptung der kontroverstheologischen

Flugschriften immer wieder zu finden ist, ganz sicher unbegründet. Die Tatsache seiner großen spontanen Anhängerschaft unter den Bauern und dem städtischen Proletariat in der Frühphase der Reformation bestimmte zweifellos das lutherische Spontanimage in der Weise, die ihn unter diesen Anhängern wie auch bei seinen Gegnern zum prospektiven geistigen Führer des befürchteten Bauernaufstandes stempeln mußte. Aus dieser Sicht sind die katholischen Beschuldigungen und Warnungen keine billige Polemik, sondern entsprechen der psychologischen Realität.

Die Weiterentwicklung des Spontanimages zu einem »vervollkommneten«, bzw. »angereicherten Image« (LV 444 Spiegel, S. 36) wird uns unter dem Gesichtspunkt sozialstrategischer Möglichkeiten beschäftigen. Hier ging es nur um die Grundsätze des Imagekonzepts:

Seine Funktion als »Brücke« des Handelns macht es zum

> wesentlichen Beeinflussungsgegenstand desjenigen ..., der durch Werbung und Propaganda auf die wirtschaftlichen und politischen Aktionen der Individuen Einfluß nehmen möchte (LV 395 Berth, S. 29).

Werbung und Propaganda (und Didaxe) haben in der Regel keinen Einfluß auf die objektive Beschaffenheit eines Meinungsgegenstandes,

> vielmehr wird durch werbliche Impulse um das materiell oftmals unveränderte Objekt eine *Aura* konstruiert, die das Image positiv beeinflußt (ebda.).

An den Gegebenheiten des Image orientiert sich der spezifische Charakter sozialstrategischer Aktivitäten. *Propaganda ist Imagebeeinflussung!* [108]

1.5 Image und Propaganda

Die hier nach Berth formulierte Definition umfaßt ausschließlich, aber vollständig die pragmatischen Kategorien von Propaganda [109]. Die Objektqualitäten des Images bestimmen die verschiedenen Möglichkeiten von Propaganda. Es sind aus dem Modell drei Möglichkeiten der Einflußnahme auf ein Image gegeben:

> Neuschaffung, Verstärkung und Verschiebung (LV 359 Berth, S. 314).

Im Hinblick auf die hier zu behandelnden Propagandaschriften sind nur die zweite und dritte von Bedeutung [110].

1.5.1 Imageverstärkung

Ein Image wird verstärkt

- durch Anreicherung eines Spontanimages mit weiteren Zügen der bestehenden Grundtendenz sowie
- durch stärkere Verbreitung der bestimmenden Merkmale.

Beide Operationen bewirken eine intensivere und weitere Bekanntheit des Meinungsträgers, d. h. seines Images, unter den Angehörigen eines Meinungsfeldes, eine erhöhte »Feldtransparenz« (LV 444 Spiegel, S. 56 Anm. 1) und fördern den

Vorgang der auch ohnedies spontan wirksamen Harmonisierung [111]. Die Folge davon sind Strukturveränderungen im Feld, die sowohl unter den spontanen Anhängern des Meinungsträgers als auch unter den übrigen Angehörigen des Feldes wirksam werden:

Nur diejenigen Individuen des Feldes, deren Wunschvorstellungen durch einen bestimmten Meinungsgegenstand weitestgehend befriedigt werden, gewinnen unmittelbar ein »Matrizenverhältnis« [112] zu ihm. Ein weit größerer Kreis wird bei einer nur teilweise befriedigten Bedürfnismatrix zwar auch zu Anhängern werden (weil der Konkurrent ihren Vorstellungen noch weniger entgegenkommt), jedoch nicht so eng an ihn gebunden sein. Solche Differenzierung innerhalb der Anhängerschaft eines Meinungsgegenstandes macht ja auch die Einführung eines »Durchschnittsimages« notwendig.

Durch Harmonisierung und Erhöhung der Feldtransparenz verringert sich diese Streuung, die Anhänger rücken – gemäß der Modellvorstellung formuliert – näher an den favorisierten Meinungsträger heran, das Durchschnittsimage wird konzentriert, d. h. imageverstärkende Propaganda hat einen integrierenden Effekt auf die Anhängergruppe.

Die Bedeutung dieses Effekts im Bereich politischer Propaganda sollte nicht unterschätzt werden, denn hier liegen ihre wichtigsten, wenn nicht die einzigen Erfolgschancen: Ein »Näherrücken« an den Meinungsträger bedeutet, daß das Anhängerschaftsverhältnis von Randgruppen aus dem Stadium bloßer Geneigtheit herausgelangt und in Richtung auf eine völlige Identifikation aktiviert wird. Aus Sympathisanten können so Verschworene werden [113]. Darüber hinaus wird durch die Verstärkung (= Verdeutlichung, bzw. Explikation) der Aufforderungscharakter des Meinungsträgers erhöht, seine Wirkung breitet sich über vorher neutrale Zonen des Feldes aus und neue Anhängergruppen werden gewonnen.

Damit ist aber quasi nur eine Hälfte des Vorganges beschrieben. Bei dem Auftreten jedes beliebigen Meinungsgegenstandes bildet sich außer dem Kreis der spontanen Anhänger zugleich und zwangsläufig ein Gegenpol, bestehend aus denjenigen Individuen, deren Wunschvorstellungen dieser Gegenstand diametral entgegengesetzt ist (Spiegel, S. 56 f. und 60 ff.).

In dem uns interessierenden Feld ergeben sich diese beiden Pole von vornherein durch sein antinomisches Verhältnis zur alten Kirche. Durch den Einsatz imageverstärkender Propaganda wird natürlich auch dieser Prozeß gefördert. Jede Propaganda wirkt – auf den Kreis der natürlichen Gegner bezogen – als ihre eigene Gegenpropaganda [114]. Imageverstärkung führt zur Polarisation des Feldes.

Die beiden aus dem Modell entwickelten Wirkungen – Integration und Polarisation – werden von der sozialwissenschaftlichen Theorie bestätigt und durch empirische Untersuchungen nachgewiesen. Meinungsumfragen, die in den USA von Allport, Cantrils und Katz [115] durchgeführt wurden, haben gezeigt, daß bei Themen (Meinungsgegenständen) mit niederem »Aktualitätsgrad« [116] von allen Versuchspersonen ein intermediärer Standpunkt vertreten wurde, wobei diese gemäßigte Haltung aber mit weit geringerem Nachdruck vertreten wurde als die extremen Standpunkte von deren Anhängern.

Bei wachsendem Aktualitätsgrad – zum Beispiel durch Propaganda – zeigte sich dann eine Tendenz zur Bevorzugung von Extrempositionen, wobei im Fortgang dieser Entwicklung ... eine Gruppe in »zwei Lager« zerfallen (LV 413 Hofstätter, S. 118) konnte.

Diese Beobachtungen beweisen zum einen eine »Korrelation zwischen Intensität und Extremität« und zum anderen eine »Tendenz zur Maximalisierung der Überzeugungsstärke« beim Anstieg des Aktualitätsgrades einer Frage (Hofstätter, S. 117):

Unsere Betrachtung des Spiels der Meinungslenkung wäre unvollständig, trüge sie nicht dem äußerst merkwürdigen Phänomen Rechnung, daß zwischen dem Standpunkt, den jemand bezüglich einer Frage bezieht, und der Intensität, mit der er ihn vertritt, eine sehr deutliche Beziehung herrscht. Wo wir unserer Sache nicht ganz sicher sind und sich uns keinerlei Patentlösungen anbieten, pflegt sich eine Tendenz zur Vermeidung extremer Urteile einzustellen ... Eine solche von der Vorsicht bestimmte Verhaltensweise ist aber für den sie Praktizierenden recht unbefriedigend, denn sie kommt im Extrem dem Eingeständnis, nicht unterscheiden zu können, gleich. Ein solcher »neutraler« Standpunkt pflegt darum auch nur mit einem geringeren Überzeugungsgrad gekoppelt zu sein; er bleibt blaß und ich-fremd. Wir haben schon oben ausgeführt, daß es einen »horror vacui« gibt, der zur Übernahme genormter Formeln bereit macht. Wo solche Formeln aber zur Hand sind, begünstigen sie meist einen vom Neutralitätswert abweichenden Standpunkt.

und S. 121:

Dabei darf allerdings nicht übersehen werden, daß die Entscheidung zugunsten einer extremen Meinung ... meist zugleich die Entscheidung für eine bestimmte Gruppe oder Partei bedeutet, die eben diese Meinung vertritt. Damit aber pflegt das Individuum auch in die Einflußsphäre eines Systems von Normen zu gelangen, das durch seine Realfaktoren – z. B. die Propaganda – eben diese Meinung von ihm verlangt.

Den Mechanismus der Polarisation und die Funktion der Propaganda in diesem Prozeß formuliert Hofstätter anhand der hier zitierten Prämissen:

1.: Im relativ unbeeinflußten Zustande folgt das Individuum mangels zuverlässiger Entscheidungshilfen der Tendenz zum Mittelwert. Auf diese Weise entsteht näherungsweise eine Normalverteilung der Meinungen ...
2.: Die Tendenz zur Maximalisierung der Überzeugungsstärke macht das Individuum unter Einwirkung von Propaganda zu einer Meinungsänderung in Richtung auf eine der Extremgruppen hin geneigt. Die Mittelgruppe nimmt damit an Stärke ab, ...
3.: Mit dem Zerfall der Gruppe in zwei Lager nimmt der Spannungszustand zu, wodurch eine weitere Erhöhung der Überzeugungsstärke erforderlich wird; das bedeutet aber eine noch stärkere Polarisierung der Gruppe (S. 128).

Wir haben Hofstätters Ausführungen hier so ausführlich zitiert, weil sie das scheinbar »mechanische« Modell aus der Sicht der Sozialpsychologie bestätigen, aber auch deswegen, weil aus ihnen – wiederum in Übereinstimmung mit dem Modell – die Zielgruppe und die Wirkungsmöglichkeiten imageverstärkender Propaganda deutlich wird: Für die Gewinnung neuer Anhänger kommt nur die neutrale Gruppe der Indifferenten (Spiegel, S. 94), der »Lauen und Unentschlossenen« (Hofstätter, S. 127) infrage. Die Konversion erklärter Gegner ist durch diese Form der Propaganda ebenso ausgeschlossen, wie auch nur die Gewinnung von Anhängern aus dem Potential derjenigen, die zwar noch unentschlossen, von ihrer Motivationsstruktur jedoch für eine Annäherung an den Konkurrenten prädisponiert sind.

Die Überzeugungsstärke dieser Gruppen müßte zunächst ja erst abgebaut werden bis zu einem Grad völliger Indifferenz, ehe sie zur eigenen Position herübergezogen werden könnten – der Polarisationseffekt der Imageverstärkung erreicht jedoch, wie wir gesehen haben, das genaue Gegenteil [117]. Auch diese theoretischen Überlegungen werden durch die Ergebnisse empirischer Untersuchungen bestätigt. Ein Experiment von Levine und Murphy (LV 429) hat gezeigt, daß Propagandatexte, die der eigenen Meinung entgegengesetzt sind, sehr viel schneller vergessen werden als solche, die sie bestätigen, und Knower [118] konnte nachweisen, daß es bei Personen,

> die ursprünglich eine der entfalteten Propaganda entgegengesetzte Meinung vertraten, ... nicht selten zu einer weiteren Extremisierung ihrer Position kommt (LV 413 Hofstätter, S. 127).

Es ist nach allen Erkenntnissen der Sozialpsychologie, der Kommunikations- und Meinungsforschung sicher, daß Propaganda nur dann eine Chance hat, wenn ihre Inhalte mit der kognitiven Struktur der angesprochenen Zielgruppe übereinstimmen. Bei kognitiver Dissonanz werden entsprechende Aussagen in »selektiver Wahrnehmung« (LV 437 Noelle-Neumann) einfach nicht zur Kenntnis genommen – die Propaganda bleibt wirkungslos – oder gar eine Maximalisierung der entgegengesetzten Überzeugungsstärke erreicht – ein der Propagandaintention entgegengesetzter Effekt [119].

Auf dem Hintergrund dieser Tatsache erweisen sich viele der üblichen Urteile historischer und literaturwissenschaftlicher Forschung über den Charakter und die Wirkung der in den Flugschriften der Reformation verbreiteten Propaganda als unhaltbar. Rankes These vom »großen Gespräch« (LV 264, Bd. II/62) der Reformation ist ebenso eine Fehleinschätzung wie die Vorstellung eines in den Flugschriften ausgetragenen Kampfes um die Gewinnung und Bekehrung der jeweils gegnerischen Anhängerschaft; denn

> Der Agitator kann weder die von ihm gewünschten Einstellungen beim Publikum ganz neu erzeugen, noch dessen bestehende Interessen und psychische Disposition grundlegend verändern (LV 458 Schutte, S. 169).

Die fundierteren Aussagen der Sozialpsychologie hierüber entsprechen dem adäquaten Rüstzeug; erstaunlich ist aber, daß die Propagandisten der Reformation großenteils intuitiv nach diesen propagandatheoretischen Voraussetzungen handelten und die richtigen Zielgruppen ansprachen. Bei Luther selbst muß man sogar von bewußter Einsicht in diese Zusammenhänge sprechen, die er 1522 in der Schrift »Eine treue Vermahnung zu allen Christen, sich zu hüten vor Aufruhr und Empörung« als eine Art propagandistischer Rezeptur verbreitet:

> wenn du das Evangelium wilt Christlich handeln, szo mustu acht auff die person habenn, mitt denn du redist. Die sind tzweyerley: tzum erstenn sind ettlich vorstockt, die nit horenn wollen, datzu andere mit yhrem lugen maull vorfuren unnd vorgyfften, alsz da ist der Bapst, Eck, Emser, ettliche unszere Bisschoff, Pfaffenn unnd Munch, mit denn selbigen soltu nichts handeln, sondern dich halten des spruchs Christi Matth. vij. ›yhr

solt das heyligthum nit gebenn den hunden, noch die perlen werffen fur die sewe ...‹, last sie hund und sew bleyben. Es ist doch vorlorenn. ... Wenn du aber sihest, das die selbigen lugner yhr lugen unnd gifft auch ynn andere leutt schencken, da soltu sie getrost fur denn kopff stossenn unnd widder sie streytten ... *Das soltu nit umb yhrenn willen thun, denn sie horen nitt, szondern umb der willen, die sie vorgifften* ... Zum andern sind ettliche, die solchs tzuvor nit mehr gehort habenn, unnd woll lernen mochten, szo mansz yhn saget ... (LV 67 Luther, Bd. 8, S. 685).

Die indifferente Zielgruppe werblicher Ansprache und die gegenpropagandistische Funktion aggressiver Polemik sind hier unter sozialpsychologischen Aspekten völlig richtig dargestellt.

Die Zielgruppe imageverstärkender Propaganda ist mit den Neutralen zwar zutreffend, aber nicht hinreichend umschrieben. Diese Gruppe bildet keineswegs einen homogenen Block im Meinungsfeld. Vielmehr sind, soviel läßt sich aus dem Modell ablesen, auch die Angehörigen dieser Gruppe durch ihre unterschiedliche Entfernung zu den konkurrierenden Meinungsträgern von vornherein in prospektive Anhänger je eines der Gegner unterschieden, wobei allerdings die Grenze fließend ist und von der – durch Propaganda veränderlichen – Aufforderungsstärke jedes der beiden abhängt. Auch diese Modellvorstellung wird von der empirischen Forschung bestätigt: unentschiedene Wähler besuchen vorzugsweise Versammlungen der Partei, für die sie nach Herkunft, Stand, Religion, etc. prädisponiert sind [120]; politisch profilierte Zeitungen werden von einem Publikum gelesen, das der gleichen Richtung zuneigt (LV 442 Sauvy, S. 246), etc. Trotzdem ist es falsch, die Wirkungsmöglichkeiten von Propaganda zu unterschätzen:

Mass media of communication succeed, ... if they urge people to do what the people already wanted to do, ... (121);

zwischen psychischer Prädisposition und Engagement liegt ein weiterer Zwischenraum, den zu überbrücken der Propaganda durch ihre integrierenden und polarisierenden Wirkungen möglich ist, in diesem Bereich allein liegt ihre Aktionsebene [122].

Das bis hierher so hilfreiche sozialstrategische Modell ist allerdings aufgrund der einseitig werblichen Orientierung seiner Konstrukteure nicht vollständig. Spiegel und Berth betrachten beide nur das Selbstimage – z. B. das des auftraggebenden Markenartikelherstellers – als mögliches Objekt werblicher Einflußnahme, was angesichts des Verbots aggressiver Werbung durch das »Gesetz gegen den unlauteren Wettbewerb« und des wenn auch nicht ganz so strikten amerikanischen »Code of Standards of Advertising Practice« (LV 424 Kropff, S. 33 f.) nur natürlich ist. Für politische Propaganda – zumal für die Reformationszeit, in der es keine Abreden über ›faire Wahlkämpfe‹, etc. gab – ist jedoch das Image des Gegners ein häufig weit lohnenderes Objekt als das eigene [123].

Aus dem oben (S. 22 u. Anm. 106) erwähnten spiegelbildlichen Verhältnis von Selbst- und Fremdimage ergibt sich die Gültigkeit der Modellvorstellung auch für diese Propagandaform.

Demnach ist grundsätzlich der gleiche Effekt zu erwarten, was die Sozialpsychologie bestätigt:

Eine wichtige Voraussetzung für die Unifikation und die Ausbildung eines Autostereotyps der Wir-Gruppe scheint das Bestehen einer Die-Gruppe zu sein, von der man sich abzusetzen bestrebt ist [= Integration und Polarisation]. Dies geschieht im Zuge der Festsetzung eines Heterostereotyps für die entsprechende Die-Gruppe. Autostereotype und Heterostereotype lassen sich wohl immer nur in gegenseitigem Bezug aufeinander sehen. Charakterisiert man sich selbst, so definiert man auch schon einen Eigenschaftsbestand, der der anderen ... nicht zukommt (LV 414 Hofstätter, S. 102 f.).

Angesichts der größeren psychologischen Wirkung von aggressionsauslösenden Stimuli ist der Effekt dieser Propagandaform auf die indifferente Zielgruppe ungleich höher einzuschätzen [124]. Darüber hinaus wird in der Kombination von positiver und negativer Propaganda zugleich der Aufforderungscharakter der eigenen Position verstärkt und die des Gegners abgeschwächt, so daß die variable Grenze der psychischen Prädisposition innerhalb der unentschiedenen Gruppe auf Kosten des Gegners verschoben wird. Voraussetzung dafür ist freilich, daß der Konkurrent nicht zur gleichen Zeit dasselbe tut. Und gerade das geschieht während der Reformationszeit nicht. Die katholische Propaganda beschränkt sich mit wenigen, wenn nicht einer einzigen Ausnahme (Murner) auf die Defensive, was die Häufigkeit von Wendungen wie

Wir befinden, daß der Luther selber der ist, ... diese Worte gehen vielmehr auf ihn selber und ähnliches (LV 205 Walther, S. 27)

belegen.

Trotzdem müssen wir den Hinweis wiederholen: Zielgruppe ist auch hier die Gruppe der Indifferenten, Konversionspropaganda kann so nicht getrieben werden:

Das soltu nit umb yhrenn willen thun, denn sie horen nitt, szondern umb der willen, die sie vorgifften. ... (s. o. S. 27).

Für die Überzeugung erklärter Gegner steht allerdings ein anderes propagandistisches Mittel zur Verfügung.

1.5.2 Imageverschiebung

Eine Verschiebung des Image, d. h. eine Tendenzveränderung, Neuakzentuierung durch Hinzutreten neuer, bei Verlust alter Charakteristika kann spontan ohne, ja gegen die Absicht von Propagandisten durch das bloße Anwachsen der Anhängerschaft geschehen, da diese ja das Image des Meinungsträgers konstituiert. Durch die Vergrößerung der Anhängerschaft kommt es zu einem »Wandern« (LV 444 Spiegel, S. 93) des Images, das zu einem Verlust von Teilen der initialen Anhänger führen kann und muß, weil das Wandern des Images das ursprüngliche Matrizenverhältnis auflöst.

Für die Reformationszeit wird dieser Vorgang durch das Verhältnis vieler Humanisten zur Reformation illustriert, die sich zunächst von Luther angezogen fühlen, ihn als einen der ihren betrachten, dann aber, mit dem Anwachsen der plebejischen Anhängerschaft Luthers und den damit verbundenen Folgen für sein Ansehen (= Image) sich wie Pirckheimer von ihm abwenden, zum Teil noch ehe es durch den Streit Luthers mit Erasmus zu einer öffentlichen Abgrenzung der Humanisten von Luther kommt.

Ein solcher Vorgang kann aber auch intendiert und durch sozialstrategische Maßnahmen herbeigeführt werden, um das Image des Meinungsträgers in einen dichter besiedelten oder aus anderen Gründen bevorzugten Bereich des Meinungsfeldes zu versetzen und so unter kalkulierter Aufgabe einer ursprünglichen Anhängerschicht neue, vorher nicht erreichbare Anhänger zu gewinnen. Eine solche Operation ist aus der Sicht des Sozialstrategen natürlich nur dann sinnvoll, wenn der »Verschiebungsertrag« den »Verschiebungsverlust« übertrifft [125].

Eine in dieser Weise gewinnbringende Imageverschiebung ist natürlich in Richtung auf einen bisher indifferenten Bereich des Feldes am einfachsten zu bewerkstelligen; aber auch der Anhängerschaftsbereich eines Konkurrenten kommt dafür infrage. Es handelt sich dann um »aggressives Verkaufen« (LV 395 Berth, S. 328 ff.), um ein Vordringen in die »Vorstellungsreservate« (ebda.) des Gegners. Der »Wandel« der FDP von einer nationalliberalen zu einer sozialliberalen Partei und die »sportliche Note« einer vormals als »behäbig« geltenden Automarke sind zeitgemäße Beispiele imageverschiebender Werbekampagnen.

Es geht bei einem solchen Verfahren darum, »alte Aversionen der Ablehner« (LV 444 Spiegel, S. 100) gegenstandslos zu machen, was ohne wesentlichen Verlust seitens der alten Anhängerschaft vor allem dann gelingen wird, wenn sich die Gegnerschaft hauptsächlich aus der Divergenz auf der Linie eines Gegensatzpaares motivierte, innerhalb des anderen Polpaares jedoch parallele Vorstellungen herrschten [126].

Die Möglichkeit eines Verschiebungsverlustes wäre für Markenartikelwerber selbstverständlich ein Grund, auf eine solche Operation zu verzichten [127], im politischen Bereich sind dagegen durchaus Situationen denkbar, in denen ein solcher Verlust als Gewinn betrachtet wird, z. B. wenn nur die Trennung von bestimmten Anhängerkreisen – und sei dies auch die Mehrheit – das politische Überleben einer Partei oder Ideologie sicherstellen kann.

Bei der Untersuchung von Luthers Haltung im Bauernkrieg und der Beurteilung von Sachsens Flugschriften zu diesem Thema werden diese Überlegungen für uns von Bedeutung sein.

Im Hinblick auf die meinungsändernden Möglichkeiten von Propaganda wird auch in diesem Zusammenhang noch einmal die Ebene der Fremdimages interessant. Es mag häufig aussichtsreich sein, über die Verschiebung des Images vom Gegner zu einem Erfolg zu gelangen, ohne die eigene Position verändern zu müssen:

> Sodann kann, wenn ... die Gegenfront nicht *selbst*konstituiert ist, sondern von Konkurrenten bestimmt wird, versucht werden, die Glaubwürdigkeit konkurrierender Meinungsgegenstände zu erschüttern; ... In der Spache unseres Modells heißt das: es wird den Ablehnern dargetan, daß sich der konkurrierende Meinungsgegenstand auf Grund seiner tatsächlichen, aber nicht eingestandenen Charakteristik an einer anderen Stelle befindet als sein *image*, wie er es durch seine Propaganda errichtete (LV 444 Spiegel, S. 101).

Selektive Wahrnehmung und die Tendenz zur Maximalisierung der Überzeugungsstärke müßten hierbei aber erst überwunden werden, was aber gegenüber einer heterogenen Gegnergruppe, die dazu noch propagandistisch schlecht operiert, gelingen kann.

Mit Imageverstärkung und Imageverschiebung sind die sozialstrategischen Möglichkeiten aus der Sicht des Meinungsgegenstandes vollständig beschrieben. Objekt jeder Form von Sozialstrategie ist jedoch der Mensch, das »Meinungssubjekt«. Nun hat zwar allein das Konzept des Images und seiner psychischen Funktionen diesen gesamten Problemkomplex in die psychologische Ebene integriert; die Darstellung propagandistischer Verfahren erfordert aber auch einen Hinweis auf die Methoden und ihre psychologische Signifikanz.

1.6 Propaganda und Rezipient

1.6.1 Wege der Vermittlung

Der psychische Prozeß der Entstehung von Images und Stereotypen im menschlichen Bewußtsein ist in außerordentlich zahlreichen Publikationen, die ein weites Spektrum von der Individualpsychologie bis zur Sozialpsychologie widerspiegeln, unter denen aber auch wesentliche Darstellungen zu dem spezielleren Bereich der Kommunikations-, Werbe- und Propagandaforschung vertreten sind, dargestellt worden [128]. Gegenüber diesem umfangreichen Forschungsbereich können wir uns nur rezeptiv verhalten. Die folgende Zusammenfassung der für uns wichtigsten Aspekte stützt sich daher auf die entsprechenden Passagen in der Darstellung Berths (LV 395), der die infrage kommende Literatur verarbeitet und die Vermittlung psychologischer Theorie und sozialstrategischer Praxis am weitesten vorangetrieben hat: Handlungen geschehen unter dem Druck eines Spannungsdifferentials, das als Bedürfnis empfunden wird. Handeln ist Bedürfnisabbau (Berth, S. 25 f.) [128a]. Propaganda, die dieses hedonistische Prinzip außeracht läßt, muß scheitern:

Die Verhaltensweise, die man beim Rezipienten veranlassen will, muß von diesem als ein Weg zu einem im eigenen Interesse liegenden Ziel erkannt und akzeptiert werden (LV 435 Maletzke, S. 196).
Wir können ... behaupten, daß Ideen, die nicht in mächtigen Bedürfnissen einer Persönlichkeit wurzeln, nur geringen Einfluß auf ihre Handlungen ... gewinnen können (LV 409 Fromm, S. 71).

Diese Erkenntnis unterstreicht die Bedeutung des Imagekonzepts und exemplifiziert die Brückenfunktion des Images: aus dem Zusammenwirken eines Bedürfnisses mit dem Image eines Objekts, das die Vorstellung von der Befriedigung des Bedürfnisses durch dieses Objekt vermittelt,

ergibt sich dann eine Handlung, in der eine Spannung oder ein Ungleichgewicht in der Psyche des Subjektes ... ausgeglichen und abgebaut wird (Berth, S. 33).

Das unbefriedigte Bedürfnis nach Sicherheit bewirkt höchstens einen Zustand der Unzufriedenheit. Erst das Auftreten einer Partei oder einer Persönlichkeit, die Sicherheit zu garantieren vermag, bzw. den Eindruck vermittelt, daß sie das kann, hat in Wahlakt oder Parteibeitritt Handlungen zur Folge.

Die kurzschlüssige Reduktion der Relation Bedürfnis – Image – Handlung – Objekt auf die Trias Bedürfnis – Handlung – Objekt, wie sie von Fromm [129] und nach ihm von Schutte [130] einem »inhaltsbezogenen« Propagandabegriff zugrunde gelegt werden, der dann natürlich die Unterscheidung von reaktionären und fortschrittlichen Propaganda*methoden* ermöglicht, ist unserer Ansicht nach ursächlich für die Fragwürdigkeit all dieser Theorien.

Die an sich unbegrenzte Zahl von Bedürfnissen läßt sich zurückführen auf eine begrenzbare Anzahl von Strebungen (Trieben), deren genauer Umfang, um den in monistischen und pluralistischen Auffassungen gestritten wird, für uns nicht von Bedeutung ist (vgl. Berth, S. 40 ff.).

Entscheidend ist jedoch die Feststellung, daß das jeweilige Motiv einer Handlung dem Handelnden nur selten bewußt wird. Erkannt wird meist nur das Bedürfnis, nicht das diesem zugrunde liegende System von Strebungen. Vonseiten der Motivforschung ist die oft erstaunliche Diskrepanz zwischen bewußtem Handlungsgrund und der dahinterliegenden tatsächlichen Motivationsstruktur offengelegt worden [131], was gerade für eine planvolle Sozialstrategie von außerordentlicher Bedeutung war: eine nur an bewußte Motive appellierende Werbung oder Propaganda, d. h. ausschließlich rational argumentierende Überredungsmethoden, haben nur wenig Aussicht auf dauerhaften Erfolg.

Würde eine Werbung in Bild und Text lediglich auf die Sachlichkeit der Aussage beschränkt, also auf rationale Argumente gestützt, dann wäre ihre Wirkung ... zweifellos stark beeinträchtigt. ... Eine derartige, einseitig gestaltete Werbung ... läuft ausnahmslos in Gefahr, vom Konkurrenten ohne besondere Mühe, aber mit viel Aussicht auf Erfolg, übertroffen zu werden (LV 424 Kropff, S. 114).

Diese Einsicht gehört zu den wesentlichen Voraussetzungen der auf den praktischen Erfolg verpflichteten Werbetheoretiker [132] und wird pointiert in Dichters Polemik gegen den »Fetisch des Rationalen« (LV 401, S. 42 ff.) artikuliert. In anderen Zweigen der Sozialwissenschaften hat sie noch nicht Eingang gefunden, und Schuttes Beschränkung auf nur »ästhetische und argumentatorische Strategien« (S. 1) verrät die dahinterstehende Schule.

Auf der anderen Seite kann nur übertriebene Faszination von der Macht der »geheimen Verführer« (LV 439 Packard) zu Vorstellungen vom »psychomechanischen Akt« der Werbung führen, in dem die verwendeten Mittel – Sprache, Bilder, etc. – zum »bloßen Werkzeug von Auslösungsmethoden« (LV 440 Plate, S. 556) werden: die Barriere der selektiven Wahrnehmung ist auch und gerade auf der Ebene unterhalb des Bewußtseins wirksam.

Unser Insistieren auf der Prädominanz emotionaler Aspekte für eine erfolgreiche Sozialstrategie findet Unterstützung von einer Seite, die auch für die Verfechter nur auf Rationalität begründeter Gesellschaftsverfassungen unverdächtig sein sollte:

Unser Handeln, das von den outputs unseres Bewußtseins gesteuert wird, kann ... durch Metaphern häufig genug stärkere Impulse empfangen als durch klare logische Beweisführungen (LV 417 Klaus, S. 164).

Agitationslosungen müssen auch die Gefühle des Menschen ansprechen und nicht nur dessen logische Denkfähigkeit. Sie müssen nicht nur eine semantische, sondern auch eine pragmatische Wertigkeit besitzen (ebda., S. 165) [133].

1.6.2 *Wirkungen*

Unsere Definition der Propaganda als Imagebeeinflussung hat bisher der Werbeforschung folgend nur das sozialstrategische »Nahziel« (LV 395 Berth) mit eingeschlossen: durch die Beeinflussung von Images werden Handlungsprädispositionen geschaffen, bzw. verändert. Da bei der »Wähler- und Verbraucherbeeinflussung« (Berth) nur jeweils zwei Aktionsalternativen als »Fernziel« infrage kommen – kaufen/nicht kaufen, bzw. einen bestimmten Kandidaten wählen/nicht wählen –, ist in jenem Bereich eine solche Beschränkung sinnvoll. Für das weite Feld politischen Handelns und besonders angesichts der Heterogenität reformationszeitlicher Propagandaziele ist eine zusätzliche Konzentration auf das unbestrittene Ziel [134] jeder Propaganda – die Auslösung von Handlungen – unumgänglich, was die Bedeutung des Images keineswegs relativiert [135].

Die Frage propagandistischer Intention und ihrer Resultate läßt sich natürlich nicht theoretisch, sondern nur am konkreten Gegenstand beantworten, was für die Reformationszeit wegen der Mannigfaltigkeit politischer und religiöser Zielvorstellungen zusätzlich kompliziert wird. Zudem sind direkte Aufrufe zu bestimmten Aktionen – von der revolutionären Propaganda während des Bauernkrieges abgesehen – höchst selten und die hinter diesen Flugschriften stehenden Intentionen nur indirekt zu erschließen. Grundsätzlich sind jedoch im Rahmen der frühbürgerlich-reformistischen Propaganda zwei Zielebenen zu unterscheiden:

Zum einen sollte im quasi privaten Bereich im Sinne protestantischer Missionierung die Änderung ganz konkreter Verhaltensweisen aus dem religiösen Überzeugungswandel resultieren. Das betrifft vor allem katholische Kultpraktiken (lateinische Messe, Priesterkelch, Ohrenbeichte, etc.) und dogmatisch begründete Handlungsmuster (Fasten, Ablaßkauf, Reliquienverehrung, etc.). Zum anderen aber ging es um die Erzeugung öffentlichen Drucks, der die politische Absicherung der neuen Lehre herbeiführen sollte.

Diesem Bereich gilt unser Interesse.

Hier lagen für die protestantischen Propagandisten die größten strategischen und taktischen Schwierigkeiten, die in den Interpretationsschwierigkeiten der Geschichtsschreibung bis heute ihren Reflex zeitigen.

Es ging eben nicht einfach um die

> Mobilisierung breiter Bevölkerungsschichten, die durch massiven Druck auf die städtischen und landesfürstlichen Obrigkeiten diesen Anlaß oder Vorwand gaben, gegen die kirchlichen Machtpositionen vorzugehen. (Schutte Ms., S. 23),

sondern es kam darauf an, die Unruhe so zu dosieren, daß sie zwar noch als Drohung glaubhaft blieb, die als Schreckmittel nützliche Zielvorstellung aber keineswegs einer Realisierung auch nur nahebrachte. Vor allem aber war die Selektion der entscheidenden Zielgruppe wichtig; die »Mobilisierung breiter Bevölkerungsschichten« mit der Gefahr ständenivellierender Solidarität lag weder Luther noch seinen gemäßigten Anhängern im Sinn.

Wir hatten schon oben die Räte der Freien und Reichsstädte als Instrumente bürgerlich-reformatorischer Öffentlichkeit erkannt; in der Bevölkerung dieser Städte haben wir die Zielgruppe der uns interessierenden Propaganda zu sehen. Hier wiederum sind es, wenn man weitere Differenzierungen des Stadtbürgertums (LV 251 Jecht, S. 78 f.) notgedrungen hintansetzt und von einer gesellschaftlichen Dreigliederung – regierendes Patriziat, zunftbürgerlicher Mittelstand und Stadtproletariat – ausgeht, die Angehörigen der Mittelgruppe, die – als »tragende Schicht« [136] der Reformation seit längerem erkannt – als intendierter Rezipientenkreis infrage kommen.

Der Erfolg einer auf diese Zielgruppe ausgerichteten Propaganda wird durch zahlreiche Vorgänge dokumentiert, in denen städtische »Ehrbarkeiten« durch den Druck der »Gemeinden« (LV 252 Jörg, S. 95) gezwungen wurden, reformatorische Aktivitäten zu dulden [137], aber auch durch die Erfolge, die protestantisch gesinnte Räte auf Reichstagen, vor dem Reichsregiment und der Kirchenführung gegenüber einfach dadurch erzielten, daß sie auf die Unruhe innerhalb der Bürgerschaft verweisen konnten [138]. Eine wie heikle Aufgabe die propagandistische Erzeugung verhaltenen Aufgeregtseins war, zeigen die nicht so seltenen Fälle, in denen es zu intentionswidrigen extremen Reaktionen kam, wie 1522 in Wittenberg oder in vielen süddeutschen Städten vor Ausbruch des Bauernkrieges. Das zeigt sich aber auch in den Flugschriften selbst, denen wie gesagt jeder direkte Aktionsaufruf fehlt und in denen auch die Möglichkeit von Aktionen stets in Irrealis oder Optativ diskutiert werden:

> So wir nicht wern und flegeln ire rucken ...
>
> Nüt beßers, man thet in die roten hütlin ab, daß
> in die schwart kracht.
>
> biß das die pawren ein mol erhencken vnd ertrencken
> böß vnd gut miteinander.
>
> Fröuwe dich edler von Hutten, der schreyner hoblet
> den spieß darmit ich dir zuhilff komme wil [139].

Die Projektion bürgerlicher Zielvorstellung auf den Bauernstand, die den fiktiven Typ des »reformatorischen Bauern« in der Gestalt Karsthansens entstehen ließ und unter den Bürgern Reformstimmung fördern sollte, ohne die Gefahr der Übertragung revolutionärer Verhaltensmuster auf die standesbewußten Bürger zu beinhalten, ist ein weiteres Indiz propagandistischer Vorsicht. Daß dann allerdings die Bauern, auf die man keinesfalls gezielt hatte (vgl. die lateinischen Passagen im »Karsthans«), sich angesprochen fühlten und der Fiktion Realität gaben, muß man zu den niemals auszuschließenden unerwünschten Nebeneffekten rechnen, durch die die Geschichte der Publizistik gekennzeichnet wird.

Im einzelnen wird man Zielgruppe und konkrete Intentionen der verschiedenen Flugschriften nur anhand der jeweiligen lokalen, politischen und sozialen Verhältnisse von Verfasser und Entstehungsort bestimmen können.

1.7 *Anwendung des Modells*

Für die Übertragung des in den vorangegangenen Abschnitten entwickelten sozialstrategischen Modells gilt der schon eingangs geäußerte Vorbehalt, daß eine Überprüfung durch empirisch-soziologische Methoden angesichts des zeitlichen Abstandes nicht möglich ist. Dies ist aber auch unnötig, da es hier ja nicht darum geht, die Erfolge von Propaganda nachzuweisen, sondern die Gewißheit des Erfolges zur wissenschaftlichen Basis für die Suche nach dem Erfolgsrezept zu machen.

Allerdings ist die rasche Ausbreitung des Luthertums durch die Flugschriftenpropaganda nicht so ohne weiteres als propagandistischer Erfolg zu werten. Angesichts der durch das Modell veranschaulichten Situation zu Beginn der Reformation, die Luther in eine »Marktnische« plazierte, hatten die Flugschriften vor allem in der Anfangsphase überwiegend mediale Funktion. Der Meinungsträger Luther hatte in hohem Maße eigene Anziehungskraft, die durch werbliche Mittel verstärkt, nicht aber geschaffen wurde. Nach der bipolaren Strukturierung des Meinungsfeldes jedoch und einer faktisch nicht mehr zu steigernden Feldtransparenz etwa zur Zeit des Wormser Reichstages kommt die unterschiedliche Qualität protestantischer und katholischer Propagandamethoden zum Tragen. Die nun immer noch steigende Auflagenhöhe lutherischer Schriften indiziert nicht mehr nur das Informationsbedürfnis des Publikums, sondern die positive Resonanz auf propagandistische Appelle. Die Wirksamkeit in eben diesem Sinne wird durch das Zeugnis zahlreicher Zeitgenossen bestätigt, wobei man allerdings übertriebene Einseitigkeit der Bewertung der jeweiligen Parteilichkeit in Rechnung stellen muß.

So berichtet der Nuntius Aleander am 5. April 1521 aus Worms:

> [diese Schreihälse], die allein mit ihren schriftstellerischen und poetischen Künsten sich bei der Menge in solches Ansehen gesetzt haben, als wenn sie die echte Theologie schon ganz unter die Füße getreten hätten. ... es kommt auf die schriftstellerische Fertigkeit an sich sehr viel an (LV 54 Kalkoff, S. 118).

und schon am 25. Dezember 1520 hatte er geklagt

> ... nur seine (Luthers) Schmähreden und Huttens Satiren machen auf sie (die Wormser Bevölkerung) Eindruck (ebda., S. 25).

Scheurl muß im März 1524 Campeggi erklären,

> daß der gemeine Mann jetzt nur Schrift fordere und an einem Tage mehr lese als sonst in einem Jahre. Die Nürnberger ließen sich Luthers Schriften auf offenem Markte vorlesen, dürsteten ordentlich nach ihnen, wie der Rat sagt, welcher auf die Dauer deren Verkauf nicht hindern konnte. (LV 324 Kapp, S. 416),

und im Juni 1525 gibt Luther eine Schilderung der publizistischen Situation, die die Wirkung protestantischer Propaganda veranschaulicht:

> Zum andern das auch nun der gemein man so weyt berichtet und in verstande kommen ist, wie der geystlich nichts sey, wie das wol und all zu vil beweysen so mancherley lieder, sprüch, spöterey, da man an alle ende auff allerley zettel, zuletzt auch auff den kartenspilen pfaffen und münich malet und gleych eyn eckel worden ist, wo man eyn geystliche person sieht und hört (LV 67 Luther XVIII, S. 409).

Alle diese und weitere Zeugnisse [140] dokumentieren den Erfolg protestantischer Propagandamethoden, der – das sei noch einmal betont – von der Eigenwirkung der propagierten Ideologie abzuheben ist.

Die unbestreitbare Tatsache des sozialstrategischen Erfolges ist neben historischem Interesse das entscheidende Motiv für eine wissenschaftliche Beschäftigung mit der Propaganda der Reformationszeit:

Die Schwierigkeiten, denen sich die heutige Wirkungsforschung gegenübergestellt sieht, die angesichts der unüberschaubaren Vielzahl von Variablen (Medienvielfalt, große Zahl von Meinungsträgern, etc.) nur auf experimental erzeugten Meinungsfeldern zu eindeutigen Resultaten zu gelangen vermag – die sich dann freilich nur bedingt auf reale Verhältnisse anwenden lassen – (vgl. LV 395 Berth, S. 357ff.), diese Schwierigkeiten entfallen bei unserem Gegenstand. Die Tatsache nur eines Kommunikationsmediums – eben der Flugschrift – schafft für uns die vereinfachten Voraussetzungen des Experiments, ohne dessen Sterilität einzuschließen. Erkenntnisse im Zusammenhang mit unserem Gegenstand können daher paradigmatischen Charakter haben. Die Tatsache des Erfolges der reformatorischen Flugschriften erlaubt die Anwendung der aus dem sozialstrategischen Modell entwickelten Kategorien ohne die sozialwissenschaftliche Überprüfung, die ja quasi schon durch die Geschichte erfolgt ist; denn wenn erfolgreiche Propaganda nur auf den durch das Modell dargestellten Bahnen sich bewegen kann, so muß auch umgekehrt von der Tatsache des Erfolges auf die Benutzung dieser Bahnen geschlossen werden können.

Die weitere Untersuchung wird zeigen müssen, ob die an dieser Stelle nur heuristische Prämisse standhält.

Verzicht auf sozialwissenschaftliche Überprüfung bedeutet aber keine Beschränkung auf immanente Methoden, obwohl aus seiner Notwendigkeit die Berechtigung einer literaturwissenschaftlichen Arbeit sich als Konsequenz ergibt. Der hier nicht mögliche Einsatz empirisch-soziologischer Methoden zur Erforschung der Reaktionsweisen auf bestimmte propagandistische Mittel kann und muß in unserem Falle ersetzt werden durch ein Erfassen der Beziehungen zwischen der Symbolfunktion des Reizes (Propagandamittels) und dem Symbolsystem der Rezipienten.

Es kommt also in unserem Falle darauf an, die uns aus der historischen Forschung bekannte Reaktionsweise auf den durch einen gegebenen Text ausgelösten Reiz aus dem spezifischen Charakter der Beziehungen dieses Reizes zu dem Fundus der dem Rezipienten gegenwärtigen Symbole zu erklären.

Zur Charakteristik des Image gehört, daß es sich auf der Bewußtseinsebene zu bloßer Sympathie, bzw. Antipathie verdichtet; die uns bekannte Reaktion auf die protestantischen Flugschriften war die Begründung eines lutherischen Anhängerschaftsverhältnisses. Der Charakter des zu diesem Verhalten führenden Images muß sich aus dem Assoziationenspektrum der mit dem Text gelieferten Symbole herleiten lassen. Von hier aus bestimmt die besondere Leistungsfähigkeit der Literaturwissenschaft für unser Thema:

Das Symbolsystem eines Angehörigen der von der Reformationspropaganda angesprochenen Zielgruppe ist zu einem großen Teil literarisch konstituiert, wobei

»literarisch« im weitestmöglichen Sinne eine textliche Tradition bezeichnet. Der propagandistische Text der Flugschrift ruft – kybernetisch gesprochen – durch bestimmte Signale (Schlüsselwörter, Formfolien) »Unterprogramme« (LV 417 Klaus, S. 157), d. h. bestimmte Denk- und Verhaltensnormen ab, die mit dem Signal den gleichen Vorstellungsbereich besitzen, d. h. der gleichen »literarischen« Tradition entstammen. Zu dieser Tradition verbinden sich zu Beginn des 16. Jahrhunderts literarische, religiöse und juristische Denk- und also Textformen [140a].

Durch eine möglichst genaue – dabei natürlich nur näherungsweise mögliche – Bestimmung des Sinn- und Traditionszusammenhangs derjenigen Elemente eines Flugschriftentextes, denen in oben genanntem Sinne Signalcharakter zukommt, hoffen wir, zugleich mit den imagekonstituierenden Elementen des Textes seine propagandistische Wertigkeit ermitteln zu können.

Signale sind dabei nicht nur Schlüssel- und Schlagwörter; linguistische Konnotationsforschung ist nicht, bzw. nicht nur das Ziel unserer Bemühungen: auch und vor allem der Gesamtzusammenhang des Textes in inhaltlichen wie formalen Beziehungen hat in der beschriebenen Weise Signalcharakter, der sich aus der textlichen Tradition bestimmt. Die Rekonstruktion dieses Traditionszusammenhangs scheint der Jausschen Kategorie des »Erwartungshorizontes« (LV 323) zu entsprechen, aber dort geht es um »Rezeptions*ästhetik*«, vor allem aber auch um Kategorien literarischer Wertung anhand eines literarischen Überschusses über den Erwartungshorizont hinaus. Für uns jedoch geht es um die Einlösung und propagandistische Ausnutzung eines Systems von Stereotypen, die sich nicht auf einer ästhetisch zu definierenden Ebene allein lokalisieren lassen.

Schuttes Forderung nach der Herauslösung des »Erwartungshorizontes« aus der »einseitigen Bindung an den literarischen Traditions- und Systemzusammenhang« (S. 3) ist grundsätzlich richtig; seine ebenso einseitige Bindung an einen sozialgeschichtlichen Systemzusammenhang wiederholt den gleichen Fehler mit umgekehrtem Vorzeichen.

Die von uns bevorzugte Kategorie des Assoziationenspektrums umfaßt beide Aspekte und geht über sie hinaus: eine größtmögliche Annäherung an die Gesamtheit der durch den gegebenen Text ausgelösten Assoziationen des kontemporären Publikums ist das Ziel. Im Interesse der praktischen Realisierbarkeit im Rahmen dieser Arbeit ist dabei allerdings die Beschränkung auf Schwerpunkte unumgänglich.

Aus diesen Prämissen ergibt sich die Methode unseres Vorgehens: Gemäß unserer Propagandadefinition sollen die Flugschriften und -blätter des Hans Sachs aus den Jahren 1523–25 [141] auf ihre imagebeeinflussenden Faktoren hin untersucht werden. Der jeweiligen Textkonstitution entsprechend werden dabei mit unterschiedlicher Gewichtung Thematik, Argumentation, formaler Rahmen und Wortinhalte [142] zu ihren Assoziationsbereichen in Beziehung gebracht werden, die im historischen und – in oben erwähntem Sinne – literarischen Kontext auszumachen sind. Durch die Rekonstruktion dieses Hintergrundes wird sich in Verbindung mit den Kategorien des sozialstrategischen Modells die propagandistische Wirkung, zuallererst aber auch die propagandistische Intention ermitteln lassen, natürlich nur insofern als die tatsächlichen Wirkungen intentional waren [143]. Da man das planvolle Vorgehen des Hans Sachs im didaktischen Bereich so häufig und erst kürzlich wieder (LV 169 Theiss) nachgewiesen hat, steht auch für das Feld religiöspolitischer Propaganda ein ähnliches »strategisches« Handeln zu erwarten, das sich dem Berthschein Postulat zumindest annähert [144].

Durch das Zusammentreffen einer durch die historischen Umstände vereinfachten kommunikativen Situation mit einem rekonstruierbaren Erfahrungsbereich der Rezipienten sollte es mit Hilfe des Modells gelingen, den linguistischen Erkenntnisbereich auszuweiten:

Die Sprachwissenschaft, die über Wirkungen der Sprache, ... die Macht propagandistischer Sprache über das Denken und Verhalten, die Menschenlenkung durch Sprache im sozialen Konflikt und ihren einheitsstiftenden Wert ... Aussagen machen will, bedarf der Kontrolle durch psychologische und politologische Untersuchungen. Die Sprachwissenschaft kann nicht mehr als Hypothesen aufstellen und auf die Möglichkeit sprachlicher Wirkungen hinweisen. Ob sie tatsächlich eintreten, ... können ... nur die Sozialwissenschaften sagen, die auch die anderen Wirkungsfaktoren im gesellschaftlichen und politischen Zusammenleben überblicken (LV 403 Dieckmann, S. 8).

Eine Relativierung des einleitend geschilderten Sachs-Klischees wird dabei eine notwendige Folge sein.

Wegen der Bedeutung des literarischen Traditionszusammenhangs der hier untersuchten propagandistischen Mittel werden motiv- und quellenhistorische Erkenntnisse quasi als »Nebenprodukt« der Materialauswertung anfallen. Sie sind für das Hauptanliegen der Arbeit nur insofern wichtig, als sie sich für die Untersuchung von Wirkungen instrumentalisieren lassen:

Es geht uns nicht darum, Propagandatexte als Literatur zu vereinnahmen (vgl. etwa LV 445 Spitzer), sondern um die Feststellung sozialer Wirkungen literarischer Mittel innerhalb propagandistischer Texte.

Kapitel 2

Eröffnung der Kampagne

Ich sage euch / wa dise schweygē /
so werden die stein schreyē Luce. 19 [145].

Am 8. Juli 1523 ergriff Hans Sachs mit dem Spruchgedicht »Die wittembergisch nachtigall, Die man ietzt höret überall.« (= WN) zum erstenmal öffentlich Partei für Luther und die reformatorische Bewegung und erzielte damit einen – gemessen an der Zahl der Auflagen sowie der publizistischen Reaktionen [146] – beachtlichen Erfolg, den er nicht ganz frei von Eitelkeit in einer Schrift des folgenden Jahres registriert:

Schvster: Ich weiß einn schůchmacher. Der hat ein Nachtigall, die hat erst angefangen zů singen.
Chorherr: Ey der teüffel holl den schůster mitsampt seiner Nachtigall! Wie hat er den aller heyligsten Vater, den Babst, die heiligen väter vnnd vns wirdige herren außgeholhipt ...! (Chorherr Z. 21 ff.).

Dieser Erfolg war kein Zufall, noch ist er als intuitiver Geniestreich zu erklären: er war vielmehr das Resultat intensiver Vorbereitung und Planung.

2.1 *Vorbereitung und Test – »Die nachtigal«*

Sachs hatte vor dem Erscheinen der WN nahezu drei Jahre lang nichts mehr veröffentlicht, was mit seiner Eheschließung und häuslicher Inanspruchnahme nur unzureichend zu erklären ist [147]. Vielmehr sprechen die große Zahl seiner reformatorischer Propagandaschriften nach 1523, die genaue Kenntnis protestantischer Ideologie und Sprachregelung, die sie bezeugen und die seit der ersten Sachs-Biographie (LV 156 Ranisch, S. 65) bekannte Tatsache, daß er bereits 1522 etwa 40 lutherische Schriften gesammelt hatte, dafür, daß er diese Zeit zum Studium der neuen Lehre und zur Vorbereitung seines Einsatzes für sie nutzte. Allerdings erscheinen diese drei Jahre angesichts der bei Sachs sonst zu beobachtenden Mühelosigkeit bei der Umsetzung persönlicher Erfahrungen in literarische Produktion als ein sehr langer Vorbereitungszeitraum. Es ist wohl schon dieses Zögern das erste Beispiel für die dann immer wieder zu beobachtende politische Vorsicht des Dichters und seine Bemühungen, mit der jeweiligen Politik des Rates von Nürnberg in strikter Übereinstimmung zu bleiben.

Seit 1520 hatte der Rat mehrfach das Nachdrucken lutherischer Schriften untersagt, bzw. ihren Verkauf verboten [148]. Zur Vorbereitung des 1. Nürnberger Reichstages wurde den Druckern am 3. Januar 1523 angesagt,

... es sei ihnen ganz frei und unverboten, wider Dr. Luther und seine Lehre zu drucken, falls solches während des Reichstages an sie gesonnen werde. Sie sollen den Druck der gegen Luther gerichteten Schriften nicht verweigern ... (LV 18 Baader, Sp. 51), das Druckverbot gegen die protestantischen Schriften wurde verschärft und durch polizeiliche Maßnahmen mit Nachdruck versehen [149]. Auf dem Reichstag dagegen wird ein Entwurf des sächsischen Botschafters Planitz verabschiedet, der zwar wie eine Stillhalteverpflichtung aussieht, tatsächlich der lutherischen Seite jegliche propagandistische Freiheit läßt, zumal wenn man die Formulierung am Wormser Edikt mißt. Nach diesem Reichstagsabschied soll von Luthers Anhängern nichts gelehrt werden

als das rechte, reine lautere Evangelium, gütig, sanftmütig und christlich, nach der Lehre und Auslegung der bewährten und von der christlichen Kirche angenommenen Schriften (LV 264 Ranke, II, S. 48).

Allein der Hinweis auf die »bewährten Schriften« ist darin eine Konzession an die altgläubige Partei, das »reine Evangelium« und das Epitheton »christlich« sind schon längst fester Bestandteil des lutherischen Kampfwörterarsenals und schließen Agitationsformen mit ein, die auch durch ein beschwörendes »gütig und sanftmütig« nicht zu moderieren waren.

Mit diesem Beschluß war fürs erste keine Notwendigkeit mehr für die vom Rat bisher geübte Vorsicht, und auch für den propagandistischen Einsatz des Hans Sachs war der Weg frei: Der Reichstag brauchte nicht erst die agitatorischen Bedürfnisse des Hans Sachs zu wecken [150], sondern er beseitigte nur die Hindernisse, die ihnen im Wege standen.

Die durch solche Vorsicht verlängerte Vorbereitung erschöpfte sich für Sachs nicht in der Aneignung des von ihm akzeptierten Lutherbildes und der Schlagworte protestantischer Flugschriftenpropaganda, auf denen auch sein agitatorisches Konzept fußte, sondern er unterwarf dieses Konzept einer Probe auf seine Wirksamkeit.

Ebenfalls schon 1523 – das genaue Abfassungsdatum ist unbekannt, die zeitliche Priorität vor der WN jedoch sicher [151] – schrieb Sachs das Meisterlied »Die nachtigal« [152] und trug es, wie man mit einiger Sicherheit annehmen kann, in der Nürnberger Singschule vor. Die danach veröffentlichte WN stellt eine Um- und Ausarbeitung dieses Meisterliedes dar, die sich im einzelnen offensichtlich auf die Reaktion dieses Testpublikums stützt. Sachs hat – so steht zu vermuten – alle diejenigen Elemente des Meisterliedes in der WN stärker betont und besser herausgearbeitet, auf die man im Sinne seiner Intention positiv reagiert hatte.

Die Ausarbeitung von Meisterliedern zu Sprüchen ist bei Sachs die Regel [153] und hat seinen Grund nicht zuletzt in dem von den Schulen recht streng gehandhabten Publikationsverbot für Meisterlieder [154]. In keinem anderen Fall ist aber der Zeitabstand zwischen der Liedfassung und seiner Umarbeitung so kurz, ist der Experimentalcharakter des Meisterliedes so offenkundig.

Prakkes Reziprozitätsformel, nach der es sich bei der Aussage eines Kommunikators immer um ein Produkt aus Intention und Erwartung handelt (LV 441 Prakke, S. 111) ist hier in ihrer prozessualen Stufung sichtbar. Damit ist ein zusätzlicher Hinweis für die Rekonstruktion dieser Erwartung gegeben und in dem soziologisch leicht abzugrenzenden Personenkreis des Testpublikums darüber hinaus ein Indiz für die Zielgruppe der WN. Schon in dieser Vorbereitung seines ersten publizistischen Einsatzes für die Reformation zeigt sich das strategische Vorgehen des Hans Sachs [155], das der Summe seiner Flugschriften den Charakter einer gezielten Kampagne verleiht, in welchem Sinne wir sie hier auch begreifen.

2.2 *Ausführung – »Die wittembergisch nachtigall«*

In einer Prosavorrede zur WN, die in der Hauptsache einen Inhaltsabriß des Spruches enthält, definiert Sachs selbst die Ziele, die er mit der Publikation verfolgt, wobei natürlich das Wort nicht so ohne weiteres für die wirkliche Absicht genommen werden kann. Nach dieser Vorrede will er

... ain kurtze erklerung thon dem gemainen man (solcher handlung unwissent) zu underweysen und leeren, darauß er müg erkennen die götlich warhait und dargegen die menschlichen lugen, darinn wir gewandert haben.
Zum andern den, so die götlich warhait vor erkant haben, die zu ermanen der gütigen genad gottes, ... auff das sy im herrlich dancksagen.
Zu dem dritten den, die solches wort gotes nit annemen, sonder verachten und zum tayl verfolgen, ... das sy annemen das trostlich evangelium und abliessen von dem falschen vertrawen, zu erlangen die säligkeit mit iren selb erdichten wercken, in welchen got kain gefallen hat, ... auf das ... wir ain schaffstall wurden unsers hirten Jesu Christ, ... (LV 2 Keller/Goetze, Bd. 22, S. 5).

Es geht ihm also um eine Erhöhung der Feldtransparenz (Unterrichtung der Unwissenden), eine Integration der lutherischen Anhängerschaft durch die Evozierung eines gemeinschaftlichen Dankgefühls und – so wenigstens gibt er vor – um die Bekehrung der Altgläubigen. Dieses dritte Ziel ist natürlich vorgeschoben. Daß Beschimpfungen – »Sophisten« (S. 3), »römisch böß regiment« (S. 4), »selb erdichten wercken«, etc. – den Weg zu einem missionarischen Erfolg versperren müssen, war auch Sachs geläufig:

Wann ir sie lang schendet, inen fluchet, ist es niemant nutz, vnd ander leut, die bey euch sitzen vnd horen, die ergern sich daran, (Ev./Luth. Z. 473 ff.),

und in der aus den oben zitierten Zeilen aus dem 1. Dialog ablesbaren Genugtuung über die den Gegner verprellende Wirkung desavouiert sich dieser Anspruch [156]. Der Gegner ist nur Demonstrationsobjekt zum Beweis der eigenen Konzilianz, seine Anrede gilt im Sinne des zweiten von Sachs genannten Zieles den Anhängern der lutherischen Sache und den Indifferenten.

Wir sprechen von Indifferenten nicht nur in der Erinnerung an die Terminologie unseres ersten Kapitels, sondern in bewußter Abhebung von den von Sachs genannten »Unwissenden«. Auch diese Wortwahl ist von polemischer Uneigentlichkeit. Nach sechs Jahren lutherischer Propaganda und einer Flut von Flugschriften muß die Zahl der Uninformierten als gering, die Zahl der durch eine Flugschrift informierbaren als Quantité négligable angesehen werden [157]. Selbst unter dem Aspekt einer für den Propagandaerfolg nötigen Redundanz [158] ist zum Zeitpunkt des Erscheinens der WN der Informationswert unbeachtlich, zumal die mangelnde Originalität von Themen und Argumenten von der Forschung deutlich genug nachgewiesen werden konnte (vgl. vor allem LV 139 Kawerau) [159].

Unwissenheit wird in dieser Vorrede mimisch unterstellt als einzig denkbare Ursache für die (noch) nicht vollzogene Hinwendung zum Luthertum. Auf diese Weise soll für die Zielgruppe der Indifferenten eine durch Scham verstärkte Motivation zur Parteinahme geschaffen werden.

Im Unterschied zu der Gruppe der eventuell noch Unwissenden bietet sich mit den Unentschiedenen auch 1523 noch ein beachtliches Potential an. Keineswegs war schon eine scharfe Trennung in zwei Lager vollzogen:

In der konkreten Situation wußte der einzelne noch lange nicht immer, zu welcher Gruppe er gehörte, wo die Grenze zwischen diesen und jenen Lehren und Lebensordnungen verlief (LV 259 Lortz, I, S. 209).

Da auch Luther nach seiner Rückkehr von der Wartburg wegen der Unruhen in Wittenberg alles dazu tat, den radikalen Bruch mit der alten Kirche wenigstens im äußeren Erscheinungsbild von Kult und Religionspraxis nicht so deutlich sichtbar werden zu lassen, um nicht »manche schwache Gemüther dadurch zu ärgern«, fehlte auch noch zu dieser Zeit [160] der äußere Anpassungszwang, der eine Polarisierung hätte herbeiführen können. Ihn durch Steigerung des Aktualitätsgrades zu ersetzen, war die Funktion von Flugschriften wie der WN [161].

Diese Funktion läßt sich nach unserem Modell nur durch den Einsatz imageverstärkender Propagandamittel erfüllen, deren spezifischer Charakter sich aus der hier angesprochenen Zielgruppe und ihrer gesellschaftlichen Stellung bestimmt. Das Testpublikum der »Nachtigal«, die zunftbürgerlichen Mitglieder der Singschule, hatte den soziologischen Rahmen bereits indiziert; die Prosavorrede der WN liefert mit dem »gemainen man« den für eine genauere Bestimmung wesentlichen Schlüsselbegriff. Dieser in seiner Bedeutung allerdings sehr stark schillernde Terminus, der sowohl den armen Bauern als auch schlechthin jeden Untertanen, bzw. jedes Gemeindemitglied bezeichnen konnte [162], der einmal ohne soziale Festlegung jeden Laien meinte, dann wiederum auf das mittellose städtische Proletariat zielte, ist mitverantwortlich für die Volksdichterlegende, die um die Gestalt Sachsens herum konstruiert wurde [163]. Dennoch läßt sich für den städtischen Bereich eine Abgrenzung sowohl gegenüber der »Ehrbarkeit« des regierenden Patriziats [164] als auch der plebejischen Unterschicht gegenüber [165] bestimmen, in der Weise, daß sich auch aus der programmatischen Äußerung Sachsens die Zielgruppe in dem von uns (S. 32 f.) als für die Ausbreitung der Reformation relevante Teil der Städtebevölkerung bestimmen läßt [166].

Der Charakter der in der WN angesprochenen Themen unterstreicht die Berechtigung dieser These.

Zwar stellt diese erste Flugschrift eine ungewöhnlich umfassende Abrechnung mit nahezu sämtlichen Erscheinungsformen des Katholizismus dar –

1. Z. 371/5–372/19:
   die gesamte Kultpraxis (»menschen fund«)

2. Z. 372/20–373/13:
   der kirchliche Machtanspruch (»menschen-gesetze«)

3. Z. 373/14–375/4:
der kirchliche Fiskalismus (»als auff das gelt gericht«)
4. Z. 375/5–376/24:
andere Formen materieller Ausbeutung
(»scheren, melcken, schinden, fressen.«)
5. Z. 376/25–37:
das kirchliche Verkündigungsmonopol
6. Z. 381/35–382/10:
der sittlich-moralische Verfall der Geistlichkeit. [167] –

dabei stehen aber die besonders dem bürgerlichen Mittelstand unangenehmsten Gravamina, die durch die immer wieder [168] erhobene Forderung nach einer »wohlfeilen Kirche« (LV 248 Engels, S. 58) bezeichnet werden, ganz deutlich im Vordergrund. Allerdings erklärt diese auf den mittelständischen Geschmack zugeschnittene Thematik nicht den offensichtlichen Erfolg der WN; denn gerade an Schriften zu diesen Themen bestand eher ein Überangebot, und zusätzlicher Bedarf konnte nur durch Originalität erreicht werden, die die WN in dieser Hinsicht nicht in Anspruch nehmen kann. Es läßt sich im Gegenteil eher von einer sachlichen Abhängigkeit von einer ganzen Reihe zeitgenössischer Flugschriften sprechen [169], wobei vor allem an Lazarus Spengler zu denken ist [170], der vermutlich mit Sachs bekannt war [171]. Aber selbst dort, wo sich solche direkten Abhängigkeiten nicht nachweisen lassen, fällt es nicht schwer, thematische Ähnlichkeiten in anderen Propagandaschriften aufzufinden.

Die Wirkung der WN ist zweifellos nicht auf ihren kognitiven Gehalt zurückzuführen, sondern auf ihre pragmatischen Aspekte.

2.2.1 *Die Traditionsbereiche des Textes*

2.2.1.1 *Die Allegorientheorie*

In der Forschungsliteratur gelten »Nachtigal« und WN ausnahmslos als Allegorien [172]. Diese Auffassung beruht auf der Beobachtung, daß jeweils im ersten Teil beider Gedichte sämtliche Gegenstände in uneigentlich-bildhafter Redeweise dargestellt werden, deren Entschlüsselung im zweiten Teil erfolgt. Das geschieht nach einem so eindeutigen Schema, daß Sachs sich den Hinweis »per tropologiam« eines in Anlage und Funktion ähnlichen aber einige hundert Jahre älteren Textes [173] sparen konnte. So gesehen handelt es sich hier zweifellos auch um einen allegorischen Text – die definitorischen Unterschiede zwischen den den Auslegungsarten allegorisch, tropologisch, anagogisch sind hier nicht wesentlich – nicht jedoch um eine Allegorie. Der Vergleich mit unzweifelhaften Allegorien innerhalb der Flugschriftenpropaganda, etwa der »göttlichen Mühle« (LV 80 Schade, I, S. 19 ff.), spricht dabei eigentlich für sich: dort werden die einzelnen Elemente eines Bildes, die sich auch durch nur *einen* Holzschnitt veranschaulichen lassen, allegorisch gedeutet; bei der WN hingegen handelt es sich um einen Komplex teilweise völlig disparater Faktoren, deren Zusammenhalt nicht aus der Evidenz eines bildlichen Zusammenhangs zu erklären ist [174], die zudem einen Handlungsablauf ergeben, der allenfalls in einem Bilderzyklus wiederzugeben wäre. Tatsächlich kann auch der jüngste Anwalt der Allegorientheorie diese nur dadurch plausibel machen, daß er das Gedicht auflöst in eine Abfolge tableauartiger Stationen [175]. Dabei wird aber der epische Charakter beider Gedichte übersehen, der sie zuallererst auszeichnet [176].

Der erste Teil der »Nachtigal», das Exemplum [177], besteht ausschließlich aus epischen Zeilen, die man nur sehr schwer auf fünf »Bilder« verteilen könnte, und auch für die WN läßt sich trotz deutlicher Handlungsabschnitte die Behauptung einer allegorischen Bilderfolge nicht verifizieren [178].

Der epische Charakter von »Nachtigal« und WN begründet auch die Ergebnislosigkeit der Quellenforschung, sowie die kritischen bis abfälligen Urteile in Struktur- und Formanalysen, die sämtlich die Allegorientheorie wie selbstverständlich voraussetzen [179]. Von diesen fruchtlosen Bemühungen ist an erster Stelle der Versuch von F. Ellis (LV 1) zu nennen, die WN auf einen Holzschnitt aus »Fridolins Schatzbehalter« (LV 112 Stammler, Tafel VII) zurückzuführen:

Dies wäre ein äußerst überraschender Sachverhalt, nicht nur, weil damit das bei Sachs sonst zu beobachtende Verhältnis von Dichtung und Bildschnitt [180] für diesen Fall umgekehrt würde, sondern vor allem deshalb, weil er von F. Ellis aus der Kenntnis von nur wenigen Illustrationen des 15. und 16. Jahrhunderts aus einigen erreichbaren tausend [180a] ermittelt wurde. Daß sich unter diesem mageren Material ausgerechnet noch Vorlagen zu denjenigen Einzelheiten finden, die in dem ersten Bild fehlen und die durch Kontamination mit diesem den Holzschnitt zur WN und damit auch gleich den Text ergeben haben sollen, macht die Überraschung perfekt.

Kritik würde sich hier eigentlich erübrigen, wenn nicht auch in diesem Fall die Zählebigkeit wissenschaftlicher Fehler sich erweisen würde:

Das allegorische Bild [WN] ... weist auf die enge Bindung zu zeitgenössischen Illustrationen (LV 369 Spriewald, S. 694, Anm.).

Es bestehen ja durchaus motivische und stilistische Ähnlichkeiten zwischen dem Titelholzschnitt der WN und dem von F. Ellis benannten Bildmaterial. Aber solche Ähnlichkeiten lassen sich in nahezu beliebiger Zahl finden [181] – eine oder gar *die* Quelle des Sachsschen Spruches wird man dabei nicht ermitteln. Die WN ist keine Allegorie.

Die literarische Bauform, die die auch heute noch unmittelbar evidente Kohärenz der so unterschiedlichen Einzelmotive hervorgebracht hat und mit der pragmatischen Normierung dieser Einzelmotive auch für den propagandistischen Gesamteffekt mitverantwortlich ist, bleibt noch zu bestimmen.

2.2.1.2 *Tierepos*

Die offensichtliche Schwierigkeit bei der Bestimmung eines einheitlichen und vereinheitlichenden Strukturschemas liegt in der motivlichen Verwandtschaft vieler Elemente der WN mit zahlreichen Schriften der unterschiedlichsten literarischen Tradition. Die von Ellis [182] und Theiss (S. 132f.) zusammengestellten Kataloge geben eine schon recht umfangreiche Auswahl motivgeschichtlicher Hinweise auf die von Hans Sachs in der WN verwendeten Schlagwörter, die aus der Sammlung Lepps (LV 335) und durch weitere Forschung noch um einiges zu erweitern ist [183]. Biblische Metaphern (Schafe, Wölfe, etc.) und Wortspiele (Löwe = Leo X.) stehen neben bekannten Schimpfnamen aus den zeitgenössischen Flugschriften (Emser = Bock, Murner = Katze). Den einzigen Vorschlag für ein übergreifendes Formmodell – außer dem einer Allegorie –, den Circe-Mythos, macht F. Ellis unter Hinweis auf ein anderes Spruchgedicht des Dichters [184], das das antike Vorbild nutzend ebenfalls die unterschiedlichsten Tiergattungen zusammenbringt [185]. Ebenso wäre an anderer Vorbilder aus dem gleichen Bereich zu denken, die wie Ovids Metamorphosen oder der »Gallus« des Lukian von verschiedenen Flugschriften ebenfalls als solche ausdrücklich genannt werden [186]. Aber allen den nach diesen Mustern zusammengefügten Bestiarien fehlt die motivische Klammer. Auch ein Lied Muskatblüts, das die sieben Todsünden in Tiergestalt vorführt [187], bezieht wie andere Beispiele dieses Genres [188] den formalen Zusammenhalt aus der Logik der Auslegung und nicht aus der Struktur des Vergleichsrahmens [189], was für den gelegentlichen Tiervergleich in anderen Flugschriften [190] umso mehr gilt.

Läßt man aber die motivischen Ähnlichkeiten mit den beliebten Tiervergleichen in der Flugschriftenpropaganda zunächst einmal außeracht – sie werden uns für die Bestimmung des Assoziationenspektrums der einzelnen Tiervergleiche noch beschäftigen –, so gibt allein schon die Zusammensetzung des Bestiariums der WN einen deutlichen Hinweis auf den literarischen Traditionszusammenhang, in den dieser Spruch zu stellen ist.

Ganz ähnliche Bestiarien sind uns, wie die folgende Gegenüberstellung zeigt, aus der Tradition des Tierepos bekannt:

1. WN	R. d. V.	Isengrimus	Reinardus	nouveau Renart
Löwe	Löwe	Bär	Löwe	Löwe
Schaf	Schaf	Widder	Widder	Widder/Schaf
Wolf	Wolf	Wolf	Wolf	Wolf
Schlange	–	–	–	–
Schwein	Eber	Eber	Eber/Sau	Eber
Bock	Bock	Bock	Bock	Bock
Katze	Kater	–	–	Kater
Waldesel	Esel	Esel	Esel	Esel
Schnecke	–	–	–	Schnecke
Frosch	–	–	–	–
Wildgans	Gans	Gans	Gans	Gans
Nachtigall	Fuchs	Fuchs	Fuchs	Fuchs [191]

Von Schlange und Frosch abgesehen – die Nachtigall ist ein besonderer Fall – sind also sämtliche Tiere des Sachsschen Spruches in mehreren oder gar allen Fassungen des Tierepos vorhanden. Trotzdem sind epischer Charakter und ähnliches Bestiarium allein nicht ausreichend für den Nachweis einer Beziehung zwischen der WN und der Renart-Tradition. Immerhin hat Theiss eine solche Beziehung kategorisch verneint:

In der gesamten allegorischen Tierdichtung des Hans Sachs sind die Tiere ihrem Wesen nach anders als die Tiere im Roman de Renart und seinen Nachbildungen: Dort erhält das tierische Wesen eine transzendente Bedeutung (das heißt bestimmte Verhaltenszüge werden gedeutet. Beispielsweise der krähende Hahn als Sinnbild des Stolzes, der Fuchs als Sinnbild der List etc.). Bei Hans Sachs hat das Tier kein tierisches, d.h. fixiertes Wesen, sondern ein Wesen, das nach der intendierten transzendenten Bedeutung ... konstruiert ist (S. 135).

Diese Begründung beruht allerdings auf einer mangelnden Kenntnis der Geschichte des Tierepos und einem Mißverständnis einiger Bemerkungen von Jauss, auf die er sich beruft [192]. Seine Behauptung,

Zum Beispiel *erkennen* die Schafe die Bösartigkeit des Löwen, der Wölfe etc. und ändern ihr Verhalten. Das ist im Tierepos unmöglich. (S. 135),

ist angesichts der im Tierepos üblichen anthropomorphen Züge in den Aktionen der Tiere (der beichtende Fuchs, der schatzsuchende Löwe, etc.) einfach unverständlich.

Das gilt auch für die »transzendente« Bedeutung des »tierischen Wesens« im Tierepos.

Jauss (LV 322) hat nachgewiesen, daß die Allegorese tierischen »Charakters« und Verhaltens im Tierepos nicht von einer biologistischen Betrachtungsweise ausgeht, sondern von der »Blickrichtung auf menschliches Verhalten« [193], auf das die »Arthaftigkeit« (LV 322 Jauss, S. 202) der Tiere erst konstruiert wird. Der umgekehrte Weg ist angesichts der unter anderem von Schmidtke (S. 136) beschriebenen »Bedeutungspluralität« von Tierbildern [194] und tierischen Eigenschaften – der Löwe kann sowohl für Christus als auch für den Teufel stehen, die Schlange für Klugheit und Falschheit – ausgeschlossen.

Gewichtiger als diese Einwände sind zwei andere Überlegungen: Sprechen nicht das Fehlen der für das Tierepos sonst üblichen Individualnamen der Tiere – Isengrimus, Belin, Vrevel, etc. –, gegen den hier angenommenen Traditionszusammenhang; und ist nicht ein Fuchs-Epos ohne Fuchs undenkbar?

Aber auch diese Einwände sind nicht unüberwindlich. Die nur von Grimm [195] geleugnete Funktion des Tierepos als politische Satire bedingte eine Verrätselung des jeweils gemeinten politischen Sachverhalts, um den Autor vor Repressalien zu schützen. Andererseits mußte dieser Sachverhalt für den eingeweihten kontemporären Leser immer noch erkennbar bleiben, wofür im Text Indikatoren notwendig waren. Solche Indikatoren sind die die Fiktion immer wieder aufhebenden Anthropomorphismen ebenso wie die – scheinbar – individualisierenden Namen, die das Erkennen der gemeinten Personen erleichtern sollten [196].

Hans Sachs hat den Schutz einer solchen Verrätselung nicht nötig – die oben beschriebene Situation eines protestantischen Propagandisten nach dem ersten Nürnberger Reichstag hat das verdeutlicht. Er kann daher das nicht zum eigenen Schutz sondern zur Diffamierung in die tierepische Szenerie verpflanzte Geschehen in der Glosse beim rechten Namen nennen. Damit entfällt für ihn auch die Notwendigkeit zusätzlicher Indikatoren. Die sonst zur Entschlüsselung der Satire notwendige Ausrichtung der Tier-Mensch-Beziehung auf das Menschliche kann Sachs nun umkehren, indem er Menschen nicht nur im Tierbild spiegelt, sondern buchstäblich vertiert.

Es wäre – was die fehlenden Namen angeht – auch an eine frühe Fassung des Renart-Stoffes, z. B. die Sprüche Spervogels, sowie an die Fabel zu denken, die ebenfalls ohne Individualnamen auskommen. Allerdings spricht das umfangreiche Bestiarium der WN neben anderem eher für ein späteres Vorbild.

Das mittelalterliche Tierepos hatte als »Warnfabel« [197] stets zeitkritische Funtion. Das gilt für das mittelhochdeutsche Epos Heinrichs ebenso wie für die ältere lateinische »Ecbasis captivi« und erst recht für die niederdeutsche Fassung des R. d. V., die Luther als eine »lebendige Contrafactur des Hoflebens« [198] ansah und die in der Tat ein plastisch-kritisches Bild vom Zustand des Reiches am Ende des 15. Jahrhunderts abgibt [199]. In Brants »Fuchshatz« [200] wird ähnlich wie in der WN das Personal der Tierepostradition ohne die überlieferten Namen zu einem satirischen Ausfall gegen den Adel benutzt. Ebenso häufig hat das Tierepos selbst und die von ihm abgeleiteten Formen als Medium der Kirchenkritik gedient. Vor allem die heftige Pfaffenschelte des »Isengrimus« [201] und die Satire auf römische Zustände im R. d. V. sind beispielhaft dafür. Wie sehr gerade dieser Aspekt der kritischen Substanz des Tierepos zum allgemeinen Wissensfundus gehörte, zeigen die zahlreichen Anspielungen auf das Tierepos außerhalb des epischen Traditionszusammenhangs zu denen auch die »Straßburger Tiermesse« [202] gehört.

All diesen kritischen Abrechnungen mit politischen und religiösen Zeiterscheinungen ist gemeinsam, daß die Kritik systemimmanent bleibt. Es werden einzelne Personen, Gruppen, Stände und Institutionen zwar äußerst scharf attackiert, ihre Fehler jedoch nur als Symptom der allgemeinen menschlichen Verderbnis und damit als unabänderliches Fatum angesehen [203]. Dieser resignativen Einstellung entspricht die tierepische Hauptgestalt, der Fuchs. Er deckt die Schwächen des Systems schonungslos auf, aber nicht, um sie abzustellen, sondern um sie in persönlichen Gewinn umzumünzen. Reinhart, Renart oder Reineke verhalten sich zynisch (vgl. LV 307 Gysi, S. 228) zu den Mißständen ihrer Zeit. Dieser Charakter macht den Fuchs untauglich zur Verkörperung reformatorischen Impetus'. Und so ist es nur natürlich, daß sowohl in der jüngeren (protestantischen) Glosse Baumanns [204], als auch in der protestantischen Flugschriftenpropaganda der Fuchs stets katholische Verwerflichkeit verkörpert [205] und die Vorwegnahme des Huttenschen Mottos in dem »ich habs gewagt« Reinekes nicht zu einer im protestantischen Sinne positiven Deutung genutzt wurde [206].

Die Elimination des Fuchses in der WN ist daher nur konsequent. Der zynische Parasit wird ersetzt durch den pathetischen Reformator, den die Nachtigall verkörpert.

Obwohl die Gestalt der Nachtigall der Renart-Tradition nicht völlig fremd ist – im Tierbankett des Eugenius Vulgaris tritt sie als Sieger über alle Waldvögel auf (LV 322 Jauss, S. 70), und in der Ecbasis captivi (Vss 831 ff.) wird sie für würdig erachtet, die Passion vorzutragen – ist ihre Aufwertung zur Hauptfigur anstelle des Fuchses allein schon geeignet, für heutiges Verständnis den literarischen Traditionszusammenhang zu verdecken. Für den Leser des Jahres 1523 war die Situation jedoch eine andere. 1498 war in Lübeck der niederdeutsche R. d. V. erschienen, der mit Neuauflagen 1517 (Rostock) und 1522 als einer der frühesten Bestseller anzusehen ist. Das schon erwähnte Flugblatt Brants (»Die Fuchsjagd«), die Tiermesse und ein weiteres Blatt vom Ende des 15. Jahrhunderts [207] beweisen die Popularität des Stoffes auch über Norddeutschland hinaus und unabhängig von der Bindung an die epische Form.

Darüber hinaus enthält die WN selbst noch zahlreiche zusätzliche Hinweise, die einen so vorbereiteten Leser sofort auf das tierepische Vorbild weisen mußten.

Neben dem geläufigen Bestiarium gehört dazu vor allem die deutliche Hierarchie unter den Tieren, die sich am Renartmotiv vom »Hofstaat der Tiere« orientiert. Dieser Zug ist von Sachs bei der Ausarbeitung des Meisterliedes offensichtlich stärker herausgearbeitet worden. In der »Nachtigal« werden die verschiedenen Tiere nur in anscheinend beliebiger Reihenfolge genannt (Löwe, Schwein, Bock, Hund, Katze, Schlangen, Wölfe), ohne daß eine Machtstufung erkennbar wäre. In der WN hingegen ist der Löwe deutlich als der Führer der »bösen Tiere« gekennzeichnet, als der falsche Hirte, während die übrigen Tiere als seine Helfer – »Zu solcher hut haben geholffen ...« (Z. 369/6) – ihm untergeordnet sind: »Nun hat der löw viel wilder thür« (Z. 369/31). Die Ranghöhe der Wölfe – sie stehen dem Löwen am nächsten (Bischöfe und andere geistliche Würdenträger) – erinnert dabei an die späteren Fassungen des Renartstoffes, in denen der »Wolfsmönch« (Spervogel) zum Baron befördert wurde [208]. Das dreiteilige Schema der WN von Vorrede, Parabel und Glosse erinnert ebenfalls an die Reineke-Fassung.

Die wichtigste Verbindungslinie zum Vorbild des Tierepos ist aber die Gestalt des Löwen. So wie der Hofstaat Nobels ein Abbild der Zustände des Reiches im 15. Jahrhundert bietet, so soll die tierische Hierarchie der WN mit dem Löwen an der Spitze ein Bild der Zustände innerhalb der Kirche zu Beginn des 16. Jahrhunderts abgeben, den »gantz geistlichen stat« (vgl. 372/18) umfassen. Der naheliegende »etymologische Namenswitz« auf Leo X. [209] dürfte der äußere Anlaß für die Wahl des Tierepos zum Vorbild der WN gewesen sein [210], über dessen Verbreitung in den Reformationsschriften zusammen mit ähnlichen Namensetymologien noch zu handeln sein wird. Sachs hebt aber die Funktion und Bedeutung der Löwengestalt über den Anlaß eines namentlichen Wortspiels hinaus, indem er in dieser Gestalt die Institution des Papsttums der voraufgegangenen »vierhundert jaren« (371/6) darstellt.

Schon Rollenhagen weist in der Vorrede zum »Froschmäuseler« die Überschätzung der Bedeutung solcher Namensetymologien für die Auslegung des weltlichen Löwenreiches zurück [211], was wir für die WN übernehmen können, ohne die magisch-mystische Verbindung von Namen und Person im Spätmittelalter damit gering zu bewerten.

Aus der Löwenfigur ergaben sich konsequent die übrigen Tiere des »Hofstaates«, wobei der Schlagwortkatalog der Reformationsflugschriften das eine oder andere Glied beisteuerte. Damit ist die WN in ihrem satirisch-kritischen Teil eine Spiegelung der Institution Kirche und ihrer wesentlichsten Vertreter in der parodistischen Darstellung des »Hofstaates der Tiere« aus der Tradition des Tierepos.

Mit dem Personal, der Darstellungsebene und dem epischen Charakter sind freilich sämtliche aus diesem Bereich stammenden Elemente benannt. Keine der aus den »branches« der Renart-Dichtung, dem mittelhochdeutschen oder niederdeutschen Epos geläufigen Episoden läßt sich in der Handlung der WN wiederfinden [212]. Das ergibt sich zwar mit zwingender Notwendigkeit aus der Einführung der Nachtigall; trotzdem empfiehlt sich von hier aus ein nochmaliger Rückblick auf die Allegorientheorie. Ist die WN etwa als Allegorisierung des Tierepos – dem Renart le nouvel ähnlich [213] – zu verstehen?

Wäre das so, dann müßte sich die »Allegorie« dadurch entschlüsseln lassen, daß man Tiere durch die gemeinten Personen, theriomorphe Handlungen durch die entsprechenden menschlichen Handlungsweisen ersetzt, Anthropomorphismen aber einfach übernimmt. Dieses Verfahren, auf die WN gewendet, müßte dann eine klartextliche Beschreibung der Geschichte der Frühreformation ergeben. Tatsächlich fördert eine solche Operation wieder nur eine Parabel zutage:

Luther verkündet den Christen des Reiches, die von Papst, Klerus und ihren weltlichen Handlangern verführt worden sind, den Anbruch des Tages, weckt sie und mahnt zur Rückkehr. Seine Widersacher fürchten das Tageslicht, verfluchen Sonne und Wächter und halten sich umso enger an die Verführten. Luther läßt sich jedoch ebensowenig zum Schweigen bringen, wie sich die Sonne verdunkelt, und auch immer mehr verführte Christen lösen sich, wenn auch unter Bedrohung und Verfolgung, von dem Verführer.

Die in der WN dargestellten historischen Ereignisse erscheinen dort also in doppelter Verschlüsselung. Der Code der zweiten Chiffrierung ist im Text der WN jedoch so deutlich gekennzeichnet, daß er auch von der Forschung selten übersehen wurde:

> hätte Sachs die Strophenform gewählt, so hätte er auch über dies sein Luthergedicht jene Aufschrift von 1525 setzen können ... nämlich »Ain schône Tageweyß«. (LV 149 Moser, S. 88),

trotzdem ist er zur Interpretation dieses Spruches bisher nicht verwendet worden, was hier nachgeholt werden soll:

Bei der WN handelt es sich um die Übertragung eines Tageliedes auf die Topographie und das Personal des Tierepos.

2.2.1.3 *Tagelied*

Während die sachverständige Literatur zumindest die Formalhaftigkeit der Eingangszeilen konstatiert, ohne freilich weitere Konsequenzen aus dieser Feststellung zu ziehen [214], führt mißverstandene und -verstehende romantisierende Schöpfungspoetik in der Sachsforschung bis heute zur völligen Blindheit gegenüber dem Klischee und zur Verkennung des Anfangs als einer »lyrischen« Leistung, an der nur der scheinbare Fehler einer Verwechselung von Nachtigall und Lerche bemängelt wird [215].

Dabei ist die tatsächlich fast schematische Formelhaftigkeit dieser Eingangsverse [216] der Schlüssel für eine zutreffende Interpretation des gesamten Spruches im Sinne unserer These und damit für die Aufdeckung eines weiteren wichtigen und propagandaeffektiven Symbolbereichs:

Der Weckruf des Beginns hat in doppelter Hinsicht die Funktion einer Resonanzformel, indem er als Parole ganz allgemein Aufmerksamkeit erweckt, darüber hinaus aber auch auf dem Hintergrund der übrigen Tageliedklischees die Erinnerung an weitere Aspekte dieser traditionellen Gattung wachruft. Wie die skizzierte Parabelhandlung erkennen läßt, ist das Handlungsschema der WN dem Modell des ritterlich-höfischen Tageliedes nachgebildet [217]), wobei das zugrundeliegende Wertsystem dem des geistlichen Tageliedes entspricht.

Eine solche Kontamination ist nicht ungewöhnlich und kann kaum als Entschuldigung für die Verkennung dieses Tatbestandes in der Forschung gelten, zumal Sachs schon 1518 in dem Meisterlied »Wach auf von sünden, es ist spat« (LV 93 Wackernagel, II, Nr. 1409), das den »Typus eines meistersingerlichen Weckliedes in reiner Gestalt« (LV 330 Kochs, S. 96) erfüllt, eine ähnliche Kontamination säkularer Motivik und geistlicher Auslegung verfaßte. Er war überhaupt mit der Form das Tageliedes und den Möglichkeiten ihrer geistlichen Umdeutung bestens vertraut, da er neben diesem Meisterlied vor der WN noch sechs weitere Tagelieder geschrieben hatte [218]. Für einen Meistersänger lag dabei die Wahl einer im höfischen Minnesang begründeten Form besonders nahe, da sich die Singschulen ausdrücklich als Erben höfischer Dichtungstradition verstanden.

Allein die Übertragung auf das »Milieu« des Tierepos macht das Tagelied schwer erkenntlich.

Das Tagelied eignet sich in seiner prägnanten Form, dem beschränkten Personal, der Überschaubarkeit der vorkommenden Motive und vor allem der immer gleichen Stationen der Handlung besonders gut als parodistisches Medium [219], da es verhältnismäßig leicht ist, die charakteristische Struktur auch in der parodistischen Abwandlung zu bewahren und sichtbar zu machen. So sind denn auch in der WN die Stationen von Weckruf, Tagesanbruch, Rückblende auf die Liebesnacht, Erwachen, Klage und Tageshaß und schließlich »urloup« nicht zu übersehen; eben die Handlungsstufen, die Theiss in Verkennung des Formprinzips als Bildfolgen gedeutet hat (S. 130). Tatsächlich sind diese Bilder nichts anderes als die traditionellen Höhepunkte der Tageliedhandlung, die sich lückenlos im ersten Teil des Sachsschen Spruchgedichtes nachweisen lassen:

1. Weckruf	Zeilen 1– 6
2. Beschreibung des anbrechenden Morgens	Zeilen 7– 15
3. Rückblende auf die »Liebesnacht« (Parodie)	Zeilen 16– 39
4. Erwachen	Zeilen 40– 45
5. Klage der Frau (hier: des Löwen) über den Tagesanbruch, Tages- und Wächterhaß	Zeilen 46– 86
6. »urloup« und »morgentriuten«	Zeilen 86–101

Der Systemzwang der Tageliedform ist dabei so stark, daß sich die übrigen Elemente – wie die des Tierepos – nahtlos einfügen [220].

In der Fassung der »Nachtigal« ist die Tageliedhandlung noch nicht so komplett durchgeführt. Weckruf, Tagesschilderung, Wächterhaß und Abschied machen aber auch das Meisterlied zu einem echten Tagelied, das auch in dieser Reduktionsform nicht ohne Beispiele ist [221]. Gerade die gelungenste parodistische Leistung der WN, die satirische Verkehrung der erotischen Motive aus Liebesnacht und »morgentriuten« fehlen aber noch in der »Testfassung«. Ein Eingehen Sachsens auf die Reaktion in der Singschule ist dabei zu vermuten, woraus sich für uns die Notwendigkeit einer eingehenderen Untersuchung der Tageliedelemente und ihrer propagandistischen Brauchbarkeit ergibt.

Der aus der Allegorese des Hohen Liedes entstandene Zweig des geistlichen Tageliedes, der das Liebespaar der Tageliedsituation als Leib und Seele [222] deutete, führte, zunächst nur in diesem Bereich, zu einer völligen Verkehrung des tageliedlichen Wertsystems. Der Gegensatz von Nacht und Tag – im ritterlich-höfischen Tagelied gleichbedeutend mit Vereinigung und Trennung – wurde auf den biblischen Gegensatz von lux – tenebrae zurückgeführt, wobei alles Leibliche, Sündige, Teuflische dem Bereich der Dunkelheit angehört, dem die Macht des Lichtes, Gott, gegenübersteht. Der Schlaf war somit ein »Sündenschlaf«, das Erwachen galt als Erlösung, und die im ritterlichen Tagelied so häufig negativ akzentuierte Gestalt des Wächters wurde konsequent zum Erlöser aufgewertet. Aus dieser Umwertung resultiert eine ganze Spezies geistlicher Wecklieder, die auch in Sprachgebrauch und Metapherwahl den geistlichen Bereich nicht verlassen. Verschiedene Osterhymnen und Weihnachtslieder [223] sind ebenfalls hier zuzurechnen.

Eine andere Gruppe geistlicher Tagelieder behält jedoch das säkulare Begriffs- und Bildsystem bei, dem es die geistliche Wertung und Deutung quasi überstülpt. Das Sachssche Meisterlied von 1518 und Pêter von Rîchenbachs »Hort« sind beispielhaft für diese Entwicklung, die den formalen Rahmen der WN mitbestimmt.

Die mit der geistlichen Umwertung verbundenen sprachlichen Wendungen sind mit der Entwicklung des geistlichen Tageliedes darüber hinaus zu vom Tageliedgenre unabhängigen loci communes geworden, die für die Rekonstruktion des durch entsprechende Topoi aktivierbaren Assoziationenspektrums von Bedeutung sind. Wendungen wie »an den Tag kommen« [224] und »ans Licht bringen«, die damals das Offenbarwerden einer Sache [225] im ursprünglichen Sinn der Offenbarung begriffen, was die zitierten Beispiele zeigen, gehören ebenso dazu wie die Verwendung des tageliedlichen Weckrufes als allgemeiner Bekehrungsaufruf [226]. Die reformatorischen Flugschriften, wie auch die spätmittelalterliche moralsatirische und didaktische Literatur vor ihnen, haben dazu beigetragen, das Vokabular des Tageliedes in einer Weise pragmatisch zu normieren, daß bei ihrer propagandistischen Nutzung mit einer breiten und intentionalen Rezeption der so mit ihnen verbundenen Wertungskategorien gerechnet werden konnte. Die Fülle der Tagelied-Reminiszenzen im Sprachgebrauch der Flugschriftenpropaganda zeigt, daß man in der Lage war, die werbewirksamen Implikationen dieses Sachverhalts zu erkennen und zu nutzen.

Sachs betrat also mit der Wahl des Tagelied-Rahmens für die WN gewissermaßen ein beackertes Feld, was der durch die Texttradition konstituierte Erfahrungs- und Assoziationsbereich der in der WN verwendeten Tagliedvokabeln beweist:

Die Deutung des Tageslichtes als »Evangelium«,

So dringet her des tages glantz
Bedeut das evangelium (377/27 f.)

ist derart verbreitet, daß die Versuche, sie als stilkritische Kategorie zu verwenden, geradezu grotesk erscheinen müssen [227]. Das gleiche gilt auch für den dagegengestellten Bedeutungsbereich von Mond, Nacht und »falscher glinster« [228], so daß die Zusammenfassung beider Metaphernbereiche durch den Rückgriff auf beider Ursprung, das Tagelied, quasi »in der Luft« gelegen haben muß [229].

2.2.1.4 *Die Vereinigung von Tagelied und Tierepos*

Mit der Figur der Nachtigall, die dem Spruchgedicht den Namen gab und als »Wittenbergisch Nachtigall« den Katalog reformatorischer Schlagwörter bereicherte [230], ja sogar über diesen lutherischen Ehrentitel hinaus Schlagwortcharakter behielt [231], geht Sachs über die reproduktive Zusammenstellung gerade beliebter Tageliedmotive hinaus. Zwar entstammt sie natürlich dem Personal des Tageliedes, doch die ihr hier zugewiesene Rolle ist neu. Weder in der reformationspolemischen Verwendung von Tageliedbegriffen noch auch in den weltlichen oder geistlichen Tageliedern gibt es ein Beispiel für die Übernahme der Wächterfunktion durch die Nachtigall. Luthers Rolle aus protestantischer Sicht wäre innerhalb eines Tageliedes auch in der Figuration eines »geistlichen Wächters« darstellbar gewesen, was in einem Gedicht dieses Namens [232] ja auch geschehen ist.

Zweifellos liegt in der Gestalt der Nachtigall als Personifikation Luthers die Nahtstelle von Tiereposmilieu und Tageliedhandlung.

Die Funktionen von Wächter und Nachtigall liegen in ihrer Rolle als Weckende so sehr beieinander, daß eine Zusammenfassung nicht unlogisch ist. Diese aus der Tageliedmotivik selbst legitimierbare Transposition des rettenden Wächters in die Tiergestalt bildet die gedankliche Brücke für die Darstellung auch der übrigen Personen in Tiermasken. Daß die Nachtigall überdies auch der Tradition des Tierepos nicht fremd ist, erleichtert diese Brückenfunktion: das übrige Personal des Tierepos nimmt, je nach der durch die sonstige Flugschriftenpropaganda konstituierten Charakteristik gruppiert, den Platz des Liebespaares in der Tageliedhandlung ein, wobei das Schimpfwortarsenal der Flugschriften umfangreich genug ist, die Lücken der Tierepostradition zu schließen.

Auf diese Weise wird eine Verschmelzung beider Formprinzipien erreicht, die in ihrer Fugenlosigkeit weit über die bloße Addition ähnlicher Motive in der Literatur und Propaganda vor dem Sachsschen Spruchgedicht hinausgeht [233].

Daß sich als Formprinzip der WN die parodierende Anlehnung an gleich zwei beliebte literarische Formen herausgestellt hat, schränkt den von uns oben (S. 36) bewußt weit gefaßten »literarischen« Kontext, aus dem sich das Assoziationenspektrum ergeben sollte, für diese Flugschrift zumindest ein auf einen im engeren und herkömmlichen Sinne literarischen Traditionszusammenhang. Es ist hier sicherlich noch zu früh, daraus verallgemeinernde Schlüsse zu ziehen, doch sei immerhin an den Tatbestand erinnert, daß es zu dieser Zeit kein eigenes agitatorisches Genre gab [234], so daß es für das Konzept einer Propagandaschrift eigentlich nur die

Möglichkeit der Anlehnung an traditionelle Textformen gab. Und das sind – neben juristischen und politischen Schriften, die ja auch durch die Reformationsschriften parodiert werden – in erster Linie literarische Erzeugnisse, wobei wir, angesichts der vorwiegend religiösen Funktion der Literatur im Spätmittelalter, geistliche und auch liturgische Texte mit einschließen. Den parodistischen Charakter der reformatorischen Propaganda wollen wir auch bei der Untersuchung der übrigen Flugschriften des Hans Sachs im Blick behalten:

satire is not a genre *per se*, but is usually parasitic, in respect of its external form and the laws of its structure, on other forms, either of art or indeed of life. These it shifts in a crafty manner, so that the whole thing is subtly off focus, or even parodistically reversed.

In dieser Äußerung Stopps (LV 231, S. 57) über den Charakter der Flugschriften im allgemeinen ist auf jeden Fall die WN richtig beschrieben [235].

Der propagandistische Ertrag der Kontamination zweier Parodien in der WN liegt auf der Hand: durch die parodistische Beschwörung des »Hofstaats der Tiere« aus dem Tierepos wird die sonst im Mittelalter übliche Ambiguität der Tierauslegung verhindert und ein Bedeutungsrahmen geschaffen, der nur eindeutige, d. h. bei den »bösen« Tieren pejorative Auslegungen der verschiedenen Tierfiguren erlaubt; der aus dem Tagelied gewonnene Gegensatz von lux und tenebrae macht die komplexen Ereignisse der Frühreformation in der Darstellung der WN zu dem eindeutigen und überschaubaren Gegeneinander der Parteien eines Fundamentalgegensatzes, wobei das begriffliche Material der Bewertung gleich mitgeliefert wird – wohl sortiert für Apotheose, bzw. Verdammung.

Der zweifache aber eindeutige Rahmen, der durch die literarischen Vorbilder für das Wertungssystem der ihn füllenden Einzelaussagen gesteckt wird, ist in seinem Wirkungspotential erst nach deren Analyse abzuschätzen.

Angesichts der schon festgestellten mangelnden religionstheoretischen Originalität und des geringen Informationswertes sind als »Einzelaussagen« nicht die kognitiven Gehalte der einzelnen Textelemente zu begreifen, sondern vor allem die emotiven Konnotationen.

2.2.2 *Die Wirkungsfaktoren der sprachlichen Mittel*

Es ist nur scheinbar eine Inkosequenz, wenn wir nach der Polemik gegen alle Versuche, die WN zur Allegorie zu stempeln, nun unsererseits den allegorischen Charakter der sprachlichen Mikrostruktur betonen wollen. Es ging uns ja bei unserer Kritik um eine neue und zutreffende Bestimmung der Textstruktur, nicht jedoch um die Leugnung einer Denkweise, von der die WN in der Tat deutlich geprägt ist. Aber auch diese Aussage ist umstritten und verlangt nähere Prüfung.

Die Diskussion um »Namenswitz«, »Tiervergleich«, »Typisierung«, »Identifikation«, »Allegorie« ist mehr als ein Streit um Worte, da eben diese Kategorien Grundlage sind für absolut gegensätzliche Einschätzungen von Funktion und Effekt solcher Mittel sprachlicher Bildlichkeit:

wenn Vadian und die kurze Anrede führende Persönlichkeiten der Gegenseite als Tiere verspotten, so verdächtigen sie damit nicht ihre ehrliche Gesinnung. (LV 211 Blochwitz, S. 231, Anm.),

dagegen spricht I. Kolodziej (LV 224) davon, daß

die Verfasser kein allegorisches Bild entwerfen, sondern bestimmte Typen, die ... durch die Identifizierung mit einem Tier festgelegt werden. (S. 201),

und Stopp (LV 231) behauptet sogar

... it is undeniable that the satirical or parodistic alteration of names or words in the Reformation is directly descended from the mystical interpretation practised throughout the Middle Ages ... (S. 65).

Handelt es sich bei dem Papst-Löwen also um eine verbale Verspottung im Sinne eines »etymologischen Namenswitzes« oder wird hier noch etwas von dem magisch-mystischen Zusammenhang (oder gar Identität) von Bild und Abgebildetem [236] in der Allegorie wirksam?

Immerhin liegen bei Erscheinen der WN schon einige Jahre humanistischer Satire auf die typologische Denkweise des Mittelalters und ihrer Überspitzung durch die Scholastik hinter dem Publikum der Flugschriftenpropaganda, und spätestens seit den Epistolae Obscurum Virorum und den darin enthaltenen Persiflagen auf absurde Allegorisierungen sollte man zumindest aufseiten der Kirchenkritiker, also auch der Protestanten, eine Abkehr von den sensus spirituales erwarten, zumal auch Luther selbst sich von der spirituellen Interpretation der Bibel lossagt [237]. Dem ist jedoch nicht so. Auch bei Luther finden sich Beispiele

für die Gewohnheit, in den Ereignissen einen gleichnishaften Sinn zu sehen (LV 263 Schmidtke, S. 143),

und die protestantischen Polemiker gewinnen nicht die schwächste Munition aus der Verwendung der aus dem typologischen Bibelverständnis erwachsenden realprophetischen Bedeutungsbezüge von Präfiguration und Erfüllung (ursprünglich zwischen Altem und Neuem Testament), etwa zwischen der Offenbarung des Johannes und der Gegenwart des 16. Jahrhunderts. Die Vorstellung vom Antichristentum des Papstes, die Deutung der »Babylonischen Hure« als Rom und die des römischen Klerus als die »falschen Propheten« aus Matth. 7 sind weitere beliebte Beispiele [238]. Auch Sachs steht in dieser »ererbten Konvention« (LV 119 Beifus, S. 9), denn die hier genannten Beispiele finden sich sämtlich in der WN.

Dabei ist für die Bestimmung der Rezeption solcher Vorstellungen wichtig zu beachten, daß die polemische Bibelexegese zwar von Ähnlichkeitsbezügen ausgeht und sich durch ausdrückliche Hinweise auf solche Ähnlichkeiten zu legitimieren sucht:

Daniel an dem neündten melt
Und alle warzeichen erzelt,
Das man gantz klärlich mag verston,
Das bapstthumb deut das Babilon (WN 385/38),

ihre Überzeugungskraft aber vor allem aus der auch noch in der Reformationszeit sehr wirksamen Vorstellung der Realität des von Gott in die Worte der Bibel gelegten Sinns [239]. Die WN liefert auch dafür ein charakteristisches Beispiel, indem z. B. die Interpretation der »Babilonischen Hure« als Vorhersage römischer Zustände nicht in erster Linie durch reale Beispiele der Verifizierung der Johannesprognostik gestützt wird, sondern durch Anführung weiterer konkordanter Bibelstellen.

Bei dieser Form der polemischen Bibelexegese handelt es sich um den Ausdruck spirituellen Schriftverständnisses, um Allegorien also, nicht bloß um Illustrationen, Beispiele, Verdeutlichungen. Die allegorische Exegese legt die Identität von biblischer Vorhersage und historischer Realität bloß.

Der Text der WN wird diesem Sachverhalt auch durch die entsprechende Diktion gerecht. Der Bezug zwischen dem Text der Bibel und dem (in der protestantischen Sicht Sachsens) Gemeinten wird nicht durch vergleichende Verben, sondern durch identifizierende Verbindung sinnfällig gemacht:

> Das *ist* des Endchrists Hofgesind. (384/12)
>
> O wie thut hie Christus abmalen
> Unser geistlicher gottlos wesen, (376/8 f.)
>
> Christus solch wolff verkündet hat (375/30)

Das gleiche Verhältnis von Bild und Gemeintem wird zumindest sprachlich auch für die nicht aus der Bibelexegese gewonnenen Tier-Mensch-Beziehungen realisiert. Auch hier heißt es

> Ist doctor Martinus Luther (370/39)
>
> Der löwe wirdt der bapst genennt, (371/12)
> (nicht etwa umgekehrt, wie es bei einer vergleichenden Beziehung zu erwarten wäre!)
>
> Der bock bedeutet den Emser (380/35), etc.

Daß diese Wortwahl nicht zufällig ist, zeigt der Titel eines anderen Spruchgedichtes, das menschliche Verhaltensweisen im Tier*vergleich* verdeutlicht: »Der zwölff reynen vögel eygenschafft, zu den ein Christ vergleichet wirdt ...« [240]. Auch im Text wird dort die Verbindung zwischen Tier und Mensch durch ein vergleichendes »also« hergestellt.

Auch bei den Auslegungen von Tiereigenschaften und Naturphänomenen in der WN handelt es sich um Identitäten gemäß der mittelalterlichen Zeichentheorie, nicht etwa nur um »dichterische Allegorese« [241]. Eine solche an der spirituellen Bibelexegese orientierte Naturauslegung ist seit Augustinus und Thomas [242] gerechtfertigt und durchaus üblich. In der Reformationszeit kann man dieses allegorische Verhältnis beim Gebrauch von Tiermasken, etymologischen Spottnamen und pejorativen Vergleichen nicht immer und überall unterstellen; Sachs jedoch ist für seine allegorische Denk- und Ausdrucksweise bekannt (vgl. LV 169 Theiss), und auch im Fall der WN muß man von Allegorien im Sinne und aus dem Geist des »spiritualis« sprechen.

Unter dieser Prämisse ist das Verhältnis zwischen der Parabelhandlung des ersten Teils der WN und der sie tragenden Tiergestalten und den damit gemeinten und im zweiten Teil beschriebenen Ereignissen und Personen zu begreifen. Der Verdeutlichung dieses Identitätsverhältnisses dient das in dem Text deutlich spürbare Bemühn, möglichst den gesamten katholischen Kosmos – Ideologie, Institutionen, Dogmen, Kulthandlungen, Verhaltensnormen – zu erfassen und mit den traditionellen Tiereigenschaften in Beziehung zu setzen. Was also von der Forschung als »breitspuriges Allegorisieren« und »dürrer Schematismus« oder gar als »Unbeholfenheit seiner Technik« (LV 139 Kawerau, S. 26) kritisiert wird, ist tatsächlich ein klug gewähltes Mittel, die für den Gegner vernichtende Identifikation mit der Tierwelt einsichtig zu machen und sie gleichzeitig auf sämtliche Erscheinungsformen des Katholizismus auszudehnen.

Der möglichst genauen Erfassung des Bedeutungsrahmens jeder einzelnen Allegorie kommt daher ganz besondere Bedeutung zu. Das von dem heutigen so sehr verschiedene Ähnlichkeitsverständnis [243] des Mittelalters erschwert jedoch diese Aufgabe nicht unbeträchtlich. Sie ist dennoch nicht unmöglich, da es sich bei dem gesamten System von Ähnlichkeitsbezügen und Analogien um literarisches »Traditionsgut« handelt,

> das durch die Jahrhunderte weitergegeben wurde, das von den Generationen aufgenommen, wiederholt und in verschiedenen Formen – immer aber am Vorbild des bereits vorhandenen orientiert – erweitert wurde (LV 363 Schmidtke, S. 144).

Aus den Verbindungsmöglichkeiten jeder einzelnen Allegorie zu diesem Traditionszusammenhang ergibt sich das verhaltenssteuernde Potential der Sachsschen Propagandasprache.

Hieraus bestimmt sich das weiter Prozedere: Über die durch die Tierepos-Tradition konstituierten Wertungskategorien hinaus sollen aus der kontemporären Flugschriftenpropaganda und einem möglichst weit gefaßten literarischen – aber auch subliterarischen – Überlieferungszusammenhang das Assoziationenspektrum der in der WN enthaltenen sprachlichen Propagandamittel und ihre wahrscheinlichen Rezeptionsweisen ermittelt werden.

2.2.2.1 *Pastoralallegorik*

> Chistus solch wolff verkündet hat
> (Matthei am sibenden es stat):
> Secht euch für vor falschen propheten,
> Die in schafkleydern herein tretten!
> Inwendig reissent wölff ers nennet. (375/30 ff.)

Mit diesem Hinweis auf Matth. 7, 15 bezeichnet Sachs selbst den hier vor allem zu beachtenden Traditionsbereich, die biblische Pastoralmetaphorik, die den Gebrauch des so häufig verwendeten Wortfeldes um Hirte, Herde, Wölfe maßgeblich bestimmt. Das geistliche Schrifttum seit der Spätantike (z. B. Gregors »Regula Pastoralis«) ist voll davon und auch die verschiedenen Versionen des Tierepos und die Fabeln sehen in der Herde die Gemeinde, bzw. die Masse der Untertanen und das einzelne Schaf in seiner Wehrlosigkeit als Objekt im Streit der Mächtigen. Die Flugschriftenliteratur nutzt wie schon bemerkt die realprophetische Deutung dieser Bibelstelle und anderer, um die Ausbeuterrolle des Klerus gegenüber der Gemeinde sinnfällig zu machen, und kann sich dabei auf eine große Zahl mittelalterlicher Vorbilder stützen, deren Tradition den jeweiligen Identitätsbezug plausibel macht.

Schon um 1100 taucht in dem Gedicht »De Lupo« (LV 322 Jauss, S. 69) der »Wolfsmönch« auf als quasi stehende Redewendung [244], nachdem schon über hundert Jahre vorher in der »Ecbasis captivi» ein Wolf ins Kloster geschickt worden war. Über die Sprüche Spervogels [245] und die verschiedenen literarischen Ausformungen des Tierepos setzte sich diese Tradition unter allmählicher Beförderung des Wolfes zum Abt [246] und Bischof [247] in einer Weise fort, die auch die nicht an das Tierepos gebundene Kirchenkritik beeinflußte und zur Basis der geradezu liebevollen Ausweitung und polemischen Zuspitzung dieses Bildes in der Reformationspropaganda wurde. Schon im »Isengrimus« sagt der Wolf bedauernd

> ... dann werde ich die Hoffnung auf das bischöfliche Amt aufgeben, daß sicherlich nur durch Raub und Gefräßigkeit zu verdienen war. (LV 83 Schönfelder, S. 116),

wobei der Katalog negativer wölfischer Eigenschaften, seine Gier, Gefräßigkeit, Falschheit und ähnliche durch Tierepos und Fabel geprägte Eigenschaften, in seiner Gleichsetzung mit dem Teufel [248] seinen konsequenten Höhepunkt findet und für die Beurteilung solcher Aussagen mitgedacht werden muß. Das gilt auch und vor allem für die Reformationsschriften, die das Teuflische des Wolfes – das ursprüngliche Vergleichsverhältnis auf den Kopf stellend – aus dem Bischofstitel ableiten [249]

> mein bißschaf (ich solt sagen frißschaf) (LV 80 Schade, III, S. 189)

> ... Bischof, Ja wol friß schaff. (LV 30 Clemen, IV, S. 292),

oder wie in der WN auf die Realprophetie der Bibel rekurrieren. Dabei stellt sich sehr schnell eine schlagwortartige Sprachregelung her, die Wölfe und Herde ebenso zu festen Chiffren mit einem akzeptierten Bedeutungsrahmen werden läßt, wie die Charakterisierungen der Beziehungen beider zueinander, die in der WN auf die Formel gebracht wird

> Haben die elend herd besessen
> Mit scheren, melcken, schinden, fressen (369/8 f.).

Jedem Leser mußten die damit gemeinten Tatbestände deutlich sein, ebenso wie die (ab)wertenden Konnotationen. Hier einige Beispiele aus einer kaum überschaubaren Anzahl:

> ... daß du als der hirt dein schaf auf unrechte weid triben, zu unzeiten melken (und so hart daß nit milch sunder plut hernach get), zum jar nit zwei sunder etwan zehen mol scheren ... (LV 80 Schade, III, S. 48),

> ... hiergegen reißen und würgen sie die armen schaf, wie man dann sicht, mit gelt abforderen, schinden, schätzen, bannen und achten. (Schade, II, S. 5),

> ... mügen nach jrem lust melcken, scheren, schinden, fressen ... (LV 30 Clemen, IV, S. 322),

> ... sie schinden vnd schaben die armen schaff. (Clemen, I, S. 27)

> Ich acht, es schlaf / Iezund der hirt
> Der dschäflin beschirt / Der wolf der wirt
> Verzucken hin / Gottes schäflin (Schade, II, S. 161).

Die auch sprachliche Verfestigung dieses Bildes [250] macht es für die katholische Seite schwer, wenn nicht unmöglich, sich ihrerseits seiner als Kampfmittel zu bedienen [251].

Zu den Wölfen und Schafen der biblischen Pastoralmetaphorik treten in der WN die Schlangen

> ... mönnich, nonnen, der faul hauffen,
> Die ire gute werck verkauffen (376/12 ff.).

Sie ergänzen in dieser Funktion die Gruppe der Herdenschädlinge, und wenn die hier genannte Eigenschaft auch aus der antiken Zoologie stammt [252], so ist die mit dieser Allegorie zu verbindende Wertung jedoch vor allem auf die biblische Rolle als Teufelstier zu beziehen. Diese Bedeutung beherrscht auch die Flugschriftenpropaganda, die sprachlich durch das von Luther gepflegte »Otterngezüchte« und »Gewürm und Geschwürm« [253] geprägt ist.

Die von der WN attackierte »Blutsaugerei« durch die Klosterinsassen fällt unter die grundsätzlich kritisierte Ausbeutung der Bevölkerung durch den Klerus und den kirchlichen Fiskalismus, die in den Flugschriften ebenso umschrieben werden [254]. Die aus der Allegorik der Bibel, den Fabeln und der geistlichen Tierauslegung [255] gewachsene Bedeutung der Schlangenallegorie faßt Sachs aus seiner Sicht in einem allegorischen Spruchgedicht des Jahres 1527 zusammen:

> ... vergifft alt und jung
> Mit schmaychlen, nachreden und liegen
> Mit falsch schweren, fluchen und kriegen
> Mit aufrüren, hadern und fechten
> Mit klagen antworten und rechten.
> (LV 2 Keller/Goetze, II, S. 495).

2.2.2.2 *Löwe*

Der Löwengestalt kommt als Anlaß für die tierepische Einkleidung der WN und wegen ihrer Rolle im »Hofstaat der Tiere« eine besondere Funktion zu, obwohl natürlich auch der Löwe in der Menagerie biblischer Gleichnisse nicht fehlt [256]. Das Wortspiel auf den Namen Leos X. ist so naheliegend und wird in der Flugschriftenpropaganda so häufig genutzt, daß die Überlegungen von Schumann und F. Ellis über die Urheberschaft ziemlich müßig sind [257].

Zu diesen Namensetymologien, die über diesen speziellen Fall hinaus in den Flugschriften beider Seiten immer wieder eine wichtige Rolle spielen [258] und die uns noch im Zusammenhang mit Murner, Alfeld und Cochläus beschäftigen werden, hier eine grundsätzliche Bemerkung: Die hinter solchen Etymologisierungen stehende Sprachmystik ist ein weiterer Beweis für die auch noch zur Reformationszeit ungebrochenen sensus spiritualis. In einigen Fällen mag nur um des Witzes willen aus Eck ein »Geck« gemacht werden [259] oder aus Cochläus ein »Rotzlöffel«, aber die immer wieder zu beobachtenden Bemühungen, den Charakter einer Person aus ihrem Namen herzuleiten, geht über die Ebene solcher Spielereien hinaus [260].

Trotz der überwiegend positiven Charakterisierung des Löwen als »König der

Tiere« in den Fabeln und der auf Gott zielenden Auslegungsformen der Bibel ist der das Papsttum vernichtende Bewertungsrahmen der Löwenallegorie in der WN eindeutig und durch den literarischen Überlieferungszusammenhang vorbereitet. Der Löwe »Vrevel« aus Heinrichs Epos, aber auch der räuberische »Nobel« des »Reineke« haben dafür gesorgt.

Als »falscher Hirte« und Verführer in der WN vereinigt er die gesamten Höllenfürst-Vorstellungen auf sich, die von der geistlichen Tierauslegung [251] und Schriften wie Geilers »höllischer Löwe« [262] genährt werden. Auch das Bild vom päpstlichen Fallensteller –

> Auch legt in der löw strick verborgen,
> Darein die schaf fielen mit sorgen. (369/2 f.) –,

das die Flugschriftenpolemik gegen die »Geldstrick, das geistliche Gesetz« [263] aufnimmt und mit »des bapstes netz« (372/21) in der Verkehrung der Petrus aufgetragenen Seelenfischerei den Papst zum Höllenpetrus macht, unterstreicht mit seinen Assoziationen an das Lehrgedicht »Des Teufels Netz« (LV 350 Osborn, S. 14) die mit der WN bezweckte Beschwörung des päpstlichen Antichristentums:

> Unzal hat der bapst solcher bot,
> Der doch keins hat geboten Gott.
> Jagt die leut in abgrund der hell
> Zu dem teuffel mit leyb und seel. (372/39 ff.)

Es ist für den Stadtbürger Sachs dabei bezeichnend, daß er die Vorstellung vom Antichristentum des Papstes an die »Geldstricke« knüpft, was er einige Jahre später in einer Allegorie des Eigennutzes wiederholt:

> Mit schwerer stewer zinst und fron,
> Mit zehendt, lehen und gewildt,
> Mit straff und wandel gar unmildt
> Mit ablaß, bann und pallium,
> Annaten, beicht, opffer, heyltumb
> Und dergleich gelt – strick mancherley
> Thut eygner Nutz die lewt auß saugen. [264]

2.2.2.3 *Tierische Spottnamen*

Die Übertragung der historischen Ereignisse in das Milieu des Tierepos wurde Sachs nicht zuletzt dadurch erleichtert, daß der Schlagwortkatalog der Reformationspropaganda eine Reihe tierischer Spottnamen enthielt, die in das übliche Bestiarium des tierepischen »Hofstaates« paßten.

> Waldesel, schwein, böck, katz und schnecken (369/33)

nennt die WN und reiht mit Alfeld, Eck, Emser, Murner und Cochläus fünf der bedeutendsten gegnerischen Propagandisten in den diffamierenden Kontext der »viel wilder thür« (369/31) ein.

Diese Spottnamen werden in ihrer an die jeweilige Person geknüpften Eigenschaftskennzeichnung durch ihre propagandistische Verwendung in der Reformationszeit bestimmt. Das Wertungspotential jeder dieser Tiermasken wird dagegen in der gleichen Weise durch den literarischen Überlieferungszusammenhang konstituiert, wie das bei den bisher untersuchten Tierallegorien der Fall war.

Den ersten dieser fünf nennt Sachs nicht einmal beim Namen, sondern er gibt nur den Wohnort an

So bedeut ...
Der Waldesel den Barfusser
Zu Leyptzig, den groben leßmeister. (380/39 f.)

In Wittenberg war Alfeld (Alveld – Aleveld) seit 1520 als der »Esel zu Leipzig« bekannt [265]. Es ist aber nicht sicher, ob dieser Spottname über Luthers Umgebung hinausgedrungen war, zumal Luther alle Welt als Esel zu titulieren pflegte [266]. Hinter der ungewöhnlichen Spezifikation »Waldesel« [267] verbirgt sich dann auch anagrammatisch der richtige Name des Gemeinten, was bei der viel größeren Aufmerksamkeit des damaligen Publikums gegenüber solchen Erscheinungen die direkte Namensnennung erübrigte: durch Buchstabenumstellung ergibt »Waldesel« – »aleWeld(s)«. Die dem Esel nachgesagten Eigenschaften gelten dabei natürlich auch für den Waldesel. Daß der Esel nicht nur harmlose Narrheit im heutigen Sinne verkörperte, zeigen die von Melanchthon besorgte Auslegung der monströsen »Papstesel«-Gestalt [268] und andere Flugschriften. Trotzdem muß der durch Fabel, Schwank und Sprichwort repräsentierte Bereich der mit der Eselsmaske verbundenen Dummheits-, Tölpelhaftigkeits- und anderen abwertenden Vorstellungen mitbedacht werden [269], zumal das Sprichwort

Der esel und diu nahtegal
singent ungelîchen schal. (LV 102 Zingerle, S. 30)

tatsächlich bei der Rezeption der WN eine Rolle spielte [270] und mit »Klosteresel« und »Choresel« zwei weitere eher mitleidig herablassende Tiervergleiche die Schlagwörter der Flugschriften bereicherten [271]. In dem »groben leßmeister« der WN wird überdies ganz deutlich wie in dem angeführten Lutherzitat (Anm. 265) auf das Schwankmotiv vom lesenlernenden Esel angespielt [272].

Mit Eck nimmt Sachs einen weit prominenteren Gegner aufs Korn:

Das wilde schwein dewt doctor Ecken,
Der vor zu Leyptzig wider in facht
Und vil grober sew darvon bracht. (380/32 ff.)

Auch hier bemüht er sich durch den etymologischen Hinweis in der letzten Zeile, die Identifikation von Person und Tierallegorie deutlich zu machen und über den Bereich der bloßen Invektive hinaus zu verfestigen. Eine Erklärung oder Begründung dieser Identifikation wie im Fall des Waldesel-Anagramms hatte er dabei allerdings nicht nötig. Zwar war »Doktor Geck« zweifellos der bekanntere Spottname Ecks [273], doch »Sau« und »Schwein« gehören ebenfalls nicht zu den seltenen. Die aufgrund äußerst lückenhafter Quellenkenntnis getroffene Feststellung von F. Elis,

I have not been able to find a reference to Eck as swein before 1523 when H. Sachs used the term. It was not until 1541 that Luther ... alludes to Eck as sau. (LV 1 Ellis, S. 79), hat keinerlei Informationswert. Eck selbst beschwert sich 1540:

... wie die Ehrendieb mich lang in vilerlai gestalt malen lassen, auch ein saw ins kartenspil gemacht. (LV 77 Riederer, S. 132),

und die »Lutherische Strebkatz«, sowie der »Triumphus Veritatis«, auf deren Titelholzschnitten Eck mit einem Schweinskopf dargestellt wird [274], zeigen, daß diese Klage nicht unberechtigt war. Schon 1520 wird Eck im »Eckius dedolatus« der »Hunds- oder Sauzahn« gezogen (LV 197 Roth, S. 37), und die Bewertung seines Abschneidens auf der Leipziger Disputation wird vor der WN mehr als einmal in der nämlichen Weise ausgesprochen [275].

Der Ruf, den Eck unter seinen Gegnern genoß [276], der zu »Eck« so naheliegende Reim »Dreck«, der die Essenz dieses Rufes beinhaltete und die leicht weiterzuspinnende Assoziationenreihe Dreck – Unflat – Schwein [277] schlugen die Brücke zu den Bedeutungsbereichen eines der ältesten tierischen Schimpfnamen sowie zu den mit dieser Tiergestalt verbundenen geistlichen und polemischen Auslegungen [278].

Die Sau versinnbildlicht Brant und Murner den Grobianismus ihrer Zeit (LV 312 Held, S. 196),

aber die protestantischen Pamphletisten wußten sehr wohl dieses allgemeine Sinnbild zu konkretisieren:

[Ihr] seyt des teüfels mastschweyn (LV 93 Wackernagel, III, S. 448),

wirft Jörg Graff den katholischen Priestern vor; Gerbel läßt 1520 schon vor Eck den Weddel vom Höllenhund Pluto in ein Schwein verwandeln [279]; Eberlin (LV 34, II, S. 161) erklärt das Verhalten der katholischen Partei aus den Eigenschaften dieses Tieres:

die vnglaubigen mügens nit begreyffen, Verspotten vns meer darumb. Ja sie verachten es als die sew;

und auch Luther nutzt die agitatorischen Möglichkeiten grobianischer Sprache gegen katholische Gegner und schreibt über Emser:

hab ich doch nit wollen unterlassen, das der saw der pauch nit zu groß wurd, yhm seyn lugen zutzuzeygenn (LV 36 Enders, II, S. 11).

Alle diese Formen der Beschimpfung und Identifikation sind auf dem Hintergrund der geistlichen Deutung des Schweins als Todsündentier zu sehen [280]. Aber fast noch wichtiger sind die Vorstellungen vom Schwein als Inkarnation des Teufels [281], wobei über Darstellungen der »Synagoge des Teufels« als säugende Sau [282] der auch während der Frühreformation virulente Antisemitismus [283] mit ins Spiel kommt; war es doch eine beliebte Übung aufseiten der Protestanten, ihre Gegner durch Gleichsetzung oder gar Identifikation mit Juden – im Verständnis der Zeit – zu verteufeln [284].

Emser hat sich seine Verhöhnung in der Bocksgestalt

Der bock bedeutet den Emser
Der ist aller nonnen tröster (380/35 f.)

selbst zuzuschreiben. Sein Wappen zeigt einen Bock, eine Tafel haltend mit der Aufschrift »ARMA HIE / RONIMI / EMSER« [285], und in Anspielung auf die diesem Tier nachgesagte Kampfeslust [286] setzte er über seine erste antilutherische Streitschrift die Zeile »Hut dich der bock stoszt dich« (LV 36 Enders, I, S. 1), was seinen Gegnern Anlaß bot, sich auch der übrigen Eigenschaften dieses Tieres zu erinnern:

deine geystlich recht werden dichs nit leren, ßo wirts dein bockskopff selb nit erfinden. (LV 36 Enders, I, S. 150),

spottet Luther, und es sind diese eher geringschätzigen Interpretationen der Bocksfigur eine zwar beliebte [287], aber vergleichsweise harmlose Ausnutzung des Emserschen Wappentieres. Mit dem oben zitierten Zusatz bringt Sachs über die sprichwörtliche Geilheit des Bockes [288] das weite Feld antipfäffischer Kritik auf diesem Gebiet [289] mit Emser in Verbindung, wofür er ebenfalls nicht ohne Vorbild war [290]. Durch dieses Thema und mit der Gestalt des »stinkenden Bocks« [291] kommen dabei auch in diesem Fall Vorstellungen zum Zuge, welche die bisher beobachteten Verteufelungstendenzen bestätigen. Gehörn und Bocksfuß sind dabei so unzweifelhafte Teufelsattribute, daß direkte Hinweise im Text für die Vergegenwärtigung dieses Vorstellungsbereiches beim Rezipienten unnötig sind [292]. Auch beim »Bock« Emser versuchen die Flugschriften im übrigen, die der Person nachgesagten tierischen Eigenschaften als dem Wesen notwendig immanente nachzuweisen, indem auch hier die Identifikation mit dem Tier aus dem Namen begründet wird: Emser = »Gemser« [293].

Die Beliebtheit und Verbreitung des Katzentitels für Thomas Murner entspricht der – positiven wie negativen – Berühmtheit des Franziskaners. Murners verbitterte Reaktionen [294] sorgten auch dafür, daß dieser Vergleich keineswegs mit »ermüdender Eintönigkeit fast zu Tode gehetzt« wurde (Merker in: LV 73 Murner, S. 18), sondern sich trotz »meisterhafter« Abrechnung mit der ihm angehängten Katzenmaske im »Lutherischen Narren« (vgl. Schutte, S. 77) anhaltender Beliebtheit und Wirkung erfreute [295].

Während der Ursprung der für Murner ebenso schmerzlichen [296] Verdrehung seines Namens in »Murnar«, »Murnarus«, »Murr–Narr« geklärt ist [297], bleibt die Genesis des Katzenvergleichs umstritten. Von den auch in diesem Punkt höchst merkwürdigen Konstruktionen von F. Ellis abgesehen [298] werden die »Gesichtsbildung« (Merker) und die Wortbedeutung des Namens Murner genannt [299]. Beides vermag nicht zu überzeugen. Viel eher ist an den älteren Begriff der »Klosterkatzen« zu denken, mit dem die Mönchsorden ganz allgemein [300], aber auch speziell der Franziskanerorden verspottet wurden [301]. In diesen Vorstellungen spielen auch diejenigen Eigenschaften eine tragende Rolle, die im Karsthansdialog, der den Katzenvergleich berühmt machte, ohne ihn allerdings zu erfinden [302], zur Diffamierung Murners am stärksten betont werden:

Ouch sagt man, eyn katz syg der nün bősen würm einer: wan jm syn her etwas leids thůt, so gang sy hien vnd leckt ein krot, auch erbiß, vnd also mit ver gifften maul vnd zungen ... strichen vnd lecken kert sy flyß an, den herren zů vergifften ...

und:

Ouch leckt sy mit der zungen, vnd mit den hindrn fůssen so kratzen sy (LV 64 Lenk, S. 68).

Auch die Katze wird als Todsünden- und Teufelstier [303] gesehen, und die Identifikation von Tier und Person ist total:

STUDENS: Er sagt, es syg ein verenderung des libs geschehen.
KARSTH.: Wie mag das syn?
MERCUR.: Jovis sententia. Sic Leus ex monacho porcus, hinc canis rodens syncera quevis.
...
KARSTH.: Es ist der tüfel, das gesicht felt nit. [304]

In diesem Sinne mußte nach dem »Karsthans« und ähnlichen Flugschriften die Identifikation Murners mit der Katzengestalt begriffen werden.

Sachs nennt Murner darüber hinaus »Des bapstes mauser, wachter, turner«. Der Mäusefänger, »mauser«, bleibt dabei durchaus in dem durch die Katzengestalt bestimmten Bild; Wächter und Türmer (= »turner«) lassen sich jedoch nicht mit der Katze in Verbindung bringen. Es handelt sich hier offenbar um eine Reminiszenz an die Tageliedhandlung: dem »geistlichen Wächter« Luther wird in der Person Murners der Hüter der katholischen Sache gegenübergestellt [305]. Überdies kann »mauser« (von mhd. »mûzer«) auch auf den Jagdvogel gemünzt sein [306], was den Kontrast zur Nachtigall noch verdeutlichen würde [307].

Mit der Schnecke, die »den Cocleum« (381/2) bedeutet, schließt Sachs die Aufzählung prominenter Gegner ab. Auch in diesem Fall kann er auf einen bekannten Spottnamen zurückgreifen, der aus einer böswilligen Rückübersetzung des nach humanistischem Brauch zu Cochläus latinisierten Namens des Johann Dobeneck aus Wendelstein entstanden war. Der Tiername, der in das System der WN paßte, und der Wunsch, einen mit Nürnberg verbundenen Gegner mitaufzunehmen [308], möglicherweise aber auch nur ein fehlender Reim haben Sachs anscheinend zur Erwähnung dieses Kontrahenten veranlaßt, dessen tierische Repräsentation in der WN vergleichsweise harmlos anmutet. Natürlich gehört auch die Schnecke als »niederes Gewürm« zu den Teufelstieren [309]; die ihr nachgesagte Furchtsamkeit war es jedoch vor allem, was die Wertung und Bedeutung dieses Spottnamens ausmachte. So fragt Luther nach dem Wormser Reichstage spöttisch,

wie denn die arme Schnecke mit ihren furchtsamen Schneckenhörnern disputieren (LV 67 Luther, II, S. 297)

wolle.

Zu der Kollektivumschreibung der WN

... viel wilder thür,
Die wider die nachtigall blecken, (369/31)

wollen die Eigenschaften der Schnecke ebensowenig passen wie zu dem »mordgeschrey« (370/21).

2.2.2.4 *Komplettierung des gegnerischen Lagers*

Frösche und Wildgänse vervollständigen das Bestiarium der »wilden Tiere«:

Deßgleichen die frösch auch quacken
Hin und wider in iren lacken
Uber der nachtigall gedön,
Wann ir wasser wil in entgen.
Die wild gens schreyen auch gagag (370/7 ff.)

Die Frösche stehen dabei für »etliche hohe schulen« (382/12) und die Wildgänse für »die leyen«, die Luther »verfluchen und verspeyen« (382/21 f.).

Der Vergleich der Hochschulen mit den Fröschen entspringt dabei offensichtlich der Intention, deren antilutherische Argumentationen als Froschgequake abzutun [310], so wie schon »Das Wolfsgesang« vom Geschrei der Schulen berichtet [311]. Aber der Vergleich mit den Fröschen lag für spätmittelalterliches Verständnis nicht fern und war in einer Weise kennzeichnend, die für die bisher betrachteten Tierfiguren ebenfalls charakteristisch war [312]:

Von den Studenten heißt es im »Narrenschiff«

Darvmb Origines / von jnñ
Spricht / das es sint die frŏsch gesyn
Vnd die hundsmucken die do hant
Gedurechtet Egypten lant (LV 28 Brant, Nr. 27).

Die antihumanistische Spitze, die bei Sachs mitschwingt – »Ir heydnisch kunst gilt nit als eh« (382/16) – entspricht in Auffassung und sprachlicher Realisation Luthers Meinung:

Aber wie wolten das wissen die Schnecken, maulworffen, eckechssen, frŏsche, hewschrecken, roßkeffer, wespen, ja natern, die all jr tag in jren sawlacken kriechen vnd verderben in jrem Sophistischen vnflat (LV 67 Luther, II, S. 292).

Das überraschenderweise [313] auch von lutherischer Seite gern und häufig verwendete Scheltwort »Gans« wird entgegen der Sachsschen Deutung ausnahmslos gegen die Geistlichkeit gekehrt. »genspredinger« war geradezu ein Schlagwort [314]. Doch auch in dieser Deutung auf die Laien kommt der mit der Gans zu jener Zeit verbundene Vorstellungsbereich zur Geltung, der durch Narrheit [315] und Sündhaftigkeit [316] gekennzeichnet ist und sich vor allem auf das Geschrei der Gänse bezieht, das Sachs ja auch in der WN betont [317].

Mit Hochschulen und katholischen Laien ist der Katalog der Gegner Luthers komplett, und soweit nicht schon allein das Bedeutungsfeld der jeweiligen Tiereigenschaften zu der völligen Disqualifikation der katholischen Seite hinreicht, wird durch die Plazierung dieser Tiergesellschaft in eine gleichermaßen charakterisierende Umgebung ein übriges getan: Der Löwe in der Wüste [318], die Frösche »in ihren lacken« und »unkraut, dystel, doren«, womit man die Herde abspeist, verdeutlichen die Tendenz, die angesichts der in den Flugschriften immer wieder gebrauchten Formel vom Unkraut, das »ausgerottet« würde [318], für sich selber spricht.

2.2.2.5 *Das positive Gegenbild der Nachtigall*

Nun das ir klärer möcht verstan,
Wer die lieblich nachtigall sey,
Die uns den hellen tag außschrey,
Ist doctor Martinus Luther, (370/36 ff.).

Konrad v. Megenberg (LV 61) deutet die Nachtigall als einen »Meister der Schrift«, anknüpfend an eine aus der Physiologustradition stammende Eigenschaft der Nachtigall, die auch ganz anders gedeutet wurde [319]. Trotzdem glaubt F. Ellis hierin das unmittelbare Vorbild für die Darstellung Luthers in der Nachtigallengestalt gefunden zu haben. Tatsächlich dürfte die Rolle der Nachtigall als überlegener Sänger, die in den Fabeln allenthalben herausgestellt wird [320], den Ausschlag gegeben haben, betont doch auch die WN gerade diese Eigenschaft:

> Aber ir heulen ist als fel,
> Die nachtigall singt in zu hel (369/34 f.).

Dichter wurden schon sehr früh mit dem Ehrentitel »Nachtigall« bedacht [321], was angesichts der Art und Weise, wie Luthers Auftreten vor dem Wormser Reichstag geschildert wurde, einen ähnlichen Vergleich nahegelegt haben mag:

> [Luther hat] ain solche Zierliche, tapfere vnd wolgegrundte Oration vnd anntwurt gethan, das auch dess yederman verwundern gehabt, die fromen dess sonder frolockung vnd seine Verfolger dess hoch entsetzen gehabt haben (LV 72 Mayer, S. 52).

Aus der griechischen Legende von Barlaam und Josaphat ist überdies in die spätmittelalterliche Literatur das Motiv von den »drei Lehren der Nachtigall« eingegangen [322], das auch Hans Sachs 1555 in dem Schwank »Drey guter nützlicher lehren eyner nachtegal« (LV 2 Keller/Goetze, IV, S. 290 ff.) gestaltet hat. Aus diesem Motiv scheint die Weisheit der Nachtigall zum Topos geworden zu sein

> Was die Nachtigall sprach, ... scheint ebenso sprichwörtlich gegolten zu haben, als die Reden Salomons (LV 377 Uhland, S. 146).

Da verschiedene Ausformungen dieses Topos auch in zahlreiche geistliche Lehrbücher aufgenommen und diesem Zweck angepaßt wurden,

> so konnte die Nachtigall ... selbst vom Predigtstuhl zum Volke reden (Uhland, S. 140).

Die Parallelen zu diesem Motivbereich in der WN gehen recht weit:

> Ich bin des Walds ein Vöglein klein
> und mich kann Niemand zwingen,

heißt es in zahlreichen der Lieder, die den »Rat der Nachtigall« zum Inhalt haben. Dazu paßt WN 369/26 ff.:

> Stelt der nachtigall nach dem leben
> Mist list vor ir, hinden und neben.
> Aber ir kan er nit ergreiffen.
> Im hag kan sie sich wol verschleiffen.

Auch in der Legende versucht der Bauer vergeblich, die Nachtigall zu fangen.

In diesem Zusammenhang ist auch nicht unwichtig, daß im mittelalterlichen Deutschland die Nachtigall als »freier Vogel« [323] galt und auch immer wieder als »vrie nahtegal« [324] bezeichnet wurde [325].

Durch solche Vorstellungsbereiche werden zumindest tendenziell Motive angesprochen, die – wie Verfolgung und Überlegenheit – an die in prolutherischen Flugschriften so häufig zu findende »imitatio Christi« in der Gestalt Luthers erinnern [326].

Die Tatsache, daß gerade der Vergleich mit Vögeln eine so große Rolle in der Propaganda beider Seiten spielte, mag für Sachs ein zusätzliches Motiv für die Wahl der Nachtigall gewesen sein; auf jeden Fall ist die Rezeption der WN auf dem Hintergrund dieser Beispiele aus der Flugschriftenpropaganda zu beurteilen. So verspricht Emser Luther in der Flugschrift »An den stier zu Uuietenberg«, er werde ihm zeigen

was du fur ein vogel bist (LV 36 Enders, II, S. 5),

und nennt ihn einen Raben. Luther seinerseits nimmt diesen Vergleich in seiner Antwort auf und kehrt ihn gegen Emser:

Halt still, ich will dir deyne feddern, ein wenig auß breytten, vnd dich dir selb auch zeygen denn andere wissen schon was du fur ein fogell bist (ebda., S. 12).

Dies muß Emser ziemlich erzürnt haben, denn in seiner Replik spinnt er die Vogelmetaphorik auf fast 40 Zeilen aus, nennt Luther eine »junge gans« – im Unterschied zur alten Gans, Hus –, einen »schwartzen Raben«,

darumb das er wie der alte Rab gen. viij auß der archa, das ist auß der Christlichen kirchen geflohen (ebda., S. 28),

ein »Rephon«, eine

Eylen, die mit yrem grewlichen geschrey die anndern vogel tzu yr locket ... Item eynner Fledermauß die in der finsternis vnd nicht ym liecht wandert (ebda., S. 29).

Auf dem Hintergrund dieser beiden letzten Vergleiche wirkt die WN als direkte Antwort, wobei es unbeachtlich ist, ob Sachs dies intendierte oder nicht. Ein Teil seines Publikums wird auch den Flugschriftenstreit zwischen Luther und Emser gekannt haben, und außerdem spielen ähnliche Vergleiche auch in anderen Flugschriften eine Rolle [327].

Auch aus der Sicht eines ganz anderen Vorstellungsbereiches kommen der Nachtigallengestalt und dem Titel der Flugschrift besondere Bedeutung zu. »Nachtigall« war der Name eines bekannten nürnberger Geschütztypes [328]. Der für heutige Begriffe etwas befremdliche Vergleich ist durch eine beachtliche Zahl »historischer Volkslieder« vom Anfang des 16. Jahrhunderts zur Zeit der WN so bekannt gewesen, daß mit derartigen Vorstellungen anläßlich der WN unbedingt gerechnet werden muß, zumal die Metaphorik dieser Lieder dies unterstützt:

Die Singerin singt den Tenor schön
die Nachtigall den Alt im gleichen Ton,
scharpf Metz bassiert mit Schalle,
...
Sie sungen, dass die Mauren kluben
und Bett und Bölster vom Dach aus stuben.
(LV 377 Uhland, S. 139) (1512)

und:

Der Kaiser mit seim Frawenzimmer,
seiner canterei vergiß ich nymmer

vil freud in diser sache
die Nachtigall hat sich geschwungen auf
nit besser mocht mans machen [329].

Bedenkt man dabei, daß »scharpf Metz« der Titel einer Flugschrift aus dem Jahre 1525 ist (LV 30 Clemen, IV) und daß 1566 eine Schmähschrift gegen Leipzig mit der Überschrift »nachtigall« [330] erschien, so ist die Vermutung nicht ganz von der Hand zu weisen, daß der Titel der WN ähnlich rezipiert werden konnte. Immerhin spricht der Titel des »Triumphus veritatis«,

sik der warheit, mit dem schwert des geists durch die wittenbergische nachtigall erobert. (LV 80 Schade, II, S. 196),

mit seiner militärischen Ausdrucksweise nicht völlig dagegen.

2.2.2.6 *Ergebnis*

Die Notwendigkeit dieser Untersuchung von möglichen Konnotationen der in der WN zusammengefügten Allegorien begründet sich aus dem Resultat in zweifacher Hinsicht: Erst aus der Rekonstruktion des jeweiligen Vorstellungsbereichs hat sich der in der Tat äußerst polemische Gehalt der WN herausgestellt, abgesehen davon, daß sich aus dieser Untersuchung Ebene und Richtung dieser Polemik ergeben haben. Zum andern hat sich das bewußt Schlagwortartige, Klischeehafte der sprachlichen Mittel erwiesen, die auf den Appell an die Gewohnheit, auf das »Aha-Erlebnis«, mehr zielten als auf einen Überraschungseffekt. Wie notwendig es war, falsche Originalitätsvorstellungen zu zerstören, zeigt, daß auch ein so ausgezeichneter Kenner der Flugschriftenpropaganda wie Schottenloher glaubt, aus solchem Sprachgebrauch auf persönliche Stileigentümlichkeiten schließen zu können:

Das Wort »Schinden und Schaben« kommt auch in unserem Gespräch wieder vor, und es ist kein bloßer Zufall, daß es von Sachs ebenfalls gebraucht wird. Zwischen ihm und Osiander hat eine enge Verbindung geherrscht, die sich ... oft auch in einem auffallend ähnlichen Ausdruck der Gedanken ausspricht (LV 161 Schottenloher, S. 245).

Solche nach individueller Leistung und schöpferischer Originalität suchenden Urteile, wie sie uns schon bei der Fehleinschätzung des Tageliedeingangs als lyrischer Leistung begegnet sind, verfälschen nicht nur den tatsächlichen Charakter der jeweiligen Schrift, sondern sie verstellen vor allem den Blick auf die propagandistische Funktion und die möglichen Rezeptionsweisen.

2.2.3 *Propagandistischer Ertrag*

Die Gewinnung von Anhängern aus dem Reservoir der indifferenten Stadtbürger sowie integrierende Einflußnahme auf die bestehende lutherische Anhängerschaft hatten wir als propagandistische Zielvorstellung der programmatischen Vorrede zur WN entnommen. Eine Polarisierung des Feldes durch Verstärkung der bereits konstituierten Freund- und Feindimages mußten wir gemäß unserem Modell als propagandistische Mittel auf dem Weg zu diesem Ziel erwarten. Die Einzelanalysen haben diese Erwartung bestätigt. Der durch Tierepos und Tageliedhandlung gesteckte Rahmen, der mit seinem durch literarischen Überlieferungszusammenhang bestimmten antithetischen Charakter das Darstellungsverhältnis von katholischer Kirche und Luthertum in der WN a priori als unvereinbaren Gegensatz erscheinen läßt, wird durch seine Füllung mit Einzelaspekten so verfestigt, daß eine indifferente Haltung gegenüber den Aussagen des Textes und damit auch gegenüber dem durch ihn konstituierten Fundamentalgegensatz beider Parteien verunmöglicht wird.

Die argumentative, also rationale Grundlage der agitatorischen Einflußnahme kann als bloße Reproduktion stereotyper Elemente in ihrem Aufforderungscharakter nicht sonderlich hoch veranschlagt werden; für den deutlichen Erfolg der WN ist die Verstärkung psychischer Motivationen für eine Entscheidung zugunsten der protestantischen Seite ausschlaggebend.

Die Ausführungen zu den einzelnen Allegorien haben das Spektrum imagebeeinflussender Assoziationen für einen zeitgenössischen Rezipienten annäherungsweise zu bestimmen versucht. Dabei hat sich gezeigt, daß es Sachs auch darum ging, negative Aspekte an der Position des Gegners zu konzentrieren und einen positiven Kontrast auf der eigenen Seite zu schaffen. Das bezeugt die Vielzahl der möglichen assoziativen Bezüge, die auch hier nicht erschöpfend behandelt werden konnten. Es ist dies jedoch nicht die einzige, nicht einmal die wesentlichste Funktion. Wäre dies so, so hätte sich Sachs in der Tat durch seinen Verzicht auf grobianische Elemente und persönliche Invektiven wichtige Wirkungsfaktoren entgehen lassen, und der Erfolg der WN wäre unerklärlich:

Wie gut sich gerade das Image von Personen für propagandistische Beeinflussungen eignet, zeigen Untersuchungen auf dem Gebiet der empirischen Sozialforschung (LV 437 und 438 Noelle-Neumann), und daß das Wissen darum auch in der Reformationszeit verbreitet war, beweisen die geradezu liebevoll zusammengestellten Kataloge persönlicher Beschimpfungen und Grobianismen in Flugschriften wie Luthers »Wider Hans Worst«, Vadians (?) Karsthansdialog und Gerbels »Eckius dedolatus«, etc., Sachsens Bemerkungen über Alfeld, Emser, Eck, Murner und Cochläus sind demgegenüber vergleichsweise freundlich.

Sein propagandistisches Konzept ist subtiler, nicht auf persönliche Diffamierungen in erster Linie ausgerichtet und dennoch effektiv:

1. Es geht Sachs nicht um Verfehlungen, um den moralischen Verfall einzelner Repräsentanten oder Institutionen der katholischen Kirche, die, wie es auch die katholische Gegenpropaganda tut, als exzeptionell oder aber als im normalen menschlichen Charakter und seinen Defekten begründet entschuldigt werden konnten, sondern er greift die Gesamtheit dessen, was zur Kirche gehörte und sie ausmachte, auf und macht es zum Gegenstand der Kritik [331]. Unter diesem Gesichtspunkt gewinnen gerade Alltäglichkeiten – Kultpraxis, religiös bedingte Verhaltensmuster – besondere Bedeutung. Auf der einen Seite maß sich gerade hieran [332] der Grad der Bindung an die alte Kirche; andererseits aber – und das ist für den sozialstrategischen Ansatz wichtig – bot die Tatsache allgemeiner und nachprüfbarer Erfahrung Angriffen in diese Richtung ganz besondere Durchschlagskraft:

Aus zahlreichen Beobachtungen läßt sich also die Regel ableiten, daß die Massenkommunikationsmittel einen umso größeren Einfluß auf das Denken und das Verhalten der

Menschen haben, je mehr der gebotene Stoff ... auf die Praxis des Alltagslebens bezogen ist (LV 437 Noelle-Neumann, S. 538).

Der Wiedergabe und satirischen Vernichtung gerade solcher Alltäglichkeiten dienen denn auch die für den heutigen Geschmack grotesk anmutenden Aufzählungen und Worthäufungen [333], die den Charakter des zweiten Teils der WN wesentlich bestimmen:

Mit mönnich-, nonnen-, pfaffen-werden.
Mit kutten-tragen, kopff bescheren,
Tag unde nacht in kirchen pleren,
Metten, prim, tertz, vesper, complet,
Mit wachen, fasten, creutzweis-ligen,
Mit knien, neygen, bucken, biegen,
Mit glocken-leuten, orgel-schlagen,
Mit heilthumb-, kertzen-, fannen-tragen,
Mit reuchern und mit glocken-tauffen,
Mit lampen-schüren, gnad-verkauffen,
Mit kirchen-, wachs-, saltz-, wasser-weyen
(371/19 ff.).

Über die große Wirkung solcher auf die Phänomenologie des Katholizismus allein gezielten Propaganda, die die theoretischen Überlegungen weitgehend Luther überließ, geben zeitgenössische Urteile aus dem Lager der Betroffenen ebenso eindrucksvoll [334] Zeugnis wie die Kritiken der katholisch-parteilichen Historiographie [335].

Die Polemik gegen prominente Einzelpersonen fehlt dennoch nicht, wie wir gesehen haben, doch werden in der WN im Unterschied zu vielen anderen Flugschriften diese Dinge nicht als einmalige, sensationelle Monstrositäten herausgestellt, sondern paradigmatisch verstanden und verständlich gemacht. Von der Person Leos X. geht Sachs sofort auf die Institution des Papsttums über, das in den vergangenen 400 Jahren vom Antichrist usurpiert war [336]. *Der* Bock, *die* Katze werden natürlich als Emser und Murner entschlüsselt, in der Parabel, dem ersten Teil der WN, stehen jedoch die Pluralformen:

Waldesel, schwein, böck, katz und schnecken (369/33),

und auch in der Glosse wird durch die Wendung

Die fünff und sonst viel in der sum (381/3)

der Beispielcharakter dieser Personen unterstrichen.

2. In der WN wird nicht nur ein moralischer Gegensatz oder ein Bewertungsdifferential konstituiert sondern eine existentielle Antithese geschaffen. Die Antithetik des literarischen Rahmens wird als Gegensatz Gott-Teufel interpretiert und durch die buchstäbliche Verteufelung alles katholischen, dem die – zumindest tendenzielle – Verchristlichung Luthers [337] entgegengestellt wird, bewiesen.

Nun sind zwar solche Antithesen in der Reformationspropaganda nicht neu. Das »Passional Christi und Antichristi«, sowie alle jene Schriften, die seit Wiclif das Antichristentum des Papstes herausstellen [338], konstruieren ähnliche Polaritäten. Doch geht es darin meist nur um die Person, bzw. Institution des Papstes oder um einzelne (teuflische) Aspekte, die mit den dagegenstehenden positiven Erscheinungsformen auf lutherischer und »christlicher« Seite konfrontiert werden, während in der WN die Gesamtheit katholischer Existenzmöglichkeiten erfaßt und in die Hölle verdammt wird. Der Hofstatt der Tiere macht aus der civitas dei der Kirche eine civitas diaboli [339]. Der tierepische Rahmen, der die unterschiedlichen Spezies des Bestiariums in einen zumindest literarisch-logischen Zusammenhang bringt, leistet das gleiche gegenüber den vielfältigen Erscheinungsformen des von der Kirche geprägten Lebensbereichs. Mit der literarischen Einkleidung vollzieht Sachs eine der ausschlaggebenden agitatorischen Leistungen Luthers nach: die Vereinheitlichung aller Feindelemente in der päpstlichen Antichristgestalt, als dessen Derivate sich sämtliche negativen Erscheinungsformen innerhalb der alten Kirche begreifen lassen und in deren Ablehnung und Bekämpfung sich – zumindest in der Zeit vor 1525 – auch divergente Elemente einigen können [340].

Das Zusammenwirken dieser beiden Elemente, die das Sachssche Propagandakonzept ausmachen zeitigt einen außerordentlich wirksamen Propagandaeffekt. Durch die Kennzeichnung auch der scheinbar nebensächlichsten und alltäglichsten Bestandteile katholischer Religionspraxis und Lebensweise als »höllisch« wird das Verhalten bisher indifferenter Rezipienten in der postkommunikativen Phase praktisch ständig problematisiert. Da auch ein bloß gewohnheitsmäßiges Verharren in traditionellen Verhaltensweisen mit dem Höllenfeuer bedroht ist – eine Drohung, die als völlig real empfunden wurde [341] –, wird Höllenfurcht als ständiger Antrieb für Handlungen zu ihrer Besänftigung manifest. Da gleichzeitig mit der Drohung der Weg für den Abbau dieser Spannung mit der propagierten Parteinahme für Luther angeboten wird, entsteht für den Rezipienten – vorausgesetzt sowohl Drohung als auch Ausweg werden akzeptiert – geradezu ein Pawlowscher Mechanismus: jeder Kontakt mit einem Gegenstand, der die spezifische Drohung auslöst, setzt automatisch eine Reaktionenkette von Furcht – Handlungsantrieb – Ausweichhandlung – Erleichterung ingang.

Funktion und Effekt solcher propagandistischer Appelle an die Furcht (»threat appeal«) sind von Hovland, Janis und Kelley untersucht worden [342]. Am Beispiel einer experimentellen Kampagne für ein Zivilverteidigungsprogramm, die vor allem mit der Drohung vor Atomkriegsfolgen operierte, machen sie den Mechanismus solcher Propaganda deutlich:

Subsequently, when the recipients of the communication think about the possibility of a future atomic war, the same chain of responses will tend to be evoced: thoughts about a future atomic war will lead to a momentary increase in the level of emotional tension which, in turn, will be followed by anxietyreducing thoughts about the protective value of the civil defense programm. If the communication is successful, this habit chain will tend to persist ...« (S. 65).

Voraussetzung für einen solchen Erfolg ist die Glaubwürdigkeit der Drohung und die Akzeptabilität des angebotenen Auswegs. Beides kann man für die WN unterstellen, allerdings – und das führt uns zurück zu einer der Kernthesen über die Wirkungsmöglichkeiten von Propaganda – nicht gegenüber unerschüttert festen Anhängern der alten Kirche, für die sich natürlich Höllendrohung und Antichristentum des Papstes als Greuelpropaganda selbst denunzieren. Auch diese Technik scheidet für Konversionsbemühungen aus. Bezeichnenderweise handelt es sich bei den Fällen, in denen Hovland und seinen Mitarbeitern solche Konversionen gelangen, um Meinungsgegenstände mit geringem Aktualitätsgrad, demgegenüber ohnehin intermediäre, also leichter zu beeinflussende Meinungen vorherrschen.

Angstauslösende Appelle (»fear arousing appeals«) durch Drohung mit dem Höllenfeuer und ewiger Verdammnis sind gewiß eines der beliebtesten Mittel protestantischer Propagandapraxis [343]. Es fehlt aber in vielen der betreffenden Flugschriften – etwa in den beliebten Höllenbriefen – das explizite Angebot eines Auswegs aus der bedrohlichen Situation [344], wodurch erst das oben gekennzeichnete Verhaltensschema ermöglicht und eingeübt wird:

When fear is learned as a response to a new situation, it serves as a drive to motivate trial and error behavior. A reduction in the strength of the fear reinforces the learning of any new response that accompanies it [345].

Auch auf katholischer Seite wird über den Ketzervorwurf mit Hölle und ewiger Verdammnis gedroht [346]; der Wucht der Antichrist-Unterstellung haben die kontroverstheologischen Propagandisten nichts Ebenbürtiges entgegenzusetzen. Sie bleiben defensiv oder erschöpfen sich in bloßen Beschimpfungen [347].

Eine weitere Voraussetzung für den Erfolg propagandistischer Drohungen ist die Überzeugungskraft, bzw. die Glaubwürdigkeit des Kommunikators [348]. Entsprechende Beispiele für den Erfolg persönlichen Prestiges finden sich auch im Propagandakrieg der Reformation. Die Predigten von Staupitz in Nürnberg (LV 119 Beifus, S. 5; und LV 267 Roth) haben der Reformation dort ganz sicher den Weg bereitet. Die – wenn auch vorsichtige – Parteinahme des Erasmus und anderer Humanisten für Luther hat zweifelsohne den Protestanten Zulauf gebracht, ebenso wie der spätere Bruch ihnen Anhänger gekostet hat.

Auf katholischer Seite ist die Prominenz der Verfechter nachgerade ein Argument – Murner verweist im »Lutherischen Narren« auf seinen Ruhm als Narrenbeschwörer – allerdings ein zweischneidiges, weil mit der Diffamierung der Person dann auch allzu leicht die von ihr vertretene Sache ihre Glaubwürdigkeit einbüßt [349].

Auf protestantischer Seite verzichtete man – von wenigen Ausnahmen abgesehen – auf den Einsatz persönlichen Prestiges als propagandistisches Mittel. Selbst Luther, der gewiß keinen geringen Teil seines Erfolges seinem persönlichen Charisma verdankt, trennte in öffentlichen Aussagen immer wieder die »evangelische Lehre« von der eigenen Person:

Schelte, lästere, richte meine Person und mein Leben nur frisch, wer da will, es ist ihm schon vergeben, aber niemand erwarte von mir Huld und Geduld, wer meinen Herrn Christum durch mich gepredigt und den heiligen Geist lästern will (LV 67 Luther, VI, S. 323).

Anonymität, Verfasserfiktionen und -mystifikationen waren dagegen unter den protestantischen Propagandisten die Regel und wurden so erfolgreich praktiziert, daß die Forschung noch 300 Jahre später dem Mythos volksgeistiger Kollektivproduktion aufgesessen ist [350] und auch ernsthaften Versuchen die Lösung vieler Probleme versteckter Verfasserschaft bisher nicht gelungen ist.

Über Intention und Wirkung dieser Übung protestantischer Autoren gibt es zahlreiche, aber kaum befriedigende Theorien. Die Vorstellung, die zum größten Teil humanistisch gebildeten Verfasser hätten sich als »Vertreter des einfachen Volkes« geriert, um sich diesem verständlicher zu machen und dort propagandistische Wirkung zu erzielen [351], vermag ebensowenig zu überzeugen wie die These, die Flugschriften hätten die Partei des Volkes ergriffen und den gemeinen Mann als das »auserlesene Werkzeug Gottes« [352] betrachtet.

Gegen die erste These spricht, daß die Klasse unterhalb des Bürgertums schon mangels Lesefähigkeit nur bedingt als Adressat infrage kam [353] und daß dort für die Auslösung institutionellen Drucks keine Möglichkeit bestand. Der zweiten These steht entgegen, daß auch während und nach der Reformation das Ständesystem intakt blieb [354] und ständisches Denken die Grundlage aller gesellschaftlichen Vorstellungen blieb, was die weiterhin beliebte Ständesatire bezeugt [355].

Diese grundsätzlichen Einwände schließen nichtintentionale Rezeptionen der Flugschriftenpropaganda nicht aus – solche Fälle sind ja geradezu kennzeichnend für massenkommunikative Vorgänge –, aber niemand kann doch ernsthaft behaupten, die bürgerliche Reformationspropaganda hätte im »Hurenwirt« den berufenen Reformator gesehen.

Auch gegenüber diesem Problem zeitigen Überlegungen, die sich auf den Werbeeffekt konzentrieren, am ehesten eine befriedigende Lösung.

Um eine der Grundlagen kirchlicher Macht, das Verkündigungsmonopol, war nach den Lutherschen Programmschriften von 1520, in denen er die katholische »Mauer« mit dem Postulat des allgemeinen Priestertums konfrontierte, ein außerordentlich heftiger theoretischer Streit entbrannt unter öffenlicher Beteiligung vor allem Luthers, Eberlins und Emsers. Das wirkungsvollste Argument zur Stützung der These Luthers war natürlich der Beweis der Richtigkeit, der durch Schriften, die arme »bauren gemacht« hatten (LV 80 Schade, I, S. 19), schlagend erbracht werden konnte.

Dieser Bluff wurde von der katholischen Partei während der Reformation im Gegensatz zur oben zitierten romantischen Forschung auch durchschaut [356], und Vermutungen über prominente Verfasserschaften datieren aus der Zeit der Reformation (»dedolatus«-Kontroverse).

Trotzdem muß man von einer ziemlichen Überzeugungskraft solcher Fiktionen ausgehen, was das Auftreten diverser »Karsthansen« ebenso bezeugt wie der »Bauer von Wöhrd« [357].

Angesichts solcher Beispiele lag es für die protestantische Propaganda nahe, den Werbeerfolg Dorfschulzeschen Scharfsinns (»Karsthans«) und Schultheißschen Disputiergeschicks [358] noch dadurch zu steigern, daß man den chiastischen Gegensatz von Laien und Geistlichen und ihrem jeweiligen theologischen Wissen, bzw. ihrer intellektuellen Potenz auf die Spitze trieb, zumal bloßes Laientum schon für den etablierten Klerus ein Ärgernis war [359]. So ist das Auftreten von Hurenwirt, Narr und bäuerlichen Schlampen (Manuel) als Kontrahenten katholischer Geistlichkeit durchaus konsequent. Wie wenig die Vorliebe protestantischer Autoren für solche Figuren jedoch mit sozialrevolutionärem Wunschdenken [360] zu tun hat, zeigt die durchaus ständesatirische Zeichnung der Bauernfiguren in verschiedenen Flugschriften (z. B. Manuel). Ein Teil der dabei verwendeten Grobianismen ist dabei natürlich als Mittel zur Wahrung der Fiktion zu begreifen, aber eben nur ein Teil, denn auch die lateinischen Schriften der Humanisten und vor allem die Luthers waren durchaus nicht frei von grobianischen Ausfällen.

Auf diesem Hintergrund betrachtet war Sachs in der ausgezeichneten Position, den Wahrheitsbeweis protestantischer Laienpriestervorstellungen anzutreten. Verfasserfiktionen der geschilderten Art hatte er nicht nötig. Die Ambivalenz des Terminus vom »gemeinen Mann« und die Heterogenität des Handwerkerstandes [361] ermöglichten ihm eine kaum bemerkbare Stilisierung seiner eigenen Person zum Typ des »einfachen Handwerker«, der er tatsächlich gar nicht war. Mit dem Motto der WN – ». . . wa dise schweygē / so werden die stein schreye Luce. 19.« zielt Sachs auf die vorgebliche eigene Niedrigkeit von Stand und Wissen. Und sie wurde geglaubt; in der Reformationszeit, wie die ärgerlichen Reaktionen auf den »tollen Schuster« bezeugen, und auch noch heute [362].

Wie bewußt Sachs solche Reaktionen provozierte, indem er sich mimisch in den verachteten Teil [363] der Handwerkerschaft versetzte, zeigt der Schluß seines ersten Dialogs, der auch noch einmal die Bedeutung des für die WN gewählten Mottos unterstreicht:

> Laßt euchs nit wundern; wann im alten gesetz hat got die hyrtten sein wort lassen verkündenn. Also auch yetz műssen (euch phariseyer) die Schuster leeren. Je, es werden euch noch die stein in die oren schreyen (Chorherr, Z. 1052).

In dieser so stilisierten Rolle hat Sachs es nicht nötig, die Niedrigkeit seines Standes zusätzlich durch übersteigerte Grobianismen zu betonen.

Von hier aus ist die immer wieder herausgestellte »Mäßigkeit« Sachsens als recht fragwürdig anzusehen.

Wir fassen zusammen:

Mit der WN betreibt Sachs imageverstärkende Agitation mit dem Ziel der Polarisierung des Meinungsfeldes. Auf diese Weise hoffte er, zur Stabilisierung der eigenen Partei beizutragen sowie Anhänger aus dem Potential der noch Indifferenten zu gewinnen.

Die Untersuchung der in der WN verwendeten Beeinflussungstechniken auf dem Hintergrund unseres propagandatheoretischen Modells hat die Faktoren der unbestritten großen Wirkung dieser Flugschrift erhellt; sie hat darüber hinaus das bewußt geplante, strategische, Vorgehen des Hans Sachs deutlich gemacht. Das gleiche Vorgehen kennzeichnet auch die Fortsetzung der mit der WN begonnenen Kampagne.

KAPITEL 3

WEITERFÜHRUNG UND AUSBAU

Schrey, hôr nit auff!
Erhôch dein stym wie ein busaun, zůverkünden meinem volck sein misse that.
(Chorherr Z. 69 ff.)

Ein chronologisches Vorgehen wäre für die Beurteilung der Sachsschen Strategie sicherlich das am besten geeignete Verfahren. Leider läßt sich für die meisten Schriften des Jahres 1524 eine genaue Datierung nicht ermitteln, und die Überlegungen über eine relative Chronologie sind noch nicht so weit gediehen, daß man sich auf deren Ergebnisse stützen könnte. Sicher ist nur, daß die von Goetze im Generalregister (LV 2 Keller/Goetze, Bd. 25) vorgeschlagene Reihenfolge nicht stimmen kann. Nach seiner Aufstellung folgen auf die WN die vier Dialoge, alles andere soll danach entstanden sein. Da der dritte Dialog auf den Michaelistag (29. September) 1524 datiert ist, müßte Sachs den vierten Dialog, vier Spruchgedichte und acht Kirchenlieder in dem letzten Viertel dieses Jahres verfaßt und publiziert haben. Angesichts der Sachsschen Produktivität wäre das allein noch kein überzeugendes Gegenargument; wichtiger ist, daß sich unter den genannten Schriften Beispiele völlig unterschiedlicher Propagandakonzepte zusammenfinden, die eine gleichzeitige Publikation unwahrscheinlich machen. Für andere ist im Hinblick auf die politische Situation Nürnbergs gerade in diesem Zeitraum eine so späte Publikation auszuschließen.

Datierungsvorschläge von verschiedenen Seiten zu den einzelnen infrage kommenden Schriften widersprechen sich teilweise und machen das Chaos komplett [364], und da auch die Reihenfolge innerhalb der Handschriften keinen Hinweis auf die Chronologie bieten kann [365], sind wir auf eigene Überlegungen angewiesen.

Die Entwicklung und der Wandel des Sachsschen Propagandakonzepts soll für uns die Reihenfolge der Untersuchung bestimmen, wobei wir hoffen, auch Kriterien für die Datierung der einzelnen Schriften zu gewinnen. Die Gruppe der Kirchenlieder werden wir dabei zweckmäßigerweise zusammen behandeln, zumal sie wahrscheinlich sämtlich der ersten, durch die WN bestimmten Phase der propagandistischen Bemühungen von Hans Sachs angehören. Die Dialoge werden allerdings durch den deutlich erkennbaren Wechsel des Konzepts gegen Ende des Monats Mai 1524 ebenso voneinander getrennt wie die Spruchgedichte.

3.1 Die Sprüche

In den ersten Publikationen nach der WN bleibt Sachs bei dem traditionellen sozialstrategischen Genre, dem Spruch, wechselt jedoch die Form der Veröffentlichung: auf die Flugschrift, die WN, folgen 1524 insgesamt vier Flugblätter, von denen uns die ersten drei an dieser Stelle beschäftigen werden. Der Wechsel vom Buch zum Einblattdruck hat nicht nur publikationstechnische Implikationen, sondern auch wesentliche Konsequenzen für den Text selbst, wie auch für seine Rezeption. Das Format des Druckes, der zudem noch das Bild in den Vordergrund stellt, bedingt einen Textumfang, der die Aussage notwendig beschränkt und zur Konzentration auf wenige Punkte zwingt. Die gleiche Tatsache führt aber auch zu einer größeren Verständlichkeit des Textes und bewirkt zusammen mit dem Bild eine Attraktivität auch für Rezipienten niedrigeren Bildungsstandes: Mit dem Flugblatt erreicht Sachs auch den nicht lesekundigen Teil seiner Zielgruppe.

3.1.1 *Ein newer Spruch / Wie die Geystlichkeit vnd etlich Handtwercker vber den Luther clagen.*

Mit diesem bei Hieronymus Höltzel [366] gedruckten Flugblatt setzt Sachs seine Kampagne fort [367]. Das Blatt ist nicht datiert, aber wohl schon Ende 1523 oder spätestens zu Beginn des nächsten Jahres gedruckt worden. Für eine entgegen der bisherigen Übung [368] so frühe Datierung sprechen verschiedene Argumente. Der Text des Blattes schließt sich inhaltlich und sprachlich eng an die WN an, ist im Grunde eine Konkretisierung der Zeilen 369/37–370/20 der ersten Flugschrift, eine Exemplifikation des »mordgeschrey« aus der WN. Er unterscheidet sich hierin grundlegend von den übrigen Sprüchen des Jahres 1524, kann aber unmöglich nach diesen verfaßt worden sein, da die Darstellung einer so unmißverständlich dem »Karsthans« nachgebildeten Bauerngestalt mit Dreschflegel am Ende dieses Jahres unmöglich Sachsens Zustimmung gefunden hätte [369]. Inhaltlich bietet der Spruch, soweit es antikatholische Polemik betrifft und die Darstellung des positiven lutherischen Kontrastes dazu, wenig neue Aspekte gegenüber der WN. Ungewöhnlich ist allerdings, daß Sachs sich hier quasi mit der Umkehr des wichtigsten stadtbürgerlichen Arguments der Kirchenkritik auseinandersetzt. Waren von protestantischer Seite der Fiskalismus und die Ausbeutungsmethoden der Kirche angeprangert worden, so argumentiert Sachs hier gegen Klagen über wirtschaftliche Schädigungen, die die Einführung des Luthertums verursacht:

> ... gegen mir auch stent in clag.
> Der Hantwercks leut ein grosse zal /
> Den auch abgeet in disem val.

Auf dreifache Weise versucht Sachs, mit dieser sicher nicht sehr bequemen Klage einiger seiner Standesgenossen fertigzuwerden:

Er stellt die für ihren Lebensunterhalt auf die alte Kirche angewiesenen Berufsgruppen kurzerhand auch moralisch auf eine Stufe mit der Geistlichkeit – »Der geitzig« und die »Gotlossen« umfassen jeweils beide Gruppen.

Er reiht die wichtigen Zünfte zusammen mit jenen Berufen unter die »Gotlossen« ein, mit denen (»permenter, singer... zopffnun«, »Paternoster-, kerzenmacher«) Schreiner oder Zimmerleute kaum identifiziert werden wollten.

Er denunziert die Motive solcher Klagen, indem er die Handwerker dem Demetrius der Apostelgeschichte (Kap. 19) gleichstellt. Es ist sehr die Frage, ob solche Argumentation im konkreten Fall die reale Furcht vor wirtschaftlicher Schädigung auszuschalten vermochte. Daß dieser Spruch in den Handschriften des Dichters nicht nachzuweisen ist [370] und der Titel in jedem der von Sachs zusammengestellten Werksregister fehlt, mag ein Hinweis darauf sein, wie er selbst ihn einschätzte.

Im Hinblick auf die übrigen Propagandaschriften ist jedoch die Form dieses Flugblatts von Interesse.

das Werk ist gegliedert in Klage, Verteidigung und Urteil (LV 119 Beifus, S. 18).

Diese Beschreibung ist unvollständig, denn es fehlt der Hinweis auf den Vorspruch, sie ist auch irreführend, denn das hier durchgeführte Formmodell wird nicht genannt: Die Auseinandersetzung zwischen den »Gotlossen« und Luther wird von Sachs in der Gestalt eines der seit dem Mittelalter beliebten Streitgedichte vorgeführt [371]. Sachs hält sich dabei strikt an das starre Schema dieser Form aus Einleitung, Rede, Gegenrede und Entscheidung des Streites mit einer Schlußmoral, wobei die Verteilung der Redeinhalte eine bloß schematische Argumentaufteilung herstellt, ohne daß eine Charakterisierung in der Rede auch nur versucht würde. Die zwölf Zeilen des Vorspruchs beinhalten eigentlich schon sämtliche Aspekte des in den drei Redepassagen ausgetragenen Konflikts, deren zusätzliche Argumente nur Exemplifikationen dieser Aspekte sind:

Der geitzig clagt auß falschem mů̊t /
Seit jm abget an Eer vnd Gů̊t.
Er zürnet / Dobet / vnde Wů̊t /
In dürstet nach des grechten plů̊t.

Entsprechend wird in der Columne, die die Klage enthält, dem Zorn der »Gotlossen« Ausdruck gegeben, ihre einzelnen Glieder aufgezählt und gedroht

Vnd dem Luther die Prend recht schirn /
Mů̊ß Prinnen / oder Reuocirn.

Die »Antwort D. Martini« wird im Vorspruch mit der Feststellung angekündigt

Der Grecht sagt die Gotlich warheit /
Wie hart man jn veruolgt / verleit.
Hofft er in Gott doch alle zeit /
Pleibt bstendig in der grechtigkeit.

Entsprechend wird die Zurückweisung der Angriffe durch Luther mit Bibelzitaten eingeleitet und abgeschlossen, die durch Randbemerkungen kenntlich gemacht sind, und endet seine Redepassage mit der Bekräftigung

Her durch dein wort das ich thů̊ schreibn /
Ir drȏen soll mich nitt abtreibn /
Bey deinem vrteil will ich pleiben.

Der Antwortcharakter wird nur durch die Überschrift und die räumliche Anordnung des Textabschnitts deutlich gemacht. Im Text selbst wird nicht direkt repliziert.

»Das Urteil Christi«, das den Streit nach den Regeln des »Kampfgesprächs« entscheidet, verurteilt die Geistlichen und Handwerker fast mit den Worten der WN als »Phariseer« und droht

> Vnd so jr euch nit pessern wert /
> Ir vmkum̄en ...

Auf die Rede Luthers geht dieses Urteil nur insofern ein, als es im wesentlichen die gleichen Anschuldigungen gegen die katholische Partei wiederholt, ein dialogisches Bezugnehmen fehlt. Die antikatholische Polemik, sowie die Luther-Apotheose aus der WN tritt in diesem Flugblatt im wesentlichen wieder auf. Durch die – allerdings nur formale – Dialogisierung wird auch optisch der Gegensatz von Papstkirche und Luthertum in der Darstellung verstärkt und gleichzeitig eine scheinbare Objektivierung erreicht, die durch das aus Bibelzitaten zusammengestellte Urteil Christi den Anspruch göttlicher Wahrheit vorspiegelt. Propagandistisches Ziel ist auch hier eine weitere Polarisierung der Meinungen, die durch die entgegengesetzten Standpunkte der Parteien des Streitgedichtes vorgeführt wird. Der Versuch, den agitatorischen Einflußbereich in das Gebiet solcher Gruppen auszudehnen, die objektive Veranlassung haben, gegen die neue Lehre zu opponieren, dürfte jedoch kaum Erfolg gehabt haben. Trotzdem ist es unsinnig, gerade dieses Flugblatt zum Beweis einer resignativen Haltung Sachsens umzumünzen. Böckmann kann diese These auch nur dadurch glaubhaft machen, indem er wichtige Partien des Textes verschweigt. Seine Behauptung,

> Weder die weltliche Herrschaft der Kirche über Länder und Menschen, noch ihr vielfältiges Abgabensystem stehen hier zur Erörterung, sondern ... nur die Begleit- und Randerscheinungen. (LV 289 Böckmann, S. 277),

steht ganz einfach im Widerspruch zum Text:

> Ir grossen geytz vnd Simoney /
> Ir falsch Gotzdienst vnd Gleissnerey.
> Ir Bannen / Auffsetz vnd gebot /
> ...
> Vnd verkaufft sie vmb gelt vnd gab.
> Mit Vigil / Jartåg vnd Selmessen /
> Den witwen jr die hewser fressen.

Diese Zeilen fassen die wichtigsten Aspekte kirchlicher Ausbeutungsmaßnahmen wie auch ihren Machtmißbrauch (»Bannen / Auffsetz vnd gebot /) zusammen.

3.1.2 *Das Hauß des Weysen vnd das hauss des vnweisen manß. Math. vij*

Der Text dieses Spruches sowie seine Abfassungszeit sind erst seit seiner Veröffentlichung durch Georg Stuhlfauth (LV 5) bekannt. Die Sachs-Forschung ist bisher nicht auf diese Veröffentlichung eingegangen. Nur die Erwähnung des korrekten Druckjahres in zwei größeren Arbeiten über die Reformationszeit, bzw. die Flugschrift [372] zeigt, daß überhaupt von ihr Notiz genommen wurde.

Stuhlfauth seinerseits ist vor allem an der kunsthistorischen Bedeutung des Holzschnittes interessiert, bemerkt zum Text aber immerhin,

daß die ganze Ausführung des Gleichnisses durchaus aktuell-zeitgeschichtlich gewendet und angewendet, d. h. im Sinne der Polemik gegen die alte römisch-katholische Kirche zugespitzt ist. (S. 2)

Das ist es in der Tat und nicht nur »durchaus«, sondern einzig und allein.

Für die erwartungsgemäß polarisierte Darstellung bietet für diesen Spruch das Gleichnis aus Matth. 7, 24–27 den »literarisch«-formalen Rahmen, wobei die lux-tenebrae-Thematik der WN hier ihre Entsprechung in der biblischen Metaphorik von Sand, Fels und Wasser findet.

In bewußt polemischer Ausnutzung typologischen Bibelverständnisses wird nach uns bekanntem Muster dieses Gleichnis realprophetisch auf die aktuelle politische Situation bezogen. Dabei erhöht Sachs die nach spirituellem Verständnis durchaus gegenständlich empfundene Beweiskraft der realprophetischen Auslegung noch dadurch, daß er sowohl die Motive des Gleichnisses als auch ihre aktuelle Deutung mit geradezu philologischer Akribie aus Bibelzitaten montiert und am Rand des Textes mit Fundstellen belegt.

Das Insistieren auf dem »Wort« bestimmt so nicht nur – protestantischem Schriftprinzip gemäß – als zentrales Schlagwort den Gehalt dieses Spruches, es ist auch dominierendes Gestaltungsmoment. Das Bibelzitat ist hier nicht nur beweiskräftiges Argument, sondern es wird mit großem Geschick der Eindruck erweckt, als käme die Bibel, d. h. Gott selbst zu Wort.

Die gesamte Aufmachung des Flugblattes unterstützt diese Tendenz. Schon der Titel, der das Gleichnis und die biblische Fundstelle nennt, erweckt den Eindruck, als handelte es sich hier um eine der gereimten Bibelparaphrasen, wie sie nach Luthers Bibelübersetzung in großer Zahl produziert wurden [373]. Unter dem großen Holzschnitt von Erhard Schön, der den Text adäquat illustriert, stehen in vier Columnen Redepassagen, in denen »Christus«, »Die Christen«, »Der Engel« und »Der gotloß hauff« zu Wort kommen. Es handelt sich in dieser Reihenfolge jeweils um Rede und Gegenrede. Auch hier hat das Streitgedicht das formale Modell abgegeben, wobei wegen der Zahl der Unterredner, der sehr losen Dialogverknüpfung sowie des Fehlens von Einleitung und Schiedsspruch an eine reduzierte Form des Revuegesprächs [374] zu denken ist.

Graphisch – durch die Gegenüberstellung der beiden »Häuser« auf dem Bild und die Anordnung der dazugehörigen Textspalten – und inhaltlich wird der Gegensatz in Wesen und Verhalten der beiden religiösen Parteien vorgeführt. Ausgangspunkt und Wertmaßstab ist dabei das Wort Gottes. Aus dem Verhältnis dazu bestimmen sich Verhalten und Bewertung der Gegner.

Unbedingtes Vertrauen darauf kennzeichnet »Die Christen«, was mit der Gewißheit jenseitigen Heils belohnt wird. Ein Katalog biblischer Verheißungen soll diese Gewißheit bekräftigen und in der metaphorischen Sprache gleichsam sinnlich faßbar machen:

So wasser kumpt vnd windes prauß
So bleibt es auff dem felß bestan / ...

Wañ ich bind der kostlich Eckstein ...
Wer an jn glaubt wirt nicht zu schand
Die pfort der hell euch fellen nit / ...
Wo ich bin / das jr auch da seyt.

Schon in dieser Gewißheit liegt Polemik gegen die katholische Heilslehre, indem Werke und Vermittlung durch Fürsprache verworfen werden:

Also auch nyemant legen kan
Ein andern grund dann mich allein /

Sturm und Regen des biblischen Gleichnisses werden als »der welt trůbsal vnd angst« gedeutet und in der Columne der »Christen« konkretisiert:

Schaw herr die welt thůt vns vil leide
Vnd verfolgt vns geleich wie dich
Mit mörden / prennen grimmigklich,
Wie die schlacht schaff fůr vnd fyr.

Wer mit der »welt« gemeint ist, wird auf dem Holzschnitt dargestellt [375], aber auch der Text läßt keinen Zweifel aufkommen: »gotloß hauff«, »menschen lugen«, »selbs erdicht leer vnd gebot« sind als Schlagwörter der Flugschriftenpropaganda in ihrer Aussagequalität völlig eindeutig [376].

Durch die Vorführung der üblichen Attribute der »auff menschen lugen« gegründeten Gottlosigkeit,

wie vil jr *list* praucht vnd *geferden*

Vnd seint all vnser *anschleg* vel,

und die Anhäufung diffamierender Assoziationen,

Wie in eyner mortgrůb wir drin sassen /

Vns gschicht villeicht zu letst alsam
Wie Chore / Datan / Abiram /
Vnser hauß felt wie Jhericho,

wird der teuflische Charakter des Gegners einsichtig gemacht. Die einzelnen Aspekte der Gottlosigkeit sind in der Anklage des Engels und in der Klage des »gotloß hauff« mit einer Ausnahme aus mehr oder minder zufällig passenden Bibelzitaten zusammengesetzt [377], wobei die Übereinstimmung der historischen Realität mit der biblischen Verkündigung in einzelnen, unmittelbar einleuchtenden Fällen (protestantische Märtyrer) zum Beweis der Realität der übrigen Behauptungen wird.

Die Leugnung des Wortes und damit Gottes selbst kennzeichnet den »gotloß hauff«. Diese Eigenschaft und die daraus folgende Verdammnis – »Vnd wert in ewren sunden sterben« – bestimmen die zweite Hälfte des Spruches, wobei die Selbstbezichtigung

Wir haben dacht es sey kein gott

in ihrem diffamierenden Charakter kaum zu überbieten ist, zumal sie als Bibelzitat legitimiert ist [378].

Die damit verwirkten und in den Worten des Engels angekündigten göttlichen Strafen,

> Also was nit ist gottes pflantz
> Das wirt auch außgereůtet gantz
>
> Vnd werden ewer pein vnd plag
> Zů sam kumen auff einen tag

deuten direkt und im Kontext ihrer biblischen Fundstellen auf endzeitliche Vorstellungen, die in der letzten Redepassage als gegenwärtige Wirklichkeit beschworen werden:

> Der tag des herren kommet schnel /
> Vnd setzt vns ab von Eer und gwalt
> Vnd werden yetz zwifach betzalt
> ...
> Wee We du grosse Babylon
> Du starcke statt erbawet schon /
> Dein gricht ist kommen auff die stundt
> Das klagen wir von hertzen grundt.

Das von protestantischer Seite sonst unterstellte gegenwärtige Faktum kirchlichen Antichristentums erscheint als Vergangenes,

> Im tempel gotts wir gsessen sint
> Als vns dann Paulus hat verkindt
> (1. Tim. 4)

das Strafgericht mit der Vernichtung als quasi bereits vollzogen [379].

Die Propagandawirkung eschatologischer Vorstellungen für die Reformation kann gar nicht überschätzt werden. Die Interpretation der religiös-politischen Situation als Beginn des Weltendes lag nahe und war durch Prognostiken seit mehr als einem halben Jahrhundert vorbereitet worden. Mit der Akzeptierung dieser Interpretation ordneten sich für viele die chaotischen Zustände in einer Weise, die für das Papsttum vernichtend, für die lutherische Position aber äußerst vorteilhaft war: die Kirche erschien als Reich des Antichrist, Luther dagegen als der Engel der Apokalypse [380], der das Volk zur Umkehr aufrief (Apok. 18, 4). Die Lebendigkeit des spirituellen Bibelverständnisses, gegen das Luther sich gerade wandte, war dennoch eine der wirksamsten Waffen für ihn:

> It was rather that the radical revolt, ... *did* take place in an unbroken theological and mystical setting. In other words, quite apart from the merits of the view of the church in the light of Pauline epistles proposed by Luther, his movement could be seen to make sense in the light of the Apocalypse (LV 231 Stopp, S. 60).

Allerdings mußte es protestantischen Propagandisten darum gehen, endzeitliche Vorstellungen nur als Drohmittel gegen die katholische Seite zum Tragen zu bringen. Die buchstäbliche Vergegenwärtigung der Apokalypse, wie sie Sachs in diesem Flugblatt vornimmt, verspielt die attraktivste Eigenschaft des protestantischen Image, die durchaus *diesseitige* psychische und auch ökonomische Entlastung durch die lutherische Imputationslehre. Eine Propaganda, die mit dem Vorwurf »Ist es als auff das gelt gericht« (WN 373/23) die größte Wirkung erzielt hat, stellt ihren

Gegenstand infrage, wenn sie auf einer Ebene argumentiert, die durch die Irrelevanz materieller Aspekte gekennzeichnet ist.

Hierin liegt die Schwäche dieses Flugblatts. Um die Drohung ewiger Verdammnis den Katholiken gegenüber glaubhaft zu machen, beweist Sachs das Apokalyptische der Situation ausgerechnet mit dem Hinweis auf Gewaltmaßnahmen, die in der biblischen Offenbarung vorausgesagt und entsprechend gegen die Protestanten ausgeführt werden

> Schaw herr, die welt thůt vns vil leide
> Vnd verfolgt vns geleich wie dich
> Mit mo̊rden / prennen grimmigklich.

Er löst auf diese Weise sicherlich ein starkes Furchtmotiv in der Zielgruppe der indifferenten Stadtbürger aus, kann aber keinen entlastenden Ausweg anbieten und muß daher, unter dem Aspekt der Anhängergewinnung, erfolglos bleiben.

Auch in der WN hatte Sachs die Gefahren vorgeführt, denen die Anhänger Luthers ausgesetzt sind, aber dort hatte er mit der Darstellung der Überwindung dieser Gefahren gleichzeitig für die psychische Entlastung gesorgt:

> Und martern sie biß auff das blut,
> Und droen in bey Fewers glut,
> Sie sollen von dem tage schweigen.
> So thunt sie in die sunnen zeygen,
> Der schein niemand verbergen kan.
> (WN 370/31 ff.)

Die dort enthaltenen Drohappelle erfüllen offensichtlich die Funktion einer propagandistischen »Abhärtung«, sie sollen Furcht vermindern, indem die Gefahr vorgeführt und als überwindlich dargestellt wird.

Sachs zielt hier zwar mit der Verheißung »In mir so wert jr haben frid« in die gleiche Richtung, aber die Columne der »Christen« schließt nach der Schilderung lebensbedrohender Verfolgung mit einem Hilferuf, dessen Erfolg für alle Nicht-Protestanten fraglich erscheinen mußte:

> O herr hilff / sunst verderben wir
> Das wir in deynem wort besteend
> Darinn verharren biß an das end.

Für gefestigte Anhänger Luthers fällt die hier dargestellte propagandistische Schwäche nicht allzu sehr ins Gewicht. Die Beschwörung drohender Gefahr hat im Gegenteil einen integrierenden Effekt, zumal in der totalen Abqualifikation der Katholiken ein Weg für die Umwandlung von Furcht in Aggression geöffnet ist.

3.1.3 Der schafstal Christi

Es wäre verlockend anzunehmen, daß Sachs die propagandistischen Mängel des letzten Spruches erkannt und mit einem folgenden Flugblatt die Konsequenzen aus dieser Erkenntnis gezogen habe. Das Problem ist nur, daß wir nicht wissen, ob die von uns angenommene Reihenfolge der Schriften die tatsächliche ist. Immerhin weisen einige bemerkenswerte Ähnlichkeiten, wie auch verschiedene charakteristische Unterschiede auf einen Zusammenhang der beiden Sprüche, die unsere Annahme zumindest nicht ausschließen.

Wieder handelt es sich um ein Flugblatt mit einem Holzschnitt, der von Erhard Schön oder einem seiner Schüler stammt [381]. Wieder bestimmt die Form des Streitgedichtes in der nun schon bekannten reduzierten Fassung den Aufbau des Spruches, und wieder bietet ein biblisches Gleichnis den literarischen Rahmen. Der direkte Verweis auf die Bibelstelle fehlt zwar im Titel, der überhaupt dem Inhaltsverzeichnis des dritten Spruchbuches entnommen ist – das Flugblatt Enr. 18 ist titellos –, doch weisen Bild und Text eindeutig auf das Gleichnis vom guten Hirten (Joh. 10, 7 ff.).

Wieder wird der biblische Rahmen verwendet, um den Gegensatz von Wort und Werken aus protestantischer Sicht zu thematisieren, stützt sich die antithetische Darstellung auf die bereits durch das Gleichnis vorgegebene Antinomie. Allerdings ist dieser Gegensatz hier nicht auf Rede und Gegenrede verteilt, sondern er wird in der quasi prologischen Redepassage Christi ausgeführt, der der Wechselrede von »Engel« und »Gotloß hauff« vorangestellt ist.

In diesem Prolog wird aus dem Text des Johannesevangeliums und konkordanten Bibelstellen das Thema des Flugblattes montiert: Christus ist »die thür in den Schawff stal«, er hat durch den Kreuzestod alle Sünden auf sich genommen, wer seinen Weg durch ihn geht,

> Der wirt selig on wider ret
> Wer aber anderst wo steygt eyn
> Der můß ain dieb vnd mȯrder seyn
> Wañ all ewer werck die seind entwicht.

Allein der Glaube garantiert das ewige Leben.

Im Gegensatz zum zuvor behandelten Spruch verzichtet Sachs jedoch hier darauf, das lutherische Prinzip des sola fide durch eine Rede der »Christen« vorführen zu lassen. Er vermeidet so die Notwendigkeit, mit der Darstellung himmlischer Freuden auch die in dem Schafstall-Gleichnis enthaltenen irdischen Bedrohungen durch die »Diebe und Räuber« (Joh. 10, 8), den »Mietling« und »Wolf« ebenfalls aufzeigen zu müssen. Die irdischen Objekte solcher Bedrohung können so verschwiegen werden – sie sind auf dem Bild auch im Stall verborgen. Gleichwohl kommt der antikatholisch polemische Affekt, der in dem Vergleich mit den Mördern und Dieben steckt, mit allen übrigen Implikationen des biblischen Hintergrundes voll zum Tragen. Sie werden sogar gesteigert dadurch, daß statt der »Christen« Christus selbst als das Ziel katholischer Angriffe erscheint, sowohl auf dem Holzschnitt – nur die Gestalt Christi ist in der Tür des Schafstalles zu sehen – als auch im Text:

> O blindt gotloser hauff sagt an
> Was hat euch der frum̄ Christus than.

Obwohl auch in diesem Gleichnis eine deutliche apokalyptische Perspektive enthalten ist, bleibt sie in der Sachsschen Version auf Andeutungen beschränkt, die den Eindruck zeitlicher Nähe vermeiden und vor allem den eschatologischen

Aspekt privatisieren und von der Ebene eines historischen Ereignisses wegrücken. Es geht hier nur noch um die Frage persönlicher Heilserwartung:

> Alle die da glawben in mich
> Werden nit sterben ewigklich

und:

> Volgt jr im nit / jr kumpt mit schmertzen.

Der nachdrückliche Drohappell des Gleichnisses geht trotzdem nicht verloren, er läßt sich im Gegenteil ohne Gefährdung der eigenen Position gegen den Gegner richten:

> So werdt jr doch endtlich verderben
> Mit sampt den wercken ewig sterben

und kann deshalb unbedenklich ausgestaltet werden, wobei der Weg psychischer Entlastung über die protestantische Gottesgnadengewißheit führt, deren säkulare Aspekte selbst für potentielle Anhänger der katholischen Position ein starkes Überzeugungsmotiv schafft.

Auch hier läßt sich beobachten, wie gut Sachs sich der Wirkung seiner Überredungsmittel bewußt ist, da er diesen psychologischen Appell auch noch rationalisiert:

> Dem Christo last allayn die Eer
> Er sey das hayl sonst nyemant mer
> Zů dem kert euch wider gentzlich
> Er nympt euch auff gnedigklich.

Im Hinblick auf gefestigte Parteigänger der alten Kirche ist dieser Aufruf zur Bekehrung allerdings nur rhetorisch mit propagandistischen Hintergedanken. Die natürlich ausbleibende Konversion kann als blinder Trotz charakterisiert werden, wobei die Realität der Ablehnung auch das unterstellte Motiv glaubhaft machen soll:

> Wir lassen euch schreyben vnnd sagen
> Auff vnsere werck da wo͗ln wirs wagen.

Die Herabsetzung des gegnerischen Images hat in diesem Flugblatt eindeutig das Übergewicht über die Selbstdarstellung. Der Dialog von »Engel« und »Gotloß hauff«, der zwei Drittel des Textes beansprucht, ist durch die antikatholische Polemik bestimmt.

Der Vorwurf der Gottlosigkeit entspricht wie die Charakterisierung »blindt« der protestantischen Schlagwortsprache und ihrer Verteufelungstendenz. Die Frage des »Engels« »Was hat euch der frum̄ Christus than« bringt über die deutliche Anspielung an die Pilatusfrage (Matth. 27, 23) den antisemitischen Christusmördervorwurf den Katholiken gegenüber zu Geltung.

Mit der vierten Zeile dieser Columne nimmt Sachs Abschied von der Metaphorik des Gleichnisses und deutet das Bild vom Einsteigen »an frembden ort«

in der stereotypen Sprache protestantischer Flugschriften, die die inhaltliche Kritik zu Schlagwörtern reduziert:

> ... erdichten menschen wercke
> ... menschen leer vnd pott
> Die all mit lügen seynd vergyfft
> ...
> Wie frum̃ vnnd haylig jrjyetzt *gleyßt*
> Wie hoch die *welt* euch lobt vnnd preyßt.

Sachs erhöht das Gewicht dieser in Aussage und Diktion schon konventionellen Vorwürfe nicht unbeträchtlich dadurch, daß er sie in die Form einer »englischen Botschaft« kleidet, nicht – wie im ersten Spruch – etwa Luther reden läßt.

Erst die Antwort des »Gotloß hauff« hebt die – bewußt – durchsichtige Mystifikation auf:

> O Engel schweyg sag vns nit mer
> Von dyser newen ketzer leer

wobei die realistisch wiedergegebene katholische Reaktion der zweiten Zeile durch die fiktive Situation sich als Hybris darstellt. Hiermit und durch die schon zitierte Trotzreaktion – »Wir lassen euch schreyben vnnd sagen« –, die die protestantischen Propagandisten aus der vorgeblichen Position des Gegners in ihrer »englischen« Rolle ausdrücklich bestätigt, liegt die wirksame Pointe dieses Spruchs.

Die Antwort des »Gotloß hauff« auf die Anklage des »Engels« wahrt die Dialogfiktion in weit stärkerem Maße als es bei den zuvor untersuchten Sprüchen der Fall war. Hier wird nicht nur eine formale Anknüpfung an die voraufgegangene Rede gesucht und gefunden

> O Engel schweyg sag vns nit mer [382],

sondern es ist danach auch ein genaues Eingehen auf die einzelnen Vorwürfe zu beobachten. Die einzelnen Anschuldigungen und Argumente werden zum Teil wörtlich wiederholt und zurückgewiesen, wobei die Diskrepanz zwischen der englisch-göttlichen Anklage und der Unangemessenheit menschlicher Zurückweisung den Maßstab der Selbstdisqualifikation bezeichnet:

Die Essenz der englischen Aussage wird als »ketzer leer« apostrophiert, die biblische Charakterisierung als der alleinige Weg zu Gott ist »ain spot«; gegen Wahrheit und Verbindlichkeit des »Euangeli weyß« wird das Argument der »drey oder vier hundert«-jährigen Gültigkeit katholischer Glaubenspraxis gestellt, womit dank der Implikationen dieser klischeehaft gebrauchten Zeitangabe der ganze Bereich der Antichristvorstellungen auch hier mitherangezogen wird.

Dem Vorwurf der »Gleißnerei« und der Warnung vor der ewigen Verdammnis hat die katholische Seite natürlich nichts entgegenzusetzen. Statt aber der Tradition des Streitgedichtes folgend den Spruch in dem mimischen Eingeständnis der Disputationsniederlage enden zu lassen, setzt Sachs dem ganzen die polemische Spitze auf, indem er mit einer Trotzreaktion schließt, die den Vorwurf der Blindheit faktisch bestätigt:

Auff vnsere werck da wöln wirs wagen
Vnd darinn auch verharren gantz
Vñ den schopff lassen bey dẽ Schwantz.

Die hier angewandte Technik von inhaltlich aufeinander bezogener Rede und Gegenrede schafft einen durchaus dialogischen Text, dessen Dialektik allerdings immer noch formal bleibt. Zu deutlich entsprechen die dem »Gotloß hauff« in den Mund gelegten Aussagen in Gehalt und Diktion den üblichen und typischen protestantischen Redeweisen, um als katholische Selbstdarstellung überzeugen zu können. Der Text bleibt papiern, nicht einmal der Eindruck lebendiger Rede wird erzeugt. Zahlreiche Selbstzitate aus der WN verstärken diese Wirkung.

Auch in den beiden ersten Sprüchen blieb der Redecharakter der dem Gegner zugewiesenen Aussagen formal, jedoch war dies für das erste Flugblatt durch die strengere Durchführung der Streitgedichtform legitimiert und gewann im zweiten die Übernahme protestantischer Sprachregelung durch die Altgläubigen aus der apokalyptischen Situation einen gewissen Grad von Authentizität. In diesem, von der Situation wie der Technik der Redeführung her offenbar realistisch gemeinten Dialog kommt die Schwäche der bloß formalen Aufteilung von Argumenten auf zwei Redepartner voll zum Ausdruck.

Auch dieses Blatt ist wie die anderen nicht in die Folioausgabe aufgenommen worden und nur in einem Einzeldruck überliefert. Immerhin hat Sachs den gleichen Stoff noch zweimal mit ähnlicher Tendenz bearbeitet [383]. Diese Tatsache, vor allem aber die Daten dieser späteren Bearbeitungen sprechen dafür, daß Sachs von der propagandistischen Effektivität zumindest des Stoffes überzeugt gewesen sein muß: 1527, das Jahr der ersten Neubearbeitung, bezeichnet den zweiten Höhepunkt antikatholischer Polemik im Werk Sachsens [384], und 1547 löste die Niederlage der Protestanten im Schmalkaldischen Krieg eine erneute Welle lutherischer Flugschriften aus, an der sich auch Sachs mit einem – allerdings nicht publizierten – Dialog beteiligte.

Für alle drei Spruchgedichte kann man zusammenfassend feststellen, daß es sich um Paradigmen der in dieser Zeit ständig betriebenen Indoktrination handelt, deren Funktion auf das Wachhalten bestimmter typischer Schlagwörter und der durch sie repräsentierten Ideologeme ausgerichtet war, sowie auf die Bewahrung eines Spannungszustandes, der den Zusammenhalt der eigenen Partei garantierte. Als Beitrag zu der Anfang 1524 gang und gäben täglichen Propagandakost sind diese Flugblätter wahrscheinlich rezipiert worden. Fehlende Reaktionen und geringe Verbreitung sprechen für diese Einschätzung.

Für die Sachs-Philologie liegt jedoch ein besonderes Interesse in der hier deutlich erkennbaren Suche nach einer adäquaten neuen Form, die diesen Sprüchen Etudencharakter verleiht. Nach dem inhaltlich wie formal subjektiven Verfahren der WN, das den Gegner nur als Gegenstand abgehandelter Kritik zu treffen wußte, zielen die Sprüche auf eine Selbstdarstellung und damit Selbstverurteilung des Gegners, die in der scheinbaren Objektivität dialogischer Vorführung möglicherweise noch wirkungsvoller ist als der pamphletistische Akkusativ. In der inkonsequenten Durchführung dieser Technik lag aber auch die hauptsächliche Schwäche dieser Versuche.

In der Erweiterung der Zielgruppe durch das Medium Flugblatt kommt den Sprüchen trotzdem eine wichtige Funktion innerhalb der Sachsschen Kampagne zu [385].

3.2 *Die Kirchenlieder*

Es ist für das strategische Vorgehen Sachsens kennzeichnend, daß er, die Heterogenität seiner bürgerlichen Zielgruppe berücksichtigend, sämtliche Möglichkeiten medientechnischer Variation nutzt, um innerhalb der Zielgruppe Breitenwirkung zu erzielen. Entwurf und Produktion von Flugblätter zeigen dieses Bemühen ebenso wie seine Mitarbeit bei der Einführung eines protestantischen Gemeindegesangs.

Luther hatte 1523 [386] und zu Beginn des nächsten Jahres die »teutschen Poeten« aufgefordert, geistliche Lieder zu schreiben,

> daß das Wort Gottes auch durch den Gesang unter den Leuten bleibe [387].

Luther dachte dabei vor allem an »deutsche Psalmen«, die die lateinischen Gesänge der Messe ersetzen sollten. Ein Gutachten, das der Nürnberger Rat bei Melanchthon einholte, sprach sich im gleichen Sinne aus [388].

Sachs kam mit 13 Psalmenübersetzungen der Lutherschen Aufforderung nach.

Die Wirkung der Einführung deutscher Lieder in die Messe läßt die übersteigerte Reaktion Schatzgeyers auf die Änderung des Salve Regina ahnen [389]. Aber auch für die ungleich heftigere Reaktion der Altgläubigen auf Lieder, die über die bloße Bibelparaphrase weit hinausgehen, gibt es Zeugnisse:

> Die Häretiker erfreuen sich wunderbar an ihren neuen geistlichen Liedern oder vielmehr Schmachliedern, in welchen sie das Gift ihrer Häresie den Herzen der Einfältigen sanft eintröpfeln, die Kirche verleumden, gegen sie blitzen und fluchen ...,

schreibt Georg Wizel 1534 (LV 243 Döllinger, S. 46), und auf der anderen Seite lobt ein spanischer Carmeliter:

> Wunderbar, wie so gewaltig die Lieder Luther's die lutherische Sache förderten. Nicht nur die Kirchen und Schulen widerhallen von ihnen, sondern auch die Privathäuser, die Werkstätten, die Märkte, die Straßen, die Felder. Denn sie sind im Gebrauch bei Leuten aller Art; man singt sie zum Troste in der Noth, zur Erleichterung bei der Arbeit, zur Unterhaltung in freien Stunden (LV 351 Plitt, S. 312).

In der Tat hatte das Kirchenlied eine komplexe Propagandafunktion:

Der mit Hilfe der Melodie leicht erlernbare Text vermittelte einen Fundus derjenigen Kategorien, die für das Luthertum konstitutiv sind [390]. Die so gebildeten Slogans lieferten Argumentationsformeln und ersparten eigene Reflexion [391]. Der eminent polemische Charakter vieler Lieder mobilisierte gruppenstabilisierende Aggressionen [392] in der singenden Gemeinde, und schließlich war der deutsche Gemeindegesang ein demonstrativ-symbolischer Akt des Bekenntnisses zur neuen Lehre, der ein zusätzliches Gruppengefühl vermittelte [393]. Der besondere Charakter dieses Mediums erleichterte die Erfüllung dieser Funktionen: die – häufig bereits bekannte – Melodie sorgte für rasche und weite Verbreitung, wobei auch Analphabeten erreicht wurden, und die gruppendynamischen Wirkungen gemeinschaftlichen Singens schufen die emotionale Basis für die Rezeption des propagandistischen Inhalts. Der schon zitierte Georg Wizel beschreibt eben diese Wirkung:

Ein großer Teil ihrer »christlichen Gesänge« ... ist mehrenteils trotzig und stürmisch, und etliche würden, wenn sie solche dorischen Weisen singen, lieber mit Fäusten dreinschlagen als singen. (LV 234 Döllinger, S. 58 f.)

Kein Wunder, daß man von katholischer Seite alles versuchte, den deutschen Gemeindegesang zu unterbinden – allerdings mit wenig Erfolg [394]:

Das *Lied* mit seiner gemeinschaftsbildenden Kraft und Fähigkeit zur emotionalen Ausstrahlung wurde in der Reformationszeit zu einem tragenden ... Element (LV 369 Spriewald, S. 693).

Hans Sachs verfaßte 1524 acht Kirchenlieder, die zunächst als Flugblätter in Einzeldrucken erschienen [395] und von 1525 an als Liedersammlung nach dem Vorbild des Lutherschen Achtliederbuches unter dem Titel »Etliche geystliche / in der schrifft gegrünte / lieder für die layen zu singen« in mindestens zwei Auflagen erschienen [396].

Bei allen acht Liedern handelt es sich um Kontrafakturen, von denen jeweils die Hälfte geistliche, bzw. weltliche Lieder zum Vorbild hat [397].

Die polemische Tendenz dieser Lieder wird aus dem sechsmaligen zweideutigen Zusatz »verendert vnd Christlich Corrigiert« [398] ebenso deutlich sichtbar wie aus dem Titel der Sammlung, dessen Hinweis »in der schrifft gegrünt« uns als stereotype Wendung protestantischer Sprachregelung geläufig ist.

Daß auch hier das Fehlen eines eigenen Genres und die berechtigte Spekulation auf die propagandistische Mitgift [399] einer bereits bekannten Vorlage notwendig zur Parodie als konstitutives Gestaltungsprinzip führte [400], bekräftigt die These, die wir anläßlich der WN aufgestellt haben.

Dabei steht, was nach dem Erfolg der WN nicht überrascht, die Form des Tageliedes obenan. Das dritte Lied wird ausdrücklich »Tageweys« genannt, das vierte ist ein völlig durchgeführtes Tagelied, und das erste enthält deutliche Anspielungen an die Tageliedmotivik. Dabei wird jedoch der literarische Rahmen den Erfordernissen des Mediums entsprechend anders ausgefüllt als in der WN. Die dem Gemeindelied eigene Tendenz zur Kürze, zur sprachlichen Prägnanz [401] und Sloganbildung verbietet eine umfassende Darstellung der Reformation, bzw. eine vollständige Abrechnung mit allen Gegnern. Mit dem Umfang reduzieren sich auch die Gegenstände; dies sind in allen acht Liedern im wesentlichen neben der direkten antikatholischen Polemik der Gegensatz von »Schrift« und »Werk« [402] und die protestantische Gewißheit der Erlösung durch Christus [403]. Die auch diesen Themen ohnehin stets immanente antikatholische Polemik wird dadurch verstärkt, daß demonstrativ die in der Vorlage den Heiligen zugeschriebenen Eigenschaften in der Parodie auf Christus zurückgeführt werden:

Maria rain du pist alain der sunder trost auf erden. (LV 93 Wackernagel, II, Nr. 1036)	O Jesu rein, Du bist allein Der sünder trost auff erden; (86/16)

Thema, Tendenz und parodistisches Schema sind in der Gruppe der Kontrafakturen geistlicher Lieder so weit identisch, daß es genügt, nur eines dieser Gruppe paradigmatisch zu untersuchen und auf entsprechende Aspekte der übrigen zu verweisen.

3.2.1 *Kontrafaktur geistlicher Lieder*

Die katholisch-geistliche Vorlage ist bei dieser Gruppe von Liedern jeweils zugleich Medium und Objekt der Parodie, was anhand des ersten dieser Lieder besonders gut zu beobachten ist. Bei der Vorlage, die Sachs für das Lied »O Jesu zart« »christlich corrigiert« hat, handelt es sich um ein Marienlied [404], dessen Popularität um die Wende vom 15. zum 16. Jahrhundert außerordentlich groß gewesen sein muß [405]. Sachs geht von sieben [406] Strophen dieses Liedes aus, die er teils kaum, teils stärker abwandelt. Dabei machen die Auswahl der veränderten Passagen, sowie die Tendenz der Veränderungen den propagandistischen Gehalt aus.

Natürlich ist Maria jeweils durch Christus ersetzt [407] und auch jeder Hinweis auf die Mittlerrolle anderer Heiligen getilgt [408]; wesentlicher aber als diese mehr »technischen« Veränderungen ist die konsequente Umformulierung des Liedes von einem Bittgesang zum Loblied und die dadurch geleistete Thematisierung protestantischer Gottesgnadengewißheit:

Vorlage	Sachs
Dir hat die wall sandt gabriel versprochen hilff, das nit werd gerochen mein sündt vnd schuld (1. Str. Z. 10 ff.)	Dir wart die wal Von got vatter versprochen; Auf daß nit würd gerochen Mein sünd und schuld,
Das dw auch mein mûter wellest sein (3. Str. Z. 16 ff.)	In dich hoff ich Gantz festigklich,
Darumb ich bitt verlaß mich nit, hilff mir an meinem ende (4. Str. Z. 4 ff.)	Wie gar gütlich, Herr, hastu mich Wider zu dir lan wenden
Ach hilff auß pein den armen dein (5. Str. Z. 4 f.)	Es hilfft auß pein Den armen dein,

Die hinter solchen Formeln stehende Glaubenszuversicht ist in der Reformationsforschung stets herausgestellt und die daraus erwachsende Entschiedenheit des Handelns von Böckmann als »reformatorisches Pathos« (LV 289) auf seinen Begriff gebracht worden. Sachs stellt solche pathetischen Deklamationen demonstrativ gegen den Zweifel der Vorlagen [409] und steigert dadurch das positive Gruppengefühl. Dies wird ergänzt durch direkte antikatholische Polemik in den Gegenüberstellungen der wesentlichsten Prinzipien in Gestalt der üblichen Schlagwörter wie »Wort – Menschenlehre«, »Gnade – Werkheiligkeit«. Die besondere Leistung Sachsens besteht dabei in der geschickten Verbindung von Schlagwort und überliefertem Text. Die vierte Strophe ist für sein Verfahren kennzeichnend

Vorlage	Sachs
Das ich nit gar	Mit deinem wort;
der Teüffel schar	Mein seel leid mort
werd dem bősen helle hunde	Bey den falschen propheten,
Rueff ich auß herczen grunde:	Die mich verfüret hetten
die namen drey,	Auff mancherley
die won mir bey	Ir gleißnerey,
Jhesus, Anna	Auff werck ich hofft
Mit Marie,	Und maynet offt
ach lat mich nit verderben	Genad mir zu erwerben,

Sachs bringt nicht nur die wichtigsten Schlagwörter auf den wenigen Zeilen unter und gewinnt aus der Kontrastierung von »wort« und »mort«, »Genad« und »gleißnerey« einen polemischen Effekt, sondern durch die Ersetzung von »helle hunde« durch »falschen propheten«, die eine Gleichsetzung bedeutet, da der ursprüngliche Wortlaut natürlich mitgedacht wurde, wird auch hier der Gegner buchstäblich verteufelt.

Daß es sich dabei nicht um eine Zufälligkeit handelt, zeigen zwei weitere Strophen [410]:

Kein rwe noch rast	Kain rw noch rast
haben sie vast	Haben sy fast
wol in der helle feüre:	Wol in der menschen lere:
(5. Str. Z. 7 ff.)	
das mir doch nit vorlayde	Auff daß mich nit verlaitte
Der falsch sathan	Die menschen-ler
(6. Str. Z. 6 f.)	

Solche Vergleiche werden in ihrer Bedeutung und Gewichtigkeit verstärkt durch eine Metaphorik, deren assoziativen Bedeutungsrahmen wir schon in der WN untersucht haben: Die Verführerschaft der »falschen propheten« (4. Str.), deren »gleißnerei« mit »list« (6. Str.) in das »dunckel« (5. Str.) geführt hat, gehört ebenso der Tageliedmotivik der WN an wie das »wort«, das »scheyn« gibt (5. Str.) »Liecht klar als der carfunckel« (ebda.). Das letzte dieser Bilder ist zwar schon in der Vorlage vorhanden, Sachs hat es aber ausgeweitet und in die folgenden Strophen hineingeführt.

Die Art und die Tendenz der Sachsschen Parodie zeigen, daß es ihm nicht nur darum ging, ein katholisches Lied durch Adaption des Textes an die protestantischen Denkweisen gleichsam unschädlich zu machen –

Den Anhängern der neuen Lehre war nichts so anstößig als der Mariendienst: alle darauf bezüglichen Gebete, Lieder und Gebräuche suchten sie eifrigst zu beseitigen. Ein so allgemein beliebtes viel gesungenes Marienlied durfte nicht mehr die für die neue Lehre erst kaum gewonnenen Gemüther irre machen oder gar von dem biblisch begründeten Gottesdienste abziehen. (LV 317 Hoffmann, S. 457) –

es ging vielmehr darum, die den Protestantismus, bzw. sein Image tragenden Begriffe durch dieses probate Medium der Gemeinde einzuhämmern und ihr durch aggressive Polemik nach außen daß Gefühl der Geschlossenheit in der Gruppe zu vermitteln. Wie sehr Sachs sich dabei an den Gegebenheiten der politischen Situation orientierte und diesen auch gerecht wurde, zeigt die Tatsache der offensichtlich großen Beliebtheit dieser Lieder bis etwa 1540. Danach jedoch verschwinden sie aus den Gesangbüchern zugunsten »zeitloser« Vertreter dieses Genres [411]: Mit der Konsolidierung des Luthertums war die Notwendigkeit für diese Form militanter Indoktrination nicht mehr gegeben.

3.2.2 *Kontrafaktur weltlicher Lieder*

Wir haben oben die geistlichen Vorlagen als Medium und Ziel der Sachsschen Kontrafakturen gekennzeichnet, und es ist deutlich geworden, wie sehr die Polemik gegen den ideologischen Gegner zugleich, ja zuerst Polemik gegen dessen Lieder bedeutet. In der gleichen Weise lassen sich gewiß zahlreiche Parodien weltlicher Lieder begreifen, vor allem Umdichtungen von Liebesliedern:

... das ich gerne wollte, die iugent ettwas hette, damit sie der bul lieder und fleyschlichen gesenge los werde, und an der selben stat ettwas heylsames lernete, und also das guete mit lust, wie den iungen gepürt, eyngienge. (Luthers Vorrede zum Wittenberger »Tenor«; vgl. LV 314 Hennig, S. 311).

Fraglich ist allerdings, ob Sachs, der immerhin als einziger Meistersänger selbst »Buhllieder« verfaßt hat, in ähnlich hitziger Weise [412] engagiert war.

Es steht dagegen fest, daß das polemische Ziel dieser Parodien unseres Dichters nicht der Text der Vorlage, sondern der religiös-politische Gegner war [413]. Aus diesem Grund werden bei der Behandlung dieser Lieder weniger die Veränderungen der Vorlage als vielmehr die innere Logik und der Gehalt des neuen Textes interessieren.

3.2.2.1 *Wach auff, meins hertzen schöne* [414]

Diese Parodie eines weltlichen Liedes [415] ist das erste Tagelied des Dichters nach der WN, deren Erfolg die erneute Verwendung dieser Gattung motivierte. Das Lied zeigt ganz deutlich, wie sehr die Wahl der Vorlage von der Überlegung bestimmt wurde, daß ein populärer Text und eine beliebte Melodie eine werbliche »Vorgabe« erbringen würden, die der propagandistischen Intention zugute kommen mußte [416]. Es ging Sachs hier nicht um die Umdeutung weltlicher Tageliedbegriffe und -motive in protestantisch-christlichem Sinne, also um die Entwicklung einer lutherischen Version des geistlichen Tageliedes [417]. Nur die erste Strophe und jeweils die Anfangszeilen der folgenden [418] halten sich eng an die Vorlage zur steten Erneuerung des »Aha-Effekts« des Wiedererkennens. Nur aus diesen wörtlichen Entsprechungen ergeben sich motivliche Verbindungen [419], während man sonst auch dem in diesen Lied gestalteten Tageliedtyps gegenüber durchaus von einer »freien Dichtung« [420] sprechen kann, die dem Sachsschen Idealtypus eines religiös-polemischen Tageliedes wie der WN entspricht. Folgerichtig finden sich in diesem Lied eine Reihe jener Motive, deren Wirksamkeit sich anläßlich der WN erwiesen hatte [421], was wiederum auch andere Autoren zur Nachahmung veranlaßte [422]. So ist Sachs – wenn auch nicht als »der eigentliche Begründer dieser Kirchenliedergattung« [423] – als der Begründer dieses spezifischen Tageliedtypes unter den protestantischen Kampfliedern anzusehen.

Die »christenliche schar« dieses Liedes wird wie in der WN als »gottes-brawt« (92/7) aufgefaßt [424], die Papstkirche – nicht ausdrücklich genannt aber in der 3. Strophe kenntlich gemacht (»Mit viel menschen-gesetzen / Mit -bannen und -gebot«) – ist der Verführer; die bekannten Stationen des Tageliedes erscheinen nach bewährtem Muster als Metapher der Reformationsgeschichte [425]. Die übrige lux-tenebrae-Metaphorik ordnet sich diesem Schema unter und macht die bekannte polemische Zielrichtung kenntlich, die auf eine verbale Vernichtung des Gegners hinausläuft:

Die werden yetzt zu spott,
Vor yederman zu schande,
Für eytel lüg und finsternüß
(91/22 ff.)

Wer anders lert, wie Paulus spricht,
Vermaledeyet seye!
(92/23 f.)

Gegenpol zu den Mächtigen der Finsternis ist hier jedoch keine »Wittenbergische Nachtigall« oder ein »geistlicher Wächter«, sondern Christus selbst.

Es geht hier nicht mehr um eine Lutherapologie – oder gar -apotheose. Einer Rechtfertigung Luthers bedurfte es zu dieser Zeit und nach der WN zumindest innerhalb der Sachsschen Kampagne auch gar nicht; es kommt Sachs hier vor allem darauf an, im Sinne eines propagandistischen Drohappells den entspannenden Ausweg aus der innerhalb des Liedes selbst aufgebauten bedrohlichen Situation (»Ir vil werden geschendet, Gefangen und ermort« 92/4 f.) glaubhaft zu machen, und dafür sind protestantische Heils- und Erlösungsgewißheit und das Luthersche Schriftprinzip besser geeignet als der Reformator selbst:

O christenhait, merck eben
Auf das war gottes-wort!
In im so ist das leben
Der seelen hie und dort.
Wer darinn thut abscheyden,
Der lebet darinn ewigklich,
Bey Christo in den freuden.
(93/6 ff.)

3.2.2.2 *Wach auff in gottes name*

Das zweite Tagelied des Sachsschen Achtliederbuches hat in der Sachsforschung lange Zeit als selbständige »Erfindung« des Dichters gegolten [426], obwohl der Titelzusatz »In der thollner melodey« die Verwendung eines fremden Tones anzeigt und damit die Vermutung einer Textkontrafaktur immerhin doch nahelegt. Inzwischen konnte Johannes Kulp [LV 143] in der bisher gründlichsten Untersuchung der Sachsschen Lieder die Existenz eines Maximilianliedes mit der gleichen Anfangszeile nachweisen [427], das ebenfalls in der Dolener Melodie (Kulp, S. 256) verfaßt gewesen sein muß. Dieses Lied ist leider nicht überliefert, jedoch hat es höchstwahrscheinlich Sachs als Vorlage gedient, da auch verschiedene andere Lieder in diesem Ton Tagelieder oder Wecklieder sind [428].

Man könnte über solchem philologischen Detektivspiel zur Tagesordnung übergehen, wenn nicht schöpfungspoetische Bewunderung aus der vermeintlichen Tatsache Sachsscher Originalleistung eine nicht gerechtfertigte Überbewertung gerade dieses Liedes abgeleitet hätte. Von einer vor allem im Vergleich zu dem vorigen größeren »Lebendigkeit und Frische« (LV 163 Schultheiß, S. 26) und »Kräftigkeit« [429] ist tatsächlich nichts zu spüren.

Der Tageliedcharakter dieses Liedes beschränkt sich auf die drei ersten Strophen und scheint dem bekannten Muster zu entsprechen, wobei auch hier teilweise wörtliche Anklänge an die WN auffallen [430]:

Lied	WN
Verbot mit gschwindem list: (94/16)	Der sie gefürt hat mit lyste (368/23)
Ir viel ließ er verjagen, Verbrennen und erschlagen; (94/19 f.)	Jagen sie ein die thorenhecken Und martern sie biß auff das blut Und droen in bey fewers glut, (370/30 ff.)
Erst thut die zeen fast plecken der falsch sathan auß neydt, (94/22 f.)	Gehn den die wölff ir zeen thun blecken, (370/28)

Tatsächlich sind hier jedoch die Akzente etwas anders gesetzt als in der WN und dem vorigen Lied. Die Schläfer sind jetzt nicht mehr die verführte Gemeinde, die geweckt, d. h. zum wahren Glauben zurückgeführt werden soll, sondern die bereits Bekehrten, die vor der altkirchlichen Reaktion gewarnt und denen das Mittel zur Abwehr dieser Reaktion gewiesen werden soll. Der Weckruf soll nicht mehr »manich gewissen frey« (91/16) machen, sondern mahnen

Danck deim gespons lobesame
Der gnadenreiche zeyt,
Darinn er dir sein worte
Hat wider auff-gethon,
(94/5 ff.).

Der parodistische Rekurs auf die Liebesnacht, der einen wesentlichen Teil der WN ausmacht und der auch in der 3. Strophe des vorigen Liedes nicht fehlt, entfällt hier vollständig. Dagegen ist die groteske Verkehrung der tageliedlichen »urloups«-Situation, in der Sachs stets die Reaktion der Papstkirche darstellt, auf zwei Strophen ausgedehnt, um die Bedrohung deutlicher zu machen.

Auch der Titel bezeugt diese Absicht:

Ein christlich lied wider das grawsam droen des satans.

Zur Erklärung dieser defensorischen Haltung ist es allerdings unnötig, die Entstehung des Liedes auf die Zeit nach dem Regensburger Konvent der katholischen Stände (Juni 1524) zu verlegen [431] und in dem »grawsam droen« des Liedes einen Reflex der Beschlüsse zur Durchsetzung des Wormser Edikts zu sehen. Schon in der WN gab es Hinweise auf protestantisches Märtyrertum und Klagen über katholische Verfolgungsmaßnahmen. Die entsprechenden Passagen dieses Liedes enthalten keine neuen Aspekte, die auf tagespolitische Hintergründe deuten könnten. Es kommt Sachs hier auch offensichtlich weniger darauf an, sich in breiten Schilderungen der Bedrohung zu ergehen, sondern die Essenz dieses Liedes besteht gerade in der Bereitstellung eines Abwehrmittels gegen drohende Gewaltakte. In sieben der elf Strophen sammelt Sachs biblisch-historische Beispiele, die Gottes Eintreten für »sein volck« in Zeiten der Not dokumentieren und die Überlegenheit des »volck gots« durch diese Unterstützung auch in scheinbar aussichtslosen Situationen – »Tausend-mal tausent moren / Greyffens volck gottes an« (96/16 f.) – beweisen sollen. Mit dieser uns inzwischen geläufigen Technik von Drohung und Entlastung soll das Gruppenbewußtsein intensiviert werden, wobei die Aufforderung zum Dank (1. Str.) den Weg zur öffentlichen Demonstration dieses Gruppengefühls weist.

Die Variation der Attitude, die ein Vergleich der Schlußstrophen beider Tagelieder dokumentiert

1. Tagelied	2. Tagelied
O christenhait, merck eben Auf das war gottes-wort! In im so ist das leben Der seelen hie und dort …	O christenhait, merck eben, Wie got sein feinde stürtzt, Die wider sein volck streben! Sein arm ist nit verkürtzt …

zeigt das Bestreben Sachsens, seine agitatorische Wirksamkeit durch den Wechsel der Mittel zu erhöhen. Die Resonanzformel des tageliedlichen Weckrufes gibt hier nicht das Signal zur Menschheitserlösung (WN und 1. Tagelied), sondern warnt vor einer Gefahr, deren konkretes Drohpotential – »bann und lebens-pflicht« (94/18) – durch die metaphysische Begründung – »Die alt Schlang, der sathane,« (94/12) – verstärkt wird, um die erlösende Wirkung der Hinwendung zum »Evangelium« um so eindrücklicher vermitteln zu können. Die vielen antikatholischen Angriffe, die unverblümte Verteufelung des Papstes und die diffamierenden Vergleiche mit heidnischen Völkern der biblischen Geschichte zeigen auch hinter der defensorischen Attitude das uneingeschränkte reformatorische Pathos.

3.2.2.3 O Christe, wo war dein gestalt

Die Absicht, mit der Kontrafaktur eines weltlichen populären Liedes [432] die Beliebtheit der Vorlage für die protestantische Aussage zu benutzen, tritt in der Sachsschen »Rosina«-Parodie wohl am deutlichsten zutage. Bei totaler Veränderung des Gegenstandes und nahezu völliger Abwandlung der Aussagestrukturen bleibt die Parodie formal so eng bei der Vorlage, daß mit zwei Ausnahmen sämtliche

Reime erhalten blieben [433] und darüberhinaus auch das Versmaß gar nicht und die Syntax kaum verändert wurden.

Von diesen formalen Kategorien abgesehen, die das Wiedererkennen der Vorlage garantieren, ist nur der Charakter des Liedes als dreifacher Unüberbietbarkeitstopos in der Parodie erhalten geblieben. Was allerdings in der Vorlage quasi die dreifache Pointe der Aussage ist – der Vergleich der Geliebten mit drei geschichtsnotorischen Schönheitsidealen, wobei sich ihre Überlegenheit auch Göttinnen gegenüber erweist –, wird in der Kontrafaktur zum jeweils unbezweifelbaren Ausgangspunkt, wodurch die Funktion der Vergleichungen in ihr böses Gegenteil verkehrt wird: gemessen an der göttlichen Überlegenheit Christi erweisen sich Papst Silvester, Gratian und – das ist eine perfide Klimax – Nero und ihre Taten als bloß menschlich-irdisch:

Das irdisch reich ... (98/11)
Do er mit fleysch thet schreyben ... (98/15)
Mich kaim kenschen vertrewen ... (99/4)

Die scheinbare Größe dieser drei erweist sich als Abwesenheit Christi in ihren Taten.

Den »polemischen Anfang« [434] dieses Gedichtes hat man schon häufiger hervorgehoben. Die antikatholische Spitze in der Erörterung der seit Valla hitzig diskutierten Donatio Constantini ist ja auch nicht zu übersehen.

Die übrigen Strophen des Liedes sind jedoch nicht minder polemisch und tragen zu dem propagandistischen Konzept gegnerischer Imageschädigung bei. Die aus der Vorlage übernommene antithetische Struktur jeder Strophe liefert den Rahmen, in dem jeweils menschliches Handeln an göttlichem Wollen gemessen und verurteilt wird.

Der weltliche Machtanspruch des Papstes, sein »irdisch reich« (98/11) wird gemessen am »gnaden-liecht« (98/9) Christi [435]; dem Decretum Gratiani, »do er mit fleysch thet schreyben« (98/15) wird ebenfalls die göttliche »gnaden zir« (98/19) entgegengestellt, so daß sich aus dem Zusammenhang beider Strophen die Grundlagen kirchlicher Macht – die kirchenstaatliche Souveränität und das von dort aus in der gesamten Christenheit wirksame Corpus Iuris Canonici – als nichtchristlich, mithin anti-christlich darstellen.

Die dritte Strophe zieht daraus die Konsequenz, indem sie sich nur scheinbar in das Schema der beiden ersten einfügt. Der Rekurs auf Nero zielt nicht eigentlich auf diesen, dessen Nichtchristlichkeit ja von niemandem bestritten wurde; in der formalen Parallelisierung mit Gratian und Silvester zeigt sich die Absicht einer Charakterisierung dieser beiden wichtigen kirchlichen Symbolfiguren. Die historische Papstkirche erscheint – die Parallele zum strategischen Konzept der WN ist deutlich – als neronische civitas diaboli, gegen die die eigentliche civitas dei gestellt wird. Der historische Vergleich wird überdies, um es auch jedem deutlich zu machen, in die Gegenwart verlängert – »Der-gleych yetzt vil« (99/2) – und die protestantisch-ethische Folgerung daraus gezogen:

Drumb ich nit wil
Mich kaim menschen vertrewen;

Allain, herr, dein
Erkanntnüß rain,
Die sol mich ewig frewen.

3.2.2.4 O got-vater, du hast gewalt

Das letzte Lied des Achtliederbuches hat mit den übrigen Kontrafakturen weltlicher Lieder die »sorgfältige Wahrnehmung des Strophen- und Reimschemas« [436] gemein, was auch hier die Absicht verrät, die Popularität der Vorlage [437] möglichst weitgehend für die propagandistische Aussage der Kontrafaktur zu nutzen. Die Form der Vorlage bestimmt auch den wesentlichen Unterschied dieses Liedes zu den übrigen. Den dialogischen Charakter der Wechsel-Form nutzend, führt Sachs gleichsam den faktischen Beweis für die in allen übrigen Liedern stets werbend hervorgehobene, aber immer nur aus der Außenperspektive des Verfassers dargestellte protestantische Gnadengewißheit vor.

Es ist für die Theorie des Prosadialogs sehr bedeutsam zu beobachten, wie auch ohne direkten Einfluß der durch Hutten belebten klassischen Dialogtradition die Tendenz zur polarisierten – antithetischen – Darstellungsweise zur Wahl eines adäquaten formalen Rahmens führt, der hier in dem Pseudodialog des mittelalterlichen Wechsels gefunden wurde. In diesem Zusammenhang ist zu erwähnen, daß dieses Lied Sachsens 1525 mit dem Titelzusatz »Gespräch zwischen dem Sünder und Christus« erschien [438]. Zwar erhielten die unterschiedlichsten, auch nicht dialogischen Schriften häufig den verkaufsfördernden Titelzusatz »gesprech« oder »dialogus«, doch hier handelt es sich um eine dialogische Form, und die terminologische Gleichstellung dieses Wechsels mit dem Prosadialog und dem Reimgespräch gibt über die zeitgenössische Einschätzung der Reinheit von Gattungen Aufschluß.

Wie im vorhergehenden Lied ist auch hier wieder die Kontrafaktur außer durch formale Kongruenz durch die Übernahme des zentralen Motivs mit der Vorlage verbunden. Das Original ist ein

Streitgesang zweier Liebenden. Die Geliebte, welche die Bitte des Liebenden nicht erhören will, zeigt ihm durch Beispiele aus der weltlichen und heiligen Geschichte die Untreue der Männer, während er ihr durch andere Beispiele die List der Frauen vorhält (LV 297 Fischer/Tümpel, II, S. 154 f.).

Der wesentliche Zug dieses Liedes ist jedoch, daß nicht die bessere Beweisführung des Mannes zum Nachgeben der Frau führt, sondern daß die Liebeserhörung als ein von den Bemühungen des Mannes nahezu unabhängiger Gnadenakt dargestellt wird:

mein hertz vor schmertz in lieb erdort,
mein hort, mach mich durch lieb gesundt!
...
Dein wort, gesell, hat mich behafft
in solcher krafft,
das ich dir nit versagen wil.
(LV 92 Wackernagel, S. 843)

Diesen Zug übernimmt Sachs für seine Version und hebt ihn noch stärker hervor:

Sünder, des hertzen ich beger,
Sunst nichtsen mer
Kain süsse wort oder person!
(105/30 ff.)

Mit got du nit zu rechten hast,
Ob er dich stost
Mit dem teüffel in helle glut.
(106/23 ff.)

Nicht mit Argumenten oder mit dem Verweis auf biblische Präzedenzien – der verlorene Sohn, die Ehebrecherin (107/3 ff.) – ist die Gnade Gottes zu erlangen, sondern diese ist grundsätzlich vom Menschen unbeeinflußbar und unabhängig (vgl. Str. 7). Die Gewißheit der Gnade ist zwar durch einen menschlichen Akt zu erlangen, durch den Glauben an den »güttig« (107/13) Erlösergott:

Sünder, meyn gnad werddir geneygt,
Wenn sich ereygt
Ein gantzer glaub auff meine wort;
Mein güttig gnad würdt dir erzeygt,
...
Glaubstu mir nu, das ich dir kundt
Gesundt machen dein arme seel,
So mag es sein, got wirckt allein,
Durch den glauben das hertz wirdt rein.
(107/10 ff.)

Aber auch der Glaube ist nicht durch eigene Anstrengung zu erlangen, ist ein göttlicher Gnadenakt:

O Christ, groß ist deins glaubens krafft
Auß gnaden-safft, (107/35 f.)

In diesen Zirkel vermag der sündige Mensch jedoch einzubrechen, und das Sachssche Lied ist in der Tat ein mimisches Exemplum: Im Gebet erschließt sich dem Sünder die Gnade Gottes, gewinnt er den Glauben an die göttliche Barmherzigkeit, der diese nach sich zieht. Die Fiktion des Liedes löst den postulierten Charakter des Gebets als Dialog zwischen Mensch und Gott ein und »beweist« so die Überlegenheit protestantischer Glaubenstheologie über die katholische »Werkheiligkeit«.

Dabei geht die direkte Polemik dieses Liedes noch über die Exemplifikation dieses grundsätzlichen Gegensatzes hinaus: Aus der Doppeldeutigkeit von Formulierungen wie »meine wort« (107/2), »dein zusag« (107/23) oder »sprich in mich ein gnedigs wort« (107/31), die sich zwar unmittelbar auf Gottes Worte in der Fiktion des Dialogs beziehen, aber natürlich ebenso »Das Wort« meinen, wird die Ablehnung der »Werke« sprachlich immer wieder aufgenommen und – damit nicht genug – in den letzten Strophen durch Gott selbst endgültig verurteilt:

Acht nicht, was menschen-leer stets klafft,
Sy ist lügenhafft,
Voller betrug und gleyßnerey.
Ker umb, ich kumb! leb nach meim wort.

3.2.3 Zusammenfassung

Mit den acht Kirchenliedern setzt Sachs im Sinne der Tendenzen, deren Richtung er mit der WN bestimmt hatte, seine Propagandakampagne fort, wobei er sich im Unterschied zur Globalabrechnung der WN auf einzelne, jedoch grundlegende Aspekte der Abgrenzung von der alten Kirche beschränkt. Agitatorischen Vorbildern folgend und auch der propagandistischen Notwendigkeit entsprechend, gewinnt er Werbewirkung aus der Anlehnung an geläufige – auch hier wieder literarische – Schablonen, wobei er in diesem Fall mit der Kontrafaktur die engste Form der Anlehnung wählt.

Wie in der WN zeichnet sich Sachsens Leistung durch das besondere Geschick der Parodie aus, indem er ein Maximum propagandistischen Gehalts mit einem Minimum an Abweichungen von der Vorlage verbindet.

Die Lieder sind sämtlich im Jahre 1524 entstanden. Die genaue Reihenfolge und die exakten Verfassungsdaten sind unbekannt. Die Reihenfolge des Achtliederbuches entspricht auch der der Handschrift und findet sich ebenso im Werksregister des Hans Sachs; trotzdem ist dies kein Anhaltspunkt für eine relative Chronologie. Wir sind der Auffassung, daß die acht Lieder in unregelmäßigen Abständen um die Jahreswende 1523/24 entstanden sind. Die Tatsache unterschiedlicher Drucker bei den überlieferten Einzeldrucken (LV 161 Schottenloher) schließt eine en-bloc-Veröffentlichung aus und spricht gegen eine gemeinsame Produktion. Mit dem Publikationsdatum der WN ist der frühestmögliche Zeitpunkt für die Entstehung des ersten Liedes gegeben, Ende Mai 1524 ist der späteste Termin [439]. Es ist anzunehmen, daß Luthers Appell an die »teutschen Poeten« das auslösende Moment für Sachsens Liederproduktion gewesen ist. Damit würde sich für das erste Viertel des Jahres 1524 eine Zusammenballung Sachsscher Propagandaschriften ergeben, was aus der politischen Situation in Nürnberg während dieses Zeitabschnitts zu begreifen wäre. Seit Anfang dieses Jahres wurde der 2. Nürnberger Reichstag vorbereitet, auf dem das Problem des religiösen Schismas zur Diskussion stand. Am 17. März legte der päpstliche Gesandte Campeggi das Begehren der Kurie vor, das Wormser Edikt endlich auszuführen [440]. Es bestand also für die protestantische Partei aller Anlaß dazu, durch Mobilisierung der Öffentlichkeit Druck auf den Reichstag auszuüben, um für das Luthertum schädliche oder gefährliche Beschlüsse zu verhindern.

Überlieferungsstand und historischer Kontext geben allerdings keinen Hinweis für das chronologische Verhältnis von Kirchenliedern und Sprüchen des Hans Sachs; der formale Etudencharakter der Sprüche und des letzten Liedes für die Dialoge läßt jedoch eine zeitliche Priorität der Flugblattpublikationen vor den Prosadialogen vermuten.

3.3 Die Dialoge

Der unmittelbare starke Eindruck der vier Dialoge aus dem Jahre 1524 [441] wie auch die langfristige Wirkung [442] begründeten ein relativ lebhaftes Interesse der Forschung seit dem Beginn der Sachs-Philologie [443], so daß dieser Gegenstand zu den am häufigsten und intensivsten untersuchten Schriften unseres Dichters gehört. Untersuchungen zur Dialogliteratur im allgemeinen [444] und zwei Monographien [445] bieten zusammen mit der ausgezeichneten Neuausgabe von Ingeborg Spriewald (LV 3) eine verhältnismäßig breite Basis für unsere Arbeit.

Einer der Schwerpunkte aller dieser Arbeiten ist der Versuch der Entwicklung einer Theorie des Dialogs vor allem unter gattungspoetischen und entstehungsgeschichtlichen Gesichtspunkten. Dabei findet die in formaler Hinsicht unleugbare Zwitterrolle des Dialogs zwischen Epos und Drama ihre Entsprechung in dem Gegensatz zweier Auffassungen, die den Dialog jeweils einer der beiden Gattungen zuschlagen, bzw. die ihn aus diesen herleiten wollen.

Unsere Untersuchungen anläßlich der WN haben die Bedeutung solcher Fragestellungen auch unter propagandatheoretischem Aspekt bestätigt, und wir werden uns angesichts der unentschiedenen Diskussion daran beteiligen müssen. Trotzdem ist die Konzentration der Forschung auf diese Ebene der Problematik verantwortlich für die letztlich unbefriedigenden Ergebnisse auf dem Gebiet der Reformationsdialoge, für die die weiterhin bestehende Aporie der Forschungsmeinungen ein Indiz ist.

Die wichtigsten Gesichtspunkte dieser Auseinandersetzung sind von I. Spriewald im Vorwort ihrer Ausgabe dargestellt worden (S. 29 ff.). Wir knüpfen an ihre Zusammenfassung an:

Während Edert [446] und Wernicke (LV 173) von der apodiktischen, am platonischen Dialog orientierten Definition Hirzels (LV 316) ausgehen, wonach der Dialog eine »Erörterung in Gesprächsform« (Bd. I, S. 7) zu sein habe, hat für Niemann (LV 347) das »volkstümliche Drama« die Vorarbeit für die »Entfaltung eines lebendigsten Realismus in der Dialogliteratur« geleistet (S. 62). Diesen Prämissen entsprechend ist für Edert der Sachssche Dialog dadurch gekennzeichnet, daß sich die Unterredner

> widerlegen und belehren; sie begründen ihre meinung verstandesmässig, in wissenschaftlicher weise [sic!], mit zitaten und beispielen; sie suchen unermüdlich nach neuen einwänden ... etc. (S. 36 f.).

Für Niemann hingegen sind die darstellenden Elemente des Dialogs so dominierend, daß er geradezu von »Lesedramen« spricht, eine Charakterisierung, die in jüngster Zeit wieder aufgegriffen wurde [447]. Lenk beobachtet gar eine Szenerie im Dialog,

> die ihn uns gleichsam als dramatische Dichtung erleben läßt und die uns veranlassen könnte, ihn als aufführbar ... zu bezeichnen (S. 40).

Dieser Meinungsstreit wird mit gleichen oder ähnlichen Argumenten in der gesamten Literatur zu diesem Thema [448] geführt. Einig ist man sich nur in der Feststellung, daß der Reformationsdialog in eine kontinuierliche Gattungsgeschichte einzuordnen ist, die mit der »Kette: Plato – Hutten – Sachs« (LV 173 Wernicke, S. 59) gekennzeichnet wird. Einig ist man sich auch in der Einschätzung Huttens als Initiator der

Blüte dieses Genres ..., die das Bild der deutschen Dichtung bis 1525 hin bestimmte (Lenk, S. 17).

Da aber auch in den deutschen Übersetzungen der Huttenschen Dialoge das Lukiansche Vorbild und der humanistische Argumentationsstil dominieren und sich die Mehrheit der folgenden volkssprachlichen Dialoge entschieden davon abheben [449], ist mit Hutten allein die Frage nach dem formalen Vorbild der Reformationsdialoge nicht zu beantworten.

Von hier an gehen die Forschungsmeinungen wieder auseinander, und es werden unterschiedliche Lösungsversuche angeboten, die – von den jeweiligen gattungspoetischen Prämissen ausgehend – teils historisch, teilweise dichtungstheoretisch orientiert sind.

Der Dialog, als künstlerische Form der Dramatik verwandt, diente prinzipiell der Auseinandersetzung mit aktuellen Problemen und erlebt in Deutschland zu einer Zeit seine Blüte, als er im Meinungsstreit der erregten Öffentlichkeit gebraucht wurde (Spriewald, S. 31).

Diese Charakterisierung repräsentiert die Schule der Forschung, die im Dialog die literarische Widerspiegelung realer dialogischer, d. h. auf argumentative Auseinandersetzung drängender Wirklichkeit sieht. Hirzel, Lenk und Edert [450] sind darüberhinaus die wichtigsten Vertreter dieser Auffassung, die die vielbeschworene Objektivität dieses Genres in ihrem »Realismus« begründet. Die Reformation – das »große Gespräch«, der Dialog – sein »papierner Ausdruck« (Hirzel).

Für Lenk ist dabei allerdings das »papierne« dem mimischen Charakter des Dialogs nicht angemessen, und er fragt,

warum eine so eminent dramatische Schöpfung wie dieser mimische Dialog nicht den Weg zur Aufführung fand,

bzw. warum

das deutsche Fastnachtspiel die dramatischen Potenzen der erregten zwanziger Jahre nicht aufgenommen hat (S. 40).

Seine Begründung, die scharfen Zensurbestimmungen hätten nur den anonymen Dialog ermöglicht, nicht aber ein Tendenzdrama, zu dem der Autor sich hätte bekennen müssen, vermag nicht zu überzeugen, zumal im Hinblick auf Hans Sachs, der seine Dialoge nicht anonym publizierte.

Die nach Hirzel und Lenk für die Produktion von Dialogen verantwortliche politische Erregung ist für Gegner dieser Auffassung gerade ein den Dialog ausschließendes Moment:

die leidenschaftliche, teilweise blind fanatische Reformationszeit gibt den denkbar ungünstigen Hintergrund für den Dialog (Wernicke, S. 61).

Für sie ist nicht Engagement, sondern Distanz zu den Gegenständen des Streites die Voraussetzung für den Dialog:

Je mehr Kühle gegenüber den Themen, je mehr Genießen des Dialogs selbst, um so mehr wirkliche Dialogform [451].

Trotzdem sieht man auch von dieser Seite das Wesen des Dialogs in der »realistischen Widerspiegelung« der Wirklichkeit, hält den Disputationsbericht [452] oder gar die Straßendiskussion für das Vorbild des Dialogs:

Daß jemand, der so empfand, mit offenen Ohren durch die Straßen ging und am Gespräch dort, wurde es geschickt geführt, seine helle Freude haben mußte, bestätigt weiter die Wichtigkeit der Umgangssprache für die Dialoge [453].

Die Diskussion muß – auf dieser Ebene geführt – in der Aporie bleiben. Es lassen sich für beide Positionen gleich viele und gleich gute Argumente finden, was Anlaß geben sollte, die Prämissen dieser Positionen zu überdenken.

Unser propagandatheoretischer Ansatz gewährt eine Außenperspektive, von der aus eine Überwindung der Widersprüche möglich erscheint.

3.3.1 *Zur Theorie des Dialogs*

Erbsünde aller bisherigen Überlegungen ist die Vorstellung vom Dialog als einer »literarischen Gattung« (Wernicke, S. 52) mit formengeschichtlicher Kontinuität von der Antike bis zur Aufklärung mit *dem* Reformationsdialog als integralem Bestandteil. Dieses Theorem wird seit Hirzel immer wieder reproduziert und nur selten hinterfragt [454]. Gegenstand der wissenschaftlichen Auseinandersetzung ist nur die Frage, in welchen spezifischen literarischen Traditionszusammenhang die Reformationsdialoge zu stellen sind, wobei der Grad der formalen Übereinstimmung mit dem gattungsgeschichtlichen Phänotyp zum Wertmaßstab gesetzt wird.

Aus dieser Betrachtungsweise erklärt es sich, daß verschiedentlich bestimmte Dialogtypen der Reformationszeit als »undialogisch« disqualifiziert werden, die von anderen wiederum als Paradigmen gattungsmäßiger Reinheit herausgestellt werden. Der Streit um die Statthaftigkeit epischer Elemente [455] und um die Stellung des Lucidargesprächs innerhalb der »Gattung« veranschaulicht die Forschungssituation [456].

Doch auch dort, wo die reine Gattungsgeschichte verlassen wird zugunsten einer literatur*historischen*, das Verhältnis von Formentwicklung und Geschichtsprozeß reflektierenden Betrachtungsweise, bleibt man werkimmanent, verinnerlicht den historischen Aspekt durch Subsumption unter die formbildenden Elemente. Der Dialog wird zur adäquaten Ausdrucksform einer bestimmten, typischen und damit schon wieder ahistorischen Situation erklärt, womit die »Blüte« dieser Form Symptom, wenn nicht Beweis für das jeweilige Bestehen einer solchen Situation wird. Die Form-Inhalt-Dialektik wird hier zum circulus vitiosus.

In dieser Weise hält man den Dialog für ein Indiz für »Epochen geistigen Ringens« [457], für ein »Zeichen gesellschaftlicher Kultur« (Wernicke, S. 62). Aber auch die scheinbar neutrale Formel vom

Dialog als selbständige literarische Form geistiger Erfassung und Bewältigung der Wirklichkeit,

dessen unterschiedliche Typen von den jeweiligen

gesellschaftlichen und geistigen Zuständen (Lenk, S. 10f.)

hervorgebracht werden, verrät eine formengeschichtliche Denkschablone, die zumindest den Reformationsdialogen gegenüber unangebracht ist [458].

Den Reformationsdialog als »literarische Gattung« hat es nie gegeben!

Wohl aber sind so ziemlich alle dialogischen Formschemata unter den Dialogen der Reformationszeit vertreten. Gerade die Bemühungen der Forschung um die Definition eines reinen Typs bestätigen diese These; denn der Vertreter des jeweiligen Typs erweist sich immer nur als Sonderform:

Das einzige wirklich rein dialogische Gespräch neben Hans Sachs scheint das zwischen Pfarrer und Schneider ... zu sein (Wernicke, S. 65).

Hieraus [459] erklärt sich die jeweilige Überzeugungskraft, ja Berechtigung gegensätzlicher Aussagen über die Reformationsdialoge. Für jede der gattungspoetischen wie formengeschichtlichen Genesen gibt es passende Beispiele in der reformatorischen Dialogliteratur. Obwohl die Bezeichnung »gesprech bůchlin« oder »Dialogus« alles andere als fest abgegrenzte Gattungsbegriffe waren und unterschiedlichste Formen bezeichneten und obwohl diese Tatsache in der Literatur immer wieder betont [460] wird, hat sich die Vorstellung einer homogenen Gattung bis in die jüngste Gegenwart (Lenk, I. Spriewald) erhalten. Schriftliche Propaganda war im 16. Jahrhundert angesichts eines fehlenden eigenen Genres auf gleichsam parasitäres Ausnützen etablierter Formen angewiesen. Das haben wir bereits festgestellt, ebenso wie die Grundtendenzen der protestantischen Propaganda zu Beginn der zwanziger Jahre am Beispiel der bisher behandelten Flugschriften und -blätter deutlich geworden sind: das Streben nach größtmöglicher Polarisation in der Darstellung der gegnerischen Denk- und Verhaltensmuster und das Bemühen um nahezu sinnliche Plastizität in der Vorführung der eigenen und der feindlichen Position.

Beiden Tendenzen kommen dialogische Schreibweisen weitestmöglich entgegen. Und ebenso wie nach der »Entdeckung« der Tageliedform als probater Rahmen für propagandistische Gehalte eine große Zahl reformationspolemischer Tagelieder entstand, die die Möglichkeiten dieses Genres in eine Vielzahl unterschiedlicher Typen umsetzten, so war angesichts der noch weit größeren Affinität dialogischer Formen zu den Bedürfnissen der Reformationspropaganda nach einem entsprechenden Beispiel, das von Hutten geliefert wurde, eine noch weit stärkere Flut von Reformationsdialogen die unausbleibliche Folge.

Wie im Falle des Tageliedes und zahlreicher anderer Formschablonen wurde auch nach der Initiierung der Dialogform die gesamte Bandbreite der dialogischen Formentradition für die Rahmengebung agitatorischer Texte genutzt. Die »Kette Plato – Hutten – Sachs« [461] ist dabei ebenso repräsentiert, wie das

aus dem Frage- und Antwortspiel zwischen Lehrer und Schüler ... [erwachsende] didaktische, katechetische, auf Wissensvermittlung ausgerichtete Lehrer-Schüler-Gespräch. (Lenk, S. 11),

das Streitgedicht [462], bzw. »Kampfgespräch« ebenso wie die Revueform, aber auch das genre objectif der mittelhochdeutschen Dichtung ist mit dem Wechsel vertreten. Versuche, eine einheitliche Typologie zu entwickeln, sind aus diesem Grund zum Scheitern verurteilt. Selbst die Scheidung von Prosadialogen und gebundenen Formen, auf der man allgemein besteht, halten wir für unzulässig [463], da man auch in diesen Schriften selbst einen solchen Unterschied nicht macht [464].

Der literarhistorische Stellenwert und die formale Tradition ist für jeden der unterschiedlichen Dialogtypen in der Reformationszeit im einzelnen zu bestimmen.

Von einer Entwicklung zu den Reformationsdialogen hin ist allenfalls im Hinblick auf die nicht sehr häufige parodistisch-polemische Verwendung der Dialogform, etwa durch Lukian [465], zu sprechen, die jedoch selbst außerhalb der eigentlichen Gattungstradition steht.

Im literarischen Schaffen des 16. Jahrhunderts wird sichtbar, wie die verschiedenen Genres, die aus dem späten Mittelalter überkommen sind, getestet werden, ob sie zur Wiedergabe neuer Ausdrucksfähigkeiten ... taugen. (Lenk, S. 38)

Mit dieser Bemerkung trifft Lenk das Verfahren der Verfasser reformatorischer Dialoge so genau, daß man die Folgerungen aus dieser Erkenntnis umso mehr vermißt [466]. Wie sehr von einem individuellen Testen der Operationalität bestimmter literarischer Formen auch bei der Dialogproduktion der Reformationszeit und wie wenig von zeitgeistlicher Problem-Form-Bedingtheit zu sprechen ist, zeigt sich am Beispiel Huttens. Erst nach dem erfolgreichen Test der propagandistischen Eignung des lukianischen Dialogs in einer privaten Fehde [467] führte er

den Dialog durch eine Reihe von Schöpfungen in den Jahren 1518 bis 1520 in die Reformationsbewegung hinein (Lenk, S. 17).

Aus der Verkennung des parodistisch-parasitären Charakters der Reformationsdialoge folgt konsequent ein Mißverständnis der Intention vieler Dialoge durch den überwiegenden Teil der Forschung, indem man dem propagandistischen Geschick der jeweiligen Verfasser zum Teil noch bis heute aufsitzt. Die förmliche Zugehörigkeit zum genre objectif wird als Garant wirklicher Objektivität akzeptiert, was den Intentionen der Propagandisten, keineswegs aber den Tatsachen entspricht. Trotzdem wird beim Dialog von Wernicke, für den er auf den »Weg der Objektivierung« zeigt (S. 67), bis Lenk, der ihn zum »Disputationsfeld für ... lebensechte ... Problematik« erklärt (S. 13), die Objektivität nie in Zweifel gezogen, es wird im Gegenteil gar behauptet, daß der Leser hier nicht »der Überzeugungskraft des Verfassers ausgeliefert« sei, da im Dialog ja Argumente widerlegt werden könnten (LV 224 Kolodziej, S. 30f.).

Abgesehen von Vorstellungen, die sich aus der am platonischen Dialog orientierten Gattungsdefinition ergeben und das objektive – »wissenschaftliche« (Edert, S. 36) – Erörtern als naturgegebene Konsequenz der gewählten Form unterstellen, gründet sich der Mythos des objektiven Reformationsdialogs auf zwei unterschiedliche Überlegungen, die in einem zweifachen Objektivitätsverständnis sichtbar werden. Zum einen wird die fiktive Lebensechtheit für bare Münze genommen, zum anderen wird – vor allem in den Gegnergesprächen – im Gegeneinander der Argumente ein objektives Verfahren der Wahrheitsfindung gesehen. Lenk verbindet beide Auffassungen

Aber nicht nur die Natürlichkeit und Echtheit der Gefühlsäußerung ist beim Dialog für den Stil der Prosa bestimmend geworden, sondern auch die Ausrichtung auf Klarheit und Schlüssigkeit der Beweisführung. (S. 39).

Diese These wäre nur dann haltbar, wenn Rankes Charakterisierung der Reformation als »großes Gespräch« zutreffend wäre und somit die realistische Widerspiegelung tatsächlicher Diskussionen deren objektivierende Dialektik mit aufnähme. Diese Auffassung ist aber längst widerlegt und Clemens Verdikt

einer Zeit, in der man den Gegner nicht verstehen konnte und wollte (LV 241 Clemen, I, S. 318),

vielfach bestätigt und auch von uns aus propagandatheoretischer Notwendigkeit begrundet worden [468].

Aber auch für sich genommen sind beide Auffassungen unhaltbar. Der vielfach unter dem Stichwort »Volkstümlichkeit« beschworene Realismus [469], der in der Theorie vom Dialog als Protokoll von Straßendiskussionen kulminiert, erweist sich teilweise als verkanntes literarisches Klischee [470], vor allem aber als Verwechselung von Ursache und Wirkung. Die Redeweisen des sogenannten volkstümlichen Dialogs sind nicht dem »gemeinen Mann« abgelauscht, noch gar von ihm selbst hervorgebracht [471], sondern im Gegenteil auf diese spezielle Zielgruppe zugeschnitten. Zum Teil wird dabei des Guten so viel getan, daß es nicht zu übersehen ist [472]; aber wenn dann schon in der Literatur in dem »Herabsteigen zu vollster, konkreter Volkstümlichkeit« eine Übertreibung »teilweise bis zur Maniriertheit« konstatiert wird (LV 347 Niemann, S. 53), kann man sich doch nicht enthalten, »jenen Zug zum gegenwärtigen Leben« gerade darin zu erblicken, daß dem »Hurenwirt, dem Wüstbub, dem Holzhauer und dem Bettler ... mit Vorliebe die Lehren des Evangeliums in den Mund gelegt« werden (Niemann, S. 68 f.) [473].

Die ebenso häufig vertretene These von der objektiven Dialogführung hält ebenso wenig einer genaueren Überprüfung stand [474]. Bisher hat nur Paul Merker in seiner leider nur sehr pauschalen Einleitung der Dialoge Gerbels eine Charakterisierung einer Gruppe von Reformationsdialogen gegeben, die eine tragfähige Basis für die wissenschaftliche Auseinandersetzung bietet:

Weit entfernt von den blassen allegorischen und schemenhaften Zeichnungen der älteren mittelalterlichen Gesprächsstücke ... geht dieser neue humanistische Dialog ... gern auf satirische Darstellung individuell begrenzter Zustände und dramatisch bewegte Vorführung bestimmter Persönlichkeiten aus ... mit besonderer Vorliebe sucht man den Gegner, coram publico in Szene gesetzt der Lächerlichkeit preiszugeben.

Und die Reformation, die aus dem gleichen Geiste der Kritik an dem bestehenden geboren war und bei ihrem Vorgehen gegen eine jahrhundertealte Weltmacht auf Propaganda großen Stiles angewiesen war, ließ sich dieses drastisch überzeugende Kampfmittel nicht entgehen ...« (LV 194 Merker, S. 5 f.).

Mit der Charakterisierung der Dialoge als »evangelische Werbe- und Tendenzschriften« (ebda., S. 11) wird er ihnen eher gerecht als sein Schüler Needon, der polemische Dialoge nur dann als solche zu erkennen vermag, wenn die Unterredner gegeneinander polemisieren [475].

Die »drastische Überzeugungskraft« verschiedener Dialoge liegt gerade in einer Darstellungsart, die

öfters dazu verleitet [hat], die Schilderungen für objektiv zu halten; [obwohl es sich] kritisch gesehen ... natürlich um den bloßen Schein der Objektivität (Schutte, S. 178)

handelt: der Ethopoiie.

Die in zahlreichen Reformationsdialogen verwendete Technik der »naiven Selbstpersiflage« (Merker, S. 6) [476] ist mit dem Begriff des »Mimischen« (Lenk, S. 17) nur unzureichend beschrieben, weil er die Scheinhaftigkeit des mimisch Vorgeführten nicht beinhaltet. Der von (LV 203) Strauß geprägte Begriff der »mimischen Satire« [477] enthält diesen Mangel nicht, unterstellt aber die Erkennbarkeit der satirischen Absicht, die bei dem klassischen Beispiel mimischer Satire, den EOV ja die Voraussetzung für eine intentionale Rezeption war [478].

Die bewußte Verschleierung der satirischen Absicht in einigen der Reformationsdialoge, die zum Teil bis in die Gegenwart wirksam geblieben ist, läßt uns den Begriff der Ethopoiie vorziehen [479].

Die immense propagandistische Wirkungsmöglichkeit dieser Darstellungstechnik leuchtet unmittelbar ein: Die sonst *im* werblichen Text vollzogene, als sein Ergebnis anvisierte Imagebeeinflussung, die – der Intention des Verfassers entsprechend – sich als deutlich erkennbare Tendenz im Text niederschlägt, wird hier aus einem Element des Textgehalts zu einem Faktor der Textvorbereitung. Dem Leser treten die Kontrahenten des Dialogs als Idealtypen ihrer Images, d. h. aus seiner Sicht in »objektiver« Darstellung entgegen. Ihre Profilierung im Sinne der agitatorischen Absicht ergibt sich für den Leser scheinbar zwanglos und damit wiederum »objektiv« allein aus der Dialektik der Gesprächsargumente. Die Lenkung des Gesprächs durch den Autor und die Prädestination des Ergebnisses werden bei einem geschickt konzipierten Dialog im Text selbst nicht sichtbar. Wie groß das Geschick einiger Autoren in dieser Beziehung war, zeigt die wissenschaftliche Rezeption und die sie kennzeichnende Parteilichkeit. Anhänger der Reformation, die die Fiktion als Realität akzeptieren [480], sitzen diesem Geschick ebenso auf wie katholische Kritiker, die sich über mangelnde Objektivität entrüsten zu müssen glauben [481].

Daß diese Darstellungsart nicht sämtlichen Reformationsdialogen eignet, ergibt sich aus der von uns festgestellten Typenvielfalt unter den Dialogen; in den protestantischen Nachfolgern des Lucidargesprächs – z. B. dem »Vadiscus« – und anderen »Freundesgesprächen« kann von Selbstentlarvung natürlich keine Rede sein.

Allen dialogischen Formen innerhalb der protestantischen Flugschriftenpropaganda ist allerdings gemeinsam, daß sie in plastischer, vorgeblich realistischer Weise direkter Rede und mimischer Vorführung sowohl die eigene Überlegenheit als auch die Unhaltbarkeit der gegnerischen Position unmittelbar einsichtig zu machen versuchen.

Die reformatorischen Propagandisten schätzten die Wirkungsweise der Dialoge durchaus richtig ein:

> ... mag villeicht des schult sein, daß die red und widerred als disputationes *baß eingend* dan bloß reden oder schriften ... (»Apothekendialog«, LV 80 Schade, III, S. 54).

Darüberhinaus bot die Dialogform die Möglichkeit, stereotype Argumentationsketten im Bewußtsein des Lesers einzuprägen und ihm so die Möglichkeit zu bieten, seine weitgehend unbewußt motivierte Parteinahme durch Übernahme und Gebrauch von Beweismustern zu rationalisieren. Von dieser Seite her ist in der Tat eine Beziehung zwischen Dialogen und realen Gesprächen gegeben:

Jeden Augenblick konnte man einen Gegner treffen, da galt es, die geistigen Waffen gut instand zu halten, die Rüstung immer mehr zu vervollkommnen (LV 173 Wernicke, S. 54).

Die Dialoge bestimmten so Stil und Argumente tatsächlicher Auseinandersetzungen mit – nicht aber umgekehrt [482].

Auch Lenk zieht aus einer richtigen Beobachtung in diesem Sinne einen falschen Schluß:

Es wird viel philosophiert, argumentiert, zitiert und bewiesen. Bei aller Fülle ist es aber doch ein faßbarer Fundus wiederkehrender Problematik, ein bestimmtes Repertoire von Argumenten, Bibelzitaten, das sich auf das zu beschränken scheint, was wichtig war, was sich schnell im Gedächtnis festsetzte, was man im täglichen Gespräch gebrauchen, womit man überzeugen konnte. (S. 30).

Jedoch:

all die bunte Fülle ist volkstümlich akzentuiert, dem Verständnis, dem Vorstellungskreis des gemeinen Mannes entnommen ... (ebda.).

Tatsächlich »prägte« der Dialog

die Schlagworte, die Beschwörungsformeln der Reformationsbewegung, ihre Leitgedanken und -vorstellungen« (Lenk, S. 30 f.),

zweifelsohne war er, bzw. waren die verschiedenen Dialoge in der Erfüllung ihrer propagandistischen Funktion nur deshalb erfolgreich, weil die Verfasser sich am Erwartungshorizont (»Vorstellungskreis«) der Rezipienten orientierten; eine Interpretation der Dialoge als direkten Reflex dieses Erwartungshorizontes bedeutet aber eine unzulässige lineare Auflösung eines Reziprozitätsverhältnisses – noch dazu entgegen der »Drehrichtung«. Die Dialogverfasser schauten nicht »dem Volk aufs Maul«, sie legten ihm etwas hinein!

Während die Katechese zur Funktion sämtlicher Dialoge gehört, sind diese jedoch je nach ihrer unterschiedlichen formalen Konzeption verschieden intendiert. Das führt uns zurück auf die schon oben erkannte Notwendigkeit gesonderter formengeschichtlicher Untersuchungen für die unterschiedlichen Dialogtypen, wobei wir uns notwendig auf die Sachsschen Dialoge beschränken müssen.

3.3.2 Der Sachssche Dialogtyp

Die vier Dialoge von 1524 gelten in der am Objektivitätsideal orientierten Literatur als der »absolute Gipfel« (Wernicke, S. 67). Vor allem wird die »lebendige Wechselrede« hervorgehoben, die sich aus der Form des »Gegnergesprächs« [483] ergibt, die, von Sachs abgesehen, unter den Reformationsdialogen recht selten angetroffen wird [484].

Schon von dieser Tatsache aus wird die »Kette« Plato – Hutten – Sachs fragwürdig. Zum einen kennt gerade Hutten diesen Typ kaum [485], zum anderen stehen der Humanismus und seine prominentesten Vertreter 1524 bei den Protestanten schon nicht mehr in allzu großem Ansehen [486], so daß auch von hier aus eine direkte Übernahme humanistischer Vorbilder unwahrscheinlich ist. Aber auch Lukian kommt als unmittelbares wie auch als vermitteltes Vorbild nicht in Betracht [487].

Die Dialoge des Hans Sachs stehen offensichtlich in einer anderen Formtradition. Unsere Überlegungen zu den Sprüchen und Liedern haben gezeigt, daß Sachs – wahrscheinlich – bereits vor dem ersten Prosadialog dialogische Schreibweisen für seine reformationspolemischen Flugblätter wählte. In allen Fällen war er dabei mittelalterlichen Dichtungsformen gefolgt, was für ihn als

repräsentativer Vertreter der Singschule, deren Aufgabe die Pflege eines Relikts spätmittelalterlicher Literaturforschung war, (LV 3 Spriewald, S. 43)

ganz einfach naheliegen mußte. Wechsel, Revue, Streitgespräch hatten die Formschablonen für diese Flugblätter abgegeben, wobei er sich bei zweien der drei Sprüche nur ungefähr an das vorgegebene Schema hielt.

Während der Wechsel als Vorbild für Gegnergespräche nur bedingt infrage kommt und die Revue eine wirklich rudimentäre Form des Gesprächs darstellt, sind im Streitgedicht schon sämtliche Elemente dialogischer Ethopoiie angelegt.

Für Wernicke steht fest, daß das Streitgedicht oder Kampfgespräch »wenigstens für die 4 Dialoge von 1524 keine Rolle« spielt (S. 56), da der Unterschied von gebundener Rede und Prosa eine Annäherung ausschließe. Überdies habe Sachs vor den Dialogen nur ein Kampfgespräch geschrieben [488]. Beide Argumente sind nicht stichhaltig. Wernicke selbst entwickelt am Beispiel eines Kampfgesprächs seine Theorie darüber,

aus welchem gesellschaftlichen Bedürfnis heraus »Gespräche« geführt wurden (S. 61),

bzw. welcher »Boden für die dialogische Behandlung von Themen« notwendig sei (S. 62), und auch die einmalige – nach unserer Chronologie sogar viermalige – Verwendung der Form des Streitgedichts zeigt immerhin die Vertrautheit des Dichters mit diesem Genre [489].

Andere Einwände, die im Gegensatz von allegorischem Schauplatz (Streitgedicht) und Wirklichkeitsnähe (Prosadialog) ein wesentliches Argument gegen einen Zusammenhang beider Formen sehen, berücksichtigen nur einen Teil der mittelalterlichen conflictus-Tradition und übersehen, daß es auch im Prosadialog mythologische Schauplätze (»Inspicientes«) und allegorische Gestalten gibt [490].

Im Hinblick auf die Dialoge des Hans Sachs ist Herfords Beurteilung zutreffend:

In the majority the outlines of the mediaeval »dyalogus« are clearly perceptible (LV 315, S. 27) [491].

Als direkte Vorbilder für Hans Sachs kommen solche Streitgedichte in Betracht, die Wettstreite um den Vorzug von Religionen beinhalten, z. B. Streitgespräche zwischen Christen und Juden [492] oder den allegorischen Figuren »Ecclesia« und »Synagoge« [493].

Kennzeichen auch dieser Streitgespräche ist der stereotype Verlauf und das von Beginn an feststehende und erwartete Ergebnis mit dem Sieg der »Ecclesia«. Gerade die Starrheit und Formelhaftigkeit dieses Genres prädestiniert es im Sinne unserer Bemerkungen zum Tagelied für eine parodistische Verwendung; das mit der Form gegebene Muster einer siegreichen Auseinandersetzung mit einem inferioren Gegner kommt den reformationspropagandistischen Intentionen entgegen.

Es kommt hinzu, daß eine große Gruppe mittelalterlicher conflictus kirchlich-politische Streitfragen zum Inhalt haben [494]. Auch von den Themen her führt eine direkte Brücke von den mittelalterlichen Streitgedichten zu bestimmten Reformationsdialogen, zumal auch dort die gleiche Tendenz zu beobachten ist:

> Alle diese Gedichte bergen unter ihrem scheinbar scherzhaften Äußeren bittere Satire und heftige Entrüstung über das Thun und Treiben der damaligen Geistlichkeit und besonders der Mönchsorden (LV 321 Jantzen, S. 18).

Wir müssen also davon ausgehen, daß die Wahl der Gesprächsform überhaupt bei Hans Sachs durch die »literarische Situation« bestimmt wurde:

> Die Welle der deutschsprachigen Dialoge erreichte in diesem Jahre ihren Höhepunkt, und zweifellos war Sachs dadurch angeregt, vielleicht sogar von Freunden aufgefordert worden, sich in dieser Prosaform des Streitgesprächs zu versuchen. (LV 3 Spriewald, S. 13),

daß er sich aber für die spezifische Gestaltung seiner Dialoge weniger von der modischen Form der an Lukian orientierten Dialogproduktion leiten ließ als von der Tradition des mittelalterlichen Streitgedichtes.

Bei der Behandlung der Dialoge im einzelnen können wir uns auf die umfänglichen Untersuchungen zu Aufbau, Gliederung, Zitatenschatz, ideologischen Einflüssen, Stilfiguren, etc. stützen, die von Edert, Wernicke und Kawerau erarbeitet worden sind, so daß wir uns auf die Darstellung der propagandistischen Aspekte und ihrer Grundlagen beschränken können.

3.3.3 Der Dialog vom Chorherrn und Schuhmacher

Der erste der Prosadialoge ist nach der WN und dem mit der »Nachtigal« praktizierten Testverfahren ein weiteres Beispiel für das bewußt strategische Vorgehen des Hans Sachs. Aus den Reaktionen des Publikums gewinnt er die wesentlichen Anhaltspunkte für den Inhalt und das taktische Konzept der weiteren Kampagne. Wir hatten als einen der wichtigsten Wirkungsfaktoren der WN die Tatsache erkannt, daß Sachs durch seinen handwerklichen Stand und dessen soziologische Heterogenität ausgezeichnet in der Lage war, mit seiner Person den Wahrheitsbeweis protestantischer Laienpriestervorstellung zu leisten und als »einfacher Handwerker« die seit Augustinus geübte Arkanpraxis der Kirche [495] mit dem Prinzip »demokratischer« Öffentlichkeit zu konfrontieren.

Tatsächlich zeigen beifällige wie gegnerische Reaktionen auf die WN, daß gerade hierin die Bedeutung des Sachsschen Eingreifens in die propagandistischen Auseinandersetzungen gesehen wurde. Neben dem Schlagwort von der »Wittenbergischen Nachtigall« waren es die Klagen über, bzw. die Bewunderung für den »Schuster«, die die Hinweise auf die WN als solche kenntlich machten [496]. Diese Reaktionen führt Sachs in seinem ersten Dialog in der Person des Chorherrn vor [497]:

> CHORHERR: Ey der teüffel holl den schůster mitsampt seiner Nachtigall! Wie hat er den aller heyligsten Vater, den Babst, die heiligen väter vnnd vns wirdige herren außgeholhipt, wie ein holhyp bub!

SCHVSTER: Ey herr, fart schon! Er hat doch nur ewren gotzdienst, leer gebot vnnd einkommen dem gemeinenn mann angezeygt ...
CHORHERR: Was geet es aber, solchs vnser wesen, den tollen schůster ane?
(»Chorherr«, Z. 24 ff.)

Aus dieser letzten Frage ergibt sich das Thema des Dialogs, dessen Motivation mit eben solchen Fragen durch geradezu leitmotivische Wiederholungen im Text [498] ständig im Bewußtsein des Lesers gehalten wird. Auch die Wahl des gleichen biblischen Mottos wie in der WN, das am Schluß von dem »Calefactor« wieder aufgenommen und interpretiert wird [499], erfüllt dieselbe Funktion.

Die für die protestantische Seite positive Entscheidung steht dabei für den Leser schon vor der Lektüre fest aufgrund der Erfahrung anderer Flugschriften, nicht zuletzt der WN, mit der der Beweis erbracht war. Die Argumentation des Dialogs dient also nicht mehr der Wahrheitsfindung sondern der Exemplifikation einer vorausgesetzten Wahrheit: die Überlegenheit des Laien, ja des »gemeinen Mannes« gegenüber dem kirchlichen Würdenträger auch und gerade in Glaubensfragen [500]. Konfrontationen dieser Art haben eine reiche Tradition innerhalb der Streitgedichte [501], Sachs geht hier entsprechend vor.

3.3.3.1 Die Technik der Ethopoiie

Der Figur des Chorherren gegenüber läßt Sachs Realismus nur in dem Sinne walten, daß er dem aus jahrhundertelanger Pfaffenschelte [502] hervorgegangenen Klischee des katholischen Geistlichen in seiner durch sieben Jahre Reformationspolemik ausgestalteten Form [503] vollauf gerecht wird. Allein an diesem Klischee orientiert sich Hans Sachs, der weit davon entfernt ist, »Bilder des wirklichen Lebens« zu zeichnen (LV 173 Wernicke, S. 53). Aber auch die Figur des Schusters, mit der er sich selbst in den Dialog hineinstellt [504], ist alles andere als realistisch. Er setzt hier die schon mit der WN begonnene Stilisation seiner Person konsequent fort, macht sich zum »armen Handwerker«, der dem Chorherrn die Pantoffeln selbst ins Haus bringen muß [505], um aus dem so übertriebenen ständischen Unterschied den umgekehrten Kontrast der intellektuellen Fähigkeiten und theologischen Bildung noch nachdrücklicher erscheinen zu lassen. Obschon er hiermit wie mit der zitatgespickten Redeweise des Schusters eher ein gängiges Stereotyp reproduziert [506] als einen individuellen Charakter zu zeichnen, läßt Sachs in der Stilisierung der eigenen Person Züge eines individuellen Images kenntlich werden, die in den folgenden Schriften ausgebaut werden und den Charakter seines mit steigender Bekanntheit wachsenden Prestiges ebenso bestimmen wie den Mythos vom »irenischen« Charakter des Hans Sachs [507].

Aus der Perspektive des Dialogs hebt sich natürlich die Grobheit des »Calefactors« von der stets ruhigen, maßvollen, sich entschuldigenden Friedfertigkeit des Schusters ab [508], aber es heißt doch der Illusion der Dialogfiktion zu erliegen, wenn man den Autor von seiner Gestalt distanziert.

Tatsächlich ist der Illusionierungseffekt so groß, daß man die unverhüllte Polemik der WN im Auge behalten muß, um ihm nicht aufzusitzen. Von hier aus wird auch eine der von Sachs verwendeten Techniken der Ethopoiie durchschaubar: Bestimmte Invektiven, die sich in der WN direkt gegen die katholische Seite richteten, sind in diesem Dialog dem Chorherrn als Vorwurf gegen die lutherische Partei in den Mund gelegt, in einer Weise, daß sie durch ihre Unangemessenheit in der betreffenden Situation nur auf den Sprecher zurückfallen oder aber durch teilweise wörtliche Übereinstimmung mit dem polemischen Vokabular der protestantischen Propaganda quasi gegen die Syntax auch wiederum den Chorherrn und die durch ihn repräsentierte Partei treffen [509].

So sind Schimpfwörter wie »esels kopff« (Z. 45) und »vnverschamptes thyer« (Z. 1050) in der jeweiligen Gesprächssituation nur für den Sprecher selbst, den Chorherrn, angebracht [510] und überdies gerade auf dem Hintergrund der WN und deren Tierallegorien in ihren antikatholischen Konnotationen festgelegt [511]. Die Kennzeichnung des Abhängigkeitsverhältnisses von geistlicher und weltlicher Macht durch den Vergleich von Sonne und Mond (Z. 83 ff.) desavouiert sich selbst durch die plumpe Umkehrung der durch den protestantischen Sprachgebrauch verfestigten und als wahr akzeptierten Verhältnisse.

Eben dieses satirische Prinzip der »verkehrten Welt« findet sich noch mehrfach in den Redepassagen des Chorherrn verwirklicht und kennzeichnet diese so als zwar grammatikalisch korrekt, aber inhaltlich gegen jede Vernunft:

Gut alte gewonheit soll man nit verachten, die etwo drey oder vier hundert jar haben gewert. (492 ff.)

Was inzwischen »drey oder vier hundert jar« gewährt hat, ist nicht nur dem Leser der WN nachdrücklich genug ins Bewußtsein gehämmert worden. Altkirchliches Antichristentum demaskiert sich hier selbst und noch dazu zynisch als »Gute alte gewonheit«! Mit dem gleichen Zynismus gesteht der Chorherr die Berechtigung protestantischer Kardinalvorwürfe direkt und unverblümt ein:

Ja, ir habts wol verglost. (459)
Wol verstan, spricht der walch. (630)
Ir habts wol droffenn, (675)
Wett Fritz, es ist eins erraten. (902)

Aber auch von diesem typisierenden Sprachgebrauch abgesehen, zeigt der Verlauf des Gesprächs an jeder Stelle die den Dialog lenkende Intention des Verfassers, der den Gegner nur zu Wort kommen läßt, um ihn desto sicherer zu vernichten. Nirgendwo überläßt Sachs den Gesprächsverlauf etwa der eigengesetzlichen Dialektik kontroverser Argumentation. Die den Dialog eigentlich erst konstituierende Tendenz verhindert jede wirkliche Gefährdung der eigenen Position durch ein möglicherweise einleuchtendes Gegenargument. Ansätze, die sich dazu bieten, werden ignoriert. Der Chorherr ist kein gleichwertiger Dialogpartner, sondern Demonstrationsobjekt:

Die ihm in den Mund gelegten Ausführungen sind zur Hälfte dümmliche oder zynische Selbstverurteilungen, zur anderen Hälfte liefern sie die Stichworte und Blößen, die auch einem Geringeren als dem stilisierten Meister Hans die mühelose Destruktion dieses Popanzes erlaubt hätten.

Nur eine völlige Verkennung der Brisanz und des Gewichtes der Gegenstände der Polemik in diesem Dialog läßt Urteile zu, wie

Man fühlt überall noch den Spaß, den der Dichter an seinem Geschöpfe hatte, und wir müssen mit ihm lachen (LV 173 Wernicke, S. 88).

Dieser Dialog ist keine Burleske – aus »sonnigem Humor« (ebda., S. 86) konzipiert –, sondern eine Satire im vollen Sinn der Gaierschen Definition [512].

Eine konfessionell unparteiliche Lektüre des Textes bestätigt das sofort und in vollem Umfang:

Z. 29 ff. werden die in der WN gegen die Geistlichkeit erhobenen Vorwürfe zur adäquaten Darstellung der Wirklichkeit erhoben, die eher noch untertrieben war:

Er hat doch nur ewren gotzdienst, leer, gebot vnnd einkommen dem gemeinenn mann angezeygt vnd nur slecht oben vberhyn. Ist dann solches ewer wesen holhüppel werck?

Statt der in einem konkreten Gespräch unausweichlichen Zurückweisung dieser Unterstellung wird dem Chorherrn nur ein Ausweichen auf einen Nebenaspekt zugestanden, das im übrigen den Hauptvorwurf nur bestätigt:

Was geet es aber, solchs vnser wesen, den tollen schůster ane? (35 f.).

Nach dem gleichen Schema werden die folgenden Passagen, die das gleiche Thema beinhalten, abgespult. Der Schuster kann unwidersprochen die »Sündigkeit« [513] *der* katholischen Geistlichkeit behaupten, während dem Chorherrn nur das Insistieren auf seiner Ablehnung der Laienkritik überlassen bleibt, was die Überzeugungskraft der gegen ihn erhobenen Vorwürfe nur noch verstärkt:

Er solt aber die geistlichen vnnd geweichten nit darein gemengt han (43 f.)
Richtet nit, so werdt jr nit gericht. (57)
Du solt den obern nit schmehen in deinem volck. (73 f.)

Das ist die ganze Verteidigung gegen die Behauptung des »Götzendienstes«, von den übrigen Vorwürfen der WN ganz zu schweigen. Ohne daß der Verlauf des Gesprächs zwingende Veranlassung dazu gäbe, liefert der Chorherr an anderer Stelle die Bestätigung für den protestantischen Vorwurf päpstlichen Antichristentums und altkirchlicher Gottlosigkeit:

Ey, der bapst vnd die seinen sein nit schuldig, gottes geboten gehorsam zu sein, wie in geystlichen rechten stet (104 ff.).

Nur oberflächlich ist hier wieder die typisch protestantische Diktion in die Redeweise eines katholischen Geistlichen eingepaßt, und um die Beweiskraft dieses »Eingeständnisses« auch ja keinem Leser entgehen zu lassen, läßt Sachs den Chorherrn auf die Konkretisierung des Schusters –

Deßhalb ist der bapst ein sündiger oder lugner, vnd nicht der allerheiligest, sonder zustraffen. (113 ff.) –

eine noch deutlichere Bestätigung geben, deren irrealer modus sich angesichts der wörtlichen Übereinstimmung mit den üblichen protestantischen Angriffen als bloß grammatische Mimikry erweist:

Ey lieber, vnd wenn der bapst so bőß wer, das er vnzelich menschen mit grossem hawffenn zum teüffel fůret, dőrft jn doch nymans straffen. (116 ff.)

»Spaß« ist hier wahrhaftig nicht die angemessene Charakterisierung [514].

Der Hinweis auf die unterschiedliche Bibelfestigkeit von Schuster und Chorherr fehlt in keiner der Untersuchungen dieses Gegenstandes. Auch daß Sachs (Z. 555 ff.) in der Bibelepisode Luthers Metapher vom Evangelium, das »wohl müssig unter der Bank im Staub liegt« [515] verdinglicht, ist selten übersehen worden; daß aber auch in den Passagen wechselseitigen Bibelzitierens von *beiden* Unterrednern systematisch eine protestantische Argumentations- und Beweiskette geknüpft wird, ist noch nie recht begriffen worden [516].

Nur scheinbar werden dort Zitate *gegen* andere Zitate gestellt. Tatsächlich verbinden sich Trumpf und Gegentrumpf zu einem antikatholischen Muster, was den Dialog als Scheingefecht und die handwerksmeisterliche Überlegenheit als in jedem Punkt vorprogrammiert erkennen läßt.

Auf die Forderung des Schusters nach eigenem Bibelstudium der Laien läßt Sachs den Chorherrn sachlich kaum motiviert mit Matth. 23 kontern:

Auff Moses stůl hant sich gesetzt die schrifft gelerten vnd phariseyer. Alles nun, was sy euch sagen, das thut! Das bedeüt die täglichen predig. Hand ir layen nit genug daran? (Z. 185 ff.)

Sachlich logisch und durch vielfache Wiederholung in den Predigttheorien seit Augustinus naheliegend wäre der Hinweis auf den vierfachen Schriftsinn und die Notwendigkeit der Interpretation gewesen [517]. Stattdessen motiviert Sachs die Heranziehung gerade dieses Zitats durch assoziative Konkordanz – ein ebenfalls durch die artes praedicandi sanktioniertes, hier aber pervertiertes [518] Mittel –, indem er den Schuster vorher von der Gesetzeskenntnis der Juden sprechen läßt (Z. 178). So kann die Identifikation katholischer Geistlichkeit mit den »schrifft gelerten und phariseyern«, die – protestantisches Schlagwort – selbst als naive katholische Selbstbezichtigung undenkbar ist, in diesem Gesprächsverlauf quasi unauffällig durchgehen [519]. Die Antwort des Schusters verlängert diesen taktischen Schachzug, indem er, ohne diese Blöße sofort auszubeuten, das Zitat fortführt und – den eigentlichen Gesprächsgegenstand verlassend – den Kontext dieser Bibelstelle für weitere antikatholische Attacken ausnützt, dessen spezifische Eignung für gerade diesen Zweck den vorgeschobenen Anlaß des Zitats als rhetorischen Kunstgriff entlarvt: vom Schuster zitiert, wäre diese Bibelstelle nur ein Angriff mehr gewesen, als Zitat des Chorherrn gewinnt sie Beweiskraft:

Ey, herr, ir hant eüch erst der phariseyer angenommen, die auff dem stůl Mosi sitzen etc., sam sey es von euch priestern vnnd münch geredt, wie dann war ist. Also auch ist das von euch geredt, wann ewre werck geben gezeügnus, dann ir freßt der witwen heüser, wie der text weiter sagt. (Z. 208 ff.)

Z. 579 ff. zitiert der Chorherr Lukas 10, 16:

Wer euch hőrt, der hőrt mich, wer euch veracht, der veracht mich . . .,

wiederum assoziativ an eine profane Bemerkung des Schusters anknüpfend [520]. Auch dieses Zitat ist als Antwort oder gar Widerlegung der Behauptung denkbar ungeeignet. Dafür bietet es aber dem Schuster die Vorlage für einen sarkastischen

Hinweis auf die Diskrepanz zwischen dem mit der Lukasstelle angesprochenen Sendungsauftrag und dem tatsächlichen Verhalten der Geistlichkeit.

Das Zitat, mit dem der Chorherr die Auseinandersetzung beenden will, erweist sich ebenfalls als vorausgeplanter Bumerang. Mit Joh. 6, 44 – »Niemand kumpt zů mir, der vatter zyech jn dann.« (Z. 912) –, dessen Anführung sich aus dem Gespräch zwar zwanglos, aber keineswegs zwingend ergibt, ist dem Schuster die Möglichkeit geboten zu einer Sentenz, mit der er durch bloßes Bejahen und Unterstützen dieses Zitats sowohl die Friedfertigkeit der eigenen Gesinnung herausstellen als auch den Beweis der Überlegenheit protestantischer Gnadengewißheit erbringen und vom Prinzip der Willensfreiheit polemisch abgrenzen kann:

O herr, die wort hőr ich gern. Es steet Jo. xv: On mich kündt ir nichts thun; vnd weyter: Ir hant mich nit erwellet, ich han eüch erwellet. Darumb ligt an vnns nicht, got muß vns bekern. Das wunsch ich eüch allen von grundt meines hertzenn. (Z. 915 ff.)

In dem scheinheiligen Bekehrungswunsch dieser Abgangsworte liegt zudem noch die zusätzliche Spitze der unwidersprochenen Notwendigkeit der Bekehrung.

In den übrigen Beispielen des Zitatenstreites desavouieren sich die vom Chorherrn herangezogenen Stellen durch mangelnde Adäquatheit und geben dem Schuster Gelegenheit, durch Erklärung des wahren Sinns oder durch Rekurs auf den Kontext seine überlegene Kenntnis der Bibel unter Beweis zu stellen (Z. 700 ff. und 790 ff.) und sein größeres Auslegungsgeschick zu demonstrieren (Z. 62 ff. und 513 ff.).

Auf der Gegenseite werden Lücken und Blößen in der Argumentation des Schusters und seinen Zitaten nicht genutzt:

Z. 786 f. tut er offensichtlich des Guten zuviel: In dem Bestreben, jedem Vorwurf – auch den berechtigten – von der lutherischen Seite abzuwehren, zieht er sich unter Berufung auf fünf verschiedene Bibelstellen auf die Erbsündigkeit des Menschen zurück und

Zeygt damit an, das wir sünder sein biß inn todt.

Auf die sich anschließende Universalausrede – »Seyt ir aber on sünd, so werfft den ersten stein auff vns« (Z. 787 f.) – darf der Chorherr nur ausweichend reagieren [521], obwohl auch er Gelegenheit und Anlaß gehabt hätte, eben diesen Trumpf zu spielen. Schließlich hatte der Schuster zuvor darauf bestanden,

Derhalbenn sol vnnd můß ein getaufter seinenn sündigenn brůder straffen, (Z. 50 f.)

und der Chorherr hatte geantwortet mit Matth. 7, 1:

Richtet nit, so werdt jr nit gericht. (Z. 57 f.) [522].

So zeigt sich, daß auch jenes Element, das als Indiz für die Objektivität des Sachsschen Dialogs angesehen wird und als Beweis für seinen »Realismus« herhalten muß – der angeblich den Disputationen und Religionsgesprächen nachgebildete Streit mit Bibelworten um Bibelworte –, tatsächlich für Sachs ein Mittel der Ethopoiie ist, das nicht für Objektivität zeugt, die von seiner Intention her auch unangebracht war, sondern für propagandistische Parteilichkeit.

3.3.3.2 Objekte der Polemik

Ingeborg Spriewald (LV 3) hat richtig gesehen,

daß bei der Ausbreitung der lutherischen Lehre die agitatorische Schlagkraft vor allem aus dem Affront gegen die Anmaßung und Selbstzufriedenheit der herrschenden Vertreter der Geistlichkeit gewonnen wurde (S. 16).

Das durch eine lange kirchenkritische Tradition konstituierte Image des »Pfaffen« wurde von Eberlin von Günzburg in seiner Klage der »Syben frum̄ aber trostloß pfaffen ...« in seinen wichtigsten Zügen beschrieben:

So ist kein standt der christenheit ergerlicher vnd wůster dann pfaffenstandt. Ich besorg, der pfaffenstand sey ein teufelisch gespenßt, (LV 34 Eberlin, S. 64).

Wann man ein pfaffen nennet, so versteet man ein seellosen gottlosen menschen, voll, faul, geytzig, håderisch, zånkisch, schirmig, hürisch, eebrüchisch ec. ich darff schier mein blatten nit mer sehen lassen, dann der gemeyn mann ist gantz erhitzigt wider die pfaffen, (ebda., S. 73).

Auf diese sozusagen sichere Basis stützt sich die agitatorische Leitlinie Sachsens in diesem Dialog. Dieses allgemein akzeptierte Image wird von Sachs durch die beschriebene Technik der Ethopoiie durch neue Züge ergänzt und verstärkt. Von ihm aus nimmt jeder weitergehende Angriff seinen Ausgang.

Die negative und als Verifizierung eines Stereotyps glaubhafte Figur des Chorherrn dient auch als Beweis für Behauptungen, die über ihre Funktion und tatsächliche soziale Rolle weit hinausgehen, wobei die logische Kurzschlüssigkeit solchen Beweises durch die geschickt betriebene Identifikation des Chorherrn mit dem materiellen Inhalt dieser Vorwürfe überspielt wird.

Der Chorherr ist in diesem Dialog nicht bloß ein – mehr oder minder – intellektuell engagierter advocatus diaboli, er steht vielmehr mit seiner Person für seine Sache ein, ist fast schon eine incarnatio diaboli.

Diese Personalisierung wird zum einen dadurch erreicht, daß der Chorherr durch ständige Pluralwendungen sich selbst als repräsentatives Glied der jeweils angegriffenen Korporation oder Institution in Erinnerung bringt:

Wie hat er ... vns wirdige herren außgeholhipt, (25 ff.)
Was geet es aber, solchs vnser wesen ... (35)
... wenn jr vns gleich lang außschreyt, (136)
Maint ir dann, vnser singen vnnd lesen geld nichts? (677), etc.

Zudem wird durch Parallelisierung seiner Handlungsweisen mit der der kirchlichen Institutionen die Identität glaubhaft gemacht.

Z. 790–875 dreht sich das Gespräch um die mögliche Anwendung kirchlicher Gewaltmaßnahmen gegen die Protestanten. Den Chorherrn selbst in quasi Karsthansischer Manier mit dem »pflegel« drohen zu lassen, hätte dem Stereotyp vom feisten [523] und feigen Pfaffen widersprochen. Trotzdem gelingt es Sachs, ihn selbst zum Beweis katholischer Aggressivität werden zu lassen, indem er ihn in der Schlußepisode zur Köchin sagen läßt:

Ich hab nur von der gemein ein auffrur besorgt, sonst wolt ich jm die pantoffel in sein antlitz gesmeyst haben, jm hets Christus oder Paulus in dreyen tagen nit abgewischt, wiewol er all sein vertrawen auff sy setzt. (Z. 952 ff.)

Ebenso verfährt er in einem anderen Fall:

Die Präsenz des Heiligen Geistes unter den Protestanten läßt sich natürlich ebensowenig beweisen wie seine Absenz von den Katholiken. Sachs hilft sich wiederum durch Personalisierung, indem er den Chorherrn selbst bekennen läßt:

Ich empfind keines heyligen geyst in mir (Z. 553).

Durch einen unmittelbaren Beweis geistlicher Unkenntnis – er mißversteht ein deutlich bezeichnetes Bibelzitat als persönliche Grobheit (Z. 379) – wird dieses, eigentlich unglaubwürdige Bekenntnis akzeptabel gemacht.

In der gleichen Weise macht Sachs die pauschale Charakterisierung der Geistlichkeit durch das Schlußmotto – »Ir bauch ir got« – glaubhaft, indem er in den Bankettvorbereitungen des Chorherren ein überzeugendes Beispiel liefert.

Wo sich solche direkten Identifikationen als sachlich nicht geboten erweisen, etwa weil spezifisch protestantische Prinzipien zur Debatte stehen, erbringt der Chorherr doch durch seine Reaktionen – durch grobe Zynismen oder durch besonders krasse Beweise seiner Ignoranz – den Nachweis für die Berechtigung, ja Notwendigkeit der gegnerischen Position:

Die Diskussion um die Bibellektüre der Laien bricht er ab mit der Exklamation

Ach, es ist narrenwerck mit ewrem sagen. (Z. 267),

was als Antwort auf ein Bibelzitat ganz besonders deplaziert erscheinen muß und als unüberbietbares Argument für die evangelische Selbstversorgung der Laien anzusehen ist.

Aus dieser Funktion des Chorherrn als Kristallisationspunkt oder aber mindestens Paradigma sämtlicher der katholischen Seite zugeschriebenen negativen Eigenschaften und aus seiner Gegenüberstellung mit der positiven protestantischen Symbolfigur ergibt sich auch der leitmotivische Charakter, den wir oben dem Thema Laienkritik zugeschrieben haben.

Das Verhältnis von Titel und Schlußmotto verdeutlicht seine Funktion: die »Disputation zwischen einem Chorherren vnd Schuchmacher, darinn das wort gottes vnnd ein recht Christlich wesen verfochten würdt.«, mündet in dem Bibelwort »Ir bauch ir got«. Es ist die moralische Vernichtung des Popanzes, auf die sich die gesamte Argumentation stützt. Keinesfalls jedoch erschöpfen sich »Ziel und Wirkungsabsicht dieses Dialogs« in der »Kennzeichnung der Unzulänglichkeit eines Vertreters der katholischen Geistlichkeit« (LV 3 Spriewald, S. 15).

So ist die von Wernicke skizzierte Disposition dieses Dialogs zwar unvollständig – das Thema »Laienkritik« müßte vor jedem Abschnitt genannt werden –; von dieser Einschränkung abgesehen gibt sie jedoch die Gesprächsgegenstände und die Inhalte der Kritik zutreffend wieder:

A. Exposition.
B. 1. Laienkritik – Frage nach der Obrigkeit.
   2. Bibellektüre der Laien.
   3. Der heilige Geist.
   4. Der innerliche Gottesdienst.
   Verwerfung von

a) Beten,
b) Heiligendienst,
c) Fasten und
d) Beichte.
5. Apostelkonvent (und Bibelintermezzo).
6. Schaden der Konzile
a) Gebote (Beispiele: Verbot des Fleischessens und der Pfaffenehe),
b) neuer Gottesdienst.
7. Luthers Verdienst.
8. Werkgerechtigkeit.
9. Volk. (Anm.: meint die Frage der luth. Anhänger)
10. Erbsünde.
11. Äußere Gewaltmittel gegen die Protestanten.
C. Abschluß.
D. Schlußepisoden (Köchin – Calefactor).

Wernicke [523] und vor ihm schon Kawerau [524] haben bereits diejenigen Schriften Luthers ermittelt, aus denen vor allem Sachs Gegenstände und Argumente für diesen Dialog gewonnen hat. Wie von einer Propagandaschrift nicht anders zu erwarten, wird

Luthers Lehre ... nirgends überschritten. (Wernicke, S. 37)

Wernickes Katalog der Gegenstände zeigt die enge Verbindung dieses Dialogs mit dem propagandistischen Gehalt der WN sowohl in den positiven, prolutherischen Aussagen als auch in der Polemik [525]. Allerdings fehlt im Dialog das wichtigste Thema der WN, die Klagen über den kirchlichen Fiskalismus und die Forderung nach einer wohlfeilen Kirche.

Zwar gibt sich Wernicke Mühe, im Sinne seiner These von einem vorwiegend sozialen Engagement Sachsens [526] eine Thematisierung des »sozialen Problems« (S. 37) nachzuweisen und zitiert

Ich glaub, rechtes fastens fasten die handtwerckßleüt mer, ob sy gleich im tag viermal essen, dann all münch, nunnen vnd pfaffen, die in dem gantzen Teütschen landt seinn. (Z. 470ff.),

für Wernicke

Der Protest des kleinen Mannes gegen die Geistlichen in Rücksicht auf die verschiedene *soziale* Lage (S. 35).

Aber auch ein von ihm zitierter zweiter Beleg [527] sowie zwei weitere, die er übersehen hat [528], zeigen, daß dieses Thema bestenfalls »anklingt« (Wernicke, S. 37).

Die Ursache für die offensichtliche Zurückhaltung gegenüber diesem Thema ist im propagandataktischen Ziel des Dialogs zu suchen. Es soll die Überlegenheit des kritischen Laien über den Vertreter der etablierten Kirche sichtbar gemacht werden; die Vorführung des »gemeinen Mannes« als Opfer klerikaler Ausbeutung hätte diesem Vorhaben geschadet.

Wie bewußt Sachs deshalb hier ausklammert, zeigt das Abbrechen des Schusters nach der zitierten Passage über das Fasten:

Es ist am tag, ich mag nichts mer davon sagen. (Z. 474f.),

und in der Fortsetzung bewegt sich das Gespräch trotz vorgeblichen Insistierens vonseiten des Chorherrn – »So schweiget, ich wil aber reden« – auf religiös-politischer und nicht auf sozialer Ebene.

Trotzdem ist dieser Dialog eine direkte Fortsetzung der mit der WN begonnenen Kampagne. Weder in der Haltung (aggressive Polemik gegen alles Katholische), noch in der Zielsetzung (größtmögliche Polarisation beider Standpunkte), noch auch in der Wahl der propagandistischen Methoden (Verstärkung der entgegengesetzten Images im Sinne bewußter Schwarz-Weiß-Zeichnung [529]) ist eine Veränderung gegenüber der WN zu verzeichnen [530]. Allein der formale Rahmen bezeichnet eine Veränderung in der Wahl der eingesetzten Mittel, die noch einmal das Bestreben des Hans Sachs dokumentiert, seinen Wirkungskreis durch Variation der Überredungstechniken auszudehnen [531].

Von einem »Fortschritt gegen die ›Nachtigall‹« zu sprechen [532] erscheint uns allerdings unangebracht und durch zu moderne Vorstellungen motiviert. Eine »reale Gesprächssituation« ist einem »allegorischen Rahmen« (LV 3 Spriewald, S. 15) im 16. Jahrhundert nicht per se überlegen, und der Charakterisierung von »verhaltener Glut« hier und »konventionellem Bericht« dort (Wernicke, S. 37) können wir nicht folgen. Die durchaus vergleichbar starke Resonanz beider Flugschriften sowie die Rolle, die beide Formen innerhalb der gesamten Reformationspropaganda spielten, geben keinen Anhaltspunkt für solche Urteile. Tatsächlich bezeugt das Lob der Spruchform in einem Prosadialog eine ganz in unserem Sinne liegende Beurteilung des Verhältnisses beider Formen [533]:

> ... ich wolt, du hörtest das betlein, so ein kaufman von Brag ... neuling ... gereimpt gemacht hat, und darumb gereimpt, daß solichs den gemeinen man dast lieplicher und eher zu lernen wer.

WN und »Chorherr« sind Beispiele für den gleichen unlimitierten propagandistischen Einsatz, der die Frühreformation kennzeichnet. Bis zum Anfang des Jahres 1524 bestand offensichtlich noch keine Notwendigkeit zur Rücksichtnahme auf radikale Flügel der Reformation, bzw. zur Abgrenzung von ihnen. Die Tatsache, daß – und die Art und Weise, wie – in diesem Dialog mit der Drohung eines »Aufruhrs« argumentiert wird, bestätigt noch einmal die Engelssche These, daß die lutherische Opposition zunächst noch »keinen bestimmten Charakter« (LV 248 Engels, S. 64) hatte. Auch zur Abfassungszeit dieses Dialogs vereinigte die lutherische Opposition – zumindest in Nürnberg – noch die Gesamtheit der Unzufriedenen und sahen ihre Propagandisten noch keine Gefahr darin, sich auf die revolutionäre Bereitschaft des plebejischen Teils zu berufen [534]:

> Ich hab nur von der gemein ein auffrur besorgt, sonst wolt ich jm die pantoffel in sein antlitz gesmeyst haben (Z. 952),

läßt Sachs den Chorherrn sagen, was Beweis genug ist, daß von der unmittelbaren Gefahr eines drohenden Aufstandes noch keine Rede gewesen sein konnte.

Wie wenig den bürgerlichen Protestanten an einer Revolution gelegen war, zeigt schon Luthers Reaktion auf die Aktivitäten der »Schwärmer« in Wittenberg, die ihn 1522 zum Abbruch seines Aufenthaltes auf der Wartburg veranlaßten und mit denen er mit acht Sermonen ins Gericht ging [535]. Eberlins von Günzburg aus gleichem Anlaß verfaßte Schrift »Vō misbrauch Christlicher freyheyt« [536] ist ein weiteres Beispiel.

Für die Nürnberger Verhältnisse vom Anfang des Jahres 1524 zeigt eine Schrift des Malers Greiffenberger, der als Mitglied des Kreises um Denck zum »linken Flügel« der Reformation zu zählen ist, daß selbst von dieser Seite noch keine radikalen Maßnahmen ins Auge gefaßt, zumindest aber nicht propagiert wurden:

... ich sage warlich –, sich het langst ein auffrůr von dem gemeinen mann erhebt ... Aber jr bedörfft solichs nit besorgen, wann kein christ thůt jemant leid, sunder sicht sich selbs tåglich (von wegen gőtlicher warheit) zům leyden (LV 3 Spriewald, S. 17f.).

Dieses Zeugnis macht begreiflich, warum zu dieser Zeit gerade von bürgerlicher Seite gefahrlos mit einem Aufstand gedroht werden konnte [537].

Unerklärlich ist allerdings, wie man dieses Zitat sowie ausgerechnet Hans Sachs als Beweis dafür in Anspruch nehmen kann,

Daß die Befürchtung des Aufruhrs keine bloße Redewendung war, sondern der erregten öffentlichen Atmosphäre entsprach (LV 3 Spriewald, S. 17).

Aus der zitierten Passage unseres Dialogs läßt sich mit Sicherheit schließen, daß zur Abfassungszeit »Aufruhr und Empörung« zwar ganz im Sinne Luthers glaubwürdige Drohungen [538] waren, von einer unmittelbaren Aussicht der Realisierung jedoch keineswegs die Rede war [539].

Damit darf als sicher gelten, daß der Dialog noch vor dem Aufstand in Forchheim (Ende Mai 1524) entstanden ist. Da das auch für den zweiten Dialog gilt, dürfte Sachs den »Chorherrn« während des ersten Vierteljahres veröffentlicht haben [540].

3.3.4 *Der Dialog von den Scheinwerken der Geistlichen*

Über die relative Chronologie der Dialoge besteht in der Literatur keine Meinungsverschiedenheit. Die Übereinstimmung der zeitlichen Reihenfolge mit der im 1. Spruchbuch ist unbestritten und wohl auch unbestreitbar. Dabei wird im allgemeinen die Akzeptierung dieser Chronologie mit der Feststellung einer »inneren Entwicklung des Dichters« [541] motiviert, die sich vor allem in einem »Abrücken von der Polemik des ersten Gesprächs« (LV 173 Wernicke, S. 86) äußert und für die »milde und irenische Gesinnung überaus bezeichnend« ist (LV 139 Kawerau, S. 59).

Man wird eine Entwicklung vom ersten zum zweiten Dialog nicht leugnen wollen; für die hier beschriebene Charakterisierung dieser Entwicklung gibt der Text selbst jedoch nur wenige Anhaltspunkte.

Titel, biblisches Motto und Schlußspruch, die man in ihrer Bedeutung doch nicht so völlig außeracht lassen sollte, sprechen Tendenz und Ziel dieses Dialogs deutlich aus: Die (Schein-)Werke der Geistlichen, die eine »verlesterung des blůts Christi« darstellen [542], sollen durch das »gesprech« in ihrer »thorhait ... offenbar werden yederman.« (Motto). Der Schlußspruch konstatiert die dieser Intention entsprechend geleistete Aufklärung:

Sy sȯllen auch von jren wercken nit bedeckt werden, vnd jre werck seind vnnütze werck. (»Scheinwerke« Z. 635).

Wenn die absolute Verurteilung und Verteufelung der gegnerischen Position durch die Behauptung antichristlicher Betätigung (»verlesterung ...«) eventuell nicht deutlich genug zum Ausdruck kommt, so sollte doch der verteufelnde Charakter des Vorwurfs »thorhait«, der im Spätmittelalter unmittelbar einleuchtete [543], angesichts des biblischen Kontextes auch modernem Verständnis zugänglich sein [544].

Der Text selbst weicht auch keineswegs von dem polemischen Ton des Titels ab, selbst wenn man die Redebeiträge Peters, dessen »derber Ton« z. T. charakterisierende Funktion hat, außeracht läßt:

darumb kȯndt ir got nit dienen, weil ir dem mammon dient mit dem hertzen (Z. 94 f.).

jr aber esset ewer brȯt in mȯssig geen wider den willen gottes (Z. 167 ff.).

... vnd seyt weder Gott noch der welt nutz (Z. 177).

Darumb geet ir auch mit menschlicher lůgenhafftiger weiß umb (Z. 355 f.).

Derhalb geet der spruch strackß auff euch ... Alle pflantzen, die got, mein himlischer vatter, nit gepflantzt hat, werden außgerewt (Z. 402 ff.).

Nun seind ye ewer orden lautter frembder ertichter gotzdienst, im schein außwendig heilig vnd gleissent, inwendig aber im grund lautter wurmstichig vnd betrieglich gespenst (Z. 423 ff.).

... feindt des creützs Christi (Z. 517 f.).

ewer aygen that (welch ann ir selb spȯtlich vnd lecherlich ist) (Z. 598 f.).

Dieser Katalog läßt sich nach Belieben fortsetzen. Wir haben ihn zusammengestellt, um ihn mit dem einhelligen Urteil der Forschung über diesen Dialog zu konfrontieren:

Hans [scheint] hauptsächlich aus Mitleid zu sprechen (LV 173 Wernicke, S. 86).

... ein nicht unwürdiger Gegner, den Liebe und nicht Spott bekehren soll (ebda., S. 91).

Er schimpft und poltert nicht, spottet auch nicht, sondern bewahrt selbst dem beschränkten Bettelmönch gegenüber seinen Ernst und seine Würde (LV 139 Kawerau, S. 59).

... der Mönch (wird) nicht satirisch verurteilt, sondern als Irregeleiteter und Opfer der Verhältnisse gesehen ... (LV 3 Spriewald, S. 18).

Die Gegenüberstellung zeigt, wie wenig hier Urteile und Text zusammenstimmen.

Auch in diesem Dialog wird der katholische Gegner in der durch das erklärte Ziel festgelegten Weise kompromißlos vernichtet, und wieder leistet über die direkte Polemik hinaus die Technik der Ethopoiie den wichtigsten Beitrag.

3.3.4.1 *Die Weiterentwicklung der Technik*

In der Handhabung dieser Technik beweist der zweite Dialog einen deutlichen Fortschritt, wofür die irrige Forschungsmeinung einer noch realistischeren Darstellungsweise [545] geradezu ein Maßstab ist.

Wichtigste Merkmale dieses Fortschritts sind die – scheinbare – Differenzierung in der Darstellung der protestantischen Position und die – ebenso vorgebliche – Individualisierung bei der Vorführung der katholischen Seite.

Wernicke hat durchaus richtig beobachtet,

daß im zweiten Dialog eine Spaltung der protestantischen Person eintritt. Während *Hans* die Ermahnungen, das gutmütige Zureden behält, übernimmt es Peter, derbere Streiche zu führen (S. 85).

Die Aufspaltung der protestantischen Position in zwei Individuen erleichtert Sachs die schon seit der WN begonnene Stilisierung seiner Person zu einem Image, das sich durch Mäßigung und Friedfertigkeit auszeichnet. Mit der Einführung Peters braucht er nun weder sein fiktives Ich aus der stilisierten Rolle fallen zu lassen [546] wie im ersten Dialog, noch auf Invektiven und grobe Polemik völlig zu verzichten. Im Gegenteil: anders als im »Chorherrn«, wo unverhüllte Polemik fast nur dem Calefactor [547] vorbehalten war, bestimmen Peters polemische, teilweise sogar grobianische Ausfälle den gesamten zweiten Dialog mit. Daß Peter dabei die Meinung des Verfassers ebenso uneingeschränkt wiedergibt wie Hans, ist unbestritten, sogar von Wernicke. Trotzdem sitzt er der projektiven Technik Sachsens auf und kann zwischen richtiger Erkenntnis und getäuschtem Urteil nur durch eine sehr gezwungene Argumentation vermitteln:

Noch trifft zwar den hitzigen Peter neben ihm kein Wort des Vorwurfs, noch bleibt die Front nur auf den Gegner gerichtet. Wenn wir ... gerade Worte Peters als Meinungen des Autors anführten, so liegt darin kein Widerspruch: die ungepflegte *Form* ist es, der Hans Sachs zuerst den Rücken wendet, danach dringt er zu einer Kritik der radikalen *Anschauungen* vor, wie es das vierte Gespräch zeigt (S. 86).

Die Projektion eigener Verhaltensweisen und Meinungen auf eine fiktive zweite Person, die Sachs aus Gründen der Imagepflege in diesem Dialog vornimmt, wird – durchaus im Sinne der damit verfolgten Intention – als reales Faktum interpretiert und aus der Verteilung der Waffen auf zwei protestantische Vertreter auf zumindest latente Gegnerschaft geschlossen [548].

Nur so ist zu erklären, daß Wernicke innerhalb eines Gedankenganges zunächst von »Abrücken von der Polemik« und dann wieder von einer »persönlich gehaltenen groben Polemik« (S. 86) und von »beißendem Spott« (S. 87) sprechen kann. Wenn er dann allerdings weitere acht Zeilen später noch einmal betont –

Uebrigens beweist der Dichter dadurch, daß er ihm die Vertretung der sozialen Anschauungen überläßt, wie er innerlich noch mit ihm übereinstimmt (S. 87). –

so ist das mit der Langzeitwirkung des Sachsschen Raffinements nur unzureichend zu erklären.

Immerhin ist das von Sachs konstruierte Image des gutmütigen Meister Hans auch noch nach vierhundert Jahren so lebendig gewesen, daß ihm nicht einmal Ironie zugetraut wird:

Daß es ihm mit der Hilfe ernst ist, beweist er durch die Worte: »Ich wil euch ein holzhacken schenken, daß ir euch mit arbeit ernöret.« (Wernicke, S. 86)

Wir haben der Darstellung und Kritik Wernickes hier so breiten Raum gewidmet, weil die durch seine Anschauungen illustrierte Rezeption dieses Dialogs auf die Wirkungsweise und -richtung der dort verwendeten Mittel und Techniken schließen läßt.

Verantwortlich für diese Verkennung [549] der Intention des Verfassers ist abgesehen von der imagegerechten Verteilung der antikatholischen Attacken auf die beiden protestantischen Handwerker allein der Beginn des Dialogs:

Peter weist die Bitte des Barfüßers um ein Almosen mit dem Hinweis auf Deut. 15 zurück, worauf der Bettelmönch das Betteln aus drei anderen Bibelzitaten rechtfertigen kann. An dieser Stelle schaltet sich Hans ein mit der Bemerkung

> Brůder Hainrich hat dich schon vberwunden mit schrift. (Z. 18 f.),

was Peter bestätigen muß,

> Ich bekenns, ich kan nit weytter. (Z. 20)

Dieser Dialogeingang hat jedoch, was der weitere Verlauf des Gesprächs, aber auch diese Passage selbst erkennen lassen, zwei Funktionen, zu denen die Disqualifikation [550] Peters und der von ihm vertretenen Ansichten keineswegs gehört.

Mit dieser Gesprächseröffnung schafft Sachs sich einmal die Möglichkeit einer vorteilhaften Präsentation seines Dialog-Ichs – Hans führt den von Peter aufgegebenen Streit zu einem positiven Ende – und findet gleichzeitig einen überzeugenden Übergang von der Diskussion der bloßen Äußerlichkeit des Bettelns zu den Grundlagen der Bettelorden [551].

Trotz der deutlichen Stilisierung der Figur des Schusters im Sinne eines persönlichen Images ist nicht zu übersehen, daß es sich bei den beiden protestantischen Unterrednern eher um Typen als um Individuen handelt. Die innerlich widersprüchliche Symbolfigur des in den Reformationsdialogen für die Sache Luthers streitenden »gemeinen Mannes« – z. B. »Karsthans« [552] – wurde hier an der Linie des Widerspruchs aufgespalten. Das nahtlose Ineinandergreifen der Gesprächsbeiträge Hansens und Peters, das gegenseitige Stichwortgeben und die nur in der Diktion nuancierte, inhaltlich aber kongruente Position beider verraten den technischen Kunstgriff und führen die Annahme einer Distanzierung Sachsens von einer der beiden Figuren ad absurdum.

So kann Sachs sein Dialog-Ich vorzugsweise [553] auf der Ebene scheinbarer Sachlichkeit, der Benennung freilich tendenziell ausgewählter Fakten, belassen, wozu Peter den polemischen Kommentar liefert [554]:

> HANS: Haist daz nit schetz samlen, gelt nemen oder anrůren, so waiß ich nit, wie ichs nennen soll.
> PETER: Es haist des geitz vnder dem hůtlein gespilt. (Z. 79 ff.)
> HANS: Haltent ir ewige keuschait, wie ir dann gelobt habt?
> (...)
> PETER: Irer keüschait werden die pewrin wol gewar, wan die münch keß sameln. (Z. 243 ff.),

oder auch in umgekehrter Reihenfolge:

> PETER: ... Allain bey vns: wir, die aylff tausent mertrer, můssens zalen, da sy vns betriegen, vbernőtten, dringen, zwingen, daz offt das plůt hernach mőcht gann ... [555]
> HANS: Ja, wo ain christlich lieb in in were, (Z. 121 ff.).

Ebenso scheinhaft und wirkungsvoll wie die Differenzierung der protestantischen Position ist die vordergründig individuelle Zeichnung der katholischen Seite:

Der Mönch ... ist ein einfältiges Gemüt, aber doch ganz gut in der Bibel bewandert; allzugrobe Worte Peters hält er sich vom Leibe ... Der Dichter sieht in ihm einen gutmütigen bedauernswerten Menschen, der verblendet, ja geradezu verstockt in seinem Irrtum beharren will, den er sachlich wohl zu verteidigen weiß ... (Wernicke, S. 90 f.).

Obwohl an dieser Charakterisierung so ziemlich alles falsch ist, macht sie doch die gelungene Vorspiegelung einer individuellen Persönlichkeit in der Figur des Bettelmönches deutlich. Auch die sonst unübliche Namensnennung des katholischen Standesvertreters dient dieser Fiktion.

Trotzdem ist auch Bruder Hainrich die getreue Realisation des bettelmönchischen Images.

Die Kritik an den Orden, vornehmlich den Bettelorden, ist ebenso alt und wurde ebenso heftig geübt wie die mittelalterliche Paffenschelte [556]. Gerade in den Dialogen bis 1524 ist der Bettelmönch ein bevorzugter Gegenstand der Kritik [557]. Die dort auftretenden Vertreter dieses Standes konstituieren einen Typus, dem »Bruder Hainrich« in keinem Punkte widerspricht. Auch er ist die Wiederauflage eines allgemein akzeptierten Stereotyps, und er wurde als solcher wiedererkannt, auch wenn die aufgesetzten Individualismen den plakativen Charakter minderten. Etwa um die gleiche Zeit wie Sachs veröffentlichte Eberlin von Günzburg seine bereits im Juli 1523 verfaßte Schrift »Wider die falschscheynende gaystlichen vnder dem Christlichñ hauffen, genant Barfůsser oder Frãciscaner ordẽ ...« (LV 34 Eberlin, III, S. 41 ff.). Diese Flugschrift entfaltet die gesamte Breite der Bettelmönchskritik aus der intimen Kenntnis des ehemaligen Franziskaners. Zahlreiche der darin enthaltenen Überlegungen, die das Klischee verifizieren sollen, entsprechen bis in den Wortlaut denen unseres Dialogs (vgl. besonders S. 45 f.). Damit soll hier keine gegenseitige Abhängigkeit unterstellt werden, sondern es bezeugt die Verbreitung dieses Klischees, das auch noch 1559 in der Parodie »Der Barfüszer münch zehen gebot« (LV 80 Schade, II, S. 271) durch die gleichen Züge charakterisiert wurde:

die »zehen gebot«:	Sachs:
Z. 4: »Franziscus der münichsgot« Z. 13: »Du solt Franziscus namen ern gleich dem namen gottes deins herrn,	HANS: Wer hat ewren orden gemacht? MÜNCH: Vnser hailiger vatter Franciscus. HANS: ... Niemant soll sich vatter haissen auf erden; dann ainer ist ewer vatter, der im hymel ist. (Z. 26 ff.)
Z. 18 ff.: »Du solt heilgen Franciscustag, darzů ein graue kutten trag! trag holzschůch! mit eim strick dich gürt!«	Wir tragen vnden nicht leines an, gürten vns mit stricken vnd geen parfůß in zůschnitten schůhen ... (Z. 281 ff.)
Z. 25 f.: »thů was dich heißt der gardian! So wirst dus hellisch leben han.«	Es geet vnser kayner für das Closter on erlaubnüß des wirdigen vatters Gardian. (Z. 360 f.)
Z. 33 f.: »Den eestand halt stät fůr unrein, ob schon dein herz vil weiber mein!«	Ich hab sorg, ob ir euch gleich der naturlichen werck enthalt, besudelt ir euch doch in andre vnzimliche wege. (Z. 260 ff.)

Z. 38f.: »Gelt anrůren acht nit fur gůt, verzer der armen schweiß und blůt.«	... ich darff kain gelt nemen, (Z. 24) ... schneidt den armen Christen daz prot vor dem mundt ab. (Z. 110f.)

In ähnlicher Weise lassen sich für nahezu sämtliche Formulierungen des Sachsschen Dialogs Parallelen in der Flugschriftenpropaganda finden.

Die solcher Reproduktion von Stereotypen aufgesetzte Differenzierung und Individualisierung erfüllt den Zweck, den Grad scheinbarer Objektivität zu erhöhen, die satirisch lenkende Hand des Autors zu verdecken und den Eindruck der Spontaneität zu verstärken, der mit der Wahl der dialogischen Form ohnehin schon gegeben ist. Das Fürwahrnehmen dieses Scheins auch in der wissenschaftlichen Rezeption bezeugt die Illusionierungsqualität solcher Mittel.

Hinter dieser Fassade und durch sie in ihrer Effektivität nicht unbeträchtlich erhöht, verbergen sich die gleichen Techniken scheinbar naiver Selbstpersiflage des katholischen Diskutanten und vorgeblich objektiver Auszeichnung der protestantischen Vertreter wie schon im »Chorherrn«.

Dazu gehört vor allem die Verwendung spezifisch protestantischer Schlagworte und Argumente durch den katholischen Vertreter, die so scheinbar gegen die rhetorische Verwendung das sprechende Subjekt selbst treffen:

Aus der geschickten Wendung, Peter dem Mönch Geld anbieten zu lassen, gewinnt Sachs die Gelegenheit, gleich zu Beginn die mönchischen Rechtfertigungsversuche als Sophismen bloßzustellen. Schon vor der eigentlichen Diskussion um die Klostergelübde reduziert der Mönch das Gelübde der Armut auf das der Geldlosigkeit. Wenn er dann mit Bibelzitaten gegen den Geldbesitz polemisiert, müssen sämtliche Argumente natürlich in erster Linie die reichen Orden selbst treffen:

Ir solt euch nit schetz sameln auf erden ... Ir kǒndt nicht got dienen vnd dem mammon, ... Hůtet euch vor dem geitz, ... Wie schwärlich werden die reychen in das reych gottes khommen ... (Z. 56ff.)

Hansens ironische Antwort – »Wol geredt! Halt ir Barfůsser das?« (Z. 70) – ist angesichts der den Barfüßern nachgesagten Eigenschaften eigentlich nur rhetorisch. Die Entgegnung des Klosterbruders bereichert den Katalog dieser Eigenschaften noch um die der Ignoranz und gibt überdies Hans Anlaß, die Wirklichkeit klösterlicher Finanzmanipulationen ausführlich darzustellen (Z. 73–82) und am Anspruch mönchischer Armut zu messen (Z. 90–101).

In der gleichen Weise dienen die Begründung der Mönchsgelübde durch »Regel vnd statut« (Z. 264 und 396) scheinbar ungewollt den Beweis der Praktizierung von »Menschenwerk« durch die Orden.

In der Handhabung der Bibelzitate finden wir ebenfalls die Technik des »Chorherrn« reproduziert:

Der Franziskaner zitiert gegen den Sinn des biblischen Kontexts (Z. 139; 440; 479), gibt mit einem unbedachten Zitat die Vorlage für schlagkräftige Gegenargumente (Z. 594), oder aber er trifft, ohne es zu merken, sich selbst wie in der oben zitierten Passage (Z. 56ff.). Natürlich fehlt auch nicht ein falsches Zitat

(Z. 308), das die im Grunde mangelhafte Bibelkenntnis des Klostergeistlichen beweisen soll.

Selbst der Dialogeingang, in dem der Mönch Peter »mit schrift« überwindet, erweist sich als Pyrrhussieg, da gerade diese Zitate das den Mönch desavouierende Thema begründen.

Die Wiedergabe mönchischer Apologetik in den Reden des Klosterbruders folgt als Karikatur der Wirklichkeit dem aus der Tradition der Mönchssatire entstandenen Klischee. Seine Redepassagen sind nicht Gelegenheiten, sich »sachlich wohl zu verteidigen« (LV 173 Wernicke, S. 90), sondern die Erfüllung stereotyper Erwartungen, sowie bequeme Vorlagen für eine endgültige Bloßstellung durch seinen Gegner.

So liefert der Hinweis auf die klösterliche Armenspeisung (Z. 187) keine Rechtfertigung – dafür taugt er angesichts des auch in diesem Dialog schon vorher beschworenen Images des raffgierigen Mönchstums (Z. 83) denn überhaupt nicht –, sondern eine Blöße, die für die anschließende Philippika Peters berechnet ist:

Ja, ir gebt in speiß herauß, die ir nit mǒgt, vnd schůttet in suppen vnd arbaiß, krawt vnd fischschuppen vndter ainander! Schampt ir euch nit, daß ir dem herren Christo ain sǒllich geschlepper zů essen gebt; (Z. 191 ff.)

Diese – wieder stereotype [558] – Beschimpfung erhält um so mehr Nachdruck, als der Mönch den Sachverhalt nur bestätigen darf. Auch der Rückzug auf geistliche Almosen trägt ihm nur den Vorwurf ein, man ließe diese nur den Reichen zukommen, worauf der Bruder das Gespräch abzubrechen versucht und damit indirekt die Berechtigung des Vorwurfs zugibt [559].

Der Eindruck der Verteidigungsfähigkeit und damit der »Objektivität« konnte überhaupt nur dadurch entstehen, daß der Mönch – anders als der Chorherr – seiner Meinung nicht in Grobianismen Ausdruck gibt, sondern in temperierter Gegenrede. Diese Gegenreden müssen jedoch dem voreingenommenen Leser – und andere gab es im Hinblick auf dieses Thema im Jahre 1524 kaum –, als impertinente Formulierungen platter Unwahrheit erscheinen, da der Franziskaner jeweils gerade konstitutive Züge seines allseitig akzeptierten Images bestreitet, noch dazu in der Form unbegründeter Dementis:

HANS: Ja, es seind ir vndter euch, aber layder ye nit vil, die Christum rayn predigen, sonst ligen ewer gantze Clǒster voll obainander, vnd seyt weder Gott noch der welt nutz.

MÜNCH: Ich main yr seyt vnsinnig. Was thůnt wir sunst tag vnd nacht, dan das wir gott dienen? (Z. 174 ff.)

Diese Antwort ist, zumal in der hyperbolischen Sprechweise, für den Leser der Reformationszeit nur mit Hohn zu quittieren; die Unterstellung der Unsinnigkeit muß auf den Redner selbst zurückfallen, und so war es beabsichtigt.

Ebenso Z. 436 ff.:

HANS: »... Ir haltet armůt on mangel vnd keüschait, die besudelt ist, vnd gehorsam, die erticht ist.

MÜNCH: Sagt, was ir wǒlt, wir haben ye den volkomen stand,

Auch die naiven positiven Antworten auf Fragen, die aus ordensfeindlicher Sicht nur rhetorisch zu verstehen sind, da die negative Antwort dem Allgemeinverständnis entsprach, dienen dem gleichen Zweck:

HANS: Haltent ir ewige keuschait, wie ir dann gelobt habt?
MÜNCH: Ja, warumb nit? Wüsten wirs nit zůhalten, wir gelobtens nit. (Z. 243 ff.)

und Z. 470 ff.:

HANS: Hofft jr durch ewre münchwerck selig zůwerden?
MÜNCH: Ja. Was wôlt ich sonst im Closter thůn?

Das Wortspiel »münchwerck« – »Menschenwerk« erhöht noch die entlarvende Wirkung.

Den Höhepunkt dieses Verfahrens scheinbar freiwilliger Selbstsatire bilden Z. 281 ff., in denen der Mönch über »casteyung« und Methoden, »das flaisch zu dempffen«, berichtet, dabei aber nur eine Liste erträglichen Komfortverzichts zusammenbringt:

Wir tragen vnden nichts leines an, gürten vns mit stricken vnd geen parfůß in zůschnitten schůhen. Wir tragen auch kain har auff dem kopff; wir baden auch nit vnser leben lang biß nach dem tôdt. Wir ligen auch auff kainer federn; wir ziehen vns auch nit gar ab. So essen wir kaum halbe zeit flaisch, vnd essen aus kainem zin, vnd můssen etliche zeit Silentium halten, das haist schweigen; wir můssen auch alle tag wol ain stund oder fünff im chor steen vnd knieen vnd alle nacht gen metten auff.

Diese Aufzählung motiviert seine spätere Entscheidung – »Ich wayß besser im Closter« [515] – auch materiell und bietet zudem Peter Gelegenheit festzustellen, daß er einem viel »hertern orden dan ir« angehöre.

An einer Stelle hingegen scheint der Barfüßer ein echtes Argument vorzubringen. Dem Ansinnen, aus dem Kloster auszutreten und sich durch Arbeit selbst zu ernähren, begegnet er mit dem Hinweis auf das »lästerliche Leben« vieler entlaufener Mönche. Das Eingeständnis dieses Sachverhalts durch den Schuster wird offenbar als Aufwertung des Bettelmönches verstanden:

Auch Meister Hans muß angesichts der vor Augen liegenden trüben Erfahrungen zugeben, daß wohl viele nur aus Fürwitz und Mutwillen und wider ihr eigenes Gewissen den Klöstern entlaufen seien (LV 139 Kawerau, S. 43).

In Wirklichkeit wird aber durch die unmittelbare Erwiderung Peters deutlich gemacht, daß dieses Argument nur auf die Klöster und ihre Insassen selbst zurückschlägt, weil die Libertinage entlaufener Mönche ihrer Herkunft eher als dem Faktum ihrer Befreiung anzulasten ist:

Da bey erkennt man, was gůts in den kutten steckt: Die vor in Clôstern haben gelebt wie die lebendigen hailigen, die leben nun heraussen wie die lotter bůben, vnd haben doch eben das im hertzen gethan im Closter, das sy herauß thůnt mit wercken (Z. 532 ff.).

Daß es sich bei dieser Antwort nicht bloß um einen Ausbruch der »gewohnten Derbheit« des »heißblütigen Peter« (Kawerau, S. 43) handelt, sondern um die Überzeugung des Verfassers, zeigt die voraufgehende Auseinandersetzung zwischen Hans und dem Mönch:

HANS: ... Derhalb ist (on sondere hohe gnad gotes) ewer hertz befleckt mit bősen prinnenden begyrden.
MÜNCH: Ey, so wir nur nit darein verwilligen, so verdienen wir mit sőlchen anfechtungen.
HANS: Ir spilent aber im hertzen mit solchen gedancken, wie ain katz mit der meüß. (Z. 325 ff.)

Zudem wurde die Polemik gegen unbedachte Klosterflucht von protestantischer Seite mit mindestens ebenso starkem Nachdruck geführt wie von katholischer, und das hier zitierte Beispiel ist keineswegs etwa der besonderen Objektivität Sachsens zuzuschreiben. Eberlin von Günzburg hatte zwei Jahre zuvor »Wider den vnfürsichtigen vnbeschayden außgang viler Klosterleüt ...« geschrieben und sehr differenzierte Kategorien zur Entscheidung des Für und Wider eines Austritts entwickelt [560], an denen sich auch Sachs hier offenbar orientiert.

Für die perfekte Technik parteilicher Dialogführung bietet der Schluß des Gesprächs das anschaulichste Beispiel. Sachs bezieht hier die Diskussion um die Frage Tendenz oder Objektivität in den Dialog mit ein und macht sie so in seinem Sinne unschädlich. Er überläßt den Vorwurf der Voreingenommenheit nicht dem Leser, sondern läßt ihn von dem Mönch erheben, um ihn vorab zu widerlegen:

MÜNCH: Ey lieber, jr seyt vns sunst feind, darumb schmächt jr vns. (Z. 587 f.),

die beteuernde Antwort allein – »Nain, bey meiner seel hail! Allain aus bruderlicher lieb.« (Z. 589) – entspricht zwar dem sorgfältig stilisierten »irenischen Charakter« Hansens und ist überdies ein hübsches Beispiel für das Bestreben aller Propagandisten, Agitation als Didaxe auszugeben, doch hat sie als bloßes Dementi für sich keine allzu große Überzeugungskraft. Es folgt dieser Deklamation aber die Vorführung eines erfolgreichen Überredungsaktes: Der Mönch wird stellvertretend für den Leser von der guten Absicht Hansens und sogar von der Notwendigkeit seiner Vorwürfe überzeugt [561].

In dieser Schlußpassage finden sich noch einmal sämtliche propagandistischen Möglichkeiten, die die Dialogform bietet:

1. Der scheinbare Wechsel von Argument und Gegenargument verbirgt ein konsequentes und vorprogrammiertes Zusteuern auf ein Ziel.
   – So wird das »evangelische Verhalten« der Protestanten gleichsam im Duett der Gegner augenfällig gemacht. Der Mönch artikuliert die Verpflichtung dazu,

   Lieber, seyt jr dann Evangelisch, so dürfft ir nit so spőtlich mit vns handeln;

   Hans liefert den Beweis (gerade die Vorwürfe sind durch die Bibel gefordert – Z. 602 ff.).
   – Im Trio gar bringt man die Demonstration protestantischer Gutwilligkeit zustande,

   HANS: ... vnd bitten euch vmb gottes willen, vns nit zůverargen, ob wir etwas zůvil hart wider euch hetten geredt.
   PETER: (gibt dem Mönch zwei Kerzen) ... vnd habt vns nichts in vbel!
   MÜNCH: Nichts, lieben brůder (Z. 622 ff.).

2. Die Auswahl der Argumente orientiert sich nicht an der Realität, sondern an der propagandistischen Verwertbarkeit.

– Die böswilligsten Unterstellungen werden von dem Mönch unwidersprochen hingenommen,

Ir wólt die schrift nit annemen, da sy von euch sagt; darumb můssen wir euch mit ewer aygen that (welch ann ir selb spötlich vnd lecherlich ist) vberweisen, daz jr diejenigen seyt.

Auf dieses vernichtende Resümee der in dem Dialog erhobenen antikatholischen Vorwürfe darf der Franziskaner nur mit einer Frage antworten, die zugleich ihn selbst als Opportunisten entlarvt, die Berechtigung des Urteils stillschweigend anerkennt und zudem noch das Stichwort für die Demonstration protestantischer Uneigennützigkeit gibt:

MÜNCH: Wem ist aber mit geholffen?

Die Antwort ist selbstverständlich: »Euch«.

3. Das Ziel der dialogischen Darstellung ist nicht die Erörterung von strittigen Fragen, sondern die plastische Vorführung des eigenen Standpunktes in idealisierender Stilisierung sowie des Gegners in der Form der Ethopoiie.
   – Protestantisches Samaritertum kommt auch in der Schlußpassage noch einmal ganz deutlich zum Ausdruck. Das Motiv brüderlicher Fürsorge »on allen neydt vnd haß« wird artikuliert und praktiziert. Auch der »derbe« Peter schließt mit der Demonstration seiner Milde. In der Erfüllung der Almosenbitte, die den Dialog überhaupt erst in Gang gebracht hatte und deren Verwerflichkeit am Schluß völlig außer Frage steht, dokumentiert sich protestantische Nachgiebigkeit, von der sich die Hartnäckigkeit katholischen Beharrens auf anerkannter- und eingestandenermaßen sündiger Position so kennzeichnend abhebt.

Der Klosterbruder läßt sich im Unterschied zu vielen ähnlichen Dialogen nicht dazu bekehren, die »kutten an ain zaun [zu] hencken« (Z. 500) [562], obwohl er sich von der Honorigkeit und Richtigkeit der protestantischen Auffassung hat überzeugen lassen. Er zeigt sich noch einmal als Opportunist. Sein Versprechen – »Ich wil den dingen weitter nach sůchen« (Z. 631) – ist bloße Ausflucht, nachdem er zuvor auf das Ansinnen zu arbeiten geantwortet hatte:

Nayn, nayn! Ich wayß besser im Closter (Z. 515).

So ergibt sich im Unterschied zum Chorherrn, der sein eigenes Rollenverhalten am Schluß als Maske desavouiert, eine Konsistenz der Charakterzeichnung im Falle des Barfüßers.

Diese Einheitlichkeit wird in der Literatur als positiver Zug ausgelegt:

... obgleich der Mönch vorteilhafter sich darstellt als der Chorherr und ihm wenigstens der Charakterzug der ehrlichen Überzeugung geliehen ist. (LV 163 Schultheiß, S. 18),

tatsächlich ist gerade dies vernichtend für ihn; der Mönch bleibt trotz besserer Einsicht im Kloster.

Die nicht geleistete Konversion innerhalb des Dialogs ist für die satirische Variante dieser Form ein Fortschritt.

Eine Konversion hätte auch der Figur des Franziskaners ihren überindividuellen

Verweisungscharakter genommen, der trotz aller vorgeschobener Individualismen für die propagandistische Wirkung konstitutiv ist.

3.3.4.2 Propagandistische Objekte

Die These von den »engeren Grenzen« [563], die Sachs sich mit diesem Dialog gesteckt habe, ist nur bedingt zu akzeptieren. Es ist bezeichnend, daß Wernicke diese Ansicht durch eine »Korrektur« des Titels stützen muß:

Wir können noch weiter gehen und für »geistliche« Mönche sagen (LV 173 Wernicke, S. 38).

Natürlich steht die Person des Bettelmönches im Mittelpunkt der Kritik und werden die Leitthemen des Gesprächs durch die Klostergelübde bestimmt; mit der Beschränkung auf diese Themen sitzt man jedoch wieder einmal einem propagandistischen Kunstgriff Sachsens auf.

Wie im ersten Dialog stützt Sachs seine Angriffe gegen die Gesamtheit des katholischen Kosmos auf den Vertreter einer Institution, die allgemeiner und seit langem artikulierter Ablehnung ausgesetzt war. Mönchskritik war, wie wir gezeigt haben, mindestens ebenso verbreitet wie Pfaffenschelte und ein Arsenal ganz bestimmter Vorwürfe durch tradierte Formen der Kritik stereotyp geworden. Die Situation in Nürnberg zu Beginn des Jahres 1524 bot zusätzlichen Anlaß, einen Barfüßer die Rolle der katholischen Symbolfigur spielen zu lassen [564]. Das Image des Franziskanerordens als integriertes und charakteristisches Element des Gesamtphänomens katholische Kirche evident zu machen, ist das Vorhaben dieses Dialogs, das von dem Charakter des Images als eines »integrierten Komplexes, in dem Einzelaspekte nicht ohne Einfluß auf das Ganze geändert werden können« (s. o., S. 22), profitiert:

Hing es ... den Orden an, dann hing es auch der Kirche an. (LV 242 Denifle, I/1, S. 310).

Alle über diese polemische Basis hinausgehenden Invektiven werden daher auf sie zurückgeführt. Zur Figur des Barfüßers kehrt Sachs ständig zurück; sie ist der Beweis für die Berechtigung jeder weitergehenden Kritik, die durchaus und zahlreich vorhanden ist.

Dieser Funktion entsprechend enthält der Text zahlreiche Signale für den die Person des Franziskaners transzendierenden Verweisungscharakter:

Der Mönch wird zwar namentlich genannt, bei der Kennzeichnung der Redner heißt es aber im Gegensatz zu »Peter« und »Hans« stets nur »Münch«, was die Person als Standesvertreter kennzeichnet. Daß die Kritik über den Franziskanerorden hinaus Gültigkeit hat, wird zweimal ausdrücklich betont:

PETER: Ich main euch allain nit, sonder alle bettelmünch, die da keß sameln (Z. 255 f.).

HANS: ... Wölt gott, es hettens alle münch gehort aus allen orden, (Z. 620 f.).

Der Streit um die Vater-Anrede für den Ordensstifter Franz trifft das Papsttum ebenfalls:

MÜNCH: Vnser hailiger vatter Franciscus.

HANS: Ist dann Franciscus ewer vatter? Spricht doch Christus ... Niemant soll sich vatter haissen auf erden; (Z. 27f.),

ebenso wie die Kennzeichnung Honorios III. – »Es hat ain blinder den andern gefůrt« (391) – nicht nur den einzelnen Papst meint [565].

Die Polemik gegen die alttestamentarische Begründung des Altardienstes und der Beweis seiner Überflüssigkeit trifft den allgemeinen Klerus sogar in weit stärkerem Maße als die Ordensgeistlichkeit:

Auch haben wir kainen Altar zum opffer, derhalb dürffen wir kains altar dieners mer; wan Christus ist allain hoher Priester ... Derhalb dürffen wir im newen testament nur diener, zůverkündigen daz hailig Evangelion, (Z. 156ff.),

so wie der mit 2. Petr. 2 begründete Vorwurf, »falsche lerer« (Z. 573) zu sein, den Ordensklerus in den Kreis der größeren Spezies Geistlichkeit stellt.

Daß das Schlußmotto des ersten Dialogs hier in der gleichen Schärfe gegen den katholischen Vertreter ins Feld geführt wird, widerlegt nicht nur Wernickes These einer Entwicklung fort von der Polemik [566], sondern es dokumentiert die Ähnlichkeit der propagandistischen Funktionen von Chorherr und Mönch:

HANS: Ich hőr wol, ir seyt der leüt, da Paulus von sagt j. Philip. iij: Die feindt des creützs Christi, welcher endt iß das verdamnuß, vnd denen der pauch ain got ist! (Z. 516ff.).

Der Titel des Dialogs ist demnach gerade seinem Wortlaut gemäß aufzufassen. Die »Scheinwercke der Gaystlichen« werden diskutiert, in ihrer Verwerflichkeit und Nutzlosigkeit verurteilt. Die Gestalt des Bettelmönches bietet die scheinbar lebendige Illustration für die Notwendigkeit dieser Verurteilung, seine Gelübde sind unmittelbar einleuchtende Beispiele für die Scheinhaftigkeit und Nutzlosigkeit der »Werke« im altkirchlichen Sinne.

Personal, Sujet und Argumente verdankt Sachs eine Reihe von Vorbildern, die im einzelnen in ihrem Quellencharakter von der Forschung bestimmt worden sind. [567]

In der optimalen Ausnutzung der durch die dialogische Form gebotenen Möglichkeiten stellt dieser Dialog einen deutlichen Fortschritt gegenüber seinen Vorläufern dar [568]. Er ist zugleich das letzte Produkt unlimitierter Polemik des Hans Sachs im Jahre 1524 und bildet den Abschluß der mit der WN begonnenen Kampagne.

Was anläßlich des »Chorherrn« über die Möglichkeit einer genaueren Datierung gesagt wurde, gilt zum Teil auch hier. Nach dem Forchheimer Aufstand kann dieser Dialog unmöglich verfaßt worden sein. Er wäre – ebenso wie der »Sendtbrief« Johanns von Schwarzenberg – vom Rat unterdrückt worden [569]. Es ist nicht unwahrscheinlich, daß er etwa zur gleichen Zeit wie der Dialog zwischen einem Barfüßer und einem Löffelmacher etwa im März verfaßt wurde [570], da mit Jeremias Mielich einer der wichtigsten Anlässe für die Polemik gegen den Barfüßerorden Ende März die Stadt verlassen hatte.

Kapitel 4

Ein Wechsel der Strategie

> handlet nichts wider sie mit rumor oder geschrey; wann daz ist vnrecht vnd dem gemainen man gantz ergerlich.
> (Ev./Luth. Z. 398ff.)

Daß zwischen den beiden ersten und den zwei letzten Dialogen des Jahres 1524 eine Zäsur liegt, ist von der Forschung mehr oder weniger stark empfunden worden, ohne daß man allerdings den qualitativen Unterschied befriedigend hätte bezeichnen können:

> Haben wir so in diesen beiden ersten Dialogen eine evangelische Polemik gegen die *römische* Kirche, so beschäftigt sich Hans Sachs in den beiden folgenden Gesprächen fast ausschließlich mit der eigenen Glaubensgenossen Leben und Wandel (LV 139 Kawerau, S. 44).

Man konstatiert eine »Doppelfront« im dritten Dialog (LV 173 Wernicke, S. 42) und die »Kritik des linken Flügels seiner eigenen Partei« (Wernicke, S. 48) für das letzte Gespräch. Nach dem Kampf gegen die katholische Kirche gehe es Sachs nun um platzgreifendes Fehlverhalten innerhalb der protestantischen Partei, mit der er »brüderlich aber ohne Scheu ins Gericht geht« (Kawerau, S. 34); der Gegensatz von »innerer und äußerer Auffassung der Reform« (Wernicke, S. 48) sei das Thema, dem Sachs sich jetzt zuwende.

Diese Auffassungen finden ihre konsequenteste Ausformung in der Darstellung Böckmanns (LV 289), der seine Vorstellung vom Umschlag des »reformatorischen Pathos« in ein »reformatorisches Ethos« gerade an Hans Sachs und seinem angeblichen Verzicht auf Polemik zu exemplifizieren sucht:

> Luther konnte noch mahnend und fordernd vor die Fürsten hintreten, aber die öffentliche Meinung seiner Zeit verzichtete nach 1525 doch rasch genug auf jeden kämpferischen Ton und überließ sich statt dessen einer entsagungsbereiten, weltabgewandten Hiobsstimmung und suchte im übrigen ein Ethos der bürgerlichen Rechtschaffenheit zu entwickeln (S. 273).

> Für Hans Sachs ist der durch Luther aufgebrochene Gegensatz zwischen altem und neuem Glauben nur ein Streit um die rechte Lehre und das persönliche Verhalten, in den sich höchstens noch Unverstand und Eigennutz einmengen (S. 277).

Diese These läßt sich allerdings nur schwer mit den Tatsachen vermitteln [571]. Weder läßt sich das gesamte Œuvre Sachsens in zwei Perioden teilen, von denen die erste, die »polemische« [572], mit dem Jahr 1527 zuende ginge, noch läßt sich die Zäsur des Jahres 1524 gerade in diesem Sinne definieren.

Wie sehr die Wirkung der Sachsschen Maßregelung durch den Nürnberger Rat wegen seiner Mitarbeit an der »Wunderlichen Weissagung« (1527) überschätzt worden ist, hat das umfangreiche Material reformationspolemischer Meisterlieder in der Arbeit von Beifus (LV 119) hinlänglich bewiesen, ebenso wie die eigentlich schon immer bekannten Flugblätter und -schriften [573] des Hans Sachs aus der

Zeit nach 1527. Mit der Vorstellung eines plötzlichen Verzichts auf antikatholische Propaganda im Verlauf des Jahres 1524 haben wir uns hier auseinanderzusetzen.

Es wird zu zeigen sein, daß von einem Wechsel des propagandistischen Gegners – »lutherische Glaubensgenossen« statt »römische Kirche« – bei konstanter agitatorischer Grundhaltung – »jeder Maßlosigkeit abgeneigt« (LV 133 Hilsenbeck, S. 96) – eben gerade nicht die Rede sein kann, sondern daß ein deutlicher Wechsel vor allem in den sozialstrategischen Prämissen zu sehen ist, die allerdings nicht ethisch, sondern politisch-sozial zu definieren sind.

Der emanzipatorische Impuls der lutherischen Laienpriestervorstellung, der den propagandistischen Effekt der bisher betrachteten Flugschriften Sachsens wesentlich bestimmt hatte –

SCHUSTER: Straffet doch ein Esel den propheten Balaam ... warumb solt dann nicht einem leyen zymmen ein geystlichenn zů straffen? (»Chorherr« Z. 152) –,

gewinnt nun plötzlich eine wesentlich andere Qualität:

PETER: Warumb schreyen dan vnser prediger der geystlichen falsche verfurische leer ... auff der Cantzel auß? Des gleichen Doctor Martinus ... Ist inen recht, so ist es vns auch recht.

HANS: Ja, solches predigen vnd schreyben geschicht auß verpflichter Christlicher lieb dem gemainen vnwissenden verfurten volck zu gut ... (Ev./Luth. Z. 424 ff.).

In der Literatur jedoch insistiert man durchweg auf der Kontinuität der Haltung des Dichters, aus der sich seine propagandistischen Bemühungen herleiteten.

So wird »Sachsens Gerechtigkeitssinn« beschworen, der ihn dazu trieb, »schonungslos die einseitigen Übertreibungen der neuen Partei« »zu brandmarken« (Hilsenbeck, S. 96) [574], und von anderen wird behauptet, in den beiden letzten Dialogen trete Sachsens Sympathie zum »linken Flügel« der Reformation offen zutage, die aber schon vorher immer bestanden habe (LV 190 und LV 191 Keller; und LV 119 Beifus), während Ingeborg Spriewald (LV 3) immerhin davon ausgeht, daß er dessen »Forderungen und Wünsche bis zu einem gewissen Grade anerkannte« (S. 26) und in den beiden Dialogen öffentlich zur Diskussion stellt.

Die Vorstellungen von Keller und Beifus sind seit der Zusammenfassung der wesentlichsten Gegenargumente durch Wernicke und Kawerau widerlegt und überholt.

Daß man der Unterscheidung von »Evangelischen« und »Lutherischen« im vierten Dialog Bedeutung zuzumessen hat, wird niemand bestreiten; auch die Konstruktion dreier Parteien mit unterschiedlichem politischen Konzept in diesem Dialog ist eine zutreffende Beobachtung. Kellers Zuordnung der 1524 existierenden unterschiedlichen politisch-religiösen Strömungen zu den Sachsschen »Parteinamen« ist jedoch absurd. Hans Sachs als Anwalt der »Schwärmer« und der vierte Dialog als »Programmschrift« der sich von Luther abwendenden »neuen Evangelischen« sind Vorstellungen, für die es nicht den geringsten Anhaltspunkt gibt. Über die von Kawerau und Wernicke angeführten einleuchtenden Argumente hinaus erweist sich Kellers Grundlage, die scharfe Scheidung zwischen »Lutherischen« und »Evangelischen« ..., wie sie die bisherige Reformationsliteratur nicht gekannt hat (LV 255 Keller, S. 180),

als Irrtum. Alfred Götze (LV 302) konnte zwei Jahre nach Kellers Schriften nachweisen, daß Luthers Anhänger die Bezeichnung »Lutherisch« grundsätzlich ablehnten [575] und auch Luther selbst sich gegen diesen Parteinamen verwahrte:

Tzum ersten bitt ich, man wolt meyms namen geschweygen und sich nit lutherisch, sondern Christen heyssen ... (LV 67 Luther, Bd. 8, S. 685).

Diesem Votum Luthers leisteten entgegen der Ansicht Kellers die Verfasser zahlreicher Flugschriften folge [576], und selbst die offizielle politische Sprachregelung hielt sich daran: In einem Nürnberger Ratsbeschluß vom Januar 1523 wird festgestellt, daß man

keines Menschen Lehre – also auch nicht Luthers – folge sondern allein dem Evangeli. (LV 260 Ludewig, S. 23),

und Spenglers Gutachten für eine Stellungnahme der Städte zu Campeggis Forderungen auf dem 2. Nürnberger Reichstag vom 27. März 1524 formuliert ähnlich:

... sie bekennen sich Christen, die weder auf Luthern oder einigen andern menschen getauft, sonder uf Christum (LV 101 Wrede, IV, S. 491).

Auf eine charakteristische Redewendung stützt Ingeborg Spriewald ihre These, daß Sachs die sozialkritische Einstellung der »Schwärmer« »doch immerhin öffentlich zur Diskussion« stellte [577]:

Die Berufung des Romanus [im dritten Dialog] auf das apokalyptisch gefärbte und in fast allen sozialrevolutionären und sozialkritischen Flugschriften seit der »Reformatio Sigismundi« gebrauchte Losungswort »Ein Hirt und ein Schafstall« zeigt, aus welcher Richtung dieser Widerspruch gegen die lutherische Linie kam: nicht von der katholischen Seite allein ..., sondern vor allem auch vom radikalen Flügel der Reformation (LV 3 Spriewald, S. 25).

Der Hinweis auf die Häufigkeit dieser Formel in den meisten Flugschriften seit der »Reformatio Sigismundi« nimmt diesem Argument die Beweiskraft. Auch von streng lutherischer Seite wird diese Forderung aufgestellt [578], Luthers Beschwörungen kirchlicher Einheit weisen in die gleiche Richtung, und es kommt nicht von ungefähr, daß z. B. Kawerau die gleiche Formel zum Beweis der Richtigkeit einer ganz anderen Ansicht anführt:

Dieser Glaube des Hans Sachs an die Erfüllung seiner Hoffnung von Einem Hirten und Einer Heerde erklärt zugleich Ton und Inhalt der beiden letzten Dialoge ... Denn der baldige Sieg der Lehre Luthers schien ihm zweifellos ja jetzt schon so gut wie entschieden; (LV 139 Kawerau, S. 61).

In jedem Fall wird auch Ingeborg Spriewald für das Jahr 1540 kaum mehr von »schwärmerischen« Sympathien bei Sachs sprechen wollen, und doch schließt sein Gedicht »Das klagendt Evangelium« mit den Worten

Auß unns werd überal
Ein hirt und ein schaffstal,
Ein christliche gemein!
(LV 2 Keller/Goetze, I, S. 352).

Auch hierin zeigt sich die Schwierigkeit der Beurteilung stereotyper Formulierungen [579].

Die Theorie von dem 1524 besonders herausgeforderten Gerechtigkeitssinn Sachsens wird im Hinblick auf die Tendenzveränderung in seinen Flugschriften am häufigsten vertreten, was nicht verwundert, da sie mit dem traditionellen Sachs-Klischee am besten zu vereinbaren ist. Problematisch ist an dieser Auffassung nur, daß sie schlechterdings keine Erklärung dafür weiß, warum der Sachssche Gerechtigkeitssinn sich erst und gerade 1524 herausgefordert fühlte.

Anlässe, sich über den »ergerlich wandel etzlicher, die sich Lutherisch nennen« (LV 3 Spriewald, S. 150) zu empören, hatte es vor dieser Zeit häufig und zahlreich genug gegeben, was sich in den Flugschriften widerspiegelt:

In Butzers Dialog zwischen einem Pfarrer und Schultheiß wurde schon 1521 die

... bőß handlung der weltlichen. Alles mit geytzigkayt beladen. etc. (LV 64 Lenk, S. 128)

diskutiert und verschiedene Argumente des Sachsschen Romanusdialoges vorweggenommen. In dem Nürnberger Flugblatt »von der güldt« (1522) wurde das Zinsnehmen der Geistlichkeit aber auch der Bürger verurteilt, wobei über deren Glaubenszugehörigkeit nichts gesagt wurde (LV 64 Lenk, S. 141 ff.).

Im gleichen Jahr hielt auch Luther seine acht Sermone in Wittenberg und schrieb Eberlin von Günzburg »Võ misbrauch Christlicher freyheyt ...« (LV 34 Eberlin, II, S. 39 ff.), aus deren Argumenten Sachs seinen vierten Dialog kompiliert hat.

Kapitalistischer Mißbrauch auch protestantischer Provenienz, Bildersturm, Pfaffenschändungen, aber auch eine zum Laxismus tendierende Pervertierung der protestantischen Imputationslehre sind Erscheinungen, die seit dem Beginn der zwanziger Jahre verzeichnet und kritisiert wurden [580], und da die speziell Nürnberg betreffenden Ereignisse, die z. B. Kawerau aufzählt, bereits in das Jahr 1523 fallen –

Im Jahre vor dem Erscheinen der »Dialoge« hatten Evangelische dem Bischof von Bamberg bei seinem Aufenthalt nächtens rohe Schmählieder vorgebrüllt, während Thomas Murner ... bei seinen Gängen durch die Stadt von den Buben »wie ein Narr umhergetrieben und mit dem Spottruf: »Murnarr, Murnarr!« verfolgt worden war. (LV 139 Kawerau, S. 67 f.) –,

wäre die unbekümmert schwarz-weiß-zeichnende WN ein recht schlechtes Beispiel Sachsschen Gerechtigkeitsgefühls, von den beiden ersten Dialogen ganz zu schweigen.

Für Wernicke ist die

innere Entwicklung des Dichters, ein allmähliches tieferes Eindringen in die Probleme

ein Ausweg aus dem offensichtlichen Dilemma:

was der Dichter erleben mußte, war nichts absolut Neues. Schon während er den ersten Dialog schrieb, konnte er bei Luther die Anschauungen des vierten lesen, aber sie faßten noch nicht Wurzel bei ihm. (LV 173 Wernicke, S. 103).

Aber die Sachsschen Texte widerlegen diese Auffassung.

Eines der zentralen Themen des vierten Dialogs sind die Probleme von Fastengebot und Bruch dieses Gebots. Sachs erklärt dort, indem er sich auf Röm. 13 beruft:

Es ist vil besser, du essest kain fleysch vnd drinckest kain wein, aber das daran sich dein bruder stosset, ergert oder schwach wirt (Z. 63 ff.).

Bereits zur Abfassungszeit des »Chorherrn« hatte diese Anschauung aber schon bei ihm Wurzel gefaßt:

Fleisch essen ist von got auch nit verbotten, derhalb ist es nit sünd, dann so weyt man die vnwissenden schwachen nit ergert (Z. 480 ff.).

Das gleiche gilt von der im vierten Dialog immer wieder erhobenen Forderung, im Umgang mit dem Gegner »Christliche lieb« (Z. 184, 316, 434, etc.) walten zu lassen. Schon in den »Scheinwerken« hieß es entsprechend:

MÜNCH: Ey lieber, jr seyt vns sunst feind, darumb schmächt jr vns.
HANS: Nain, bey meiner seel hail! Allain aus brůderlicher lieb. (Z. 587 ff.);

die Aufforderung zur Friedfertigkeit und die Verurteilung der Gewalt im letzten Dialog –

Wer mit dem schwert ficht, der wirdt am schwert verderben. ... In irem wurgen werden sie erwurget werdenn. Darumb sey du zu frid vnd bleyb in deiner Christlichen gedult. (Z. 381 ff.) –

kennzeichneten auch den ersten:

SCHUSTER: Verbot doch Christus Petro, Math. xxvj, vnd sprach: Wer mit dem schwert ficht, wirt am schwert verderben (Z. 799).

Die für das Luthertum so bedeutende Frage des Verhältnisses von Leben und Lehre, um die sich das Gespräch im Romanusdialog vor allem dreht, ist mit ganz ähnlichen Argumenten schon im »Chorherrn« vorhanden:

ROMANUS: Ich hab sorg, lieber Juncker, wenig leüt nemen dise leer der massen an, wie jr saget. Man spürt ye weder gotzdiennst, noch die werck der lieb etc.
REICHENBURGER: Ir saget ymmer spüren, spüren! Wißt jr nicht, das Reich gottes kumbt nicht mit auffmercken, das man mőcht sprechen: Sihe hie oder da, sunder es ist inwendig im hertzen (»Romanus« Z. 824 ff.).

CHORHERR: ... ir Lutherischen sagt vil vom wort gottes vnd wert doch nur ye lenger ye erger; ich spür an keinem kein besserung.
SCHUSTER: Christus spricht Luce xvij: Das reich gottes kumt nit eüßerlich oder mit aufmercken. ... (»Chorherr« Z. 383 ff.).

Ebenso hat Sachs bei aller Polemik gegen die Werkgerechtigkeit in der WN, den Sprüchen und den beiden ersten Dialogen die Gefahr laxistischen Verhaltens auf protestantischer Seite als Folge gerade dieser Polemik gesehen und seiner Kritik stets den Hinweis auf die »recht christliche gute werk« (WN 379/20; »Chorherr« Z. 644 ff., etc.) hinzugefügt.

Der plötzliche Umschwung in der Sachsschen Agitation ist noch immer nicht befriedigend erklärt.

4.1 *Bürgerliche Propaganda im Vorfeld des Bauernkrieges*

Wir hatten schon mehrfach Gelegenheit zu beobachten, daß der Erfolg der von Hans Sachs betriebenen Propaganda nicht zuletzt auf seiner Fähigkeit beruhte, sich der jeweiligen politischen Situation anzupassen. Hierin dürfte auch die Ursache für den Tendenzwechsel seiner Flugschriften im Laufe des Jahres 1524 zu suchen sein.

Ende Mai 1524 kam es zum Aufstand in Forchheim. Die dort

eingeleitete Erhebung der Bauern ... ergriff namentlich die ganze Umgebung von Nürnberg zu nicht geringem Schrecken des Rathes daselbst (LV 252 Jörg, S. 142).

Ebenfalls noch im Mai versammelten sich die von Nürnberg abhängigen Bauern und mit ihnen sympathisierende plebejische Gruppen in Gründlach und Reichelsdorf und berieten, wie man den Rat der Stadt zu Zugeständnissen und zu Verbesserungen der sozialen Lage der Bauern zwingen könnte [581]. Auch in der Stadt selbst wuchs die Zahl derjenigen, die offen oder versteckt mit den Aufständischen sympathisierten [582]. Damit schien die von vielen Astrologen für dieses Jahr vorhergesagte Umwälzung [583] unmittelbar bevorzustehen.

Wie ernst die Situation vom Rat der Stadt eingeschätzt wurde, zeigt die Chronik:

Montag nach Bonifacii hat der Rath zu Nůrnberg die Genannte des grőßern Raths erfordert, und ihnen fůrhalten laßen: Wie dem Rath mit sonderbaren Beschwerden vorkommen, daß etliche ihrer Burger und Verwandten sich den ungeschickten Zusammenlaufen der Bauren anhångig machten, ... allerley verachtliche beschwerliche Reden wider den Rath ausstießen. Es wåren auch etliche Schmachzettul und Schriften heimlich in die Kirchen, auf den Plåtzen und andern Orten der Stadt, angeschlagen, Schmachlieder gesungen, und in die Kirchen und Clőster Stein geworfen worden, alles in der Meinung damit Aufruhr zu erwecken (LV 99 Will, S. 137).

Bereits am 20. Mai veröffentlichte der Rat ein Mandat, in dem das Motiv für die wachsende Besorgnis deutlich wird: dem Rat sei zu Ohren gekommen,

das sich ire underthanen und armen leut auf dem land untersten sollen, mit und undereinander etlichermassen zubereden und zuverainigen iren herrschaften und aigenhern iren zehendten, peunt, zinß und gult, wie sy die mit alter von iren gutern geraicht haben, fürohin nicht mer zubezaln und sich zuerhaltung solchs mer ungeschickten furnemens mit dem heiligen evangelio, das doch ein word des friedens ist und ainen yeden brüderliche lieb und das so man im auß pillichait schuldig ist mittailt, vermainlich zuschützen (LV 254 Kamann, S. 40).

Der Rat, der die Säkularisation des kirchlichen Eigentums nicht ungern vollzogen hatte, weil vor allem das Patriziat der Stadt erheblich profitierte, konnte es natürlich nicht dulden, daß plötzlich auch das weltliche Eigentum angerührt werden sollte. An den Markgrafen Kasimir läßt der Rat darum auch ganz unverblümt mitteilen

... und kann ein jeder Verständiger nach Gelegenheit dieser Sachen bei ihm selbst nicht schwer bedenken, daß uns solch der Bauern Fürnehmen, dieweil das nicht allein den Geistlichen, sondern auch uns und den Unsern, die Zehnten haben, zu merklichem Abbruch und Nachtheil gereicht. – 10. Juni 1524 (LV 252 Jörg, S. 149).

Diese Überlegung markiert die Grenze des besitzbürgerlichen Verständnisses »evangelischer Freiheit« und charakterisiert als Reflex Lutherscher Obrigkeitsvorstellungen dessen eigenen Freiheitsbegriff [584].

Trotz dieses Mandats verweigerten schon Anfang Juni verschiedentlich Bauern den Zehnten (LV 267 Roth, S. 162) und verbrannten denen, die sich nicht solidarisch verhielten, nachts das zur Ablieferung bestimmte Getreide.

Es war das besondere Problem der städtischen Administration, daß sie, die sich eben selbst zum Luthertum bekannt hatte, gegen eine Opposition vorgehen mußte, die sich ebenfalls auf Luther berief. Der Rat begegnete diesem Problem mit einer zweifachen Strategie. Zum einen versuchte er, die berechtigten Forderungen der Bauern und verarmten Handwerker durch teilweises Entgegenkommen zu entschärfen –

In einem Mahnungsschreiben vom 8. Juni 1524 weist der Rat darauf hin, wie er sich jederzeit »väterlich, getreulich und gutwillig« gegen seine Bürgerschaft gezeigt, wie der gemeine Mann in Nürnberg so gut sitze, ... wie die Auflagen, die man zur Erhaltung der Stadt und der Polizei bedürfe, keine hohen seien. Die arme Bürgerschaft verweist der Rat auf das eben errichtete »neue Almosen«, für den Fall der Teuerung verspricht er, den gemeinen Mann mit den notwendigsten Lebensmitteln ausreichend zu unterstützen. (Roth, S. 164) –,

überdies wurde schon am 23. Mai der sogenannte »lebendige Zehnte« aufgehoben und verschiedene Zahlungs- und Zinserleichterungen gewährt (LV 254 Kamann, S. 43 ff.); auf der anderen Seite bemühte er sich darum, den Aufständischen und ihren Anhängern die ideologische Basis zu entziehen, indem er die »Freiheit eines Christenmenschen« durch Auftragsschriften und Predigten [585] interpretieren, d. h. verinnerlichen ließ:

Und wiewol ein yeder christenmensch durch das blut und sterben seines seligmachers in seinem gewissen gefreyt ist, zeucht sich doch dieselb freyheit dahin gar nicht von eusserlichen schuldigen purden frey zusein (Kamann, S. 40).

Auch der »Eiferer« Osiander, von Kawerau etwa als abschreckendes Beispiel »ergerlichen Wandels« der Lutherischen genannt,

... that, soviel an ihm lang, [sic!] alles, um durch Belehrung aus dem Evangelium die unruhige Stimmung in der Stadt zu mäßigen. (Roth, S. 165).

Gerade dieser Sachverhalt [586] reduziert den Sachsschen Nimbus beispielhafter Friedfertigkeit doch recht erheblich.

Zum Krisenmanagement des Rates gehörte auch die Abstellung allzu demonstrativer Veränderungen des kirchlichen Kultes, die zur Steigerung der Unruhe beigetragen hatten [587].

Davon abgesehen nutzte man sämtliche Mittel administrativer Macht:

»Auswärtige Unruhestifter« (Roth, S. 163) wurden durch verschärfte Kontrollen von der Stadt ferngehalten, bzw. schnellstens ausgewiesen [588]; die Zensurbestimmungen wurden strenger und im Gegensatz zu der Zeit bis Mitte 1524 auch durchgesetzt (LV 99 Will, S. 138). Die Ordnungskräfte der Stadt wurden um 1200 Mann verstärkt, die man, um die Zahl der Unzufriedenen zu verringern, aus der eigenen Bürgerschaft rekrutierte.

Am 4. Juli wurden ein Tuchknappe und ein Wirt aus Wöhrd

mit dem Schwerd gerichtet ... daß sie öffentlich bey der Gemein ůbel von dem Rath geredt haben, und sich vernehmen ließen, es thåte nichts, es hielten denn Burger und Bauren zusammen, damit das Umgeld abkåme. Dann, wenn sie zusammen hielten, könnte man ihnen nichts ůbels thun (LV 99 Will, S. 139).

All dies erhellt, daß der bürgerliche Rat, der reformatorische, die kirchliche Ordnung bedrohende Unruhe nur scheinbar und widerstrebend aufgrund kaiserlicher Mandate bekämpft hatte [589], mit allen Mitteln gegen revolutionäre, die Sozialordnung infrage stellende Bewegungen vorging.

In diesem historischen Kontext sind die Sachsschen Flugschriften zu beurteilen, und auf diesem Hintergrund erweist sich Sachs einmal mehr als ein äußerst treuer Untertan des Rates; denn die von ihm betriebene Flugschriftenpropaganda geht mit der Haltung und den Maßnahmen der Stadtregierung völlig synchron.

Aus diesem Verhältnis erklärt sich der »Richtungswandel« in der Jahresmitte: Die Drohung mit Aufruhr und Empörung (»Chorherr«) konnte ganz im Sinne der Politik Nürnbergs gegen kirchliche Institutionen – Geistliche und Klöster – eingesetzt werden. In dem Augenblick, in dem die Gefahr der Realisierung dieser Drohungen bestand, verbot sich das Spiel mit dem Feuer. Ein weiteres Verfolgen dieser Propagandalinie hätte eine dreifache Gefährdung der lutherischen Sache bedeutet:

1. Auf der politischen Ebene wäre dem Rat eine Differenzierung zwischen dem »linken« und »rechten« Flügel der Reformation erschwert worden, und die antirevolutionären Maßnahmen hätten auch den gemäßigten Teil der Protestanten getroffen.
2. Auf propagandistischer Ebene hätte ein solches Vorgehen den Wahrheitsbeweis des wirksamsten Arguments katholischer Agitation geliefert, den unter anderem Murner in seinem »Lutherischen Narren« formulierte:

   Nim deren leben eben acht,
   Die sich doch lutherisch hon gemacht,
   So würstu mit den augen schawen,
   Das sie nůt kunnen gantz verdawen
   Den buntschů, den sie hon verschluckt.
   (Vss. 3966 ff.)

3. Mit einem solchen ungewollten Beweis dieses Arguments [590] drohte unweigerlich ein starker Verlust von Anhängern aus der auch aus Sachsens Sicht wichtigsten, weil tragenden Bevölkerungsschicht: der um seinen Besitzstand fürchtende Bürger würde sich so weit wie möglich von den Verursachern dieser Furcht distanzieren.

Für Sachs und die übrigen Propagandisten eines bürgerlich-gemäßigten Protestantismus stellte sich das Problem, wie unter diesen Umständen eine weitere propagandistische Unterstützung des Luthertums bewerkstelligt werden konnte, die notwendiger war denn je.

Angesichts der innenpolitischen Verhältnisse Nürnbergs war es nötig, den Rat an einem Rückfall auf die katholische Linie zu hindern. Da mit den Klöstern noch starke altgläubige Hochburgen vorhanden waren und noch eine ganze Reihe angesehener Patrizier der katholischen Kirche angehörten, bzw. wie Pirckheimer zu einer Rückkehr zu ihr neigten, war diese Gefahr durchaus real. »Das Drängen des Volkes hatte den Rat halb wider seinen Willen« (LV 267 Roth, S. 176) auf protestantischen Kurs gebracht, weiteres Drängen, d. h. weitere antikatholische Propaganda, mußte helfen, ihn auf diesem Kurs zu halten.

Auch die – von Nürnberg aus gesehen – außenpolitische Situation in der Mitte dieses Jahres machte einen verstärkten propagandistischen Einsatz für den Protestantismus zur zwingenden Notwendigkeit. Ende Juni beschlossen die katholischen Stände auf dem Regensburger Konvent die strikte Durchführung des Wormser Edikts.

Es versteht sich von selbst, daß man da die Ereignisse im nahen Regensburg mit wachsamen Auge verfolgt hat. Die Bestimmungen des Konvents wurden nach ihrem Bekanntwerden von den Gegnern sofort veröffentlicht und mit leidenschaftlichen Schmähschriften begleitet (LV 161 Schottenloher, S. 250).

Vier solcher Schmähschriften sind erhalten (vgl. ebda.), es ist aber bezeichnend für die Lage in Nürnberg, daß man mit allen Mitteln versuchte, den wahren Druckort dieser Schriften unkenntlich zu machen, weil man Repressalien befürchten mußte. Im September wurde z. B. eine Verkäuferin solcher Schriften auf Anordnung des Rates eingesperrt [591].

Aus den Zwängen dieser Situation und den von uns im 1. Kapitel entwickelten Möglichkeiten sozialstrategischen Einsatzes bestimmt sich der spezifische Charakter der bürgerlich-lutherischen Agitation im Vorfeld des Bauernkrieges.

Die Zielgruppe der Propaganda war – auch für Hans Sachs – im wesentlichen die gleiche wie zuvor. Die für die Durchsetzung der Reformation in den Städten relevanten Gruppen waren anzusprechen, die mittleren und gehobenen Schichten des Bürgertums, sowie diejenigen handwerklichen Kleinbürger, die die ständische Ordnung noch akzeptierten.

Der »linke Flügel« – Bauern, städtische Plebejer – kam als Zielgruppe nicht infrage.

Angesichts der verbreiteten Vorstellung, daß Sachs gerade diese Gruppen ansprechen und einen mäßigenden Einfluß auf sie ausüben wollte, scheint eine nähere Begründung dieser Behauptung notwendig, obwohl sie sich aus unserem propagandatheoretischen Modell und seinen sozialpsychologischen Grundlagen von selbst ergibt.

Die Unmöglichkeit einer durch Agitation initiierten Konversion von Anhängern einer sich gerade verfestigenden Partei ist durch die Mechanismen selektiver Wahrnehmung und die Tendenz zur Maximalisierung der Überzeugungsstärke gegeben.

Die einzig aussichtsreichen Techniken für die Umkehrung von Meinungen – Drohappell und Einsatz persönlichen Prestiges – wurden durch die politische Situation verunmöglicht. Der Drohung mit physischer Gewalt setzten die Bauern ihre Solidarität entgegen:

Dann, wenn sie zusammen hielten, kônnte man ihnen nichts ůbels thun, dazu sie auch helfen wollten, (LV 99 Will, S. 139), und das Prestige des Nürnberger Rats innerhalb der aufbegehrenden Schichten war ebenso tief gesunken wie das der in seinem Auftrag wirkenden lutherischen Prediger und Flugschriftenverfasser:

Unsere Ratsherren ... sind wider die Gemeind, nicht als Vorgeher, sondern als Wütriche. O leider ist es jetzt hie erlaubt den Gewaltigen, dass sie Wütrigkeit gegen den Armen treiben, den Armen gelassen, dass sie müssen schweigen und seufzen ..., Alle Ämter haben Ausbrüter nicht Beschirmer, Schinder nicht Verweser. Seht an ihre Häuser, wann ihr müsst sie sehen, sie haben nicht Bürgerhäuser, sondern grosse Vesten und Schlösser; sie sind nicht Hüter der Schatzkammer, sondern Abschinder (Meisterlins Chronik, zit. nach Roth, S. 160).

In Nürnberg wurde mit der Reaktion etwa auf Osianders Predigten und die des Augustiners Karl Räss, der auf einer Versammlung der Bauern im Auftrage des Rates predigte und sich nur mit Mühe der wütenden Reaktion der Bauern entziehen konnte, die Abkehr der Bauern und des städtischen Plebejertums von Luther nach seinem Pamphlet gegen die Bauern vorweggenommen.

Wenn der [Pöbel] sieht, daß man nicht alle Dinge teilen und gemein machen will, wie er bisher verhofft hat, flucht er dem Luther und allen seinen Anhängern. (Roth, S. 167),

empört sich Pirckheimer in einem Brief, der über diese und ähnliche Vorfälle berichtet [592].

Andere Schriften, die weiterhin die gemäßigt-lutherische Linie verfolgten, also die hier zu untersuchenden Sachsschen Flugschriften oder die »Scharpff Metz« [593] des folgenden Jahres, werden von diesem Publikum ähnlich aufgenommen worden sein. Es liegt nahe, diesen Überlegungen den Erfolg der acht Sermone Luthers anläßlich der Unruhen in Wittenberg von 1522 entgegenzuhalten. Immerhin haben wir auf den Vorbildcharakter dieser Predigten und der im gleichen Sinne verfaßten Schrift Eberlins von Günzburg verwiesen.

Tatsächlich hatte Luther nach seiner Rückkehr von der Wartburg die Situation sehr schnell im Griff, und dank seines Eingreifens ebbten die Aktionen protestantischen Radikalismus – Bildersturm, Kirchen- und Klostereinbrüche, etc. – sofort ab und wurden allzu radikale Änderungen des Kirchenkults wieder eingestellt.

Bei den Vorkommnissen in Wittenberg handelte es sich aber um Aktionen erklärter Anhänger Luthers [594], die nur seine Politik konsequent weiterzuführen vermeinten und die nur durch mangelnden Kontakt zu ihm in einen Gegensatz mit Luther geraten waren [595]. Einen Führer, der sich an die Spitze dieser Bewegung setzen und Luther ersetzen konnte, gab es nicht. Karlstadts Prestige beruhte zu der Zeit allein auf seiner Verbindung mit Luther [596]. Es bedurfte in dieser Situation daher nur einer klärenden Äußerung Luthers, um der Bewegung, die noch immer auf seine Person fixiert war, die ihm genehme Richtung zu geben. Die 1524 beginnende Sammlung der »Schwärmer« bereitete jedoch eine bewußte Abkehr von der Lutherschen Position vor und hatte überdies in Müntzer eine Führerpersönlichkeit, die ein Gegengewicht zum Prestige Luthers abgeben konnte.

Wie hoch Müntzer selbst seine persönliche Ausstrahlung einschätzte, zeigt ein Brief, den er nach seiner Ausweisung aus Nürnberg am 29. Oktober 1524 schrieb:

Ich habe meine Lehre lassen zu Nürnberg drücken, und sie wollen beim Römischen Reich Danck verdienen sie zu unterdrücken; ich bin entschuldigt. Ich wollt wohl ein fein Spiel mit den von Nürnberg angerichtet haben, wenn ich Lust hätte Aufruhr zu machen ... Viel vom Nürnberger Volk riethen mir zu predigen ...« (LV 37 Enders, S. VIIf.).

Man kann zudem davon ausgehen, daß Müntzers Ruf nach seinem Zerstörungszug gegen die Wallfahrtskapelle von Malderbach am 7. April und der Lutherschen Mahnung »Eyn brieff an die Fürsten zu Sachsen von dem auffrurischen geyst.« (LV 37 Enders, S. 1ff.) vom August auch schon in der Jahresmitte über Allstedt hinaus verbreitet und bis Nürnberg gedrungen war.

Eine Wiederholung der Lutherschen Appeasementpolitik von 1522 war jetzt also nicht mehr möglich, und es ist mehr als wahrscheinlich, daß Sachs sich dieser Tatsache bewußt war. Schließlich waren ihm die Maßnahmen des Rates ebenso bekannt, wie er auch die Reaktion der Bauern und ihrer städtischen Verbündeten auf die Beschwichtigungsversuche der Prediger beobachtet haben muß.

Im Gegensatz zu der verbreiteten Meinung bestimmt also nicht ein Wechsel der Zielgruppe den veränderten Charakter der Sachsschen Flugschriftenpropaganda. Auch das Ziel blieb unverändert bestehen: die Propagierung des Luthertums gegenüber der alten Kirche zur Integration und Stabilisierung der eigenen Anhängerschaft.

Verändert hatte sich die politische Situation und damit die Reaktionsweise der wichtigsten Anhängergruppe des Protestantismus. Aus dieser Tatsache begründete sich die Notwendigkeit einer Änderung der propagandistischen Leitlinie und ihr Charakter. Unsere Darstellung innerhalb des 1. Kapitels hatte gezeigt, daß vor Beginn der Reformation die katholische Kirche in eine Abseitsposition geraten war, die eine große Zahl ihrer Anhänger zu prospektiven Parteigängern eines Konkurrenten machte. Nach Luthers Auftreten fiel ihm ein großer Teil dieses Potentials spontan zu, wobei ein breites Spektrum von Motiven und Bedürfnissen ausschlaggebend war. Diese Motivationen – Antiklerikalismus, Nationalismus, bürgerliches Selbstbewußtsein, etc. – hatten auch 1524 noch Gültigkeit, wurden jedoch anläßlich der Bauernaufstände von dem Bedürfnis nach Ruhe und Ordnung, motiviert durch Sicherheits- und Besitzstreben, innerhalb des Besitzbürgertums überlagert.

Eine Propaganda, die diese Gruppe dennoch der Lutherischen Sache erhalten wollte, mußte diesem jetzt vorherrschenden Motiv Rechnung tragen. Aggressive Töne, die Drohung mit Aufruhr (vgl. »Chorherr«) hätten in dieser Situation einen propagandistischen Bumerangeffekt gehabt, man hätte sie für die Ursache der Unruhen angesehen [597].

Die Aufgabe prolutherischer Propaganda war die Stilisierung des eigenen Images zu dem eines Garanten für Sicherheit und Ordnung, d. h. man mußte in Vorstellungsräume eindringen, die bisher für das Image der katholischen Kirche kennzeichnend gewesen waren.

Ein solches Verfahren werblicher Aktivität haben wir bei der Exemplifikation des sozialstrategischen Modells als »aggressives Verkaufen« charakterisiert.

Dieser Begriff mag in diesem Zusammenhang irreführend sein, da sich die protestantische Propaganda vor und während des Bauernkrieges den Katholiken gegenüber zum Teil wenigstens in der Defensive befand. Trotzdem ist mit ihm auch hierbei der Sachverhalt zutreffend erfaßt.

Es kam in der gegebenen Situation darauf an, das protestantische Image in Richtung auf den Meinungspol »Ruhe und Ordnung« zu verschieben (s. u., S. 181), da das Meinungsfeld – in diesem Falle die Stadt Nürnberg – durch eine stärkere Konzentration von Meinungssubjekten in diesem Bereich gekennzeichnet war. Nach einer solchen Verschiebung konnten wieder alle jene Motive wirksam werden, die den Anfangserfolg des Protestantismus herbeigeführt hatten.

Durch die Bauernunruhen hatte sich – in der Terminologie des Modells formuliert – die »Entfernung« zwischen dem protestantischen Image und der Mehrzahl seiner wichtigsten Anhänger parallel zu der Achse »revolutionär – ordnungsstiftend« (Abb. 4) so sehr vergrößert, daß die weiterhin unveränderte Entfernung zum katholischen Image auf der Achse »klerikal – antipfäffisch« für die Anhängerschaftsbestimmung irrelevant zu werden drohte.

Abb. 4

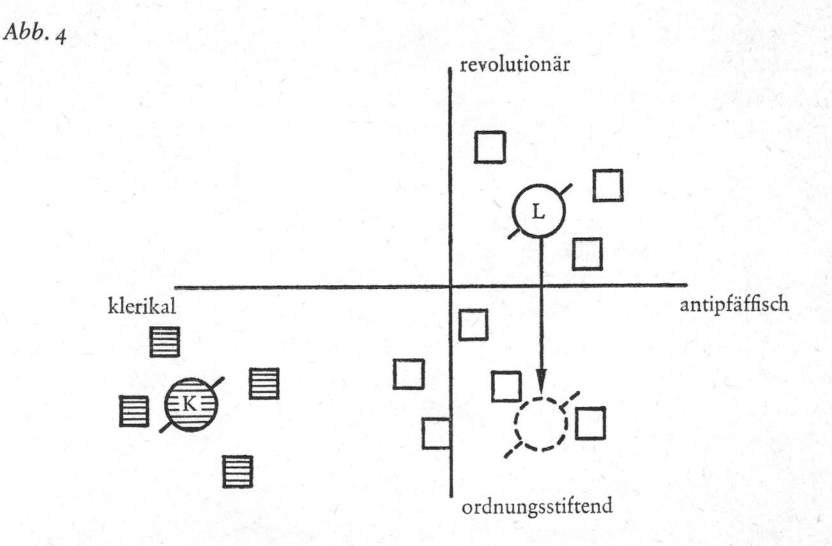

Eine Weiterführung der bisherigen Propaganda hätte Luther zwar die Anhängerschaft der Bauern erhalten, jedoch den Verlust des besitzbürgerlichen Anhangs bedeutet. Durch die von ihm selbst (»Wider die mörderischen Rotten ...«) und anderen Flugschriftenverfassern betriebene Imageverschiebung wahrte er in großem Maße seinen »Besitzstand« unter den mittleren und gehobenen Bürgerschichten, mußte aber damit rechnen, die bäuerlich-plebejische Opposition als Verschiebungsverlust abschreiben zu müssen, was auch prompt eintraf [599].

Damit soll den gemäßigten Protestanten und Luther selbst nicht Zynismus vorgeworfen werden. Vor dem Bauernkrieg hatte keine Notwendigkeit zur Differenzierung innerhalb der lutherischen Anhängerschaft bestanden, hatte die Reformation noch »keinen bestimmten Charakter« (Engels) gehabt. Durch die drohenden Unruhen zu einer »bestimmteren Festlegung der Richtung« (LV 248 Engels,

S. 64) gezwungen, stand diese von vornherein fest. Die beschriebene Verschiebung des lutherischen Images entsprach vollauf den bürgerlichen Bedürfnissen und dem Lutherschen Selbstverständnis [600], war kein Akt propagandistischer Vorspiegelung. Ein Bündnis Luthers mit den Bauern war undenkbar:

Was sollt der geyst wol anfahen, wenn er des pôfels anhang gewûnne? (Luther: »Eyn brieff an die Fürsten zu Sachsen ...« in: LV 37 Enders, S. 5).

Auf der Grundlage dieser Überlegungen scheint uns eine sinnvollere Beschäftigung mit den Flugschriften Sachsens aus der zweiten Hälfte des Jahres 1524 möglich als bisher.

4.2 *Der Spruch von den »reynen« und »unreynen« Vögeln*

Es entspricht der für Sachs typischen Vorsicht, daß er sich im Augenblick einer sich zuspitzenden Krisensituation zurückhält. Der zweite Dialog wurde – nach unserer Meinung – etwa Ende März 1524 veröffentlicht, der dritte trägt das Datum des 29. September. Dazwischen liegen Ausbruch und Niederschlagung des Forchheimer Aufstandes [601]. Mit Sicherheit nach Juni und wahrscheinlich vor dem dritten Dialog verfaßte Sachs ein Spruchgedicht [602], das die ersten Ansätze einer neuen agitatorischen Leitlinie erkennen läßt. Dieser Charakter bestimmt unseren Vorschlag für die Datierung, die umstritten ist.

Das Gedicht ist überliefert im ersten Teil der Nürnberger Folioausgabe von 1558 mit der Angabe »Anno salutis 1524« (LV 2 Keller/Goetze, I, S. 382). Außerdem existieren ein Einzeldruck mit Prosavorrede und einem vierstrophigen Vorspruch [603] und ein späteres Flugblatt ohne diese Zusätze [604]. Ob bereits 1524 ein Einzeldruck herauskam, ist umstritten [605]. Von der Klärung dieser Frage hängt die Beurteilung der Authentizität der Zusätze auf dem frühesten überlieferten Flugblatt ab. Wir werden hier den Text der Folioausgabe zugrunde legen und die Zusätze unbeachtet lassen.

K[eller] gibt als Datum 1523 an, auf welche Gewähr hin ist freilich nicht zu sagen,

berichtet Goetze (LV 2 Keller/Goetze, Bd. 25, S. 11). Auch Kawerau (LV 139, S. 29) votiert für eine so frühe Abfassungszeit. Der Grund für diese Ansicht dürfte die oberflächliche Ähnlichkeit des Spruches mit der WN sein. Besonders die zweite Strophe über die Nachtigall verführt zu dieser Ansicht:

Die nachtigal singt gehn dem tag;
Also ein Christ nicht schweygen mag,
Verkündt Christum das ewig liecht,
Das sein wort yederman bericht (377/10 ff.).

Der Vergleich selbst und die Art des Vergleichens erinnern an die WN; da es sich aber, was auch der Titel betont, in der Tat nur um einen Tiervergleich handelt, ist damit auch der entscheidende Unterschied zur WN angesprochen, wo wir ein allegorisches Identitätsverhältnis von Bild und Abgebildetem feststellen konnten.

Zudem ist die literarische Tradition der in diesem Spruch verwendeten Tiervergleiche eine andere als im Falle der WN. Handelte es sich dort um das erweiterte Bestiarium des Tierepos, so haben wir hier einen Tugend- und Lastertierkatalog nach dem Muster geistlicher Tierauslegungen aus der Physiologustradition.

Aus diesem Bereich stammt auch das Formmodell im engeren Sinne. Die Beschränkung auf zwei Vogelkataloge – die Biene zählt hier auch zu den Vögeln – läßt an die im Spätmittelalter sehr verbreiteten Baumtraktate denken, an den Palmbaum- oder Maibaumtraktat [606], bzw. an die im 15. Jahrhundert beliebten Gartenallegorien:

Die im Garten oder sonst erscheinenden Tiere – überwiegend Vögel – werden auf Personen der Heilsgeschichte oder aber auf geistliche Tugenden und Laster, bzw. Sünder und im geistlichen Sinne vollkommene Menschen bezogen (LV 363 Schmidtke, S. 192).

Wie nicht anders zu erwarten, ist auch in diesem Fall das Verhältnis des Flugblatt-Textes zur literarischen Vorlage parodistisch, indem der literarisch tradierte Tugend-Laster-Gegensatz konfessionspolemisch umgemünzt wird.

Dasselbe geschieht mit den Tiervergleichen im einzelnen. Schmidtke (LV 363) hat – den literarischen Zusammenhang richtig einschätzend – die 24 Tierauslegungen dieses Spruches für seinen Katalog geistlicher Tierbedeutungen ausgewertet und bietet dank seiner umfassenden Darstellung dieses Sujets die Möglichkeit, den Bedeutungsumfang der Sachsschen Tiervergleiche der übersichtlichen Zusammenfassung dieses Kataloges zu entnehmen, was uns einer Materialausbreitung in diesem Falle enthebt. Für sieben der Vögel (Adler, Greif, Phönix, Schwan, Sittich, Turteltaube, Wiedehopf) weist Schmidtke die Kontinuität in der Verbindung von Tiereigenschaft und Auslegung in der literarischen Überlieferung nach, die übrigen Auslegungen hält er für Sachsens Erfindungen. Sein Hinweis auf die Physiologustradition gibt aber auch in diesen Fällen den Schlüssel für die Ermittlung des literarischen Vorbildes. Von den infrage kommenden Sammlungen dieses Genres hat Sachs allein das »Buch der Natur« von Konrad von Megenberg besessen [607]; ein Vergleich mit den entsprechenden Kapiteln dieses Buches zeigt, daß Sachs die meisten der in diesem Spruch erwähnten Tiereigenschaften und teilweise auch deren Auslegung bei Konrad entlehnt hat [608]. Der Vergleich mit Konrad zeigt auch, daß der parodistische Charakter des Sachsschen Spruches im Bereich der »unreynen vögel« ausschließlich in der polemischen Konkretisierung der allgemeinen Sünderkategorien Konrads – »pœs übeltætig läut« (S. 209 = Eule), »poes mensch« (S. 208 = Sperber), »valsche nâchreder« (S. 227 = Fledermaus) – zu »dem Gottlosen« besteht, wobei nach der Erfahrung der übrigen Sprüche Sachsens die reformationspolemische Bedeutung dieses Begriffes eindeutig ist. Im Katalog der Tugendvögel wußte Sachs auch im einzelnen die bei Konrad natürlich im altkirchlichen Sinne verstandenen Tugenden dem »warhafften«, sprich: lutherischen Christentum entsprechend umzuformulieren, was besonders gut an der Nachtigallen- und Pfauenstrophe zu beobachten ist [609].

Schmidtkes Zusammenstellung der hier relevanten Tierauslegungen und der Vergleich mit dem »Buch der Natur« zeigen aber auch die immer noch äußerst scharf artikulierte polemische Haltung gegenüber dem katholischen Gegner.

Der »Gottlose« (= die katholische Kirche) ist

- blind gegenüber Gottes wort, vernunftgläubig, (1. Strophe des zweiten Teiles)
- hält sich an »menschen lehren und gedicht«, die vor Gott nicht bestehen, (2. Str.)
- wendet sich von Gott ab, (3. Str.)
- verfolgt die Anhänger der neuen Lehre mit Grausamkeit, (4. Str.)
- ist selbstüberheblich, (5. Str.)
- geldgierig, (6. Str.)
- tobt und wütet und schaut nicht auf Gottes Güte, (7. Str.)
- ist heimtückisch, seine Werke sind »unrecht«, (8. Str.)
- ist voll Haß und Neid, (9. Str.)
- eigensüchtig, raubt die Leute aus, (10. Str.)
- klammert sich an das Irdische, (11. Str.)
- geht der ewigen Seligkeit verlustig. (12. Str.)

Kaweraus Ansicht, daß Sachs in diesem Spruch »die Summe seines neuen Glaubens ... ohne jede polemische Beimischung« [610] ziehe, ist unverständlich.

Kawerau stützt sein Urteil ausschließlich auf den ersten – positiven – Teil des Spruches:

Das Wort Gottes steht an der Spitze, das freudige Bekenntnis zu Christo als dem einzigen Mittler und Erlöser bildet den Beschluß. Und was dazwischen liegt, ist wieder nur der Ausdruck seines nüchternen und praktischen Christentums: ein rechter Christ hat ein warmes Herz für die Armen und bethätigt seinen Glauben in Werken der Liebe und Barmherzigkeit (S. 29 f.).

Das ist soweit ganz richtig, jedoch handelt es sich hier nicht um »das gleiche echt evangelische Bekenntnis wie in seiner ›Wittenbergisch Nachtigall‹« (S. 29). Während nämlich die von Kawerau völlig übersehene antikatholische Polemik durchaus die Linie der WN fortsetzt, schlägt Sachs in der Darstellung der protestantischen Position neue Töne an, die uns veranlassen, gerade mit diesem Spruch den Wechsel der propagandistischen Leitlinie anzusetzen. In den Strophen 6, 7, 8 und 11 stellt sich dieses neue Konzept her:

... ein Christ nach arbeit ringt,
Darmit er seinen Adam dempfft,
Der stet wider den geist im kempfft (378/6 ff.).

Die Notwendigkeit der Arbeit wird auch in den ersten Reformationsschriften von Hans Sachs betont:

Arbeiten sol wir, wie Adam gebotten ist, (»Chorherr« Z. 302),

Wer nit arbait, der soll nit essen. (»Scheinwerke« Z. 137),

Arbeit war dort jedoch, noch in durchaus mittelalterlichem Verständnis [611], bloßes Mittel zum Lebensunterhalt [612]. Hier hingegen wird Arbeit als Mittel der Selbstdisziplinierung propagiert. Wurde noch im 2. Dialog die Arbeitsbelastung der unteren Stände als aufwiegelndes Argument dem Schmarotzertum der entlasteten Schichten gegenübergestellt –

wir, die aylff tausent mertrer, můssens zalen, da sy vns betriegen, vbernoͤtten, dringen, zwingen, daz offt das plůt hernach moͤcht gann, da speisen sy darnach euch hailosen vatter ... mit, die starck vnd faul seind, vnd selber wol arbaiten vnd andere arme krancke Christen mit inen ernoͤren moͤchten. (Z. 122 ff.) –,

so soll hier die nicht zuletzt durch solche Argumente hervorgerufene revolutionäre Energie verinnerlicht und durch Umwandlung in Arbeit unschädlich gemacht werden.

Diese Strophe – wie auch die Vergleiche mit den Nutz- und Arbeitstieren Biene (9. Str.) und Huhn (10. Str.) – hat natürlich deutlichen Appellcharakter, aber nicht im Sinne eines Überredungsversuches gegenüber der aufsässig werdenden Bauernschaft oder dem städtischen Plebejertum, die solchen Appell nur als Hohn begreifen konnten [613], sondern den gefährdeten Randgruppen der lutherischen Anhängerschaft unter den Angehörigen des Mittelstandes gegenüber, der allein für ein solches Arbeitsethos gewonnen werden konnte [614]. Wichtiger als der Appell an den gerade noch rettbaren Teil des »linken Flügels« ist der programmatisch-deklamatorische Charakter dieses Appells: mit der Proklamation dieses Ethos sollen die stabilisierenden Eigenschaften des Protestantismus vorgeführt und mit diesem verschobenen Image die Abwanderung des »rechten Flügels« zum Katholizismus als nicht mehr notwendig dargestellt werden.

Dementsprechend ist auch vom »proselytischen Eifer« (Kawerau, S. 60) der ersten Flugschriften hier nichts mehr zu spüren. Dem »Schrey, hor nit auff!« (»Chorherr« Z. 69) steht hier der Vergleich mit der Turteltaube gegenüber, die »on gallen ist« [615], nach deren Beispiel ein »wahrhaffter Christ«

> Zürnt nit, richt sich auch selber nicht,
> Weys, das ims Gott hat zugericht (378/10 f.).

Ebenso Str. 8:

> Ergert niemandt auß argem mut, (378/17).

Beide Äußerungen sind, wie der polemische Teil des Spruches erkennen läßt, nicht Ausdruck von Sachsens »irenischem Charakter« sondern Imagekorrekturen in der Weise einer fortlaufenden captatio benevolentiae.

Auf die zuletzt zitierte Zeile reimt Sachs

> All seine werck sind christlich gut. (378/18);

»christlich gute werck« werden – wie schon gesagt – auch in den ersten Flugschriften propagiert. Doch versteht sich dieser Begriff dort ausnahmslos als polemischer Gegensatz zu den »menschenwerk«, d. h. zu der katholischen Werkgerechtigkeit, von der aus er jeweils entwickelt wird, so daß die Kritik an der katholischen Praxis im Mittelpunkt steht. Gerade diese Kritik war eine der Ursachen für den sich ausbreitenden Laxismus in der lutherischen Partei, und so kommt es nicht von ungefähr, daß die übliche polemische Gegenüberstellung hier fehlt. Stattdessen werden die »christlich guten Werke« gegen die Heimtücke des katholischen Gegners gestellt (381/16). Die Verschiebung des Akzents innerhalb der protestantischen Selbstdarstellung ist auch hierin offenkundig.

Bemerkenswert ist schließlich die Veränderung in der Haltung gegenüber apokalyptischen Vorstellungen. Wir hatten anläßlich der ersten Spruchgedichte gezeigt, daß für Sachs die Anzeichen eines bevorstehenden Weltendes zwar ein propagandistisch relevantes, aber im Gegensatz zu Luther kein reales Phänomen darstellt. Diese den säkularen Interessen des Bürgertums entsprechende Auffassung kommt in diesem Spruch mit verstärkter Deutlichkeit und veränderter Intention zum Ausdruck. Die Vorstellungen einer unmittelbar bevorstehenden Apokalypse werden auch hier privatisiert und damit enthistorisiert:

> ... ein warer Christ sich freud
> auf den zukünffting letzten tag,
> Der in von übel lösen mag. (378/31 ff.),

gleichzeitig ist damit aber auch die Distanzierung des Protestantismus von einem auch nur sozial*reformerischen* Pathos vollzogen, der jegliche besitzbürgerliche Furcht vor gesellschaftsverändernden Faktoren innerhalb der lutherischen Partei gengenstandslos machen soll:
die Haltung:

> Das kann je nit lang weren, das hier gelitten wird; aber die verheißen freud ist ewig,

garantiert soziale Stabilität [616], zumal wenn sie vom »Volk« selbst dokumentiert wird.

Dieser Spruch verbindet mithin antikatholische Polemik mit den ersten Abgrenzungen von Positionen, die die lutherische Propaganda bis dahin durchaus mitvertreten hatte. Auch innerhalb der Polemik bleiben Gebiete ausgespart, die vorher selten ungenutzt geblieben waren. Beides verrät das Bestreben, sich von denjenigen Faktoren zu distanzieren, die Gegenstand der Kritik oder auch nur des Unbehagens der wichtigsten Anhängergruppen waren. Gleichzeitig sollte mit der scharfen Polemik gegen die katholische Kirche Abwanderungstendenzen entgegengewirkt werden.

In diesem Sinne kann man von einer »Doppelfront« (LV 173 Wernicke, S. 173) sprechen. In demselben Sinne auch nur ist der gleiche Begriff anwendbar auf den dritten Dialog, für den ihn Wernicke geprägt hat.

4.3 Der Romanusdialog

Dieser Dialog [617] gilt seit Wernicke und bis heute als

> der interessanteste und bedeutungsvollste in der Reihe der vier Reformationsdialoge von Hans Sachs. (LV 3 Spriewald, S. 19),

denn in kaum einer anderen Schrift dieser Zeit fühle man

> neben dem kulturhistorischen Material und neben aller Theorie so stark das lebendige Empfinden (LV 173 Wernicke, S. 47)

der Reformationszeit.

Diese Qualitäten scheinen dem Dialog allerdings weniger aus sich heraus zu eignen als vielmehr aus der kontroversen Literatur über ihn. Gemessen an der kontemporären Resonanz müßte man eigentlich von dem am wenigsten bedeutenden der vier Dialoge sprechen – wenn man die verhältnismäßig niedrige (bekannte) Auflagenzahl zum Maßstab nehmen kann.

Die Tatsache, daß die Anlage des Dialogs als »widersprüchlich« (Spriewald, S. 18) empfunden und der Gegenstand als »befremdlich« (Kawerau, S. 65) angesehen wird, scheint das Interesse an dieser Flugschrift vor allem zu begründen.

4.3.1 *Die Intention*

Gegenstand des Dialogs ist vor allem der »Geytz«, also jede Form eigennützigen Gewinnstrebens mit allen seinen Erscheinungsformen im Wirtschaftsleben dieser Zeit,

> mit andern offenlichen lastern, welche noch (got erbarms) in vollem schwanck bey vns geend ... (»Romanus« Z. 14 f.).

Im einzelnen nennt Sachs Fürkauf, Monopolwesen, »böse ware«, »falsche wag, maß, zal«, Ausbeutung der Arbeiter, Geldwechsel, Schuldzinsen, Zinsen überhaupt, Behandlung der Schuldner, korrumpiertes Rechtswesen [618].

Schon diese Aufzählung überrascht nach der Erfahrung der bisher behandelten Flugschriften und erklärt das deutliche Unbehagen in der Forschungsliteratur: Beschwerden aus dem bekannten Arsenal antikatholischer Propaganda werden hier augenscheinlich gegen das eigene Lager gerichtet. Ein genauerer Vergleich der Texte bestätigt diesen Eindruck, indem man eine ganze Reihe von Sachs vorher gegen die alte Kirche erhobener Vorwürfe – »Geytz« (Scheinwerke« Z. 83), Zinsnehmen (WN 372/5), Gült (WN 374/2) – hier gegen die Protestanten gewendet sieht und überdies zahlreiche Selbstzitate mit plötzlich umgekehrtem Vorzeichen feststellen muß:

> HANS: Spricht doch Christus Mathei vj: Wo ewer schatz ist, da ist auch ewer hertz. ... darumb kondt ir got nit dienen, weil ir dem mammon dient mit dem hertzen (»Scheinwerke« Z. 90 ff.).
>
> ROMANUS: Christus spricht Math. am vj.: Wo ewer schatz ist, da ist auch ewer hertz, vnd niemant kan zwayen herren dienen (Z. 524 ff.).

Bedenkt man die Fülle solcher Übereinstimmungen [619] und die Tatsache, daß Sachs hier im wesentlichen diejenigen Argumente gegen die protestantischen Kaufleute richtet, die Luther 1520 im »Sermon vom Wucher« und noch einmal 1524 in seiner Schrift »Von Kaufshandlung und Wucher« gegen die Kaufleute im allgemeinen verwendet hatte [620], so stellt sich ernstlich die Frage nach der Intention dieser Flugschrift sowie ihrer Wirkung. Nach Titel und Prosavorrede handelt es sich um

> ein Argument, so vnnsere Romische mit hoher stimm außschreyen auff der Cantzel ..., die Ewangelischen leer zu lestern, (Z. 10 ff.).

Wie wir aber gesehen haben, sind es ja gerade eben nicht die üblichen katholischen Argumente, die Sachs hier durch Romanus vertreten läßt. Wenn Ingeborg Spriewald Erasmus als Zeugen zitiert:

Die ›wilden Evangelischen‹ führen zwar das Evangelium im Munde, aber ihr Lebenswandel ist alles andere als evangelisch.

und

Sieh einmal dieses evangelische Volk an, ob sie in irgend etwas besser geworden sind! Geben sie weniger der Üppigkeit nach oder der Wollust und Geldgier? – Zeige mir jemanden, den dieses Evangelium aus einem Trinker zu einem Mäßigen, aus einem Wüstling zu einem Sanftmütigen, aus einem Leuteschinder zu einem Mildtätigen, aus einem Schamlosen zu einem Ehrbaren gemacht hat. (LV 3 Spriewald, S. 23 f.),

so stimmt das zwar mit der Kritik Pirckheimers an den Protestanten überein [621], jedoch spricht daraus vor allem die humanistische Enttäuschung über das Luthertum. Überdies gibt Erasmus in diesem Zitat einen allgemeinen Sündenkatalog, ohne den »Geytz« als Kardinalssünde herauszustellen, und schließlich sieht Erasmus die genannten Eigenschaften zutreffend als allgemein verbreitet und nicht etwa als typisch protestantisch an.

Auf der 2. Lateransynode war 1139 ein allgemeines Zinsverbot für die abendländische Christenheit erlassen worden. Trotzdem kam es seit dem 14. Jahrhundert immer wieder zu Durchbrechungen oder Umgehungen des kanonischen Zinsverbotes, ohne daß die Kirche etwas dagegen unternommen hätte:

Es hätte nahegelegen, daß die Kirche die Auswüchse der neuen Wirtschaftstendenzen bekämpft hätte. Aber sie war mit ihnen viel zu eng verflochten, als daß sie an den strengen wirtschaftstheoretischen Anschauungen der Kirchenväter, die später ihren Niederschlag im kanonischen Recht gefunden hatten, noch weiterhin hätte festhalten können (LV 175 Barge, S. 10 ff.).

Ecks Auftreten in Bologna, wo er 1515 im Auftrage der Fugger auf einer Disputation das Zinsnehmen verteidigte, stieß zwar vereinzelt auf Kritik, wurde aber von den kirchlichen Autoritäten und vor allem von der Kurie toleriert, wenn nicht gebilligt.

Es handelt sich bei den in dem Sachsschen Dialog kritisierten Auswüchsen des Frühkapitalismus nicht um »bestimmte Schäden auf evangelischer Seite« (Wernicke, S. 41), sondern um allgemein verbreitete Symptome des Wandels in der sozioökonomischen Struktur des Reiches, wobei ein Übergewicht eher auf katholischer Seite bestand – nicht umsonst wird in vielen protestantischen Propagandaschriften die Kritik an bestimmten Mißständen durch die kirchentreuen Fugger personalisiert.

Es ist auch bezeichnend, daß die angebliche Kritik Sachsens an »Schäden auf evangelischer Seite« weder sofort noch auch später von der katholischen Gegenpropaganda aufgegriffen wurde, wie das mit den Argumenten des vierten Dialoges immer wieder geschah: der »verfluchte geytz« lag der katholischen Seite selbst zu sehr am Herzen, als daß er für antilutherische Propaganda hätte hochgespielt werden können.

Was Sachs hier als angebliches »argument der Rômischen« dem Romanus in den Mund legt, entspricht in Wirklichkeit der Argumentation des »radikalen Flügels der Reformation«, wie Ingeborg Spriewald mit Genugtuung, Wernicke allerdings mit deutlichem Widerwillen [622] feststellen. I. Spriewald führt auch die entsprechenden Literaturhinweise und argumentativen Parallelen an: die Forderung nach Einheit von Lehre und Leben, die Luther und Reichenburger im Sachsschen Dialog ablehnen, ist ein wesentlicher Bestandteil der antilutherischen Argumentation Müntzers, Karlstadts und Dencks [623].

Hans Sachs – darin ist man sich, von Keller und Beifuß abgesehen, einig –

war kein bewußter Vertreter dieser Opposition (Spriewald, S. 25),

aber welche Position vertritt er dann? Welcher der beiden Unterredner gibt seine Ansicht wieder?

Reichenburger ist keineswegs sein Sprecher, so sehr er das in der zweiten Hälfte zu sein scheint; ebenso gut läßt er in der ersten Hälfte den Katholiken *seine* Meinung sagen (Wernicke, S. 91).

Die Verfechter einer Widerspiegelungstheorie des Dialogs können von dieser Beobachtung nur auf eine tatsächliche Unentschiedenheit des Dichters schließen:

der Streit, den sie ausfechten, [wird] eigentlich im Innern des Dichters ausgekämpft ... die bange Frage: warum wird es denn nun nicht endlich besser, das muß Hans Sachs heftig beschäftigt haben; (Wernicke, S. 91).

sein eigenes Rechtsempfinden, seine eigenen Einwände gegen die wirtschaftlichen und sozialen Zustände waren offenbar so stark, daß er in einen Widerstreit geriet (Spriewald, S. 20).

Wir haben unsere abweichende Auffassung von der Fiktionalität der Dialogwirklichkeit bereits erläutert. Auch in diesem Fall erweist sich die falsche Dialogtheorie als Ursache für die Verkennung der propagandistischen Intention. Sachs hatte keineswegs die öffentliche Ausbreitung eines inneren Zwiespalts im Sinn [624], sondern es ging ihm wie zuvor und wie auch danach [625] um die publizistische Unterstützung des Protestantismus.

Der Dialog wurde am 29. September 1524 veröffentlicht, gerade zu der Zeit, als mit Müntzers Aufenthalt in Nürnberg die Gefahr eines Umschlags der fränkischen Unruhen in einen allgemeinen Aufstand am größten war. Sachs läßt in dieser Flugschrift jedoch nicht »die Nähe sozial-politischer Unruhen in der Bevölkerung Nürnbergs deutlich spüren« (Spriewald, S. 25), sondern er will auf diese einwirken.

Der Romanusdialog stellt den Versuch dar, den im Hinblick auf die mittelständische und gehobene Zielgruppe schädlichen, ja verderblichen Einfluß sozialrevolutionärer Vorstellungen auf das protestantische Image auszuschalten, indem er sie als dem Luthertum wesensfremd erscheinen läßt und gleichzeitig das Verhalten derjenigen Gruppe als wahrhaft protestantisch darstellt, deren Unterstützung erhalten, bzw. gewonnen werden sollte. Der Dialog ist paradigmatisch für das Bestreben des städtischen Protestantismus zu Beginn des Bauernkrieges, sich dem reichen Bürger (»Reichenburger«) als Sachwalter besitzbürgerlicher Interessen anzudienen [626] und sich gleichzeitig als verläßlicherer Ordnungsfaktor zu empfehlen, als es die katholische Kirche sein konnte.

Sachs hat mit diesem Dialog seine »bestimmtere Festlegung« auf eine der auseinanderstrebenden Richtungen des Protestantismus eindeutig und endgültig vollzogen [627].

4.3.2 *Das Propagandakonzept*

Die in der Prosavorrede und im Titel angekündigte Intention wird durch den Text nur unzureichend eingelöst. Der »Geytz« war, wie wir gezeigt haben, kein »argument der Romischen«, und die »ander offenlich laster«, die den Protestanten von katholischer Seite tatsächlich vorgehalten wurden, werden nur einmal und sehr pauschal gegen Ende des Dialogs erwähnt,

Der gůten frücht spür ich noch kaine vnter euch, sunder wo es dem leyb wol thůt, als nit beichten, fasten, beten, kirchengeen, opfern, wallen vnd mit fleysch essen, auß den Clôstern lauffen vnd der gleichen ist im brauch (Z. 755 ff.),

wobei gerade diese Vorwürfe als nicht besonders schmerzhaft empfunden worden sein dürften [628].

Das erklärte Ziel der argumentativen Auseinandersetzung mit katholischer Kritik ist also zweifellos nur vorgeschoben. Als solches ist es aber Teil des Sachsschen Propagandakonzepts: Mit der Propagierung sozialrevolutionärer Vorstellungen ausgerechnet durch einen Vertreter der katholischen Kirche, Romanus, und die dadurch bewirkte Identifikation beider Positionen werden diese von vornherein wirksamer diskreditiert als das durch eine argumentative Widerlegung möglich wäre [629].

Romanus – wie Reichenburger ein »sprechender Name«, der seinen Träger als »Romanisten« mit allen negativen Konnotationen dieses Begriffes ausweist – ist ein Mönch [630], mithin ein Vertreter der in Nürnberg zu dieser Zeit am meisten gehaßten Gruppe [631], dessen Ansichten und Argumente schon durch seine Standeszugehörigkeit von vornherein unglaubwürdig sind. Die Auffassung, daß Romanus als bis zu einem gewissen Grade positive Figur intendiert war [632] oder auch rezipiert wurde [633], ignoriert den Ruf des Mönchsstandes zu jener Zeit in einer schon leichtfertigen Weise. Das ist umso unverständlicher, als Sachs auch innerhalb des Textes nicht mit Hinweisen auf das negative Image dieses Standes spart:

Ey, wo betriegen wir die leüt also geytzigklich, als jr geystlichen vns ein lange zeyt her betrogen habt, als mit Ablaß, Bann, Opffer, Vigil, Seelmeß, gůtten wercken, mit sampt den Sacramenten, die jr vns vmb gelt verkaufft habt, das vbrig mit betlen vnd andern alfentzen abgewunnen (Z. 83 ff.) [634].

... wann ewer lügenhafftige leer vnnd menschen gebot haben zů hart eingewurtzelt (685).

... jr geystlosen ... (845).

Ir habt vns zwar gnůg bestochen (874).

Auf dieser Grundlage erscheint das, was von Romanus ins Feld geführt wird, keinesfalls als womöglich ehrliche Überzeugung, sondern als bloß hergesuchtes – zwanzig Jahre später hätte man gesagt »jesuitisches« – »Argument« [635], als das es schon der Titel ausweist. Um es ganz deutlich zu machen, hält ihm auch Reichenburger am Schluß den Scheincharakter seiner Argumente vor:

ich glaub, seyt jr vnns der leer nicht schenden kündet, so wôlt jr sie schmehen mit vnserm sündigen leben (Z. 874 ff.).

Die Darstellung des Romanus ist seiner Funktion adäquat. Es ist ein Irrtum zu glauben, aus seinen Ausführungen spräche

das wärmste Mitgefühl, das lebendigste Erleben, (LV 173 Wernicke, S. 43),

sie sind auch nicht »gewichtig und leidenschaftlich« (LV 3 Spriewald, S. 21). Kennzeichen seiner Redepassagen ist vielmehr unpersönliche Distanz.

Es kommt nicht von ungefähr, daß auch Wernicke zugeben muß:

So fehlt der Eindruck eines lebendigen Gesprächs so gut wie ganz (S. 99).

Die von Sachs in den beiden ersten Dialogen so erfolgreich praktizierte Technik scheinbarer Individualisierung der Unterredner ist hier aufgegeben – zumindest zurückgedrängt – zugunsten der Repräsentation gegensätzlicher Prinzipien, für die die typisierenden Namen kennzeichnend sind. Die auffallende Reduktion »dramatischer Elemente« – nur noch Begrüßung und Abschied erwecken den Anschein einer Handlung – dient dem gleichen Zweck. Zudem vermittelt Romanus nicht etwa eigene Erfahrungen, sondern er gibt nur Hörensagen wieder:

Mir ist noch vnvergessen, was mir offt in der Beicht fürkummen ist, wenn ichs reden dörfft (Z. 95 ff.).

Auch das unterstreicht die »Argumenthaftigkeit« der antilutherischen Beschwerden dieses Dialogs, wobei aber das diskreditierende Mönchsimage trotz der Distanz voll wirksam bleibt, durch diese Distanz eher noch verstärkt wird.

Offensichtliche oder vermutliche historische Richtigkeit in der Darstellung der Notlage des städtischen Plebejertums ist dagegen kein Beweis für ein persönliches Engagement des Dichters. Auf der einen Seite haben wir nämlich in der Tat

keinen Grund ... anzunehmen, Hans Sachs selber sei in einer Notlage gewesen, (Wernicke, S. 46 f.)

und andererseits fehlt ja auch der argumentative Gegenpol zu diesen angeblich »leidenschaftlichen« [636] Vorwürfen keineswegs. Reichenburger hat durchaus triftige Argumente anzubieten, wobei die einsichtige und verständnisvolle Attitude, die Sachs Reichenburger zugesteht, mit der als Selbstpersiflage intendierten Unverschämtheit des Chorherrn im ersten und der dümmlich-trotzigen Haltung des Bettelmönches im zweiten Dialog kontrastiert.

Die »Strohmanntaktik«, die Sachs mit der Romanus-Gestalt in diesem Dialog verfolgt, macht zudem die für die ersten Dialoge konstitutive Technik der satirischen Ethopoiie unmöglich, was an der Tendenz zur Entindividualisierung des Romanus sichtbar wird. Die sozialen und ökonomischen Themen des Gesprächs liegen dem Lebensbereich des Mönchs so fern, daß seine Aussagen zu diesen Themen nicht durch standesstereotype »Eigenschaften« zu exemplifizieren sind. Es geht hier ja auch nicht um eine repräsentative Vernichtung der Kirche in einem ihrer Anhänger – wie das in den ersten Dialogen der Fall ist –, sondern es handelt sich um eine assoziative Diskreditierung sozialrevolutionärer Positionen durch das negative Image eines altkirchlichen Repräsentanten.

Dennoch zieht Sachs auch hier aus der mimischen Darstellungsweise der dialogischen Form im positiven Bereich den durch sie gebotenen Nutzen: Reichenburger ist mit seiner Person die wirksamste Widerlegung aller derjenigen antilutherischen Vorwürfe, die dem Protestantismus bei der umworbenen besitzbürgerlichen Zielgruppe gefährlich werden konnte. Diese sind freilich nicht identisch mit den Angriffen des Romanus.

Es ist richtig, daß die Argumentation Reichenburgers zum Teil »schwach« ist (Spriewald, S. 21); es ist jedoch ein Irrtum zu meinen, daß seine Argumentation »die Widerlegung aus evangelischer Sicht erbringen soll« (ebda.).

Die beiden ersten Dialoge sind Beweis genug dafür, daß Sachs die Technik parteilicher Dialogführung perfekt genug beherrschte, um jedes Argument durch Widerlegung oder Ausweichen unschädlich zu machen. Die Tatsache einer katholischen Mehrheit unter den Monopolisten und großen Handlungsgesellschaften war Sachs selbstverständlich nicht unbekannt; es wäre also ein leichtes gewesen, die diesbezüglichen Vorwürfe an die passendere Adresse weiterzuleiten – wenn es ihm darum zu tun gewesen wäre. Dies hätte nämlich einen Angriff auf die Interessen derjenigen Gruppe bedeutet, denen sich Sachs gerade empfehlen wollte.

Hier war dagegen das Kunststück zu leisten, Kritik, die man selbst bis vor kurzem mitvertreten hatte, zum Anlaß zu nehmen, um sich ausgerechnet den Objekten dieser Kritik als Anwalt zu empfehlen, ohne dadurch in den Geruch krasser Widersprüchlichkeit zu geraten [637].

Sachs bringt dieses Kunststück fertig.

Paradigmatisch für das dabei angewendete Verfahren ist die Diskussion Reichenburgers mit Romanus um die Sozialbindung des Eigentums (Z. 560ff.), die wir zunächst nur immanent interpretieren wollen:

Romanus will Reichtum nur unter der Bedingung akzeptieren, daß nicht »der armen vergessen wirdt« (563). Reichenburger darauf:

Ey, man findt, Got sey lob, vil reicher, seyt das wort gottes also klar gepredigt wirdt, die hauß armen vnd andern miltigklich handtreichung thůn, leyhen vnd geben (577ff.).

Dem hält Romanus negative Gegenbeispiele entgegen und behauptet pauschal:

Darbey spürt man, das jr nůr habt des Ewangelisch wort vnd nicht die werck (592ff.).

Reichenburger sieht jedoch verschiedene Aspekte dieser Frage:

Sŏlt man yedem geben nach seinem beger, verließ sich mancher darauff vnd lege auff der betlerey vnd arbeytet nit; sie seind nit all noturfftig, die betlen.

ROMANUS: Welche also wol arbeyten mŏgen, thůnts aber nit, legen sich auff den faulen bettel, die solt man straffen (598ff.).

Hierin besteht also Einigkeit zwischen den Kontrahenten, und wenn man von dieser Tatsache auf die entsprechende Meinung des Autors schließen kann, so ist allein schon hierdurch die Ansicht vom »sozialen Engagement« und von »leidenschaftlicher Parteinahme« Sachsens zu relativieren.

Romanus führt den Gedankengang weiter:

Paulus haißt den geytz ein abgŏtterey ... vnd ist eben recht benent; wann jm dienen nit allain die reichen an gůtern, sunder allerley stendt. Secht, wie Pawren, Hantwercksleüt so aygennützig seind, ... Geytz ist ein wurtzel alles übels. Wie dunckt euch nun, lieber

Juncker, ob jr layen wol gleich wasser mit vns geystlichen an einer stangen trůget, des geytz halben? (621 ff.)

Reichenburger gibt zu,

das layder vil aygennütziger karger reichen vnter vns seind, wie von euch angezaygt, dargegen aber auch gůtte Christen, die vberschwal almůsen geben in der stil ... Darnach maynt jr Closterleüt, darumb das man euch nymmer vil geb, schenck, stifft, es geb niemandt kain almusen mer ... die recht armen klagen nicht, allain die faulen stertzer ... (645 ff.).

Der Wiederholung des Vorwurfs setzt er schließlich die Hoffnung auf »das wort gottes« entgegen, das »mit der zeyt« den Geiz und die anderen Laster »zu boden stossen« werde.

Romanus will jedoch Ergebnisse sehen, nicht nur das,

was jr mit vns geystlichen můtwilt. (683),

was für Reichenburger das Zeichen für eine antiklerikale Philippika gibt:

Da thůt es auch am nо̊tsten; wann ewer lügenhafftige leer vnnd menschen gebot haben zů hart eingewurtzelt. Da hat man noch lang an aůßzureütten, vnd pflantzt allmit das lauter wort gottes neben auff. Got wirdt das gedeyen wol geben (685 ff.).

Die Redeführung dieser Passage ist verschlungen, die Intention wird aber in der Zusammenfassung transparent. Auf vierfache Weise wird die gerechtfertigte Klage über die Notlage der unteren Stände unschädlich gemacht:

1. Der »Geytz« wird als Bestandteil allgemeiner Weltverderbtheit interpretiert und verliert so seine klassenspezifische Signifikanz [638].
2. Das Motiv des Anklägers wird verdächtigt (»Darnach maynt jr Closterleüt ...«).
3. Die Vorwürfe werden bestritten, bzw. als übertrieben hingestellt (»dargegen aber auch gůtte Christen«).
4. Die Schuld wird dem Ankläger selbst zugeschoben (»Da thůt es auch am nо̊tsten«).

Dabei bleibt allerdings das sozial-politische Kernproblem unberührt. Das propagandistische Manöver gilt der Schuldfrage, nicht der tatsächlichen Situation, die durch das realitätsnahe Referat im Dialog eher noch in ihrer Bedrohlichkeit hervorgehoben wird.

Auch das ist kein Zufall. Sachs benötigt die möglichst überzeugende Darstellung der sozialen Probleme als Drohappell für die von ihm anvisierte Zielgruppe, der er zugleich damit eine Lösungsmöglichkeit präsentiert: die Unterstützung des Protestantismus; denn

- Besitz wird dort nicht infrage gestellt, sondern aus der Bibel legitimiert. Die damit verbundene soziale Verpflichtung ist eingeschränkt und in das Belieben der Besitzenden gestellt (Z. 423 ff. und 600 ff.).
- die reformerische Energie des Luthertums richtet sich allein gegen die Geistlichen, im sozialen Bereich überläßt man die Veränderungen dem »wort gottes«, der das »gedeyen« »wol geben« wird.

Schließlich bietet die Darstellung Reichenburgers dem reichen Bürger die Möglichkeit, wenn nicht gar ein starkes Motiv zur Identifikation. Reichenburger erscheint als ein Muster von Vernunft und abgewogener Objektivität und – was noch wichtiger ist – kann Besitz und wahres Christentum, sprich: Protestantentum miteinander verbinden. Sein Reichtum ist durch sein lutherisches Bekenntnis nicht nur nicht gefährdet, sondern geschützt, weil er als Protestant natürlich nicht zum Opfer einer sich noch immer lutherisch begreifenden Opposition werden kann.

Diese Schutzfunktion des Protestantismus wird noch unterstützt durch das nachdrückliche Angebot eines anderen – des alten – Gegners: die revolutionäre Energie soll kanalisiert und wieder ausschließlich auf die Kirche zurückgelenkt werden. Das ist natürlich aussichtslos, aber die Vorführung dieser Absicht wirkt für die so entlastete Gruppe als zusätzliche Empfehlung.

4.3.3 *Die Realisierung des Konzepts*

Auf dem Hintergrund der Analyse dieses Ausschnitts stellen sich Argumentation und Redeführung des gesamten Dialogs als konsequente Durchführung des gleichen Konzepts dar.

Die Exposition (Z. 1–100) ruft das bekannte Stereotyp des Ordensbruders in Erinnerung

jr wőltet ewer klaydt der geytzigkait (geystligkait solt ich sagen) hierinn bey mir abziehen, vnd wolt ein Christ werden, seyt jr also vnversehens vnd eynig zů mir herein schleicht (Z. 44 ff.).

und:

als jr geystlichen vns ein lange zeyt her betrogen habt, als mit Ablaß, Bann, Opffer, ... (84 ff.).

Auf der Gegenseite hat Reichenburger Gelegenheit, sich als ehrlicher und wahrheitsliebender Mann zu profilieren:

Sagt an, wirdiger vater, was jr wißt, yedoch die warhait; bedurfft mein nicht verschonen (56 ff.).

sagt mirs beicht weyß hie vnder der Rosen! Ich mag die warhait wol hőren, wie pitter sie ist (98 ff.).

Der Mönch bestreitet die erste Hälfte des Hauptteils überwiegend. Dabei geht er das Zentralthema des Gewinnstrebens quasi von der Peripherie her an, indem er zunächst ganz offensichtliche Mißbräuche und Auswüchse des frühkapitalistischen Wirtschafts- und Sozialsystem anprangert und dabei in Anlehnung an Luthers »Von Kaufshandlung und Wucher« und andere protestantische Flugschriften Fürkauf, Monopole, Ausnutzung der Arbeiter, etc. verurteilt. Die Kritik am Zustand des Rechtswesens gehört ebenfalls zur aktuellen Diskussion [639].

Was Reichenburger dazu zu sagen hat, wiegt gering. Sechsmal stimmt er rückhaltlos zu, öfters macht er lediglich Fragen als Einwendungen; (Wernicke, S. 99).

In der Tat gab es da auch von der Warte des Besitzenden nichts zu widersprechen. Wer sollte sich schon öffentlich zu teilweise kriminellen Handlungsweisen bekennen [640].

Trotzdem wiegen die Antworten Reichenburgers keineswegs »gering«. Sachs baut in diesem Teil des Dialogs gerade durch Antworten Reichenburgers, die teilweise die seinem Stand sicher unbequemen Vorwürfe noch argumentativ unterstützen [641], dessen positives Image konsequent auf [642], was seinen im weiteren Verlauf sich häufenden relativierenden Bemerkungen und schließlichen Gegenbehauptungen ein umso größeres Gewicht verleiht. Auf diese Weise wird die Verlagerung des Schwerpunktes auf die Position Reichenburgers im zweiten Teil des Dialogs geschickt vorbereitet, da diese Einwürfe und Einschränkungen von Romanus nicht bestritten oder sogar bestätigt werden:

REICHENBURGER: Ir sagt aber nicht darbey, wie stoltz die arbayter seind. So man jr bedarff, kan man jns nicht genůg bezalen vnd kan dannocht niemant nichts von jn bringen.
ROMANUS: Ir puchen kan nicht lang weren (Z. 214 ff.).

REICHENBURGER: ... Solt man yedem leyhen nach seinem begeren, man fundt manchen schlüffel, vordert mer dann drey gewunnen mit spilen ... Also hulff man jm darzů, vnd wer wider got.
ROMANUS: Es mag villeicht also sein (Z. 260 ff.).

REICHENBURGER: Man findt aber vil bőser zaler, die es wol hetten, dergleichen vil trunckner pőltz, spiler, hůrer ...
ROMANUS: Ja, die sol die weltlich oberkait darzů halten ... (Z. 415).

Schon hier wird mit Zustimmung des Romanus [643] die Ausnutzung des Besitzes ausdrücklich legitimiert, solange es nur nicht zu gesetzwidrigem Mißbrauch kommt.

Etwa in der Mitte des Gesprächs kommt Romanus auf den eigentlichen Kern des Problems, den »Geytz« an sich, die Frage nach der Rechtfertigung von Besitz überhaupt. In diesem Angelpunkt der Schrift muß sich die Schlüssigkeit der Reichenburgerschen Position erweisen, wenn das propagandistische Ziel erreicht werden soll.

Seiner Rolle entsprechend verurteilt Romanus selbstverständlich Reichtum und das Streben nach Besitz; aber in der Kette der dabei verwendeten Argumente und Bibelstellen ist die »Sollbruchstelle« schon eingearbeitet: nicht die neutestamentarische Nächstenliebe oder die Notwendigkeit einer gerechten Besitzverteilung innerhalb der christlichen Gemeinde ist die argumentative Ausgangsbasis, sondern die Irrelevanz von zeitlichen Gütern gegenüber dem verheißenen Jenseits.

Nicht wőllest sorgsam sein in den vngerechten reichtumbern, dann sie nützen dir nicht in dem tag deiner begrebnüß vnd an dem tag der rach ... Hůtet euch vor dem geytz; wann niemant lebt darvon, das er volle genůge hab an seinen gůtern (Z. 479 ff.).

Diese Linie der Diskussion kann Reichenburger gefahrlos akzeptieren und weiterführen:

Ein wahrhaffter Christ waiß wol, das er nůr ein schaffner ist vber das zeytlich gůt ... (498 ff.),

er führt selbst vier weitere Bibelstellen an, die gerade diesen Gesichtspunkt der Zeitlichkeit weltlicher Güter herausheben und wiederholt noch einmal seine Ablehnung ungesetzlicher Methoden des Besitzerwerbs, mit denen sich manche »besudeln« (519), um dann mit desto größerer Siegesgewißheit den ihm gewiesenen Weg zur Apologie des Reichtums zu beschreiten:

Wo aber einem recht gewunnen gůt zů steet, in erbfal, heyrat oder mit gerechten kauffhendeln, solt derselbig darumb nicht got anhangen mŏgen? (Z. 519)

Von dieser Stelle aus [644] erklärt sich die Notwendigkeit der langen Diskussion über die »vngerechten« und rechtswidrigen Mißbräuche des Reichtums und der scheinbar schwachen Position Reichenburgers, der immer nur zustimmen durfte. Indem so vorgeblich alle Aspekte des »verpfluchten geytz« zur Sprache kamen, reduzierte sich unbemerkt die Darstellung des Gewinnstrebens auf die Aufzählung illegitimer Übertreibungen, die die Frage des Reichtums an sich gar nicht berührten.

Erst nach dieser Vorbereitung können die zahlreichen biblischen Argumente gegen jede Form des Besitzstrebens fallen:

Wo ewer schatz ist, da ist auch ewer hertz, ... Ir kŏndt nicht got dienen vnd dem reichtumb ... Wie schwerlich werden die reichen ins reich Gottes kummen! Leichter ist, das ein Cameel durch ein nadelŏr gee (524 ff.).

Dies sind genau die Bibelworte, die den Mönch des zweiten Dialoges mattsetzen. Hier jedoch treffen sie nicht mehr, weil durch die vorbereitete Trennung von gerechtem und ungerechtem Besitz sämtliche Argumente allein auf den letzteren bezogen werden können. Auf dieser Basis ist die überzeugende Apologie bürgerlichen Besitzerwerbs relativ unproblematisch, seine ausdrückliche Legitimation durch die Bibel ist aber ein so gelungenes Meisterstück rhetorischer Spitzfindigkeit, daß wir es hier vollständig zitieren wollen:

Es steet Marci x mit den wortten: Wie schwer ist, das die, so jr vertrawen in die reichtumb setzen, ins reich gottes kummen! Also waren Abraham, Isaac, Jacob, David, Job vnd vil vâter reich, setzten aber kain hoffnung darein. Ists nit noch mŏglich, das man reich sey vnd doch das hertz nit auff die reichtumb setz, wie Paulus lert j. Corinth. vij: Die da kauffen, sollen thůn als behielten sieß nit, vnd die sich diser welt gebrauchen, als brauchten sie jr nit. Wo das hertz also frey ledig von den zeytlichen gůtern gelassen steet, sein zůversicht in Got vnd nit in die gůter setzt, jm benůgen leßt, nit geytzigklich darnach strebt, sunder berayt ist sie zů lassen, wenn got wil ... (Z. 539).

Die Zustimmung des Romanus ist selbstverständlich

Ja, es gieng hyn, solcher maß reich zů sein.

Die Vorstellung zweier gegensätzlicher Erscheinungsformen von Reichtum ist etabliert und jedem besitzbürgerlichen Leser die Möglichkeit zur Identifikation geboten – »vnrechten mammon« besitzt jeweils nur der andere [645]. Reichenburger und diejenigen, die er repräsentieren soll, können nun jedem weiteren Argument mit Ruhe entgegensehen.

Nach dieser Vorbereitung erst kann der von »links« und »rechts« erhobene Vorwurf der Diskrepanz von lutherischer Lehre und Praxis [646] diskutiert werden, nun ohne Gefahr einer Schädigung des lutherischen Images in der angesprochenen Zielgruppe. Die von Romanus und Reichenburger in der oben zitierten Gesprächspassage postulierte soziale Verantwortung der Besitzenden konnte jetzt nicht mehr schrecken, da das Ausmaß ihrer Praktizierung diesen selbst überlassen war und zudem durch die 1521 und 1522 beschlossenen fürsorgerischen Maßnahmen [647] als gegeben betrachtet werden konnte. Das Insistieren Reichenburgers auf der Existenz »guter Christen«,

die vberschwal almůsen geben in der stil, (Z. 648)

war gerade deshalb für den nürnberger Leser durchaus glaubhaft. Aber auch die Existenz »etlicher geytzwürm« (660) kann nun ohne Gefährdung des Images zugegeben werden, da sie über die Möglichkeit der Projektion eigenen Unbehagens auf Sündenböcke hinaus quasi ein Beweis für die Richtigkeit lutherischer Theologie ist:

ROMANUS: So hőr ich wol, die rechten christen leben auch nicht on sünde.
REICHENBURGER: Ja, es steet j. Johannis j: So wir sagen, wir haben kain sündt, so verfiern wir vns selbs, vnd die warhait ist nit in uns; (792 ff.).

An mehreren biblischen Beispielen wird nachgewiesen, daß »got seine außerwelten fallen« läßt in »aussere laster«, jedoch

kumbt jnen doch alles zů gůt, werdenn nach gethaner sündt důrstig nach Gottes barmhertzigkait, schreyen: Abba, lieber vater, vergib vns vnser schuld ... werden alßdann von Got genedigklich angenummen, wie der verloren sun, (808 ff.).

Selten wird der durchaus säkulare Entlastungseffekt der protestantischen Gnadenlehre so deutlich wie hier.

In zwei längeren Passagen [648] wird von Reichenburger in strenger Anlehnung an Luther die Notwendigkeit des Unterschieds von Leben und Lehre nachgewiesen und die Realisierung eines »volkummen geistlich leben« (821) dem Jenseits vorbehalten, denn

des durff wir hie mit nichte warten in dem leyb der sünden (822 f.).

Diese Theologie gewährt gerade dem Besitzbürgertum eine absolute Rechtfertigung seiner durch die sozialen Unruhen gefährdeten gesellschaftlichen Rolle und des für diese konstitutiven Handelns. Der starke Aufforderungscharakter einer darauf aufgebauten Propaganda muß jedem einleuchten. Da gleichzeitig mit der Person des Romanus die Verantwortung für die Verunsicherung der katholischen Kirche zugeschoben wird, ist überdies – allerdings nur im Bereich propagandistischer Wirkungsmöglichkeit – der Rückkehr zum status quo ante ein Riegel vorgeschoben.

Der Schluß des Dialogs bietet eine Zusammenfassung und nachdrückliche Bestätigung der Elemente des Sachsschen Propagandakonzepts:

Der Schlußspruch, der sich ganz eindeutig auf Reichenburger bezieht, läßt diesen als Paradigma eines wahrhaft christlichen Menschen erscheinen:

Selig ist der man, der sich tag vnd nacht ůbet jm gesetz des herrn. Er wirdt sein wie ein holtz, gepflanzt zů den flüssen der wasser, das da gibt sein frücht zů seiner zeyt (919 ff.).

Romanus dagegen steht als hartnäckiger Verächter der wahren Lehre da:

REICHENBURGER: Ir seyt des volcks, da got von sagt ... Den gantzen tag hab ich mein hendt außgereckt zum volck, das jm nicht sagen leßt vnnd widerspricht mir (907 ff.).

Die Konstituierung eines auf besitzbürgerliche Interessen ausgerichteten protestantischen Images mit gleichzeitiger offensiver Strategie gegenüber der katholischen Kirche sollte dieser Dialog leisten und hat er in der Tat geleistet.

Trotzdem war – an der Auflagenzahl gemessen – die Wirkung geringer als bei den ersten beiden Dialogen.

4.3.4 *Schwächen des Konzepts*

Das Konzept dieses Dialogs bedingte, wie wir gezeigt haben, eine realitätsnahe und umfängliche Darstellung derjenigen Vorstellungen, die von dem sich abspaltenden radikalen Flügel der Reformation vertreten wurden. Erst aus der genauen Vorführung der von dort gegen die bestehende Sozialordnung vorgebrachten Kritik ergab sich die Möglichkeit, einen überzeugenden Drohappell der Zielgruppe gegenüber zum Tragen zu bringen, aus dem heraus sich erst die Attraktivität des neuen protestantischen Images herstellen konnte. Die Vertrauenswürdigkeit des Luthertums in der neuen Rolle eines Ordnungsstifters konnte sich nur in einer überzeugenden Konfrontation mit den sozialrevolutionären Vorstellungen erweisen. In dieser Notwendigkeit gründet auch die propagandistische Schwäche des Dialogs, für die die Irritation der Forschung ebenso ein Indiz ist – schließlich ist man bei den ersten Dialogen ohne Zögern und Bedenken der propagandistischen Intention Sachsens aufgesessen –, wie die verhältnismäßig geringe Verbreitung und die Tatsache, daß Sachs im nächsten Dialog ein ganz anderes Verfahren wählte.

Es war für die Wirksamkeit der ersten Dialoge ausschlaggebend, daß die gegnerische Position nur in dem Maß zu Wort kam, als sie sich selbst ad absurdum führte. Hier dagegen war eine nicht manipulierte und ganz und gar unsatirische Darstellung des Gegners notwendig. Damit war die Gefahr verbunden, daß entgegen den Sachsschen Intentionen zu einer Verbreitung dieser Vorstellungen beigetragen und etwa in der gefährdeten Gruppe des unteren Mittelstandes geradezu eine Werbung für die Ideologie der »Schwärmer« erreicht wurde. Es ist nicht auszuschließen, daß Sachs mit diesem Dialog eine Informationslücke schloß, die offenzuhalten der Rat Nürnbergs mit seinen verschärften Zensurmaßnahmen nach Kräften bemüht war.

Daß in der Forschungsliteratur gerade diejenigen Autoren, denen man Sympathien für die Sache der Bauern unterstellen kann, diesen Dialog gerade so begreifen [649], erhöht die Wahrscheinlichkeit eines solchen – unerwünschten – Nebeneffekts.

Die Aufnahme »echter« Argumente der gegnerischen Position in die eigene Propaganda verstößt gegen eine der grundlegenden Regeln einer erfolgreichen Sozialstrategie [650],

which is that ... [the] message must always be positive, never negative. The attempt to correct »unfair« propaganda merely has the effect of bringing back the original statements to the minds of the recipients and spreading them amongst those who might otherwise never have heard them (LV 396 Brown, S. 89 f.).

Gerade in der Krisensituation der letzten Septembertage des Jahres 1524 mußte die öffentliche Verbreitung Müntzerscher Thesen gefährlich sein, nicht zwar für die besitzbürgerliche Zielgruppe, für die dieser Dialog bestimmt war, wohl aber für das bürgerliche Publikum im weiteren Sinne.

Für dieses breitere Publikum enthielt der Dialog überdies einen weiteren Faktor der Verunsicherung in dem – wenn auch eingeschränkten und taktisch motivierten – Eingeständnis protestantischen Fehlverhaltens. Hieraus mußten Zweifel innerhalb der eigenen Anhängerschaft und eine Verstärkung der gegnerischen Position entstehen, was ein entsprechender Fehler auf katholischer Seite beweist [651].

Sachs zog offenbar aus der Erkenntnis solcher Nebenwirkungen die Konsequenz, indem er sich in seiner nächsten Flugschrift von der gefährlichen inhaltlichen Auseinandersetzung zurückzog und sich der für ein bürgerliches Publikum immer besonders wirkungsvollen Kritik an Verhaltens- und Formfehlern zuwandte. Nach der Diskussion des »Arguments gegen das christliche Häuflein« geht es nun nur um den »ärgerlichen Wandel einiger, die sich lutherisch nennen.«

4.4 *Der vierte Dialog*

Das sozialstrategische Verfahren einer Verschiebung des lutherischen Images kennzeichnet auch den letzten Dialog dieses Jahres [652]. Das spricht für eine unverändert angespannte politische Lage zur Zeit seiner Abfassung. Trotzdem läßt sich dieser Zeitpunkt nur sehr ungefähr bestimmen.

Die Niederschlagung der fränkischen Bauernaufstände durch die Truppen des Schwäbischen Bundes erreichte zwar »einige Abkühlung der Gemüter« (LV 267 Roth, S. 167), doch war andererseits Müntzers Freund und Gesinnungsgenosse Heinrich Pfeifer bis zum 29. Oktober in Nürnberg (vgl. LV 37 Enders, S. VII) und die Unruhe in der Stadt bis zum Ende des Jahres keineswegs abgeklungen.

Ende Oktober wird die erste Ausgabe dieses Dialogs erschienen sein.

4.4.1 *Konzept und Intention*

Sachs wendet sich hier wieder den satirischen Möglichkeiten des Dialogs zu und macht, wie in den beiden ersten Dialogen, das Verfahren der Ethopoiie zum Träger der propagandistischen Aussage.

Ein deutliches Indiz für diese Tatsache ist die Betonung angeblich wirklichkeitsgetreuer Darstellung in der Forschungsliteratur:

seine wahrheitsgetreue Schilderung ... (LV 3 Spriewald, S. 26),

Im weiteren Verlauf dringen wir immer mehr in die geistige Verfassung jener Zeit ein (LV 173 Wernicke, S. 49).

Die Handhabung dieses Verfahrens ist dabei offenbar so perfekt, daß Ingeborg

Spriewald geradezu das Walten eines übergreifenden Bewußtseins feststellen zu müssen glaubt:

Meister Hans, offenbar ein Abbild des Dichters, vertritt die Auffassung, daß man den Menschen die Grundsätze der neuen Lehre nahebringen, aber vermeiden müsse, durch Äußerlichkeiten abstoßend zu wirken ... Wenn man dagegen die heftigen, zupackenden Diskussionsbeiträge des Meisters Peter überblickt, so erkennt man deutlich, wieviel Zündstoff sich damals angesammelt hatte (S. 27).

Die Vorstellung direkter Wirklichkeitsabbildung durch eine solche Propagandaschrift läßt das Reziprozitätsverhältnis von Intention und Rezeption kurzschlüssig außer acht. Dabei sollte schon ein oberflächlicher Vergleich der Dialogwirklichkeit mit der historischen Situation davor bewahren können.

Daß in Nürnberg zu dieser Zeit eine revolutionäre Stimmung in der Luft lag, (Spriewald, S. 26),

ist eine zutreffende Beobachtung, daß dies im vierten Dialog dargestellt würde, ist unrichtig [653].

Die überwiegend, ja ausschließlich soziale Ursache der beginnenden Unruhen und Aufstände und vor allem ihre sozialrevolutionäre Zielsetzung ist unbestritten. Die oben zitierten Ratsverlässe und unsere Darstellung der politischen Situation Nürnbergs haben einige der wichtigsten Probleme aufgezeigt, um die es ging. Gegenstände des Sachsschen Dialogs sind jedoch gerade nicht diese Themen, sondern neben dem »kelbern praten« (Z. 16) Peters, dem das ganze erste Drittel gewidmet ist, ein »lutherisches« Verhalten, das Meister Ulrich so charakterisiert:

Da heben sie an, Munich vnd Pfaffen außzurichten, es neme ein hundt nit ein stuck prot von in (310 ff.),

und:

wen die Lutherischen bey einander seind, vnd bringen einen vnder sich, der nicht lutherisch ist, da hortent ir, wie sie der leut verschonen, ... Da halten sie Faßnacht mit im vnnd legen sich alle vber in, der muß ir Romanist, Papist, gleißner vnd werckheylig sein, vnd reden im so spotlich vnd honisch zu ... (Z. 519 ff.).

Von der Veränderung des Kultes durch den Bruch des Fastengebotes abgesehen, geht es im Vordergrund des Gesprächs allein um einen verbalen Radikalismus, der sich zudem nur im Bereich religiöser Themen bewegt. Die aktuellen politischen und sozialen Fragen bleiben völlig unerwähnt. Aber selbst auch die religiösen Themen besitzen nur einen erstaunlich geringen Aktualitätsgrad. Der Rat erneuerte zwar 1524 das Schlachtverbot zur Fastenzeit, aber die heftigen Kontroversen um dieses Thema hatten im Vorjahre stattgefunden (vgl. LV 173 Wernicke, S. 11). Es gab 1524 weit einschneidendere Veränderungen in der Religionspraxis: In der Kreuzwoche [654] reicht der Augustinerprior Volprecht das Abendmahl in beiderlei Gestalt. Am 5. Juni folgen ihm die beiden Pröbste, die in den Pfarrkirchen Deutsche Messen zelebrieren und ihren Schritt am 11. Juni in einer Schrift öffentlich rechtfertigen (vgl. LV 327 Klaus, S. 8).

Gerade in der zweiten Jahreshälfte waren diese Fragen im Mittelpunkt der öffentlichen Diskussion, da es im September zum Bruch Nürnbergs mit dem Bischof von Bamberg kam, der die beiden Pröbste ihres Amtes enthob – was für sie aber praktisch ohne Folgen blieb.

Auch diese Themen sind in unserem Dialog nicht einmal gestreift. Sachs klammert also auch im religiösen Bereich die aktuellen Konfliktthemen aus, was die Intention dieser Schrift noch undurchsichtiger erscheinen läßt. Unsere grundsätzlichen Überlegungen über den Wechsel der propagandistischen Leitlinie Sachsens haben aber eine Klärung schon vorbereitet.

Wernicke trifft ungewollt den Kern der Sache, wenn er in dem Dialog die

> Gegenüberstellung eines Evangelischen und eines Lutherischen und damit der inneren und äußeren Auffassung der Reform (S. 48)

sieht, wobei »Gegenüberstellung« den Vorführcharakter dieser Flugschrift zutreffend bezeichnet. Der Streit zwischen Hans und Peter wird nicht der umstrittenen Themen wegen, sondern für das Leserpublikum geführt, das in der Person Meister Ulrichs in den Dialog miteinbezogen ist. In dieser Funktion ist er weit mehr als nur eine »Episodenfigur« (Wernicke, S. 91); seine Aufgabe erschöpft sich nicht darin,

> durch sein dazwischenkommen und im ganzen dreimaliges Einreden anregend auf das Gespräch zu wirken (ebda.).

Vielmehr wird an seiner Reaktion die intendierte Wirkung des Dialogs exemplifiziert. Auch hierzu findet sich in der Fülle widersprüchlicher Aussagen Wernickes eine zutreffende Beobachtung:

> durch sein Einverständnis, mit zur protestantischen Predigt zu gehen, zeigt er die Wirkung von Hansens Worten, und, wie wir meinen, mit vollem Recht. Sehr wohl kann man sich denken, daß ein Dritter solchem Gespräch einen Anschauungswandel verdankt (ebda.).

Auf Ulrich und die Frage, wie er für den Protestantismus zu gewinnen ist, zielt der gesamte Dialog.

> HANS: ... gib mir almit mein buchlein wider von der Christlichen freyhait! Hastu aber deinem Schweher, dem alten Romanisten, gelesen?
> PETER: O nain!
> HANS: Wie so? Hat er sich noch nitt bekeret? (Z. 6ff.),

mit Blick auf ihn und seinesgleichen wird die Frage des Fastens erörtert:

> Ey, ey, du hast vnrecht daran thann, so du waist, das dein schweher Ewangelischer freyhayt noch vnbericht ist. (Z. 22ff.),

das Verhältnis zu ihm bestimmt den Streit um andere Gegenstände:

> Ey Peter, Peter! Du thust auch vnrecht daran, du vnd dein gesellen fart mit solchen stucken herauß: das vnnd das sagt vnnser Prediger, vnd sagt doch nit vrsach dabey, wie es euch der Prediger hat gesagt, vnnd sturtzet die einfeltigen leut vonn der leer ... (Z. 266ff., ebenso: Z. 531ff.)

und *seine* Bekehrung und nicht die Peters endet schließlich das Gespräch:

> Wolan, ir habt mich gleich lustig gemacht, ich wil auch mit euch an ewer predig, ob ich ein gutter Christ mocht werden (Z. 764ff.).

Es ging Sachs ganz offensichtlich nicht darum,

Eigens gegen die hastige, rücksichtslose Art vieler Anhänger der Reformation (LV 163 Schultheiß, S. 21)

zu polemisieren, sondern er wollte den »wahren Christen« vorführen und den »echten Protestanten« dem in Ulrich anwesenden bürgerlichen Publikum als Garanten von »Statut vnd burgerlich sitten« (Z. 163) sich produzieren lassen.

Auch mit diesem Dialog arbeitet Sachs an einer Änderung der in seiner bürgerlichen Zielgruppe verbreiteten Vorstellung vom Protestantismus und versucht, mit der Figur Hansens ein gegenüber der ersten Phase seiner Reformationspropaganda wesentlich verändertes Image aufzubauen. Auch hier ist eine Anpassung des lutherischen Image an die Erwartungen und Bedürfnisse der bevorzugten Anhängergruppe das Ziel des sozialstrategischen Einsatzes in der erklärten Hoffnung, so ein Abwandern aus dieser Gruppe zurück zur katholischen Kirche zu verhindern [655]:

... die euch yeczund ketzer nennen, wurden euch Christen haissen, die euch yetzt fluchen, wurden euch wol sprechen. Die euch yetzund fliehen, wurden euch haim suchen ... (Z. 748 ff.).

Ein »Verschiebungsverlust« wird auch in diesem Fall in Kauf genommen, wenn nur innerhalb der von Sachs als relevant erachteten Gruppe die Position des Protestantismus gehalten und – wenn möglich – noch verbessert werden konnte:

Du aber vnnd deins gleichen werdt mir hold oder feindt, gilt mir gleich (Z. 280 ff.).

... sag es deinen mitbrudern von mir, wie wol sie mich ein heuchler vnd abtrinnigen haissen vnd halten werden, da ligt mir nit ein har prayt ann! (Z. 730 ff.)

Ziel und Konzept sind also im wesentlichen mit dem des Romanusdialogs deckungsgleich.

4.4.2 *Durchführung*

Die Aufspaltung der protestantischen Position im zweiten Dialog gab Sachs einen probaten Ansatzpunkt für die Realisierung seines Konzepts. Die Konstituierung zweier Typen lutherischer Anhänger brauchte nur fortgeführt und teilweise modifiziert zu werden, um unter den veränderten religiös-politischen Bedingungen dem gemäßigten unter den beiden Typen die Basis für eine bürgerlich akzeptable Profilierung zu verschaffen.

Dafür waren an der Figur Peters die wenigsten Retuschen nötig; denn es hatten sich ja inzwischen nicht Charakter und Verhaltensweisen der radikaleren Protestanten geändert, sondern die Haltung der gemäßigten ihnen gegenüber.

Dementsprechend ist die Attitude Hansens im Vergleich zum Dialog von den Scheinwerken am stärksten verändert. Nicht Peter ist zu Hansens »Gegenspieler« geworden,

dessen Auffassung so gut bekämpft wird, wie seine Handlungsweise, (Wernicke, S. 87),

sondern Hans ist nun der Gegner von Verhaltensweisen, die Sachs vorher gebilligt und selbst vertreten hatte, deren Bekämpfung ihn und damit den Protestantismus jetzt dem Besitzbürgertum empfehlen soll.

Er geht dabei in der Anpassung an die Bedürfnisstruktur seiner Zielgruppe so weit, daß die Erfüllung ihrer Erwartungen zur einzigen Maxime des mit Hans vorgeführten Verhaltens wird:

wann das fleysch essen ist dem gemainen man schir der aller grost anstoß vnd ergernuß an der Ewangelischen leer. (Z. 220ff.),

nicht etwa ein religiös-moralischer Maßstab oder ein neues Ethos; denn, so rät Hans,

so thu so wol vnd meyd flaisch essen, oder thu es ye gar haimlich, das niemant geergert werdt. (Z. 238ff.).

Ebenso wird die Grobheit »lutherischen« Verhaltens nicht um ihrer selbst willen getadelt, sondern wegen ihrer abschreckenden Wirkung auf diejenigen, die an »burgerlich sitten« (163) hängen:

... vnnd sturtzet die einfeltigen leut vonn der leer (271f.),

... vnd ander leut, die bey euch sitzen vnd horen, die ergern sich daran, sprechen: Die Lutherischen konnen nichts, dan die geystlichen schmehen ... (474ff.),

Sie ergern sich an ewrem rohen leben (591),

Es ist auch ein mercklich stuck, damit man die leut abwendet von der Ewangelischen leer, der etwan sunst vil herzu kemen ... (650ff.).

Es ist in diesem Zusammenhang bezeichnend, daß die heftigeren Reaktionen Hansens nicht Äußerungen Peters gelten, sondern von den Beschwerden Meister Ulrichs hervorgerufen werden. Während er im ersten Drittel des Dialogs vor dem Hinzutreten Ulrichs durch einen Ton geradezu väterlicher Milde gekennzeichnet wird –

Lieber bruder Peter, hab gedult! (151),

Lieber bruder, wiltu ir nit verschonen, so schon doch des Ewangeli ... (216f.),

Ach, lieber bruder, so thu so wol ... (238) –,

so häufen sich danach die Beschimpfungen:

... ir vngehoffleten knebel. (280),

O, ir groben rultzenn, ... (531),

... du mit deiner rott ... (689).

Mit ständigem Insistieren auf die ja auch einleuchtende religionspolitische Opportunität weicht Sachs einer klärenden Auseinandersetzung um seinen objektiven Meinungsumschwung aus, die Anlaß zu gefährlichen Identitätskonflikten innerhalb der protestantischen Anhängerschaft hätte geben können.

An kritischen Punkten läßt er Hans deshalb einen Meinungswandel rundheraus dementieren:

Dan ob wol Luther die Christlichen freyhait zu erledigung der armen gefangen gewissen angezaigt, hat er doch darneben durch seine schrifften vnd predig menigklich gewarnet, wie er dann noch fur vnd fur thut ... (Z. 492ff., ebenso Z. 424ff.).

Die Flugschriften der ersten Phase hatten das Luthersche Prinzip des allgemeinen Priestertums in den Mittelpunkt gestellt und aus dem Beweis seiner Richtigkeit den größten propagandistischen Gewinn gezogen. Schuster, Calefactor, Peter und Hans waren als Paradigmen dieses Laienpriestertums aufgetreten, das durch das Motto von WN und »Chorherr« charakterisiert worden war. Dieses Prinzip und die Berechtigung, ja Notwendigkeit seiner offensiven Praktizierung waren von Sachs unter Berufung auf zahlreiche Bibelstellen und den Zustand der Kirche und des Klerus propagiert worden; »ermanen vnnd straffen« (»Chorherr« Z. 68) hieß die Devise protestantischen Verhaltens,

Schrey, hör nit auff! Erhöch dein stym wie ein busaun zůverkünden meinem volck sein misse that etc. (ebda., Z. 69 ff.).

Jetzt dagegen fordert Sachs,

das man billicher mitleyden mit inen het vnd got fur sie bet, dann das man ir schand, laster vnd vngerechtigkait also außschreytt (Z. 322 ff.).

Die sozialrevolutionäre Brisanz der Laienpriestervorstellung, die sich im »Schwärmertum« zu konkretisieren begann, veranlaßte Sachs im Gefolge Luthers zu einer vollständigen Umdefinition auch im bloß religiösen Bereich, so daß auch hier das hierarchische Prinzip wieder zur Geltung kommt:

Ja, solches predigen vnd schreyben geschicht auß verpflichter Christlicher lieb dem gemainen vnwissenden volck zu gut ... (Z. 432).

In Hans und Peter stellt Sachs die Vertreter der alten und der veränderten Auffassung gegeneinander.

Bei dieser vergleichenden Vorführung wendet er das uns genugsam bekannte Verfahren der Idealisierung der positiven Gestalt und der satirischen Selbstpersiflage des negativen Gegners an, wodurch die a priori gefällte Entscheidung über Sieg und Niederlage im Disput sich als das Ergebnis eines objektiven Prozesses darstellt.

Die Überlegenheit Hansens stellt sich dabei durch sein überlegenes Bibelverständnis ebenso dar, wie seine Betonung christlicher Liebe und Geduld (Z. 386) sich von Peters Absicht, »mit feusten darein« zu schlagen (Z. 368), positiv abhebt. Die kontroverse Frage nach dem eigentlichen Charakter »christlicher Freiheit« wird nach bewährter Methode einfach dadurch im Sinne des Sachsschen Sprachrohrs entschieden, daß eine kontroverse Diskussion nur vorgetäuscht wird. Peter trägt nicht etwa die Argumente Müntzers vor, sondern die »Auseinandersetzung« entpuppt sich bei näherem Hinsehen als ein Vortrag des 10. Kapitels aus dem 1. Korintherbrief mit verteilten Rollen, wobei eine Hansens Ansicht stützende Passage den Schluß bildet (Z. 48 ff.) Das ansonsten bestehende Gleichgewicht der einander widersprechenden Bibelzitate wird durch trotzige Wendungen Peters –

Ich ker mich nichts daran. (Z. 82),

Darumb gilt es gleich, man es oder laß. (Z. 214) –,

durch grobe Übertreibungen von seiner Seite –

Ich hor wol, ich muß den alten weybern vnd mennern zulieb wider vnderschaid der speyß machen ... (166 ff.),

So hor ich wol, ich muß wider ein gleischnerisch Romanist werden ... (185) –

oder auch einfach nur durch das Verhältnis von Fragendem zu Antwortendem zugunsten Hansens verschoben.

Indem Sachs im längeren zweiten Teil des Dialogs Hans das Übergewicht einfach dadurch verleiht, daß er ihm die weitaus größere Zahl biblischer Zitate überläßt, wendet er das in den beiden ersten Dialogen so erfolgreich praktizierte Verfahren unfairer Dialogführung auch für das neue Konzept an. Trotzdem besteht aber ein wesentlicher Unterschied:

Während in den ersten Gesprächen der Sieg der von Sachs favorisierten Seite mit der völligen Abqualifikation des jeweiligen Gegners verbunden war, ist eine gewisse Schonung Peters hier unverkennbar. Es geht eben nicht um die moralische Destruktion des Gesprächskontrahenten, sondern um eine Demonstration, deren Effekt im Schlußwort Ulrichs mimisch vorweggenommen wird:

Peter, wie gedunckt dich? Wenn maister Hans vber dich keme, der kondt dich recht auff nestlen! Es ist ye einmal war: Wenn ir Lutherischen solchen zuchtigen vnd vnergerlichen wandel furet, so het ewer leer ein bessers ansehen vor allen menschen (Z. 742 ff.).

Die Hervorkehrung des »ansehens« erhellt, daß es in diesem Dialog nicht um ideologische oder moralische Gegensätze in der personifizierten Konfrontation der Dialogpartner geht, sondern um Verhaltensweisen. Die politische und die publizistische Situation erfordern ein Verhalten, das dem Bedürfnis nach Ruhe und Ordnung ebenso Rechnung trägt wie der weiterhin gegebenen Notwendigkeit antikatholischer Polemik. Die Unvereinbarkeit beider Faktoren überbrückt Sachs in dem Verhältnis Hansens zu Peter.

In den Passagen antikatholischer Vorwürfe vereinigen sich die Streitreden zu gleichgesinntem Unisono. Auch Hans spricht von

menschen gesatz vnd gauckelwerck (Z. 301 f.),

ir kuchenprediger (Z. 545)

und stimmt in die Anschuldigungen mit ein, wenn er auch nicht Peters Konsequenzen mitzutragen bereit ist:

PETER: Wie? Sollen wir dann irer verfurischen driegerey recht geben?
HANS: Nain! Wo ir inen vnnder augen seyt vnd sie die Ewangelische warhait verlestern, da schwegt nit, sunder widerlegt in ire menschen geschwetz mit dem wort gottes (392 ff.).

PETER: ... die seind verstockt wie die Pharaseer.
HANS: Ey, so laß sie geen wie die Hayden, (Z. 471 ff., ebenso Z. 538 ff.).

So ist es auch durchaus kein Verstoß gegen die propagandistischen Prinzipien dieses Dialogs, wenn Peter in der Sache unwidersprochen die Essenz antikatholischer Vorwürfe formuliert. In kaum zu überbietender Konzentrierung trägt er praktisch das gesamte neutestamentarische Arsenal polemisch verwendbarer Bibelworte, wie es uns aus den Sachsschen Flugschriften vertraut ist, zusammengefaßt vor, indem er nur die Stellenangaben – es sind insgesamt 20 – nennt mit der vorausgeschickten Charakterisierung

Ey, hat doch Christus auch selbs von disen verfurischen wolfen verkundigt, vnd auch in irem abwesen ... (Z. 402ff.).

Die Ambivalenz des Verhältnisses Hansens zu Peter wird allerdings, um die von Sachs intendierte Profilierung des bürgerlich-gemäßigten Protestantismus nicht zu beeinträchtigen, wenigstens oberflächlich durch die ständige Ja-aber-Haltung Hansens entschieden. Damit ist die notwendige Abgrenzung von der radikalen Position garantiert, der Kern antikatholischer Polemik aber nicht berührt und weiterhin wirksam, zumal der Gesprächsverlauf keinen Zweifel daran läßt, daß der Petersche Radikalismus durch katholisches Fehlverhalten motiviert ist und dort die eigentliche Schuld liegt.

Im gleichen Maße wie der Demonstrationscharakter der dialogischen Auseinandersetzung in der Mimik der Dialogführung deutlich wird und die Fiktionalität des ganzen kenntlich macht, wird die Realitätsferne durch Themen und Argumentationsebene dokumentiert.

Wir haben schon darauf hingewiesen, daß Sachs die eigentlich bedeutsamen politischen und religiösen Tagesfragen, auf die er doch mit diesem Dialog Einfluß nehmen will, bewußt ausklammert. Das ist nach der Erfahrung des Romanusdialogs und der Gefahr unfreiwilliger Propaganda für den Gegner gerechtfertigt, doch kam es für Hans Sachs darauf an, die Relevanz des dialogischen Scheingefechtes für die realen Probleme sinnfällig zu machen. Es galt für ihn, Themen zu finden, die für sich kontrovers genug waren, einen Dialog zu tragen, deren einzelne Aspekte aber nicht direkt die Probleme der realen Krisensituation berühren durften, deren Abhandlung aber dennoch eine Schlüsselfunktion den aktuellen Streitfragen gegenüber erkennen ließ.

Die Frage der Einhaltung, bzw. Nichteinhaltung des Fastengebots erfüllt die an ein solches Thema gestellten Anforderungen. Einerseits fehlt dieses Thema in kaum einer der Flugschriften seit Beginn der Reformation [656], und auch Sachs hat in seinen ersten Polemiken entsprechende Attacken nicht vergessen. Auf der anderen Seite ist im Nürnberg des Jahres 1524 angesichts der viel weiter reichenden Veränderungen der Religionspraxis gerade von diesem Thema kein stärkeres Anheizen der gespannten Lage zu befürchten.

So bietet diese Frage für Sachs eine relativ ungefährliche Folie für die Diskussion des rechten Verständnisses »evangelischer Freiheit«, die dann freilich mitten hineinzielt in die aktuellen Probleme, was die erwähnten Anweisungen des Rates an die Prediger bezeugen. Durch die Verlagerung der Diskussion auf die Ebene der vorgeschobenen Fastenfrage vermeidet Sachs eine allzu starke Exposition seiner Person, die angesichts der noch ganz und gar nicht entschiedenen Auseinandersetzung hätte gefährlich werden können.

Hinter dieser Deckung vertritt auch Sachs natürlich das Prinzip der »inneren Freiheit«, wobei er den Vorbildern folgt, die Luther in seinen Sermonen und Schriften anläßlich der Wittenberger Ereignisse von 1521/22 sowie Eberlin von Günzburg in seiner schon mehrfach zitierten Schrift (»Vom Mißbrauch ...«) gesetzt hatten.

Es ist die eigentliche propagandistische Leistung Sachsens, daß er dieses brisante

Thema auch anläßlich allgemeiner und grundsätzlicher Argumente immer wieder auf die konkrete und ungefährliche Ebene der Fastenfrage zurückführt und damit entschärft:

PETER: Was ist vns vnser freyhait nutz, wenn wir ir nicht brauchen durffen?
HANS: Die ist vns so vil nutz, das wir wissen, das vns alle speyß vnschedlich ist (Z. 123 ff.).

Ebenso werden Fragen Peters, die auf die Freiheit im weitesten und allgemeinsten Sinne zielen (Z. 33 ff.) oder auf Freiheit »von den menschlichen satzungen« (Z. 91 ff.) und den »Romischen ketten« (Z. 147 ff.), immer nur im Hinblick auf das Fleischessen beantwortet.

Die für die Gewinnung und Erhaltung bürgerlich-gemäßigter Anhänger so bedeutende Verinnerlichung der Freiheit [657] –

Darvmb, lieber bruder, laß dir mit sampt mir vnnd vnns allen genugen, das vnnser gewissen frey vnd vnverbunden ist ... vnd laßt vns fort solliche vnnd dergleichen burd eusserlich mit vnnsern mitbrudern willigklich tragen, (Z. 155 ff.) –

und Anpassung an die bestehende Gesellschaftsstruktur – [658]

... i. Corint. ix: Wiewol ich frey bin von yderman, hab ich doch mich selbs zum knecht gemacht, auff das ich ir vil gewinn; den Juden bin ich worden als ein Jud, den Hayden als ein Hayd, den schwachen als ein schwacher, vnd bin yedermann allerley worden ...

wurden in diesem Dialog geleistet, ohne daß Sachs auf die von den Radikalen geforderten »äußeren Freiheit« im einzelnen einzugehen braucht. Daß aber gerade diese gemeint und assoziativ mitabzuwerten sind, muß unmittelbar einleuchten, zumal seit Karlstadts Aktivitäten in Wittenberg der demonstrative Bruch des Fastengebots als Ausweis »linken« Sektierertums galt [659].

Die übrigen Gesprächsthemen erhalten durch das gleiche Verfahren einen zugleich ausweichenden und dennoch deiktischen Chiffrencharakter:

Das Problem der zunehmenden Radikalisierung wird nicht etwa anhand der Bauernunruhen und innerstädtischer Verschwörungen diskutiert, sondern am Beispiel eines bloßen Wortradikalismus gegenüber den Altgläubigen:

vnd reden im so spotlich vnd honisch zu ... (526 f.).

Sol man ir nit spotten darzu vnd sie straffen? (565 ff.).

Ein knecht des hern sol nit zenckisch sein, (621 f.).

Ebenso ist bei dem Streit um innere und äußere Freiheit von den aktuellen und ernsthaften Widersetzlichkeiten gegen die Obrigkeit [660] keine Rede, sondern nur von der Opposition gegen Kultpraktiken, die unter der Kategorie »Menschenwerk« in ihrer Verwerflichkeit doch längst unbestritten waren:

Vnser Prediger sagt, man bedurff nymmer beten, den heyligen dienen, fasten, beichten, wallen, Meßhoren, Vigilg, Seelmessen, Jartag stifften, Ablaß losen, vnnd sey kain gut werck zur seligkait nutz, vnnd noch grober possen. ...

HANS: Ey Peter, Peter! Du thust auch vnrecht daran, (Z. 257 ff.).

In beiden Fällen predigt Hans geradezu mit Luthers eigenen Worten von 1522 [661] »Christliche Liebe« [662] und »Christliche Gedult« [663] sowie Rücksicht auf die »vnwissenden vnd schwachen gewissen« [664].

Aber trotz innerer Logik und lutherischer Orthodoxie der Argumentation ist der Verweisungscharakter der Themen unübersehbar. Die Ungleichzeitigkeit der Themen selbst, die diesen nicht immer angemessene Heftigkeit in den Reaktionen der Unterredner und eine entlarvende Wortwahl sorgen dafür.

Peters Ausbruch,

Es were aber schier besser, wir schlugen mit feusten darein (Z. 367f.),

ist zwar vordergründig durch Hansens Hinweis auf die im Neuen Testament angekündigten Christenverfolgungen motiviert, gemeint ist aber die Propagierung von »faust vnd freveler gewallt«, wie sie Luther Müntzer vorwirft (LV 37 Enders, S. 3). In gleicher Weise wird die Drohung mit Gewalt als Abwehr gegen katholische Gewaltmaßnahmen in zwei weiteren Fällen oberflächlich motiviert, wobei Unangemessenheit und Diktion den Verweisungscharakter herstellen:

... so schreyen sie fro, hie gewunnen, hie gewunnen! Darumb ist not, das man inen den kolbenn auff den schilt leg (636ff.).

... wir sein inen auch nit gar holt, vnd wen sichs begeb in einem abreitten, wir wolten gar schon reissen aneinander (673ff.).

An anderen Stellen ähnlichen Charakters fehlt selbst die oberflächliche Motivation:

... vnd wollen sie hawen vnd stechen ... (479),

... vnd nit also ... mit der that zu schwirmen vnnd gleich denn vnbesinten zu rasen (499ff.).

Diese Diktion stempelt Peter mit seiner »rott« (689) zu »Schwärmern« und Hans zum Gegner des »linken« Protestantismus, den er überwindet, ohne sich tatsächlich mit seiner Ideologie inhaltlich auseinandersetzen zu müssen.

Um es ganz deutlich zu machen: oberflächlich betrachtet übt Sachs durch Hans Kritik an zu radikaler und demonstrativer Änderung der Religionspraxis, wobei er sich auf das Luthersche Vorbild stützt [665]. Aber diese Interpretation läßt die veränderte historische Situation außeracht und schätzt noch dazu Luthers Motive falsch ein. Luther hatte sich in seinen Sermonen der Karwoche von 1522 nicht grundsätzlich gegen die kultischen Neuerungen gewendet, sondern nur gegen die Art ihrer Einführung:

Die Sache ist wohl gut an sich selbst; aber das Eilen ist zu schnell. (S. 324),

zudem war ihm vor allem an einer »ordentlichen« Umstellung der Religionsausübung unter obrigkeitlicher Führung gelegen:

Darum haben alle die geirrt, die dazu geholfen und bewilligt haben, die Messe abzuthun; nicht daß es nicht gut gewesen wäre, sondern daß sie nicht ordentlich abgethan ist ... Ihr solltet zuvor mit Ernst darum gebeten haben und die Obrigkeit dazu genommen haben, so wüßte man, daß es aus Gott geschehen wäre (ebda.).

Solch obrigkeitlicher Segen fehlte zwar dem »kelbern praten« Peters, die übrigen von ihm kritisierten katholischen Bräuche, Kulthandlungen und Feiertage (Z. 256ff.) waren dagegen durch Erlasse des Rates schon längst aus der Welt geschafft, so daß dieses Thema als obsolet anzusehen war [666].

Der eigentliche Inhalt der Lutherschen Kritik von 1522 war 1524 in Nürnberg ebensowenig aktuell, wie es Anlaß gegeben hätte für eine ähnliche Motivation der Kritik.

Für Sachs ist dieses erste und schon historische Beispiel innerprotestantischer Kritik eine willkommene Folie – eine quasi literarische Schlüsselparabel, die, angesichts einer politischen Situation, die sich nicht wie zwei Jahre zuvor durch den Einsatz persönlichen Prestiges bereinigen ließ, Gelegenheit bot, eine Distanzierung des gemäßigten Protestantismus von den Radikalen glaubhaft zu machen, ohne sich in der eigentlichen Streitfrage exponieren, ohne aber auch den eigenen Standortwechsel zugeben zu müssen.

4.4.3 *Ertrag*

Dieser letzte Dialog des Jahres 1524 erreichte – gemessen an der bekanntgewordenen Auflagenzahl – den gleichen Erfolg wie der erste. Auch er erlebte zehn Auflagen im Erscheinungsjahr. Berücksichtigt man die Tatsache, daß der letzte Dialog wahrscheinlich frühestens im Oktober, der erste bereits im Mai zum erstenmal publiziert wurde, so ist dieser Erfolg noch höher zu bewerten.

Die propagandistische Aussage muß also den spezifischen Erwartungen und Bedürfnissen des stadtbürgerlichen Publikums vor dem Ausbruch des großen Bauernkrieges weitestgehend entsprochen haben. Wir können daher diese Aussagen als »Antworten« auf ganz bestimmte Fragestellungen der Rezipienten begreifen und aus dem Text auf die Motivationsstruktur rückschließen: Die emotionale Verurteilung Peters durch Hans gibt dem Unbehagen und der wachsenden Furcht des mittelständischen Bürgertums vor einem drohenden Aufstand Ausdruck und erlaubt demjenigen Teil dieser Gruppe, der dazu tendierte, den Protestantismus dafür verantwortlich zu machen, die weitere Identifikation mit dem Luthertum.

Indem Hans die inhaltliche Auseinandersetzung mit den sozialrevolutionären Vorstellungen umgeht, wird überdies eine weitere Steigerung der Verunsicherung vermieden, die angesichts der inneren Widersprüchlichkeit des Bürgertums ohnehin äußerst stark war [667].

Mit der Gestalt Peters mußten die radikalen »Schwärmer« assoziiert werden; er führt so die konkrete Bedrohung der gemäßigten Bürgerschaft vor und verleiht auf diese Weise dem neuen, durch Hans personifizierten Image des Luthertums als eines politischen Ordnungsfaktors erst seine Glaubwürdigkeit.

Indem Sachs für den Radikalismus Peters mit einleuchtenden Argumenten katholisches Fehlverhalten verantwortlich macht, exkulpiert er die eigene Partei und schafft in dem verstärkten Image des alten Gegners einen zusätzlichen gruppenstabilisierenden Faktor.

Überhaupt wird trotz der Verschiebung des protestantischen Images in spezifisch katholische Vorstellungsbereiche für eine weitere nachdrückliche Abgrenzung gesorgt, weil nur in einem polarisierten Gegensatz zu einem Heterostereotyp die Integration der eigenen Gruppe weiterhin gewährleistet werden konnte.

Schließlich nutzt Sachs die Existenz eines dritten Meinungsgegenstandes im sozialen Feld zu einer geschickten Abwehr eines bedrohlichen Aspekts katholischer Propaganda:

Das bequemste und treffendste blieb für die Katholiken, die Gegner mit dem Namen des überragenden Führers zu nennen ... Wenn es den Katholiken gelang, den Namen lutherisch durchzusetzen, so war damit ... grundsätzlich sehr viel gewonnen (LV 302 Götze, S. 192).

Durch solche Personifizierung der neuen Lehre fiel der wirkungsvollste antikatholische Vorwurf der »Menschenlehre« auf den Protestantismus zurück. Gerade hierin hatten Luther und seine Anhänger auch die größte Gefahr dieser Sprachregelung gesehen:

Was ist Luther? ist doch die lere nitt meyn. Szo bin ich auch fur niemant gecreutzigt (LV 67 Luther, VIII, S. 676).

Der übliche protestantische Sprachgebrauch, der »lutherisch« vermied und »evangelisch«, bzw. »christlich« bevorzugte und an den sich Sachs auch im zweiten Dialog gehalten hatte –

MÜNCH: Ich hőr wol, ir seyt Lutherisch.
PETER: Nain, sonder Evangelisch. (»Scheinwerke« Z. 10 ff.),

war natürlich nicht allgemein durchzusetzen, denn die Katholiken

konnten ja unmöglich auf Luthers Vorschlag eingehen und ihre Feinde Christen oder Christliche nennen (Götze, S. 192).

Mit dem Auftreten der Revolutionspartei ist nun Gelegenheit geboten, den gefährlichen Titel loszuwerden.

Eine feste Etablierung dieser Sprachregelung scheiterte an den historischen Gegebenheiten; im Augenblick der ersten Publikation dieses Dialogs wird sie nicht ohne Wirkung gewesen sein. Wie sehr es aber notwendig ist, gerade diesen Text im historischen Kontext zu begreifen, beweisen die späteren Mißverständnisse seiner Intention und propagandistischen Wirkung. Schon gut 150 Jahre später glaubte Arnold (LV 236), in Sachs einen »Tadler der Protestanten« (Bd. I, S. 152) sehen zu können und in diesem Dialog einen Ausdruck protestantischen Verfalls. Auch Döllinger (LV 243) ließ sich die Gelegenheit nicht entgehen, die

Anhänger der lutherischen Lehre als ein zuchtloses und verdorbenes Geschlecht (S. 180)

herausstellen und den »Sündenspiegel«, den seinen »lutherischen Glaubensgenossen« vorzuhalten Sachs sich »bereits im J. 1524 gedrungen« fühlte, als Beweisstück zu zitieren [668].

Es hätte aber doch diese späteren Konfessionspolemiker verwundern müssen, daß die zeitgenössische katholische Gegenpropaganda sich diese offensichtlich doch so günstige Gelegenheit entgehen ließ. Die Tatsache, daß auch und vor allem von protestantischer Seite Kritik an den Radikalen geübt wurde, blieb in den zeitgenössischen katholischen Flugschriften unerwähnt.

Der Grund dafür ist nicht schwer zu bezeichnen: Der stärkste Trumpf katholischer Agitation war die Behauptung des »Buntschuh«-Charakters des Luthertums.

Nichts konnte den katholischen Propagandisten ungelegener kommen als ein Protestant, der gegen die Bauernunruhen Front machte. Im Gegenteil wurde von dieser Seite alles versucht, solches Verhalten auf protestantischer Seite zu dementieren oder unglaubwürdig zu machen [669].

Man hätte der Intention Sachsens in die Hände gespielt, wenn man aus katholischer Sicht versucht hätte, einen innerprotestantischen Differenzierungsprozeß auszuschlachten und damit bekanntzumachen, um dessen demonstrative Vorführung es Sachs mit diesem Dialog ja gerade ging.

Freilich hegte man zu dieser Zeit auch noch keine Vorstellungen von der »Objektivität« von Reformationsdialogen.

SCHLUSS

Esel dich hat vernunft verplent
Das du dem gwalt wilt widerstent
Den Gott zů straff / deiner sůnd
hat gesent. [670]

Mit der Ausbreitung der Bauernunruhen, die im ersten Viertel des Jahres 1525 das Ausmaß eines allgemeinen Aufstandes zumindest in Süddeutschland annahmen, ergab sich für publizistische Maßnahmen eine völlig veränderte Situation.

Die Möglichkeit bloß propagandistischer Einflußnahme auf die Ereignisse war nicht mehr gegeben. »Herrenpartei« und Bauernpartei konsolidierten sich sehr rasch, was überall zu einer klaren Entscheidung für die eine oder andere der beiden Seiten zwang. Nur in wenigen Gebieten bestand noch Entscheidungsfreiheit.

Luthers Entscheidung stand seit seiner Polemik gegen die Zwickauer »Schwärmer« (1522) und umso mehr seit seinem antimüntzerischen Sendschreiben von 1524 fest, und es war nur die Hoffnung auf eine mögliche Lokalisierung der Unruhen, die ihn bewog, sich Ende April mit einer gemäßigten und mäßigenden Ermahnung zu Wort zu melden und Fürsten und Bauern als unparteiischer Schiedsrichter anzubieten.

Aber schon in dieser Schrift [671] ist mit der kompromißlosen Apologie jeder obrigkeitlichen Maßnahme, dergegenüber nur Bitte und Appell gestattet ist, eine Position erreicht, die nur einen kleinen Schritt entfernt ist von der Apotheose obrigkeitlicher Gewalt. Die sich überstürzenden Ereignisse machen diesen – in jedem Falle untauglichen – Vermittlungsversuch noch vor seiner Publikation obsolet. Daher veröffentlichte Luther zusammen mit ihm seine Brandschrift »Wider die räuberischen und mörderischen Rotten der Bauern« (Anfang Mai 1525).

Für Luther war die Verwirklichung seiner religiösen Vorstellungen nur in der uneingeschränkten Bindung an seinen Landesfürsten zu sichern [672]. Er hielt deshalb eine öffentliche Unterstützung der Fürsten für nötig, gerade weil vor dem 15. Mai und der Entscheidung bei Frankenhausen der Sieg dieser Seite eher zweifelhaft schien.

Für die freien Reichsstädte ergab sich eine andere Situation. Städte mit schwierigeren sozialen Problemen und einer weitgehend proletarisierten Einwohnerschaft schlossen sich den Bauern an [673]; die Absetzung des patrizischen und seine Ersetzung durch den »Ewigen« Rat in Mühlhausen unter Mitwirkung Müntzers zeigte den Regierungen der übrigen Städte die drohende Gefahr. Auch Nürnberg mußte mit einer starken »linken« Partei innerhalb der eigenen Mauern rechnen, was die oben geschilderten Vorfälle seit Mai 1524 belegen. Es gelang jedoch einer geschickten »Schaukelpolitik« des Rates, der Bündnisangebote der Herrenpartei [674] ebenso ablehnte wie die der vor Würzburg liegenden Bauern [675] und sowohl die »ungeschickten Handlungen« der Bauern als auch die »übermäßige Tyrannei« der Herren (LV 267 Roth, S. 169) kritisierte, eine Festlegung bis zur Entscheidung des Konflikts hinauszuschieben.

Trotzdem spitzte sich die Lage in der Stadt auch noch nach der Schlacht bei Frankenhausen derart zu, daß der Kanzler Leonhard von Eck noch am 25. Mai an Herzog Wilhelm schreiben konnte:

Es steht in Nürnberg dergestalt, dass wenn man ihnen in acht Tagen nicht zu Hilfe kommt, ihre Stadt verloren ist (Roth, S. 170).

Aber schon wenige Tage später hatte sich mit dem Anrücken des bündischen Heeres unter dem »Bauernjörg« Georg von Truchseß die Lage so sehr zuungunsten der süddeutschen Bauernbewegung verändert, daß der Rat auf eine Einladung zum 1. Juni nach Schweinfurt äußerst kühl und zurückhaltend reagieren konnte.

Bis etwa zu diesem Zeitpunkt schweigt Hans Sachs.

Er veranstaltet zwar eine Sammelausgabe seiner Kirchenlieder, nimmt aber zur aktuellen Situation nicht Stellung.

Wie in der Zeit vor 1523 wartet er erst eine Klärung der politischen Lage ab, ehe er öffentlich Stellung nimmt. Dies geschieht – frühestens im Juni 1525 – [676] mit dem Flugblattspruch »Der arm gemein Esel« [677].

Der Spruch orientiert sich in sämtlichen Aussagen an der Position Luthers; d. h. »Finantzischer wůcher« und »Tirannische gewalt« werden zwar verurteilt, ebenso aber die Auflehnung gegen die legitime, ja göttlich legitimierte Gewalt [678],

Den Gott zů straff / deiner sůnd hat gesent.

Freiheit von dieser Unterdrückung ist nur dem jenseitigen Leben vorbehalten:

Vnd bleyb geduldig biß ins end
Wer vberwind der wirt gekrônt.

Wir verzichten darauf, die propagandistische Intention dieses Flugblattes näher zu untersuchen. Nach der blutigen Niederschlagung des Bauernaufstandes und den unerhört grausamen Rachefeldzügen der Herrenpartei gab es überhaupt keine materielle Basis für propagandistische Einflußnahme im Hinblick auf dieses Thema.

Abgesehen davon hatten die protestantischen Publizisten mit ihren Bemühungen, das Prinzip »Evangelischer Freiheit« zu verinnerlichen und die soziale Brisanz der Religionsreform durch Privatisierung abzuschwächen, bereits im Jahre zuvor damit begonnen, sich selbst der Möglichkeiten politisch fungierender Öffentlichkeit zu begeben.

Wir schließen mit dem Hinweis auf diesen Spruch, weil er – natürlich ungewollt – in der Allegorie der Lage des Bauerntums das Programm des Protestantismus für die Folgezeit darstellt: Der Esel hat die »Geystliche Gleysnerey« – auf dem Holzschnitt einen Barfüßermönch – abgeschüttelt, wucherische Ausbeutung und weltliche Obrigkeit bleiben auf seinem Rücken, der nach dem Fall der geistlichen Macht umso bequemeren Platz bietet. Fürstenreformation und Absolutismus und die sie kennzeichnende noch stärkere Unterdrückung der unteren Stände lösen diese unbeabsichtigte Vorhersage ein.

1523	Juni:	Nachtigal (vgl. Anm. 151)	
	8. Juli	WN (vgl. S. 38)	
	August bis Dez.:	Klage d. Handw. ... (vgl. S. 74)	Die Lieder des Achtliederbuches (vgl. S. 96)
1524	Jan.:	Haus d. weisen ... (vgl. S. 76)	
	Febr.:	Schafstall (vgl. S. 80 f.)	
	Febr./März:	Chorherr (vgl. S. 116)	
	März:	Scheinwerke (vgl. S. 127)	
	Mai/Juni:	fränkische Bauernunruhen	
	Juli bis Sept.:	Die 12 reinen Vögel (vgl. S. 140)	
	29. Sept.:	Romanus (vgl. S. 147)	
	Okt.:	Ev./Luth. (vgl. S. 157)	
1525	Juni:	Der arm gemein Esel (vgl. S. 171)	

Anmerkungen

Einleitung

1 *Goethe,* Berliner Ausgabe Bd. 2, S. 68.
2 LV 139 *Kawerau,* S. IV.
3 *Goethe:* Tag- und Jahreshefte 1816, Berl. Ausg. Bd. 16, S. 258.
4 Sämtliche Zitate aus dem Goethegedicht vgl. Anm. 1.
5 Vgl. Anm. 3.
6 Über Goethes Rolle für die H. S.-Forschung vgl. *R. Otto* in den Anmerkungen zu G.s Gedicht. B. A. II, S. 625, sowie LV 129 *Gohrisch.*
7 LV 139 *Kawerau,* S. 34; LV 127 *Genée,* S. VI.
8 LV 127 *Genée,* S. 127.
9 LV 126 *Duflou,* S. 354.
10 LV 146 *Lützelberger,* S. 6.
11 LV 153 *Odebrecht,* S. 3.
12 *Scherer, W.:* Geschichte d. Dt. Literatur. 6. A. Bln. 1891, S. 306.
13 Dieses Klischee beherrscht die gesamte Literatur, vgl. LV.
14 LV 127 *Genée,* S. VI; LV 171 *Weller* (Titel!); LV 14 *Kinzel,* S. 3; LV 15 *Tittmann,* S. XX; LV 229 *Schottenloher,* S. 136, u. v. a. m.
15 Bei LV 139 *Kawerau* ist das ganz deutlich: »Sie [die Kunst des H. S.] ist sittlich gesund, lebendig und lebensfreudig, schlicht und treuherzig, kräftig und keusch und dabei immer kurzweilig – die echte Poesie des deutschen Bürgertums.«, S. 16.
16 In: »Die werk gottes sind alle gut«.
17 Vgl. LV 144 *Lochner,* S. 26 ff.
18 LV 121 *Bösch.*
19 Vgl. LV 251 *Jecht,* S. 64.
20 LV 2 *Keller/Goetze,* Bd. 26, S. 26; dort auch die Bemerkung: »An und für sich ... müssen wir uns den handwerksmeister der alten reichs- und handelsstadt höher denken als in unserer Zeit.«
21 Vgl. LV 262 *Mottek,* S. 185.
22 LV 15 *Tittmann,* S. XVII.
23 LV 300 *Gervinus,* S. 412.
24 LV 245 *Eisen,* S. 18.
25 LV 247 *Engelhardt,* S. 124.
26 Ebda. S. 126.
27 *R. Stadelmann* in LV 416. *Just* Bd. II spricht vom »Volkszeitalter«. LV 247 *Engelhardt,* S. 124, sieht in S. einen Zeugen dafür, »wie tief und stark die lutherische Bewegung schon damals in Nürnberg eingewurzelt war«. Vgl. auch LV 139 *Kawerau* und andere.
28 LV 190 und LV 191 *Keller* und LV 119 *Beifus* stützen ihre These auf den 4. Dialog, B. darüber hinaus auf die Tatsache, daß Sachsens Lehrer Nunnenbeck kritische Gedichte gegen die Geistlichkeit verf. hat. B., S. 3: »Was also ist von Anfang an von Hans Sachs zu erwarten?«. Zum 4. Dialog s. o. S. 154.
29 Nur LV 136 *Huber,* S. 72 ist eine Ausnahme: »Er ... ist an einer der größten Volksbewegungen aller Zeiten vorübergeschritten.«
30 Vor allem LV 139 *Kawerau,* S. V.
31 Vgl. LV 212 *Böckmann,* S. 187: »... jeder theologische Streitpunkt führt tief hinein in die Grundstruktur des gesamten politischen und sozialen Daseins. ... Die religiöse Bewegung ist damals von sich aus schon eine soziale und politische.« LV 211 *Blochwitz* bemüht sich vergeblich, Flugschriften zu finden, die sich auf theologische und dogmatische Themen beschränken oder sie auch nur in den Mittelpunkt stellen.

Und LV 242 *Denifle* stellt S. 200 fest, daß »noch 1521 ... Glaubensfragen weithin nur als etwas Untergeordnetes behandelt werden, ja ganz übergangen werden.«

32 Vgl. *Landau, P.*: H. S. 1924 S. 32.

33 LV 16 *Zoozmann,* S. XXV.

34 Allein LV 166 *Siegfried* weicht von dieser Linie ab, indem er einem Spruch »sarkastische Polemik gegen das Pfaffentum und die geldliche Ausbeutung der Laien« attestiert (S. 650).

35 Eben der gleichen Meinung ist auch LV 139 *Kawerau*, S. 25: »Doch nicht in dieser Polemik gegen Rom liegt der Schwerpunkt des Gedichts, sondern in dem Bekenntnis zu der neuen Lehre.«

36 *Landau,* a. a. O., S. 33.

37 LV 308 *Hampe*, S. 166: »einen eigentlich polemischen Ton hat Hans Sachs später (1527) nur noch unter dem persönlichen Einfluß des ... angeschlagen.« Zur Charakterisierung Osianders als »Kampf- und Feuergeist« vgl. auch LV 269 *Schubert*. Die Frage, ob es der ›Verführung‹ durch Osiander bedurfte, um polemische Potenzen in H. S. freizusetzen, und warum sich der »Eiferer« ausgerechnet an eine so »irenische« Person wandte, wird nirgendwo diskutiert.

38 LV 307 *Gysi*, S. 444.

39 Ebda., S. 446.

40 Ebda., S. 445. Vgl. auch *Albrecht*, G. u. a.: Lexikon deutschspr. Schriftsteller. Bd. 2, Leipz. 1968, S. 381: »er zeigte sich ... zunftbürgerlich standesbewußt – voreingenommen gegen die Bauern.«

41 LV 307 *Gysi*, S. V.

42 Ebda. S. 445.

43 Ebda. S. 432.

44 LV 307 *Gysi*, S. 447, verwendet diesen Begriff in durchaus bürgerlich-romantischem Sinn. Vgl. auch LV 206 *Wendeler*: »H. S. – ein deutscher Volksdichter«; S. 6: »... die reichen und tiefen Quellen der deutschen Volkskunst.«

45 »Grundriß« Bd. II, Einleitung zum Kap. »H. S..«

46 LV 297 *Fischer/Tümpel*; LV 143 *Kulp*. Kunsthistoriker: LV 4, 5, 373–375 *Stuhlfauth*; LV 106 *Geisberg*, LV 158 *Röttinger*.

KAPITEL I

Zum Problem einer adäquaten Methode

47 LV 339 *Merker*, S. 9.

48 LV 215 *Dunken*; LV 222 *Kieslich*; LV 223 *Klöss*; LV 232 *Uhrig*.

49 Das gilt auch für Arbeiten, die sich ausschließlich diesem Gegenstand widmen, wie LV 389 *Bauer* oder LV 224 *Kolodziej* und LV 226 *Praschinger*, etc.

50 LV 264 *Ranke*; LV 456 *Janssen*; LV 455 *Humbel*; LV 225 *Lucke*, S. 184: »... die dabei historische, vor allem kulturhistorische Zeugnisse allerersten Ranges sind.«

51 LV 211 *Blochwitz* fragt nur nach dem Grad der Abhängigkeit von Luther.

52 LV 209 *Bebermeyer*. Ebenso LV 224. *Kolodziej*: »Selten gelingen dem einen oder anderen Verf. dichterische Aussagen von überzeitlicher Bedeutung.« (S. 1 f.).
Erst seit den Arbeiten *Lämmerts* (LV 333) und *Schuttes* (s. Anm. 65) zeichnen sich neue Fragestellungen ab.

53 LV 64 *Lenk*, S. 9. Vgl. dazu *G. Hahn* in Germanistik 11, S. 310: »der Hrsg. sollte sie [die Dialoge] eher noch weniger in den Kategorien von ›Dichtung‹ interpretieren.«

54 Vgl. LV 299 *Gaiers* Kritik an Arntzen und Lazarowicz sowie LV 231 *Stopp*, S. 55: »What we are discussing here is satire, which is not a historical or a theological, but an artistic enterprise.« – das eben gerade nicht!

55 Vgl. auch LV 345 *Newald*, S. 307: »Als Kurzform stellt sich die Flugschrift zwischen Moralsatire, historisches Volkslied und dramatische Farce.«; LV 224 *Kolodziej*, S. 2: »... Didaktik und Polemik schlagen Brücken zur Moralsatire.«

56 Diese Gruppe wird allgemein herausgehoben: vgl. Pos. a) bei *I. Kolodziej*, oder LV 211 *Blochwitz*, S. 148, der von »tonangebenden Schriften« Luthers, Karlstadts, Zwinglis und Huttens spricht, die er als »Klasse für sich« wertet.

57 *Janssen*, a. a. O. VI, S. 206.

58 Auch in diesem Genre war Objektivität die Ausnahme; vgl. LV 360 *Roth*, S. 2f.: »Zwar kennen jene frühen Zeitungen noch keine redaktionelle Verarbeitung zu Artikeln, aber trotzdem ist die Berichterstattung vielfach nicht tendenzlos ... Geschieht dies in ausgeprägter Absicht der Übertreibung oder ist dem Verfasser seine Berichterstattung nur ein Mittel, um seinen politischen oder religiösen Ansichten Ausdruck zu verleihen, ohne daß er auf Objektivität Wert legt, so entsteht der Übergang zur satirischen Flugschrift.« Vgl. auch LV 411 *Habermas*, S. 26 Anm. 35.

59 LV 397 *Buchli* II, S. 18f. verwendet ebenfalls den Terminus »Propagandaschriften«, faßt aber undifferenziert sämtliche Flugschriften zusammen. LV 223 *Klöss* entwickelt für das Flugblatt ebenfalls eine typologische Trias – »Nachrichtenblatt, Werbeblatt, Meinungsblatt«, 2. u. 3. sind aber nur aufgrund eines zu engen Begriffes von Werbung geschieden.

60 »Who says what in which channel, to whom, with what effect?« Vgl. LV 435 *Maletzke*, S. 34. Dort auch die verschiedenen Abwandlungen dieser Formel. Die Frage nach dem »channel« (medium) beantwortet sich bei den Flugschriften von selbst.

61 Beispiele für diese Unsicherheit geben *Hagelweide* in LV 406 *Dovifat* III, S. 40: »Ihre Beliebtheit beim Leser geht sicherlich auf den Aussagegehalt, gewiß aber auch auf die polemische Darstellungsweise zurück. ...« und: *Röpell* in: *Janssen* a. a. O. VI, S. 250: »Sie haben meist weder Witz noch poetischen Wert. Sie zeigen aber, mit welchen Mitteln man protestantischerseits dazumal auf die ... Stimmung des Volkes einzuwirken suchte.« LV 233 *Voigt*, S. 331: »... fliegende Blätter, welche die Lehren und Wahrheiten ... dem Volke entgegenbrachten.«

62 Vor der Schlußredaktion dieser Arbeit stellte mir *Jürgen Schutte* das Ms. seiner Dissertation »schympffred. Frühformen bürgerlicher Agitation in Thomas Murners ›Großem lutherischen Narren‹ (1522)« zur Verfügung, deren wesentliche und neue Erkenntnisse auf diese Weise für unser Thema nutzbar gemacht werden konnten. Die Arbeit ist inzwischen in überarbeiteter Fassung im gleichen Verlag erschienen. Wo immer möglich zitieren wir aus der Druckfassung. Wegen einiger Kürzungen war in wenigen Fällen aber auch das Ms. heranzuziehen. Auch für Schutte ist der Ausgangspunkt »... die moderne Propagandatheorie im Zusammenhang mit den Studien über den Sozialcharakter, auf den sie sich stützt.« (S. 2), allerdings zeigt er sich bei der theoretischen Grundlegung seiner Arbeit etwas einseitig der Frankfurter Schule verpflichtet und versucht, u. a. auch in Analogie zu LV 432 *Löwenthal* und *Gutermann*, die spezifischen Überredungstechniken der apologetischen Propaganda direkt aus der konservativen Ideologie ihrer Autoren abzuleiten, wie das vor ihm auch schon LV 222 *Kieslich*, S. 16 (»die ganze Skala publizistischer Techniken einer ›autoritären‹ Publizistik«) getan hat. Von daher scheint die engagierte Verurteilung manipulativer Techniken und Lügenhaftigkeit in der Propaganda Murners berechtigt. Da aber die protestantische Propadanda sich der gleichen Mittel bedient, was Schutte in einem Nebensatz auch gar nicht bestreitet, trägt die theoretische Grundlage seiner Arbeit nicht über den kleinen Kreis katholischer Agitatoren hinaus; denn seine Forderung nach eindeutiger Abgrenzung der »Überredungstechniken der kontroverstheol. Agit. von denen der ref. Publizisten« läßt sich nicht realisieren (s. o.). Über einzelne Aspekte wird unten noch Stellung zu nehmen sein.

63 LV 259 *Lortz* I, S. 243: »Weit über diese Flugschriftenliteratur hinauswachsend, ... bildete sich eine hochwichtige *öffentliche Meinung*.« Vgl. auch ebda., S. 5.

64 LV 179 *Centgraf*, S. 14: »Der 31. Oktober 1517 ist ... nicht nur ein religiöses Er-

eignis und der Beginn einer neuen Geschichtsschreibung, für die Presse bedeutet er den ersten Schritt auf ihrem Wege zur Großmacht.« und S. 22: »Wir können hier zum erstenmal in der deutschen Geschichte die Publizistik sich zur wohlorganisierten Massenpropaganda durch gedruckte Schriften entwickelt sehen.« Unter den Soziologen hält LV 428 *Lenz*, S. 8 »öffentliches Meinen« für einen »Machtfaktor im Zeitalter der Reformation«.

65 *Habermas*, S. 96 Anm.: »Die Sicherung der Intimsphäre (mit der Freiheit der Person und speziell des religiösen Kultus) ist der historisch frühe Ausdruck einer für die Reproduktion des Kapitalismus in der Phase des liberalisierten Marktverkehrs notwendig werdenden Sicherung der Privatsphäre überhaupt.«; sie ist überdies (S. 38) die notwendige Voraussetzung für die Entstehung von Öffentlichkeit.

66 Vgl. *d'Ester* (LV 216), Sp. 1041: »Das F.[lugblatt] brachte in die Presse das sog. ›Räsonnement‹, um dadurch den Leser zu beeinflussen,«. LV 264 *Ranke* II, S. 62 nennt die Reformation »das große Gespräch«. Beider Glauben an die Prädominanz der Rationalität ist dabei zu optimistisch, aber das gilt ja auch für Habermas (s. hier S. 11).

67 Vgl. *Keller, L.:* »Die Kultgesellschaften der deutschen Meistersinger und die verwandten Sozietäten.« In: Monatsh. d. Comenius-Ges. Bd. II, 1902, S. 274 ff.
Habermas spricht dem Deutschland des 18. Jh. die Existenz der »Stadt« ab (S. 45), »die die repräsentative Öffentlichkeit der Höfe durch Institutionen einer bürgerlichen hätte ablösen können.«, als solchen Institutionen »ähnliche Elemente« führt er dann aber die »gelehrten Tischgesellschaften« an, die auf die alten Sprachges. d. 17. Jh. zurückgehen. Diese wiederum entwickelten sich aus den Meistersingerschulen (vgl. LV 365 *Siebenschein*), deren Funktionstüchtigkeit und Bedeutung für die Ref. LV 384 *Weber* nachgewiesen hat.

68 Vgl. LV 119 *Beifus*, S. 2f. über die kritische Haltung der Meistersingerschulen des 14. und 15. Jh.; s. a. LV 308 *Hampe*.

69 *Habermas*, S. 65: »Whoever has the legislative or supreme power of any commonwealth, is bound to govern by established laws, promulgated and known to the people, and not by extemporary decrees.«

70 Vgl. Spenglers »*Schutzrede*« (LV 196 Pressel), S. 17: »... ob dieselbe Lehr und Predigt ... auch den christlichen heilsamen Gesetzen und der Vernunft gemäß sei ...«.

71 Hartmut v. Cronberg sandte eine Denkschrift an den Wormser Reichstag (LV 211 *Blochwitz*, S. 230), er wandte sich 1523 auch öffentlich an das Nürnberger Reichsregiment (LV 227 *Richter*, S. 6 ff.).

72 Z. B. Eberlins 1. »Bundsgenosse«, eine Flugschr. Hans Kotters (LV 241 *Clemen* III, S. 21), eine Denkschrift des Hieronymus von Endorf über die päpstliche Bannbulle, die im Januar 1521 direkt an Karl geschickt wurde (vgl. LV 227 *Richter*, S. 12).
Der erwähnte Cronberg schickte ein Sendschreiben auch an Karl (LV 211 *Blochwitz*, S. 230). Überdies kann man in den meisten lutherischen Flugschriften zwischen Kaiserwahl und Wormser Reichstag Äußerungen der Hoffnung auf den neuen Kaiser feststellen, die deutlichen Appellcharakter haben.

73 Schutte selbst geht ja auch über seine einschränkende Einschätzung hinaus: die ref. Öffentlichkeit hat auch für ihn »objektiv die Bedeutung eines politischen Angriffs auf die Autorität der kirchlichen Herrschaft«. Von einem Prinzip »repräsentativer Öffentlichkeit« (Habermas), wie sie dem nachfolgenden Zeitalter des Absolutismus eignete (und der kirchlichen Praxis vor der Ref., vgl. *Schutte* S. 9) kann zur Zeit der Ref. schon gar nicht gesprochen werden. In der Buchfassung der Dissertation spricht er richtiger von einer modellhaften Vorwegnahme (S. 8).

74 LV 435 *Maletzke*, S. 13.

75 Auszunehmen sind hierbei die Arbeiten von LV 179 *Centgraf*, LV 423 *Kortzfleisch*, LV 223 *Klöss* und LV 222 *Kieslich* (der ebenfalls S. 9 mit Bedauern das Fehlen grundlegender publizistischer Arbeiten auf diesem Gebiet konstatiert), aber alle diese Arbeiten gehen von bloß literaturwissenschaftlichen Methoden aus, bzw. haben nur für den jeweiligen speziellen Gegenstand Gültigkeit (Kieslich).

76 LV 414 *Hofstätter*, S. 26 zitiert Gehlen: »Anthropologisch ist Reziprozität als Steuerung des Verhaltens vom Verhalten der anderen her eine ganz fundamentale Kategorie.« Als weitere Beispiele kommen infrage: v. Weizsäckers »Gestaltkreis«, das Uexküllsche Verhaltensmodell und das feed-back-Modell der Kybernetiker.

77 Siehe LV 435 *Maletzke*, S. 226; vgl. dazu auch LV 421 *König*, S. 184: »Es liegt in der Entwicklungsgeschichte der Lehre von der Massenkommunikation begründet, daß diese allzu häufig einzig über eine ad-hoc-Systematik und noch über keine eigentliche Theorie verfügt.«

78 LV 397 *Buchli* I, S. 38 hebt z. B. die Wirtschaftswerbung als Überredung zum Kaufakt von der Prop. als »eine Beeinflussung des Menschen mit dem Zwecke der Anerkennung einer relativen, subjektiven Wahrheit« ab. Damit wären Wahl- und Kriegspropaganda keine Propaganda. LV 440 *Plate*, S. 547 postuliert ein »höheres Ethos« für polit. Prop., muß aber S. 548 f. doch die Identität beider Überredungsweisen einräumen.

79 LV 395 *Berth*, S. 202: »Wir sehen also, daß wir – so wenig takt- und so seelenvoll [sic!] es im ersten Moment klingen mag – einen Menschen und einen Kühlschrank, politische Ideen und Käseecken, den hehren Gedanken der Freiheit und Hustentee auf eine methodisch sehr ähnliche Weise ... beschreiben können.« LV 444 *Spiegel*, S. 11 erklärt, »daß die Strukturen der Meinungsverteilung ... bei der weltanschaulichen Idee die gleichen sind wie beim Markenartikel, beim Parteiprogramm die gleichen wie beim Filmstar.« Ebenso LV 405 *Domizlaff*, S. 19; LV 401 *Dichter*, S. 57; LV 436 *Munson*, S. 12.

80 E. D. Martin in: LV 404 *Doob*, S. 242.

81 *Hofstätter, P.:* Einf. i. d. Sozialpsychologie, 3. Aufl. 1963. 1949 in LV 413 war er vorsichtiger: »So betrachtet dürfte sich zwar kaum eine scharfe Grenze zwischen Prop. und Erz. ziehen lassen, immerhin ist aber ein Stimmungsunterschied gekennzeichnet, der freilich nicht immer anzutreffen ist« (S. 105).

82 LV 402 *Dieckmann*, S. 37 konstruiert nach Hofstätters Muster ebenfalls einen Gegensatz von Propaganda und Didaxe. S. 38 zeigt er aber auch anhand von Orwells »1984« die Möglichkeit propagandistischer Erziehung: »Propaganda, so verstanden, nimmt den Begriff der Erziehung in sich auf.« Wie unfruchtbar diese Trennung ist, erhellt, daß nach Dieckmann der gleiche Akt »gesellschaftlicher Kontrolle« sowohl Erziehung als auch Propaganda sein kann, je nachdem, wer gerade betroffen ist. Auch LV 396 *Brown* hält S. 22 an der Unterscheidung fest, obwohl er 2 Seiten später zugeben muß, wie sehr die Grenzen verwischt sind. Daß es sich um nicht objektivierbare Wertsetzungen handelt, beweist *Schutte*, S. 291, der die »nicht mehr pädagogische, sondern eindeutig propagandistische Funktion« eines Murnerschen Kunstgriffs beklagt.

83 Vgl. LV 307 *Gysi*, S. 42, der von »belehrender Propaganda« spricht. Auch für LV 417 *Klaus*, S. 128 ist Agitation ein Mittel »Wahrheiten durchzusetzen«, eine »Synthese von pragmatischem und semantischem Aspekt der Widerspiegelung der Wirklichkeit«. Propaganda und Agitation gelten also als positiv – allerdings nur die der eigenen Partei!

84 LV 401 *Dichter* erklärt in Bezug auf die Berufsgruppe der Erzieher ausdrücklich: »Auch sie können nur dann erfolgreich sein, wenn sie bei ihren Erziehungsversuchen Verkaufsappelle einsetzen.«

85 Vgl. LV 24 *Berger*, S. 8. Flugschriften sind für ihn dort »Die mächtigsten Werbemittel«. S. a. LV 445 *Spitzer*.

86 Vgl. die Darstellung und Weiterentwicklung der Theorie Lewins bei LV 359 *Berth*. Eine Zusammenfassung gibt in sehr gedrängter Form auch LV 410 *Gillert*.

87 Auch hier ist *Gillerts* zusammenfassende Darstellung heranzuziehen (LV 410).

88 Die metaphorische Terminologie entspricht der topographischen Konstruktion des Modells, die eine graphische Darstellung erleichtern soll.

89 Die hier gewählten Begriffspaare sind nach dem Vorbild des »spezifischen Polaritäts-

profils« (LV 367 *Sommer/Löffler*, S. 75) ausgewählt, denn es handelt sich nicht um nur assoziative Bezüge zu dem zu beurteilenden Gegenstand, sondern um gegenstandsrelevante Begriffe.

90 Vgl. LV 259 *Lortz*, Bd. I, 1. Kap.

91 Vgl. dazu vor allem den Abschnitt »Gesellschaftliche Lage und bürgerliches Bewußtsein um 1520« bei *Schutte*, der, von LV 256 *Kofler* und LV 409 *Fromm* ausgehend, die wesentlichsten Elemente der Veränderung zusammengefaßt hat.

92 Vgl. *Schutte* (Ms.) S. 49.

93 Vgl. dazu LV 246 *Elert* II, S. 12: »Allerdings war die Stellung der Kirche und insbesondere des Papsttums innerhalb des Abendlandes schon vor der Reformation exzentrisch geworden. ... Die Verschiebung des Papsttums aus dem Zentrum der europ. Kulturgemeinschaft an die Peripherie hatte sich in mehrfacher Staffelung vollzogen.« Er zählt dann auf: 1.: Spiritualisierung d. päpstl. Geltungsanspruchs durch versch. Reformbewegungen. 2. die Kirchenhierarchie »hatte den Anspruch verwirkt, Repräsentant ... des großen christlichen Ethos zu sein.«, etc.

94 *Schutte* (Ms.) Kap. I, Anm. 34: »Joh. Cochläus bezeichnet Luther als Sohn einer Bademagd und eines Incubus. Das ist reine Demagogie und entspricht wohl kaum der wirklichen Ansicht des Humanisten.« Dieses Urteil ist irrelevant. Viel wichtiger ist die Feststellung, daß Denifle noch 1904 unter dem Einfluß dieser »Demagogie« steht und »einen dämonischen Einfluß auf Luther glauben« machen möchte (*Schutte*, ebda.). Vgl. auch LV 259 *Lortz* I, S. 112: »Was die Verfallsschilderungen anlangt, darf nicht übersehen werden, daß in den bitteren Anklagen ... oft die fable convenue und der literarische Gemeinplatz wiederholt ... wurde.«

95 Es sei vor allem an LV 236 *Arnold*, LV 242 *Denifle*, LV 243 *Döllinger* erinnert. Auf protestantischer Seite stellen die Schriften W. *Walthers* (LV 205) einen negativen Höhepunkt dar.

96 Die Urteile von LV 231 *Stopp*, S. 55: »... the first casualty in the satirical contest [gemeint ist hier immer die Reformationssatire!] is not the satirist's opponent, but truth itself.«, und *Schutte*, S. 94: »Der Effekt ist nicht Information und rationale Diskussion ... sondern Verdrehung und Ablenkung;«, sind zwar richtig, aber irrelevant. Schutte widmet der »Entstellung der Wirklichkeit« einen ganzen Abschnitt. Manipulation ist aber kein Mittel der Propaganda, sondern ihr Wesen.

97 *Klaus*, S. 65: »Morris schreibt, jemanden überzeugend zu informieren, bedeutet nicht notwendig, ihn auch wahrheitsgemäß zu informieren. Und er bemerkt weiter, daß informative Adäquatheit unter Umständen selbst dann vorliegt, wenn die benützten Zeichen tatsächlich nichts bezeichnen. ... Die Geschichte ... liefert genügend Beispiele, die zeigen, daß Zeichen, die in Wirklichkeit nichts bezeichnen (z. B. bestimmte religiöse Schlagworte), durchaus ... als Auffassungen über die Wirklichkeit angenommen werden.«

98 S. 67: »Von großer Bedeutung ist ein systematisches Studium dieser Appraisoren in unserem sprachlichen Bereich, die Ausnutzung ... für die Durchsetzung neuer Formen der Produktion ... des ökonomischen Denkens, für die Durchsetzung sozialistischer Moralnormen, für die Vermittlung eines guten Geschmacks in Literatur, Musik, Malerei oder für die Durchsetzung bestimmter Formen des wissenschaftlichen Denkens.« Und S. 68: »Es ist nicht so, als hätte es die Wahrheit nicht nötig, nach optimalen Mitteln ihres Ausdrucks, ihrer Weitergabe, ihrer Einwirkung auf die anderen Menschen zu suchen.«

99 In: »De Doctrina Christiana«, zit. nach LV 359 *Roth*, S. 21: »Mit der Waffe der ars rhetorica kann sowohl das Wahre als auch das Falsche verfochten werden.« Ebenso *G. Klaus*, S. 50: »Die emotionale Ladung von Wörtern, die notwendig ist und imstande ist, Massen für progressive Ziele zu begeistern, kann also ebenso auch von der Reaktion zur Manipulierung und Verwirrung mißbraucht werden.« Der von Klaus wiederholt geäußerte Optimimus, »daß sich die wahren Maßstäbe, d. h. die Maßstäbe, die den Interessen der Werktätigen dienen« (S. 67), auf die Dauer durch-

setzen werden und die Versicherungen, »daß marxistische Propaganda in erster Linie wahr zu sein habe«, sind dabei ganz deutlich Konzessionen an die eigene ideologische Grundhaltung (vgl. S. 31).

100 Dazu gehört auch Schuttes Versuch, das Verhältnis von künstlerischen und propagandistischen Mitteln zu den gesellschaftlichen Zielvorstellungen des jeweiligen Autors zu einem Wertmaßstab zu machen: »Die antidemokratische Tendenz des ›Lutherischen Narren‹ verleiht der gegen die reformatorische Freiheitsbewegung ins Feld geführten ›volkstümlichen‹ Schreibweise daher die Verlogenheit der modernen Massenbeeinflussung, d. h. ihr manipulatives Element und ihre demagogische Funktion.« (S. 47). Vgl. dagegen *Klaus*, S. 154: »Kein Marxist wird allerdings aus der Tatsache, daß pragmatisch normierte Wörter durch reaktionäre Kräfte mißbraucht werden können, die Schlußfolgerung ziehen, der Gebrauch solcher Schlagwörter sei verwerflich.«

101 *Lippmann, W.*: »Die öffentliche Meinung«, übs. v. H. Reidt, München 1964. Z. B. S. 25: »... alles, was der Mensch tut [beruht] nicht auf sicherem Wissen ..., sondern auf Bildern, die er sich selbst geschaffen oder die man ihm gegeben hat.«

102 Wichtig ist vor allem LV 418–420 *Kleining*, LV 415 *Hofstätter*, sowie LV 395 *Berth* und LV 444 *Spiegel*, aber auch der von LV 396 *Brown* und LV 404 *Doob* geprägte Begriff der »attitude« (Doob, S. 35: »... the socially significant, internal response that people habitually make to stimuli« und Brown, S. 37: »what happens between stimulus and response to produce the observed effect«) ist heranzuziehen.

103 Vgl. LV 413 *Hofstätter* und LV 444 *Spiegel*, S. 30.

104 *Spiegel* (S. 36) spricht von einem »frühen Image«.

105 Vgl. hier: S. 18 Abb. 1.

106 Bei dieser Konstruktion ist allerdings grundsätzlich zu bedenken, daß eigentlich von der Bildung zweier Images, bzw. Durchschnittsimages auszugehen ist, die bei einem kontroversen Meinungsgegenstand sich spiegelbildlich im Modell des Feldes abbilden würden; denn sowohl die Gruppe der Anhänger als auch die der Gegner besitzen ja ein Image des Meinungsgegenstandes. Man könnte je nach der Bezugsgruppe von einem Positiv-, bzw. Negativimage sprechen; in der Marktforschung haben sich jedoch »Selbstimage«, bzw. »Fremdimage« durchgesetzt (LV 419 *Kleining*, S. 202), die auf Hofstätters »Auto- und Heterostereotyp« (LV 414) zurückgehen.
Gerade das spiegelbildliche Verhältnis gegnerischer Images erlaubt jedoch die Vernachlässigung dieses Dualismus im Modell. Vgl. dazu auch *Spiegel*, S. 50, der ebenfalls das jeweilige Fremdimage vernachlässigt, weil das Modell »nicht die Aufgabe [hat], den Meinungsgegenstand als solchen abzubilden ... die *Individuen* ... sind die Modellbasis und nur sie bestimmen die Ordnung im Modell.« Für bestimmte Propagandamethoden wird uns das Fremdimage allerdings noch bedeutsam werden (s. o. S. 27 f.).

107 Vgl. vor allem *Berth* und *Spiegel*, aber auch LV 393 *Bergler*: »Ein positiver Firmenstil (= Image) kann ... nicht einseitig geschaffen werden, sondern nimmt bereits die Verhaltensweisen der angesprochenen Gruppe als integrale Bestandteile in sein System, also seine Gestalt auf.« (S. 7).

108 In Abwandlung des Berthschen Kernsatzes: »Werben heißt Images beeinflussen.« S. 315.

109 Auf diese Weise werden Vermengungen mit dem semantischen Aspekt der Wahrheit vermieden, wie sie in »gegenstandsorientierten«, d. h. ideologisch begründeten Propagandatheorien üblich sind. Vgl. *Schutte*, S. 3: Prop. dort Antwort auf ein »praktisches Problem«. Dabei wird doch Propaganda und Propagiertes verwechselt.

110 Die Neuschaffung eines Images ist nur bei der ersten Einführung eines neuen Meinungsträgers in ein soziales Feld möglich. *Berth* nennt S. 314 als Beispiel »neue Bedürfniskombinationen werden geschaffen, Neueinführung, Aufbau einer politischen Persönlichkeit«; und S. 321: »Im politischen Raum wäre an den ... Fall einer Parteineugründung zu denken;«. Obwohl dies naheliegt, kommen Luthers Programm-

schriften hierbei nicht in Betracht. Es handelt sich dabei ja nicht um die vorgeplante Kampagne eines Werbestrategen, der vor der Publikation ein Image selbst entwirft.

111 Vgl. *Spiegel* S. 70ff.: »die einzelnen subjektiven und objektiven Beschaffenheiten [des Meinungsträgers], die anfangs oft recht beziehungslos ohne innere Kongruenz nebeneinanderstehen ... [passen] sich im Erlebnis des potentiellen oder faktischen Anhängers im Laufe der langsam wachsenden Bekanntheit immer mehr einander [an] ... womit die Zuordnungen der Beschaffenheiten immer sinnfälliger, immer eindeutiger ... werden und am Ende ... u. U. geradezu zwingend sind.«

112 *Spiegel*, S. 51f.: »eine Situation, in der das Ineinandergreifen der Verzahnung ... der *Bedürfnisse*, der Erwartungen und Ansprüche, der Interessen und Wunschbilder, wie sie der Motivationsstruktur entsprechen, auf der einen Seite und ihre *Befriedigung* auf der anderen, daß dieser Ineinandergriff hier die geringsten Lücken aufweist.«

113 Skeptiker gegenüber den Möglichkeiten propagandistischer Beeinflussung sehen die Funktion von Prop. zu einseitig in der Konversion von Gegnern.

114 Vgl. *Spiegel*, S. 95: »Eine neutrale Gruppe wird sich unter dem Einfluß einer bestimmten Werbung nicht nur in der Weise aufspalten, daß ein Teil sich die werbliche Intention zu eigen macht und ein anderer indifferent bleibt, sondern auch dadurch, daß im Sinne einer gegengerichteten Induktion eine ganze Anzahl von Personen eine Abwehrstellung bezieht und es so zu einer Anhäufung um *beide* Pole kommt – so, als ob nicht nur von einem Pol her, sondern von beiden geworben würde.«

115 Literatur und Beschreibung bei LV 413 *Hofstätter*, S. 118ff.

116 Ebda., S. 122ff. »Aktualitätsgrad« hat in etwa die gleiche Bedeutung wie »Aufforderungsgradient« und »Bedürfnisdruck« in der Werbewissenschaft.

117 Auch Hofstätters Vorschlag für eine erfolgreiche Gegenpropaganda ist nicht praktikabel: S. 129: »Das beste Mittel, ... einer Versteifung der gegnerischen Position zu entgehen, scheint darin zu bestehen, daß man nicht den Inhalt der gegnerischen Meinung, sondern nur deren Glaubwürdigkeit attackiert.« Eine solche Prop. müßte sich nach Hofstätters eigenen Erkenntnissen selbst verunmöglichen, da eine solche Verunsicherung zu noch größerer Radikalisierung führen würde.

118 »Experimental studies in changes in attitudes«, in: Journal of Abnormal and Sozial Psychology 30, 1943, S. 507ff.

119 Vgl. LV 437 *Noelle-Neumann*, S. 356: »Selbst wenn eine Information zur Kenntnis genommen worden ist, folgt daraus nicht unbedingt, daß sie auch die Meinung beeinflußt. Wenn sie festen Überzeugungen zuwiderläuft, bleibt sie wirkungslos.« – LV 421 *König*, S. 189: »gemäß den in der Sozialpsychologie entwickelten Konsistenzmodellen kann heute ganz allgemein gesagt werden, daß Inhalte keine Chancen haben, akzeptiert zu werden, sofern sie die kognitive Inkonsistenz beim Empfänger erhöhen.« – LV 435 *Maletzke*, S. 196: »Die Aussage muß vom Rezipienten als ein Bestandteil seiner kognitiven Struktur akzeptiert werden. Stimmt die Aussage nicht mit der präexistenten kognitiven Strukur überein, wird sie entweder zurückgewiesen oder aber so verändert, daß sie übereinstimmt ...« (nach Cartwright) – *Lewin* (zit. nach LV 396 *Brown*, S. 66): »... even the possession of correct knowledges does not suffice to change false or dangerous attitudes« – vgl. auch Brown selbst, S. 79.

120 Vgl. *Berelson*, *Lazarsfeld* und *Gaudet*: »The peoples choice« 2. Aufl. New York 1948, sowie LV 444 *Spiegel*, S. 88f.: »Das gleiche Bedürfnis, mit zunehmender Aktualisierung einer Entscheidungssituation, wie sie Werbung und Propaganda ja bewirken, das unentschiedene Mittelfeld mit seinen viel schwächeren Überzeugungsstärken zu verlassen und zu einer *Entscheidung* zu gelangen, die den Konflikt beendet ... begegnet uns in der bekannten Tatsache, daß Parteiversammlungen vorwiegend von *Anhängern* und Sympathisierenden besucht werden. Allenfalls die extremen Gegner sind es außerdem noch, ... die dadurch aber ebenfalls zu einer weiteren Radikalisierung in *ihrem* Sinne zu kommen hoffen.«

121 Vgl. *Miller, G. A.*: »Language and Communication« 2. Aufl. New York 1963, S. 269.

122 Vgl. dazu vor allem die abgewogene Einschätzung bei LV 396 *Brown*, S. 29.

123 Über die Bedeutung eines Feindbildes für die Prop. vgl. LV 398 *Burke*, S. 8 f.

124 LV 396 *Brown*, S. 28: »It is helpful if the propagandist can put forth a message which is not only *for* something, but also *against* some real or imagined enemy ... which had the dual effects (a) of directing aggression away from the propagandist and his party, and (b) of strengthening in-group feelings thus improving party morale.« Vgl. dazu auch *S. Freud*: »Der Witz und seine Beziehung zum Unbewußten«, Frankfurt/M. 1961, S. 83 und 108 (über die Funktion des aggressiven Witzes).

125 Vgl. *Berth*, S. 325. Sein Modell verdeutlicht: die Verschiebung von A zu A1 erbringt eine Bilanz von 3 : 6, d. h. einen Verschiebungsertrag von 3.

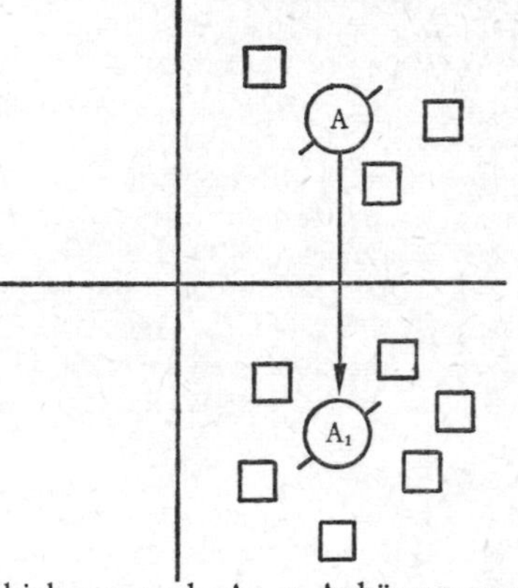

126 A gewinnt durch die Verschiebung nach A1 3 Anhänger von B, ohne seine bisherige Anhängerschaft einzubüßen, weil für die B immer noch weiter entfernt liegt als A1.

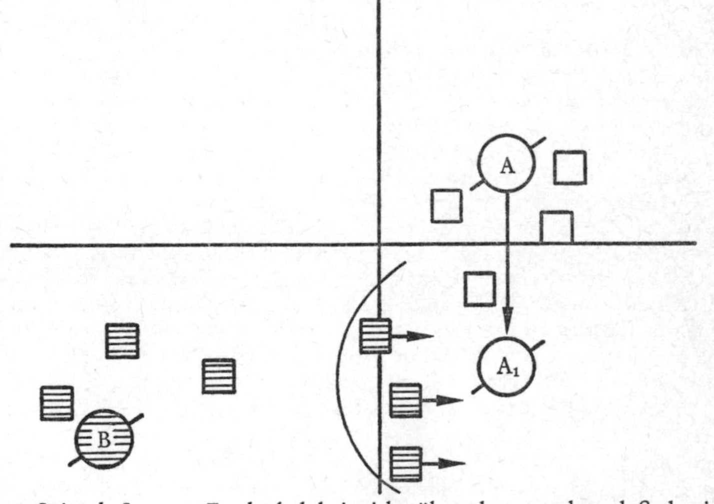

127 LV 444 *Spiegel*, S. 100: »Es darf dabei nicht übersehen werden, daß damit die ... Gefahr des Verlustes alter und besonders treuer Teile der Anhängerschaft einhergeht.«

128 Vor allem LV 396 *Brown*, S. 68 ff.; LV 398 *Burke*; LV 401 *Dichter*; LV 404 *Doob*; LV 413–415 *Hofstätter*; LV 425 und 426 *Lasswell*; LV 424 *Kropff*; LV 435 *Maletzke*.

128a Das gilt natürlich nur für freiwilliges Handeln, also nicht etwa für das Rudern eines Galeerensträflings.

129 LV 409 *Fromm*, S. 72: »Nur wenn die neue Idee eine Antwort auf starke psychische Bedürfnisse bestimmter Gesellschaftsschichten darstellt, wird sie zu einer gesellschaftlichen Macht.«

130 *Schutte* (a. a. O., S. 23) stellt fest, »daß der Charakter des Reformators ... mit der Bedürfnisposition seiner Anhänger übereinstimmt.«

131 Vgl. LV 401 *Dichter*; LV 424 *Kropff* und auch die Kritiker bei LV 439 *Packard*.

132 Vgl. LV 395 *Berth*, S. 289: »Werbung kann nur dann erfolgreich sein, wenn sie menschliche Grundstrebungen berührt.« *Sherif* in LV 396 *Brown*, S. 66: »Attempts at changing attitudes or social prejudices experimentally by the dissemination of information or factual argument have been seen notably unrewarding.« Außerordentlich bündig faßt Nicolas *Samstag* in LV 394 *Bernays* zusammen: »Effective advertising is therefore based upon emotions and not upon intelligence.«

133 *Klaus* hat sich allerdings gegen eventuelle Vorwürfe wegen seiner Apologie manipulativer Verfahrensweisen abgesichert: im Bereich marxistischer Prop. handelt es sich natürlich immer nur um Wahrheitsvermittlung – »Wahrheit und Nützlichkeit von Aussagen fallen also für die fortschrittliche Klasse auf Grund ihrer besonderen geschichtlichen Mission zusammen« (S. 131).

134 Vgl. LV 425 *Lasswell*, S. 96: »action, the terminal phase of every completed sequence of communication.«; LV 404 *Doob*, S. 397: »The objective of propaganda is action, not merely readiness to respond.«; LV 402 *Dieckmann*, S. 41: »... jede sprachliche Äußerung im System der politischen Werbung bezweckt letzten Endes einen Einfluß auf das Verhalten der Staatsbürger.«

135 Auch Lasswell, der ja (Anm. 134) als das »Endziel« jeder Kommunikation die Auslösung von Handlung benennt, unterstreicht in LV 391 *Berelson*, S. 176: »Propaganda is the management of collective attitudes by the manipulation of significant symbols.« LV 433 *Lübbe* faßt beide Aspekte zusammen: »Die Sätze politischer Sprache ... haben ... nicht erst als performative, sondern schon als behauptende Sätze Aktionscharakter« (S. 354).

136 LV 409 *Fromm*, S. 47; S. 58: »Rückgrat« der Reformation; ebenso LV 239 *Bezold*, S. 382; LV 277 *Weber*, S. 55: »die aufstrebenden Schichten des gewerblichen Mittelstandes ...«; LV 324 *Kapp*, S. 409 ff. weist nach, daß »schon vor der Reformation im deutschen Bürgertum eine große Schicht vorhanden [war], welche lebhaften Anteil an der geistigen Bewegung nahm, Bücher kaufte und las«; *Schutte* nennt S. 19 als Zielgruppen reformatorischer Publizistik: Händler, Handwerksmeister, Gesellen, städtischen Prädikantenklerus, Laienbrüder in den Klöstern; LV 136 *Huber*, S. 88 zählt ebenso auf: »Die kleinbürgerlichen Schichten, Handwerker und kleine Kaufleute, Menschen, die selten aus ihrem städtischen Bereich herauskamen.«

137 Vgl. *E. Müller* in LV 33 *Eberhardt*: »Im Juni 1523 tauchte in Weida ein mit Namen unbekannter Prediger auf, der in der Peterskirche scharf gegen das Klosterwesen auftrat ... Ähnliches wiederholte sich Anfang August. Im Verlauf der weiteren Ereignisse hatte sich die Erregung in der Stadt gegen das Nonnenkloster so gesteigert, daß man drohte, das Kloster zu stürmen. Der Rat der Stadt wagte aber wegen der erregten Stimmung der Bevölkerung nicht, den Geistlichen zu entfernen.« Und LV 385 *Bezold*, S. 385: »In Konstanz verhinderte die Bürgerschaft schon 1521 die Publikation des Wormser Edikts und zwang den kaiserlichen Kommissar mit Drohungen zum Abzug.« u. ä.

138 LV 385 *Bezold*, S. 439: »... die Städte, die zugleich auf ihre stark erregten Bürgerschaften Rücksicht nehmen mußten«, erklärten auf dem Nürnberger Reichstag (März 1523) gegenüber den Vorschlägen Campeggis, sie »würden beim gemeinen Mann ›viel Aufruhr, Ungehorsam, Totschläge, Blutvergießen, ja ein ganzes Verderben‹ hervorrufen.« Daß sich die protestantische Minderheit gegen die altgläubige Mehrheit durchsetzen konnte, ist ein Beweis für die Schlagkraft dieses Arguments. Ders., S. 388: »... in Erfurt arbeitete der Rat mit der aufgeregten Gemeinde zusammen am Sturz des ›papistischen‹ Wesens.« Vgl. auch LV 252 *Jörg*, S. 99, u. a.

139 LV 211 *Blochwitz*, S. 227 hat diese Beispiele gesammelt und hält sie bezeichnenderweise für direkte Aufrufe zum Handeln. Seine Liste enthält jedoch nur einen derartigen Aufruf: »Das gelt wöl wir wider han und wagen leib und sel daran.«

140 Ein kursächsischer Rat über die Wirkung Huttens: »von Luther ist hier viel Redens; aber es kommt jetzt Herr Ulrich von Hutten mit soviel seltsamen Schriften hervor, daß er schier böser und die Römischen ihm feinder sind als Dr. Luder;« In: LV 204 *Walser*, S. 59; vgl. auch LV 219 *Hagen*, und LV 233 *Voigt*, u. v. a.

140a Hier wird noch einmal der Gegensatz zu Schutte deutlich, der (S. 3) erklärt: »Die Öffentlichkeit, Medium der Begegnung zwischen Autor und Leser ... ist in der Reformation nicht literarisch bestimmt, sondern religiös und politisch; die Erwartungsdisposition, innerhalb derer die Texte in spezifischer Weise wirksam werden, ist durch ein *praktisches* Problem charakterisiert; ein Problem, als dessen Lösung die in den Predigten, Sendbriefen ... verkündeten Lehren begierig aufgegriffen werden.« Mit der Beschränkung auf die kognitiven Inhalte ist dem Phänomen propagandistischer Wirksamkeit ganz sicher nicht beizukommen. So klammert der Literaturwissenschaftler gerade den Bereich aus, auf dem er einen echten Zugewinn zur sozialhistorischen Forschung leisten könnte: das »Medium der Begegnung zwischen Autor und Leser« – womit wir freilich den Text und nicht die Öffentlichkeit verstehen.

141 Die Grenzziehung mit dem Jahr 1525 ergibt sich aus der grundsätzlich neuen Qualität, die die protestantische Öffentlichkeitsarbeit nach Luthers Abwendung von der Bauernbewegung, der Verinnerlichung des reformatorischen Freiheitsbegriffes und die bewußt herbeigeführte Abhängigkeit von den Fürsten gewinnt. Vgl. dazu auch LV 225 *Lucke*, S. 205, sowie LV 307 *Gysi*, S. 299. Für Sachs wird diese Zäsur auch an der plötzlich nachlassenden literarischen Produktion in diesem Jahre sichtbar.

142 Thema und Argumente umfassen den kognitiven Gehalt der Propaganda; die Rückführung der formalen Aspekte auf einen textlichen Überlieferungszusammenhang soll die emotiven Gehalte transparent machen.
Für den Bereich der Wortinhalte charakterisiert LV 403 *Dieckmann* die sozialstrategische Funktion: »Und schließlich gibt es solche [Wortinhalte], die für alle oder die Mehrzahl der Gruppenmitglieder an das isolierte Wort gebunden sind ... Sie sind sozial und usuell. Die große Bedeutung ... beruht darauf, daß diese Wörter nicht nur etwas benennen, sondern das Bezeichnete zugleich sozial verbindlich bewerten. Sie kommunizieren die Emotionen und Haltungen, die der Sprecher gegenüber dem Bezeichneten hat oder die er im Hörer zu erwecken versucht. Darauf basiert im wesentlichen die Möglichkeit, mit der Sprache Verhalten zu steuern, und deshalb sind die Wörter mit starken emotiven Gehalten vor allem in der Sprache der politischen ... Propaganda so verbreitet« (S. 78).

143 Vgl. LV 423 *Kortzfleisch*, S. 131: »Das Auseinanderklaffen zwischen beabsichtigter und erzielter Wirkung [von Luthers Thesenpublikation] dürfte ... paradigmatisch sein für die Eigenwilligkeit der Wirkung publizistischer Akte überhaupt«, und LV 404 *Doob*, S. 247: »A propagandist can almost never anticipate the complete consequences of his own propaganda ... some of those ... are achieved unintentionally.« (dort auch versch. Beispiele.)

144 LV 395 *Berth*, S. 5: »Wir wollen unter Strategie ... ein Handeln verstehen, das sich ... auf wissenschaftliche Beobachtungen stützt ...«. »Wir wollen damit nicht die unerläßliche *Intuition* ausschalten, jedoch strebt echte Sozialstrategie nach deren Beschränkung zugunsten exakter Forschungsergebnisse.«

KAPITEL 2

ERÖFFNUNG DER KAMPAGNE

145 Das Motto der WN.

146 Allein aus dem Erscheinungsjahr sind sieben Auflagen (1 aus Nürnberg, 2 aus Zwik-

kau, 1 aus Eilenburg, 3 o. O.) erhalten, eine weitere ist undatiert. Vgl. LV 2 *Keller/Goetze*, Bd. 24, S. 78 f.
Direkt oder mittelbar Bezug genommen auf diese Flugschrift wird von Cochläus (LV 378 *Uhland*, Bd. 2, S. 479 f.), Heinrich von Kettenbach (LV 7 *Arnold*, S. VI), Johann Greiffenberger (*Uhland*, a. a. O.) und in Spenglers (?) Flugschrift »Triumphus veritatis« (LV 80 *Schade*, II, S. 196 ff.). Neben diesen seit langem bekannten Hinweisen auf die Rezeption der WN ist der »Christliche Weinberg« des Thomas Stöhr zu nennen (Weller, Nr. 3182); nach der Inhaltsangabe bei LV 241 *Clemen*, III, S. 380 ff. deuten Metaphern wie »Nacht des Unglaubens«, »Morgenstern des göttlichen Wortes« zusammen mit dem Hinweis »Weiber und Schuster breiten aus das göttl. Wort« auf unseren Text. Noch in der 2. Hälfte des 16. Jh. nennt sich W. Clebitius die »Grumbachsche Nachtigal« (LV 95 *Wolff*, S. 138 ff.). Luthers Lied der »Frau Musica« (LV 24 *Berger*, S. 193 ff.) könnte mit den Zeilen über die Nachtigall, »... Gott singt vnd springt sie tag vnd nacht, / Seins lobs sie nichtes müde macht / Den ehrt und lobt auch mein gesang«, auf das Sachssche Spruchgedicht anspielen. Die über die Reformationszeit hinausreichende Beliebtheit des Spruches bis hin zu Wagners Meistersingern ist von der kontemporären Rezeption abgelöst zu betrachten.

147 Vgl. vor allem LV 151 *Mummenhof*, S. 21, der vermutet, daß »zunächst all die Angelegenheiten und Mühen, die mit der Gründung des Hausstandes zusammenhingen« als Ursache anzusehen sind. Ebenso LV 127 *Genée*, S. 135.

148 Vgl. LV 257 *Lochner*, S. 12 f.: 1520 – Verbot des Nachdrucks; 1521 (anl. d. Wormser Edikts) – Verbot des Verkaufs; 1522 – Polemik von der Kanzel wird verboten. Vgl. auch LV 276 *Waldau*, II, S. 354.

149 Am 24. 3. wurden 2 Frauen wegen des Verkaufs von Flugbl. in den Turm gesteckt; am 7. 4. ging ein mahnender Erlaß an die Briefmaler; am 13. 4. wurde ein fremder Krämer verhaftet; am 11. 6.: Mahnung an die Buchhändler, keine »Schmähgedichte« zu verkaufen (vgl. LV 230 *Schottenloher*, S. 146 f.).

150 LV 158 *Röttinger*, S. 12: »Das Bedürfnis, einer breiten Öffentlichkeit sich rasch und unmittelbar mitzuteilen, hatte sich in Sachs an der oppositionellen Haltung der Stände auf dem Nürnberger Reichstag von 1523 entzündet.«

151 Argumente für die Priorität bei LV 1 *Ellis* und LV 119 *Beifus*, S. 9. Ein Vergleich der Texte liefert den Beweis: In der »Nachtigal« Z. 51 ff. heißt es

»Der man ist finster worden
Pedewt das pebstlich netz
Seine gepot vnd applas schetz.«

Es handelt sich also um eine Verschlüsselung in 2 Stufen, Gesetz = Netz = verlöschender Mond, eine etwas schwer verständliche Metaphorik. In der WN ist das gebessert. Zwar ist das Bild geblieben S. 368/12 f.:

»Des mones schein thut sie verdrücken.
Der ist ietzt worden pleich und finster.«

In der Entschlüsselung jedoch ist das »Gesetz« nur noch auf das Bild des Netzes bezogen:

»Nun last uns auff die mordstrick mercken!
Bedeuten uns des papstes netz, ...«.

Ähnlichkeit wie Änderungen zeigen die Bearbeitung.

152 Text bei LV 1 *Ellis*. Sie nimmt die dem eigentlichen Titel vorangestellte Beschwörungsformel »Das Walt got« zum Titel. Das ist eine unglückliche Wahl, steht doch nach Angabe der Weise »Die nachtigal 3 Lieder«. Vgl. auch *C. H. Bell*, in: Germanic Review 18, 1943, S. 225 ff.

153 Nur in sechs Fällen hat Sachs einen Spruch zu einem Meisterlied verarbeitet. Es sind dies (nach LV 2 *Keller/Goetze*, Bd. 25, Generalregister) Nr. 482, 624, 646, 654, 789, 866. Vgl. LV 158 *Röttinger*, S. 6, Anm.

154 Vgl. LV 340 *Mey* zum Publikationsverbot.

155 Vgl. das Uexküllsche Modell bei LV 395 *Berth*, S. 349 ff.

156 Überdies verdient die Formulierung »die solches wort gotes nit annemen, sonder verachten und zum tayl verfolgen« genauere Beachtung. Das meint ja nicht die Anhänger der alten Kirche, sondern die Träger der kirchlichen Institution selbst.

157 LV 179 *Centgraf* berechnet allein für Luthers Schriften eine Gesamtauflagenhöhe von 800 000 (S. 20). Buchführer und fahrende Studenten trugen zur schnellen Verbreitung bei. Durch das öffentliche Verlesen von Flugschriften und mehrere Familien umfassende Lesegemeinschaften war überdies das erreichte Publikum noch weit größer als die Auflagenzahl der Flugschriften. Vgl. auch LV 219 *Hagen*, II, S. 222 und LV 388 *Bahr*, S. 17 f., sowie LV 22 *Berger*, S. 32.

158 Zum Begriff »Redundanz« vgl. LV 441 *Prakke*.

159 Wenn von der gleichen Forschung allerdings in dem Bemühen, Polemik zu dementieren, der Informationscharakter der WN betont wird (vgl. oben Anm. 35), so bestärkt das nur den Ideologieverdacht.

160 Vgl. Luther »Die weyße der Messz ...«, eine 1523 in Nürnbg. gedr. Schrift (LV 372 *Strobel*, II, S. 455).

161 Auch *Schutte* sieht richtig, daß eine Polarisierung vor allem erreicht wurde durch »solche und ähnliche Techniken verzerrender Argumentation und Darstellung, die auf beiden Seiten die Polemik bestimmten.« (S. 67).

162 Z. B.: »der gemein mann arm und reich«, vgl. DWB IV, 3204 – auch zu den anderen Bedeutungen.

163 Bei LV 298 *Flemming*, S. 10 heißt es undifferenziert: »Das Publikum können wir also festlegen als die breite Masse der biederen Bürgersleute.«; bei LV 215 *Dunken* ist stets nur »das Volk« genannt (S. 220 f.).

164 Vgl. LV 252 *Jörg*, S. 96 f. Auch Luther spricht im »Sendbrief von Dolmetschen« vom »gemeinen Mann auf dem Markt«.

165 Vgl. LV 248 *Engels*, S. 46 und LV 223 *Klöss*, S. 9: die Flugschr. ist »in ihrer direkten Wirksamkeit an den Kreis der Lesekundigen und damit der Gebildeten gebunden.«

166 Vgl. auch LV 173 *Wernicke*, S. 8: »Man machte damals beim Volke immer den Unterschied zwischen ›dem gemeinen Mann‹ (der ungefähr den arbeitenden Mittelstand darstellte) und dem ›rohen Haufen‹.«

167 Z. 376/38–379/26 enthält einen Abriß der Lehre Luthers, der Schluß ist eine kurzgefaßte polemische Darstellung der Reformationsgeschichte bis etwa 1523. Die dort geäußerten Vorwürfe entsprechen denen in 1–6.

168 In der Illustration zu Apok. 18 in der Ausgabe des N.T. von 1522 erscheint Rom als Babylon, in dem die »Kaufleute« (röm. Priesterschaft) über den Fall Babylons klagen. Im R. d. V. Vss. 4162 ff. heißt es: »Dat gelt ysset al, dat se begheren.«. Es kommt auch nicht von ungefähr, daß die bekannte Parodie des »Geldevangeliums« aus der 2. Hälfte d. 13. Jh. zur Ref.-Zeit wieder beliebt wird (vgl. LV 334 *Lehmann*, S. 54 ff.). Vgl. auch LV 259 *Lortz*, I, S. 244: »Zunächst und am stärksten geht es gegen die römische und klerikale Habsucht.«

169 Vgl. die im LV genannte Literatur zur WN.

170 So sind in der WN verschiedene Elemente der »Schutzrede« aufgenommen; aber auch in Spenglers »Bericht« vom Wormser Reichstag (vgl. LV 101 *Wrede*, Bd. II, S. 886 und LV 196 *Pressel*, S. 28 ff., sowie LV 186 *Kalkoff*, S. 16 ff.) finden sich bemerkenswerte Ähnlichkeiten: »[Die Geistlichkeit ist gegen Luther,] ... darumb, das sie besorgt, die stenndt dess Reichs wurden auff Luthers schrifften vnd anweißung so vil erkennen, das sie der vbermessigen Romischen beschwerungen, die nu ain zeitlang mit hauffen vber vnns gefallen dadurch wir auch alls die armen dollen vnd plinden schaff, vnnser wollen schier beraubt, ia gar nahe ganntz geschunden sein, mer dann vor ... vnd sich darumb vndtersteen würden, dero zu entledigen. Die gaistlichen Aber vnnser heilige vätter, vnser Theologi, pastor vnd seelsorger, dero puberey, geitz vnd strafflich sachen durch Luthers anzaigen so weit eroffnet ist, das wir auch das nit allein sehen, ia mit den händen greiffen mögen ... haben in verfolgung Luthers vnd seiner leer, dise mainung gehabt, wo Luther vnd sein leer abgethan ... so

wurden auch damit ire strafflich pöss vbung vergraben.« (nach LV 72 *Mayer*, S. 39). Auch in einigen sprachlichen Wendungen besteht Übereinstimmung: »geistlich Haufen« ist nach LV 186 *Kalkoff*, S. 60 ein »Lieblingsausdruck Spenglers«, ebenso »geschwürm« (ebda., S. 60). Kalkoff registriert S. 68, Anm. die inhaltlichen und teilweise motivischen Ähnlichkeiten der WN mit der »Schutzred«, will aber von einer direkten Beeinflussung Sachsens nichts wissen.

171 Vgl. *Kalkoff*, S. 68 »Freundschaft« und LV 196 *Pressel*, S. 87: »ein seltener Freundeskreis« (einschl. H. Sachs).

172 Vgl. LV 163 *Schultheiß*, S. 8; LV 143 *Kulp*, S. 253; LV 136 *Huber*, S. 78; LV 267 *Roth*, S. 122; LV 307 *Gysi*, S. 292; u. v. a. m.

173 Die »Ecbasis captivi«, vgl. LV 356 *Ross*.

174 Vgl. LV 378 *Uhland*, S. 476: »Das Bild ist zu weit ausgesponnen und nicht überall natürlich durchgeführt; unter den aufgezählten Tieren finden sich ziemlich unpassende zusammen.«, und LV 145 *Lucae* stellt fest: »... so ist doch andererseits das Bild zu weit ausgesponnen und nicht überall natürlich durchgeführt. Auch finden sich unter den weiter aufgeführten ... [weiter wie oben, aber ohne Anführungszeichen].

175 LV 169 *Theiss*, S. 130f. nennt »5 Bilder«: 1.: Tagesanbruch; 2.: Verführung der Herde; 3.: die Not der Schafe in der Wüste; 4.: Wirkung des Nachtigallengesanges – Wut der Tiere; 5.: Rückkehr der Herde zum guten Hirten.

176 LV 224 *Kolodziej* erkennt den epischen Charakter und rechnet die WN zu den »Reimerzählungen« (S. 36), gleichzeitig bleibt sie aber bei der Allegorie: »eine echte allegorische Dichtung«, S. 203.

177 Die »Nachtigal« entspricht dem üblichen Meisterliedertyp, »Exemplum mit angehängter Glosse« (LV 343 *Nagel*, S. 80).

178 Auch *Theiss* kann die epische Struktur nicht ganz übersehen: »Mit dem Zeitadverb ›vor‹ wird die Wirkung des Mondscheins in einem epischen Rückgriff nachgeholt« (S. 130); »Der episch-ruhige Gang der Handlung ...« (S. 131).

179 Vor allem LV 169 *Theiss*; LV 1 *Ellis*, LV 24 *Berger*, u. a.

180 Vgl. LV 158 *Röttinger*, S. 12: »Darnach kann man sagen, daß der Sachsische Bilderbogen nicht von Seiten des Bildschnitts, sondern von Seiten der Dichtung in die Wege geleitet wurde.«

180a Vgl. LV 103–114, allein die Geisbergsche Sammlung (LV 106) enthält 1600 Abbildungen und lag 1941 schon seit 11 Jahren vor.

181 Vgl. die Holzschnitte in Brants »Narrenschiff« und die Tierillustrationen der Zainerschen Aesop-Übersetzung.

182 Vgl. LV 1 *Ellis*, S. 67ff. und 77ff.

183 Trotzdem hat LV 169 *Theiss* recht: »Lückenlose Genesen hat aber auch Ellis, obwohl er [sic!] zu einem sehr großen Teil überzeugt, nicht immer bringen können. Eine Zurückführung auf *eine* Quelle oder Anregung wird wohl überhaupt nie möglich sein. Zu vieles lief einfach im täglichen Gespräch um und drang von da in die Literatur ein oder wurde aus älteren Schriften übernommen« (S. 133).

184 »Straffrede Diogenis, uber die viechisch, verkert art menschlichs geschlechts ...« (LV 2 *Keller/Goetze*, III, S. 102).

185 Murners »Geuchmatt«, Vss. 586 nennt ebenf. d. Circe-Mythos.

186 Ovid: in der »Lutherischen Strebkatz« (LV 80 *Schade*, III, S. 112ff.); Lukian: »Eckius Monachus«, »Murnarus Leviathanus«, »Hochstratus ovans« – vgl. LV 181 *Gewerstock*, S. 114: »Im Anschluß an Lucians ›Gallus‹ ist also innerhalb der Dialogliteratur eine eigene kleine Gattung – satirische Tierallegorien entstanden.«

187 Vgl. LV 43 *Groote*, Nr. 87, dort: Superbia = Löwe; Unkeuschheit = Schwein; Trägheit = Esel; Neid = Hund; Zorn = Katze und Bär; Völlerei = Wolf; Geiz = Kröte.

188 Vgl. den Einblattdruck LV 111 *Schreiber*, Nr. 1865a mit ganz ähnlichen Lastertieren, (um 1490) und ein weiteres Blatt, *Schreiber*, Nr. 1862.

189 Was LV 378 *Uhland*, S. 476 auch von der WN behauptet: »Wie der Dichter hierzu

[zu den ›unpassenden‹ Tieren] gekommen ist, ergiebt die unmittelbar folgende ... Erklärung der Allegorie.«

190 Z. B. die »Romischen hetzruden« in Spenglers »Schutzred« (LV 196 *Pressel*), oder LV 34 *Eberlin*, I, S. 8: »Wie möcht dann teütsche nation grůnen, so als vyl schedlicher thiere in ir ab etzen alle gůte waide.«, oder Hutten im ersten der Fortunagedichte, vgl. LV 181 *Gewerstock*, S. 79, u. a.

191 Der »Reinhart« nennt Löwe, Wolf, Kater, Fuchs; im »Renart« sind es Löwe, Widder/ Schaf, Wolf, Eber, Esel, Schnecke, Fuchs; im »Reinaert«: Löwe, Widder/Schaf, Wolf, Kater, Gans. Vgl. dazu LV 305 *Grimm*.

192 Dieses Mißverständnis basiert auf der Bemerkung von *Jauss* (S. 223): »Die Typenwelt der Charaktere im ROMAN DE RENART liegt noch jenseits aller Allegorie.« Da Theiss die WN für eine Allegorie hält, war seine Schlußfolgerung entsprechend. Daß Jauss aber auf der folgenden Seite über die »Allegorisierung ... des Tierepos in der 2. Hälfte des 15. Jh.« berichtet, ist ihm entgangen.

193 Siehe LV 363 *Schmidtke*, S. 106.

194 Vgl. auch LV 349 *Ohly*, S. 7: »Da es aber gute und schlechte Eigenschaften gibt, kann dasselbe Ding gute und schlechte Bedeutung haben.«

195 LV 305 *Grimm*, S. X f.: »... versteht es sich von selbst, daß ihr [der Tierfabel] kein hang zur satire beiwohnen könne, weder zu einer allgemeinen ..., noch zu einer besonderen.« Dagegen: *Ute Schwab* (LV 459), S. 18 f.: »Diese frühe ... aber desgleichen ... auch die späteren Dichtungen um Löwen, Fuchs, Bär und Wolf, haben in ihrer Zwecksetzung ein weiteres Element gemeinsam: die Anspielungen auf Politisches im allgemeinen, auf die Hofpolitik im besonderen, auf die Zustände am Hof, im Staat und in der Kirche.«

196 Zur Scheinbarkeit der Individualisierung vgl. LV 322 *Jauss*, S. 202.

197 Vgl. LV 459 *Ute Schwab*, S. 19, die das Tierepos als politische Warnfabel definiert mit der Funktion, »dem Autokraten eine Tiergeschichte ›zitierend‹ die Wahrheit zu sagen, ohne sich dabei selbst bloßzustellen.«

198 Vgl. *Albrecht*, G. u. a.: »Lexikon deutschsprachiger Schriftsteller« Leipz. 1968, Bd. II, S. 321.

199 Vgl. auch *Ric. Huch* (Werke Bd. 10, hrsg. v. W. Emrich, Köln/Berlin 1970, S. 472 f.): »Kaum ist eine beißendere Satire denkbar, die die höchsten Gewalten im Reich im Bilde gefräßigen Viehs erscheinen läßt, ...«.

200 Vgl. LV 111 *Schreiber*, Nr. 1893m. In diesem Flugblatt (1497) ist das Epos zu einem alleg. Gedicht verkürzt. Es treten auf: Löwe, Kater, Schwein, Bock, Bär und Füchse.

201 Vgl. LV 385 *Wehrli*, S. 244: »Der ›Ysengrimus‹ ist bekanntlich eine an ironischer, höhnischer Schärfe unüberbietbare Satire gegen die kirchlichen Mächte der Zeit, vor allem das Mönchtum, aber auch die Geistlichen überhaupt ...«. Im Hinblick auf die WN sind vor allem die Vss. V 985 ff. über die Bischöfe von Interesse: »Diese sollen dartun, mit welcher Hingabe sie die Schafe beschützen und mit welch aufrichtiger Verehrung sie Gott fürchten. Sie sollen bestimmen, daß alles, was das Volk und die Geistlichkeit und die Klöster besitzen, erlaubterweise von ihnen durch Gewalt, Bitte, Gericht, Ziererei, Betrug, Drohungen ... geraubt werden muß« (LV 83 *Schönfelder*). Die Schlußklage der Salaura bezeichnet den Papst als »Verführer« (ebda.). Im R. d. V. (9. Kap.) befinden sich in Rom: Simon, Herr Schalkfund, Doktor Greifzu, Herr Drehdenmantel und Herr Listigfund.

202 Vgl. LV 331 *Künstle*, I, S. 134. 1. Bild: Bär mit Weihkessel, gefolgt von Wolf (mit Kreuz) und Hase (mit Kerze). 2. Bild: Eber und Bock tragen den Fuchs. Schluß: der Esel singt Psalmen aus einem Buch, das ihm der Kater vorhält. Vgl. auch die Dürer zugeschr. Allegorie eines Glücksrades, das die Zeit und der Fuchs drehen (LV 109 *Hirth*, Bd. I, Nr. 318).

203 Vgl. auch LV 289 *Böckmanns* Beobachtungen zur spma. Satire.

204 LV 291 *Brandes*.

205 Vgl. ein handschr. Flugblatt aus Annaberg vom 14. Aug. 1524. Es zeigt einen Geist-

lichen mit Fuchskopf und die Unterschrift: »Dw schmeychelst / wie ein fuchs / vnd betreugst wie / ein wolff in / vestimentis ouium.« (LV 33 *Eberhardt*, S. 51). LV 230 *Schottenloher*, S. 78: »Dem unerwarteten Gegner Erasmus von Rotterdam gibt man einen Fuchsschwanz mit der päpstlichen Tiara in den Arm, um ihn als verächtlichen Papstschmeichler an den Pranger zu stellen.« Vgl. auch »Gespräch zwischen Fuchs und Wolf« (LV 80 *Schade*, II, S. 60 ff.). Zur Bedeutung des Renartstoffes für die Reformation vgl. LV 300 *Gervinus*, II, S. 371.

206 Als positive Gestalt kommt der Fuchs schon deshalb nicht infrage, weil Wolf und vulpes nicht nur etymologisch verwandt sind, sondern in den Fabeln auch häufig verwechselt werden (LV 305 *Grimm*, S. XXVI f.). Entsprechend wird schon in der ersten christl. Aufbereitung einer Fabel der Fuchs »auf den Teufel oder den Häretiker bezogen« (LV 363 *Schmidtke*, S. 165).

207 »Das Rad und die Geistlichkeit«, LV 111 *Schreiber*, Nr. 1959 (oberrhein. zw. 1470 und 80), abgeb. bei LV 389 *Bauer*, S. 108. Der Papst dort: »Fuchs reīhart pyn ich genant / Alle reich sten In meiner hant / in den nymāt geherrschē kan / So ich Im nit wil pei gestan.«; außerdem ein Wolf (Dominikaner) und eine Katze (Franziskaner).

208 Im R. d. V. ist der Wolf Baron, im Renart »comes« (Graf) und im Isengrimus »tribunus« (vgl. LV 305 *Grimm*, S. XXXVIII).

209 Vgl. *Curtius, E. R.*: Europ. Literatur und lat. MA, 5. Aufl. Bern 1965, S. 486 ff. und LV 356 *Ross*, S. 276 Anm. Am Hofe Karls d. Großen wird von Alkuin und Theodulf zum erstenmal »das Namenstier geradezu statt des Namens« gesetzt.

210 Es wäre auch an Hadrian aus Löwen zu denken, da Leo X. schon gestorben war (vgl. LV 169 *Theiss*, S. 133).

211 Vgl. LV 291 *Brandes*, S. XI: »Vnd ist diß Buch nicht allein von Gelerten und Vngelerten mit fleiß gelåsen, sondern weil der Lewe Reincken Kőnig ist vnd sechs Constantinopolitanische keyser auch den Namen Lewe gehabt, deren doch fast in siebenhindert Jahren keiner gelebet ...« immerhin zeigt dieses Zitat auch die Prominenz der Löwenfigur im Tierepos.

212 Nur die Anklagen gegen die Nachtigall (369/32 ff.), die von den Tieren mit verteilten Rollen vorgebracht werden, erinnern an das Motiv vom Gerichtstag gegen den Fuchs. Eine Parallele, die man aber nicht überbewerten sollte.

213 Vgl. LV 305 *Grimm*, S. CXLVII, sowie LV 322 *Jauss*, S. 224.

214 LV 1 *Ellis*, S. 53 spricht von Tageliedelementen, aber nur »in den Eingangszeilen und im Motiv des Tagesanbruchs«. LV 330 *Kochs*, S. 115 sieht eine »Anlehnung an das Tagelied«; LV 294 *De Gruyter*, S. 139 spricht von einer »erinnerung an die tageweise« und LV 163 *Schultheiß* von einem »Tageliedeingang« (S. 8), vgl. auch LV 143 *Kulp*, S. 256.

215 LV 145 *Lucae*, S. 11: »Wenn der bildliche Eingang dieses Gedichtes, zu dem alles Uebrige Commentar ist ... von poetischem Sinne zeugt ...«; LV 133 *Hilsenbeck*, S. 96: »Die majestätischen Töne der Anfangsverse, die Wagner der Sache Luthers entrückt und zum Volkshymnus auf eine Erneurung der Welt wandelt, sind wahrhafte Dichtung eines Begeisterten«; LV 139 *Kawerau*, S. 24: »... dichterische Anschauungs- und Gestaltungskraft.«; LV 339 *Merker*, S. 19: »lyrisch vollwertige[n] Eingangspartie«; LV 120 *Blaschka*, S. 897: »Der lyrische Eingang«. Zur »Verwechslung«: LV 113 Von der Fr., S. 45: »Es ist dabei kaum erwähnenswert, daß Sachs sichtlich die Nachtigall mit der Lerche verwechselt hat.«, vgl. ebenso LV 127 *Genée*, S. 138 und LV 24 *Berger*, S. 72.

216 »Wach auff« ist die übliche Form des tageliedlichen Weckrufs (vgl. LV 25 *Bergmann*, Nr. 12 und 167 u. v. a.).
Zu »es nahent gen dem tag« vgl.: LV 45 *Haltaus*, Nr. 3 und 9, sowie S. 15/79; 25/44; 26/5 und LV 44 *Hagen*, I, S. 166.
»Ich hör singen im grünen hag«: LV 44 *Hagen*, I, S. 68 und II, S. 428; LV 45 *Haltaus*, Nr. 4 (dort auch die Nachtigall).
Zur Rolle der Nachtigall im Tagelied vgl. LV 294 *De Gruyter*.

»Ir stim durchklinget berg und thal«: LV 100 *Wolfram*, 7/22; LV 44 *Hagen*, III, S. 427 und LV 91 *Uhland*, Nr. 79.
Zur Beschreibung des Sonnenaufgangs in den Zeilen 7–12: LV 44 *Hagen*, I, S. 9 und 211; LV 100 *Wolfram*, S. 4 und 8; LV 45 *Haltaus*, Nr. 3 und 14; LV 63 *Kraus*, I/25.

217 Dabei wird natürlich in satirischer Verkehrung aus der Liebes- eine Mordnacht, aus dem Abschiedskuß ein »zeen ... blecken« (370/29), ebenso wie das weit ausgesponnene Motiv des Tages- und Wächterhasses bei formaler Übereinstimmung mit der Tageliedtradition einer entgegengesetzten Wertvorstellung untergeordnet wird. Es ist dabei die besondere Leistung Sachsens, daß Objekt und Medium (= Tageliedform) der Parodie nicht unvermittelt bleiben, sondern daß selbst diejenigen Züge, die dem üblichen Tagelied völlig zu widersprechen scheinen, dennoch aus dieser Formtradition hergeleitet werden, wodurch die Parodie erst eigentlich plausibel wird. Aus der Umarmung der Liebenden im weltlichen Tagelied macht Sachs in der WN »verstricken« (369/4), aus dem Kuß »verschlicken« (369/5) und »aussaugen« (369/11), und aus den übrigen Äußerungen erotischer Leidenschaft wird bei ihm »zerreißen« (369/5), »scheren, melcken, schinden, fressen« (369/9). Diese Vokabeln haben (s. o. S. 56 f.) auch in der nicht am Tagelied orientierten Flugschriftenpropaganda der Zeit einen normierten und ganz und gar unerotischen Schlagwortcharakter. Trotzdem sind sie geläufigen Tageliedbegriffen nicht so entgegengesetzt, wie das den Anschein hat. Vgl. dazu vor allem LV 45 *Haltaus*, Nr. 17; LV 44 *Hagen*, II, S. 1; LV 100 *Wolfram*, S. 4; *Haltaus*, Nr. 18, 23, 27; LV 27 *Bolte*, S. 77. Auch bei der parodistischen Verwendung des »urloup«-Motivs (370/29 ff.) geht Sachs ähnlich vor (vgl. LV 82 *Scheunemann*, Nr. 13 und *Haltaus*, Nr. 6).

218 Es sind Generalregister Nr. 11 (»Es nahet gen dem Mayen«), 15 (»Der winter ist vergangen«), 22 (»Wach auf, mein trosterine«), 54 (»Wach auf, herzallerliebste mein«), 63 (»Man kennt den hohen dage«), sowie LV 93 *Wackernagel*, II, Nr. 1137 (»Aue, Maris stella, ich grůsse dich, maria du lichtprehender morgenstern«).

219 Vgl. die Tagelieder Walthers und Reinmars, den gesamten Bereich des geistl. Tageliedes, aber auch die »Tagweis von lewsen« (LV 45 *Haltaus*, Nr. 21).

220 So wird die Wüste zur parodist. Verkehrung der amönen Landschaft des spätma. Tageliedes. Das gesamte Handlungsrepertoire der Tiere wird auf den Tag-Nacht-Gegensatz bezogen.

221 Schon das früheste Beispiel eines deutschen Tageliedes, das Dietmar von Eist zugeschrieben wird, ist eine Reduktionsform des Tageliedes.

222 Z. B. Pêter von Rîchenbachs Hort (LV 21 *Bartsch*, S. 192 ff.).

223 Z. B. LV 93 *Wackernagel*, Bd. II, Nr. 526, 702, 709, 844, 1155, etc.

224 Vgl. LV 30 *Clemen*, I, S. 25: »was helt man aber gůts von jm [Luther] vnd der lere Christi, ... die er itzt ... an tag brengt.«; ebda., II, S. 352: »das Euangelium vnd wort gottes (wie das jetzo an tag kummen ist)«; ebenso III, S. 242; LV 34 *Eberlin*, S. 4: »darvff gat alle arbeit Martini das ewangelisch christlich lere wider an tag kumme«; ebenso S. 91; ebenso LV 52 *Hutten*, S. 129: »... die Ewangelisch warheyt ... wider zů irem weßen vnd dem lecht zů bringen ...« und LV 80 *Schade*, I, S. 5; II, S. 13: »zů liecht komen«; S. 192: »ans liecht geben«; III, S. 136: »an sonn kummen«.

225 Vgl. LV 354 *Riederer*, S. 204, aus einer Schrift von 1524: »Ist offenbar vnd am tag«.

226 Vgl. *Walther v. d. Vogelweide*, 33/25 ff.: »alle zungen suln ze gote schrîen wâfen, / und ruefen ime, wie lange er welle slâfen. / ... sîn hirte ist zeinem wolve im worden under sînen schâfen.«; Joseph Grünbeck schreibt 1508: »Erwachet ihr Christenmänner ... von dem Schlafe der Sünden und schneidet auf die Bande eures Gehörs und all eurer Sinne.« (LV 250 *Friedrich*, S. 71), ebenso LV 51 *Hutten*, IV, S. 243 ff. mit der wiederholten Aufforderung »Deutschland erwache!«. An die Ölbergszene – »Wachet und betet, auf daß ihr nicht in Versuchung fallet« – ist in diesem Zusammenhang ebenfalls zu denken.

227 Beispiele für diese Auslegung sind: Stiefel (in: LV 24 *Berger*, S. 203): »Das lyecht des tags kumpt wieder / es bricht dohär mit macht.«; Erasmus Alberus (ebda., S. 118):

»Gotts wort, du bist der Morgenstern, / ... Du bist die liebe Sonne klar.«; Jörg Graff (LV 93 *Wackernagel*, III, S. 449): »dz lieht der christēheit / das ietz gewaltiglichen brinnt.« (ebenso S. 478 und 457); Luther (LV 36 *Enders*, II, S. 127): »O bessert euch, lieben brudern, die schrifft kumpt an tag, der menschen augen wachenn auff, yhr werdett ewr sachenn můssenn anders schmucken, oder das helle liecht wirt euch zu schanden machen ...«; und (ebda., S. 68): »Drumb ist zu wissen, das die schrifft on alle glose ist die sonne vnd gantzis licht,«; das Bild vom »seligen Licht der göttlichen Wahrheit« führt Luther ständig im Munde (vgl. z. B. die 1522 erschienene »Treue Vermahnung an alle Christen ...«); Spengler (in: LV 72 *Mayer*, S. 27 f.): »Der allmechtig got geruehe ... sein gotliche gnad parmhertziklich mitzutailen, das wir nit also in vnnser vor lang angenomen vnd verstockten plinthait verharren, sonder zuuor gottes eer vnd glori suchen ...«

Trotz dieser allgemeinen und verbreiteten Verwendung solcher und ähnlicher Bilder in den Flugschriften, glaubt *Berger* (LV 24), S. 72, daß »der schön ausgeführte Vergleich des Evangeliums mit der aufgehenden Sonne ... durch Michael Stifels Lied angeregt« wurde, und LV 368 *Spitta* glaubt mit Hilfe dieser Metapher sogar den Entstehungsort eines protestantischen Kirchenliedes ermitteln zu können: »Dieser Gedanke von der Enthüllung des Lichtes des göttlichen Wortes hat ... seine charakteristischen Parallelen in den reformatorischen Schriften Preußens.«

228 Vgl. dazu LV 34 *Eberlin*, I, S. 85: »Die falschen glyßner vnd verfůrer frummer hårtzen zaigen an gůten schein (doch falschen) der vnwarheit«, ebenso im 2. Bundsgenossen; dort Bitte um Erleuchtung derjenigen, die wegen der Finsternis in die Irre gegangen sind (ebda., S. 22); LV 52 *Hutten*, S. 138: »Darnoch werden ein end haben, so vil gleisszner, die yetzo dem gemeynen vo̊lcklin yemer falschē glantz für gebē, sich fro̊nklich erzeygend, der armen schweyssz vn blůt auß bettlen, yederman außlerē, sich erfüllē. vnter einer angenōmen scheyn der geistlichkeit liegen, betriegē vnd aufsetze.«; LV 80 *Schade*, II, S. 32: »auch so ist vor disen zeiten das gemein volk durch der münch gleisnerei uf ein misglauben komen.« Spengler (in: LV 77 *Riederer*, S. 206): »... halt es ... fůr unzweyfenlich, das got der almechtig wider diese vngeschickte verdamliche Yrrung Doctor Luthern ainen Daniel im volck erweckt hab, vns die augen vnser Blindhait, darinnen wir fůrwar auß verfůrung vnser Theologie ... gelegen seind, zu ero̊ffnen vnd den uebel vnd finsternus ... von vns zu nemen ...«, ebenso LV 51 *Hutten*, IV, S. 155, etc.

229 Daß diese Metaphern sämtlich aus der Tageliedtradition kommen, zeigt die auch dort übliche Auslegung des Tagelichtes als Christus (LV 330 *Kochs*, S. 61 und 67) sowie des Mondes als falscher Gleißner (Luzifer!).

230 Vgl. LV 80 *Schade*, II, S. 196: »Triumphus veritatis. sik der warheit, mit dem schwert des geists durch die wittenbergische nachtigall erobert.«

231 Spees Gesangbuch von 1649 hat den Titel »Trutz Nachtigal« (LV 19 *Bäumker*, II, S. 51) und Corners Gesangbuch aus der gleichen Zeit »Geistliche Nachtigal« (ebda., I, S. 179). Nach Melanchthons Tod wurde übrigens dieser wegen der naheliegenden Namensetymologie (aus Philo = Philipp – Mela[nchthon]) mit diesem Titel bedacht (LV 120 *Blaschka*).

232 »Der geistliche Wechter« (in: LV 93 *Wackernagel*, III, Nr. 492).

233 Alle diese Vorläufer müssen allerdings bei der Rekonstruktion des Erwartungshorizontes und für die Bestimmung der Effektivität solcher Mittel berücksichtigt werden. Neben den Psalmen 44 und 35, in denen Weckrufe mit Tiermetaphern verbunden sind, ist in diesem Zusammenhang an eine ganze Reihe von Schriften zu denken: 1. LV 28 *Brant*, S. 171: »Stont vff / vnd wachen von dem troum / Der wolff ist worlich jnn dem stall / Vnd roubt der heiligen kyrchen schoff / Die wile der hirtt lyt jnn dem schloff.« 2. LV 52 *Hutten*, S. 131: »Wolt gott ... wir ... hetten die macht, das wir nebē dē vnschuldigē låmblin, dem selig macher des menschlichen geschlichtes, mo̊chten kriegen gegen dem gehŏrntē thier, ... dz aller Christenheit beschwerlich vnd schådlich ... Wer mag sich mit dem Thier verglichen? oder

wer gedarff wid' dz kryegē? Hyrumb, wolauff ire die macht habt, ...« 3. s. das oben (S. 189, Anm. 226) zitierte Beispiel Walthers. 4. auch in Lukians »Gallus« findet sich das Motiv des Tageshasses. 5. auf einem ref. Flugblatt (LV 106 *Geisberg*, Nr. 927) führt Luther die Gläubigen aus der Finsternis ans Tageslicht. Die Päpstlichen sind dabei mit Esels- und Wolfsköpfen dargestellt.
Vor allem kommt aber das Gedicht »der geistliche Wechter« in Betracht (s. Anm. 232): Luther ist der Wächter, der das Licht des Evangeliums verkündet. Der Papst brüllt »wie ein Löw«, seine Anhänger – »nater geschlecht vnd Atter gezicht« und »Bapstlich Wolff« – bedrohen die »Scheflein« des »teutschen Reiches«. Auch hier handelt es sich um eine Parodie der höfischen Tageliedform (sogar eine Kontrafaktur eines bestimmten Liedes, vgl. LV 314 *Hennig*, S. 67): »Der wechter an der Zinnen lag«. Allerdings ist dieses Gedicht undatiert. LV 93 *Wackernagel* stellt es an den Anfang der Ref., lt. *Hennig* (S. 67) ist es um 1531 entstanden.

234 *Schutte* (S. 2) entnimmt Horkheimers Aufsatz »Egoismus und Freiheitsbewegung« (In: Kritische Theorie II, Ffm 1968, vor allem S. 32 ff.) die These, daß die »Volksrede der Neuzeit, die halb rationale Argumentation, halb irrationales Beherrschungsmittel ist« (S. 35), auf die Predigt zurückgeht. Das liegt auf der Linie des von Schutte angenommenen Kontinuums konservativer Propaganda vom Mittelalter bis in die Gegenwart und ist im Sinne eines »inhaltsbezogenen« Propagandabegriffs auch zutreffend. Für die formalen Kategorien der Predigt stimmt das nur bedingt. Sicher ist der Sermon – und auch die Predigtparodie – ein wichtiges Element in den Flugschriften (vor allen Dingen Luthers). Daß dies auch für Murner gilt, ist für den Franziskaner wahrlich nicht überraschend. Grundsätzlich jedoch läßt sich die Frage nach den Formkategorien von Propaganda so nicht beantworten.

235 Vgl. auch LV 388 *Bahr*, S. 18: »Mit höchster Phantasie benutzen die evangelischen Autoren vorgeprägte literarische Muster und entwickeln ihrerseits neue Stilformen.« Bei diesen »neuen« Formen handelt es sich aber – auch bei den von Bahr gewählten Beispielen – um parodistische Adaptionen älterer Formmodelle.

236 Vgl. *Herford*, a. a. O., S. XXII f.: »The political foe appears as an emissary of the lower world, or as its favoured protegé, ... to the more mystic side of the protestant genius it also represented sober and terrible truth.« Dazu die »Lutherische Strebkatz« (LV 80 *Schade*, IIII, S. 113): »... was? seind die auch menschen? warum nit vil me teufel?«. Siehe auch LV 213 *Held*, S. 113: »Der Brauch der Reformationszeit, den Gegner als Tier darzustellen, befindet sich mit dem, ihn als Narr zu verspotten, in Einklang.« und S. 190: »Sicherlich glaubte man mit dem Anlegen der Tierhäute bei den Fruchtbarkeitstänzen ... Anteil am Wesen des betreffenden Tieres zu erhalten.«

237 Vgl. LV 349 *Ohly*, S. 2, sowie LV 363 *Schmidtke*, S. 71: »Das gesamte Mittelalter folgte der Patristik in dieser Überzeugung, erst Reformation und Humanismus brachten im 16. Jahrhundert eine gewisse Wende.«

238 Die Flugschrift »Das Wolfsgesang« (1520, LV 80 *Schade*, III, S. 1 ff.) ist eine wahre Fundgrube für polemischen Gebrauch biblischer Prophetien: Jerem. 7; 23; Micha 3; Matth. 6; Lukas 10; Markus 6; Hesekiel 3; Epheser 5; usw.

239 Vgl. dazu LV 363 *Schmidtke*, S. 128, sowie LV 306 *Gruenter*, S. 16: Allegorien sind »konkrete Individualitäten.«

240 LV 2 *Keller/Goetze*, Bd. I, S. 377 ff.

241 Zu diesem Begriff vgl. LV 349 *Ohly*, S. 9: »der Sinn ist das Gegebene und das zu seiner Verkörperung taugliche Ding wird durch dichterische Setzung gesucht und gefunden.« In der WN geht es jedoch nicht um solche nur assoziativ begründeten Setzungen, sondern um Enthüllung des »wahren« Charakters: »Der löwe wirdt der Bapst genennt«. Luther ist in dieser Beziehung viel »moderner«, er verwendet Bilder assoziativ, ohne »langatmige Durchführung« (LV 177 *Bornkamm*, S. 23) und weicht so dem »Zwang zum Schematismus« (ebda., S. 22) aus, während Sachs gerade in der konsequenten Ausführung der Allegorie ihre Beweiskraft sieht und sichert.

242 Vgl. LV 363 *Schmidtke*, S. 128 und *Ohly* (LV 349), S. 18. Zu dem Verhältnis von

Bild und Abgebildeten meint *Schutte* (a. a. O., S. 142): »Die typisierenden, emblematischen Kennzeichen der jeweiligen Opponenten ... sind dabei Erkennungszeichen, die den Feind weniger charakterisieren als identifizieren.« – Das trifft auf einen wesentlichen Teil der Reformationsschriften nicht zu.

243 Vgl. *Schmidtke*, S. 138: »Was heute nur als flüchtigste Berührung empfunden wird, galt schon als gültige Gemeinsamkeit.«. LV 169 *Theiss* irrt also: »... gewaltsame Deutungen, die sich nur aus dem Bestreben erklären lassen, allem einen Sinn zu unterlegen« (S. 153).

244 Auch eine Bulle Urbans II. von 1096 erwähnt den Wolfsmönch (LV 379 *Voertzsch*, S. XVII). Nach LV 305 *Grimm*, S. XXXVI ist die graue Farbe des Wolfsfelles der Anlaß gewesen für diesen Vergleich: Wolf – Graurock – Mönch.

245 MF (LV 74) 27/27: »Ein wolf sîne sünde flôch, / in ein klôster er sich zôch, / er wolde geistlîchen leben. / dô hiez man in der schâfe pflegen / ... dô beiz er schâf unde swîn.«

246 LV 305 *Grimm*, S. LXXI: im lat. Reinardus ist der Wolf »Herr Abt«.

247 Im »Renart« und R. d. V. (dort ist er engster Gefolgsmann des Löwen).

248 Im Reinardus wird der Wolf Teufel genannt. LV 363 *Schmidtke* hat S. 452 5 Beispiele für die geistliche Auslegung wölfischer Eigenschaften als Eigenschaften des Teufels gesammelt. In einem weiteren Fall steht der Wolf für eine Todsünde (Gefräßigkeit). Auf dem Flugblatt LV 111 *Schreiber*, Nr. 1959 verkörpert der Wolf (= Dominikaner) den Geiz, auf einem anderen (ebda., Nr. 1862) den Zorn.
Dagegen gilt in der lateinischen Schülersprache »lupus« als Bezeichnung des Spions (vgl. LV 290 *Böhmer*, S. 13 f.).

249 Vgl. auch eine 1522/23 erschienene Schrift gegen den Bischof von Konstanz (LV 30 *Clemen*, IV, S. 293): »Sich, wie sich der tückische wolff verstelt vnder den titel Bischof«.

250 Vgl. die ähnlichen Formulierungen bei *Schade*, III, 1 ff. und 238 f.; *Schade*, I, S. 19 ff.; II, S. 5. Zum sprichwörtlichen Gebrauch von »schinden und schaben« vgl. LV 90 *Thiele*, Nr. 396; mit eben diesem Bild wird die Ref. überhaupt eröffnet: Luthers 50. These: »Man lehre die Christen, daß wenn der Papst den Schacher der Ablaßprediger wüßte, er lieber den Dom S. Petri würde zu Asche verbrennen lassen, als daß derselbe von Haut, Fleisch und Knochen seiner Schafe sollte erbaut werden.« (LV 68 *Luther*, I, S. 104).

251 Es wurde allerdings versucht: »Der hyrt der ist verjagen / die schäfflin seind zerströwt / Der Bapst der ist geschlagen.« (Murner, in: LV 24 *Berger*, S. 206); auch Emser nennt Luther einen »wolff in scheffin kleidern« (LV 36 *Enders*, I, S. 6).

252 Plinius erwähnt diese Eigenschaft einer Schlangenart (vgl. LV I *Ellis*), ebenso LV 61 *Konrad*, S. 265 über die Boa: »si müet und laidigt ... diu wilden rint und auch diu haimischen, alsô daz si sich legt an der rinder äuter ... und seugt ân unterlâz ...«.

253 Vgl. Luther: »An den christlichen Adel ...« unter Pt. 3 und 7.

254 Vgl. H. v. Kettenbach: »Aber das nattern vnd schlangen gewürm verblent vnd verherrt thût nach seiner gyfftigen art.« (LV 30 *Clemen*, II, S. 158) und: »Aber Joanis sprach, sy weren nattern geschwürm«. (ebda., S. 56); LV 80 *Schade*, I, S. 55: »Es wil weder bapst noch sein geschwürm bestehen.«

255 Spengler spricht in seinem »Bericht« (LV 72 *Mayer*, S. 13 ff.) von »Romischen Gelltsauger«, »Romischen plutsauger«, »römischen Räubern« und ihrem Geldsaugen. *Hutten* (LV 51, Bd. IV, S. 256) von »aussaugen bis aufs Mark«.

256 Sprüche 28, 15: »Ein Gottloser, der über ein armes Volk regiert, das ist ein brüllender Löwe und ein gieriger Bär.«; Psalm 91, 13: »Auf Löwen und Ottern wirst du gehen und treten auf junge Löwen und Drachen.« – ebenso Ps. 17, 22; 58, 7; 35, 17. Allerdings sind positive Deutungen als Gott und Christus ebenso häufig, was die zwiespältige Allegorese innerhalb der geistlichen Tierauslegung erklärt (vgl. LV 363 *Schmidtke*, S. 331 ff.).

257 LV 164 *Schumann*, S. 83 meint, daß Sachs von Hutten inspiriert worden sei – LV 51

Hutten, III, S. 457: »Und ist eyn Leo worden hirt / Der selb deyn schäfleyn schabt und schirt / Und würgt sy nach dem willen seyn.« (1520). LV 1 *Ellis*, S. 71 bestreitet dies mit der Begründung, Sachs würde den Löwen nicht zum Hirten machen [sic! – der Löwe ist doch gerade der falsche Hirte in der WN]. Überdies war Sachs nicht auf dieses Vorbild allein angewiesen: Karlstadt am 17. 10. 1520: »Dannoch ist ein grymmischer Law verhanden, der mit den Florentinischen Balen spielet ... derselbe Law greufft mit aller hinderlistickeit widder Gott, ehr vnd recht, nach meiner leer, vnd wil sie zerreyssen.« (LV 77 *Riederer*, S. 39). LV 52 *Hutten*, S. 128: »Aber ytzo, hilff gott, wie ein vngestůme, wie ein grymmige bullen, habenn sie wider Doctor Luther her geschickt. Fürwar das ist ein rechtes lewen geschrey, dz die armsåligē schoff Christi hőrend, nitt als ein gůttige stim̄ jres hirtens erkennen.« LV 30 *Clemen*, IV, S. 300: »Wer sicht hie nit, wie der wolf vnd lőw wider die schåflin eins synd ...«; Pamphilius Gengenbach (in: LV 217 *Fehr*, Bild 9): »Der lőw imm helffen mit gwalt, Leo das selb hat wol betracht.«; Starnberger (LV 30 *Clemen*, III, S. 211): »hůt dich vor den falschen lerern, die dich vnd vil menschen vorfurt haben. dan sie seind teuffel, geitzige wolff vnd lawe.«, schließlich zeigt auch die Augsburger Ausg. d. NT von 1523 (LV 107 *Geisberg*, Nr. 289) das Tier der Apokalypse mit einem Löwenkopf, dessen Teufelshörner zur Tiara gebogen sind.

258 Z. B. Luther = Luder und auf der Gegenseite Lauter (LV 30 *Clemen*, I, S. 9). Im Stiefel des »Lutherischen Narren« sitzt Michael Stiefel.

259 Manchmal auch »Keck« (LV 77 *Riederer*, S. 131) und »Dreck« (LV 80 *Schade*, III, 121). Aus Cochläus wurd über cochlear (= Kochlöffel) der »Rotzlöffel« (LV 68 *Luther*, II, S. 144).

260 Im »Eckius monachus« Gerbels werden die Namen Eckius und Leus anagrammatisch in Suikce und Suel verkehrt, um die Beziehung zu sus – Schwein sinnfällig zu machen.

261 Vgl. S. 363 *Schmidtke*, S. 334 ff.

262 Vgl. LV 179 *Centgraf*, S. 30.

263 Luther: »An den christl. Adel ...« Pt. 19; und »Datzu die welt ynn yhr gesetz gefangen nemen, Christliche freyheyt vortilgen, ...« (LV 36 *Enders*, II, S. 94); Spengler: »Stricke und Fangnisse« (LV 196 *Pressel*, S. 23); ebenso Kettenbach (LV 30 *Clemen*, II, S. 13 und 18). Vgl. auch LV 211 *Blochwitz*, S. 176 und LV 264 *Ranke*, II, S. 22 über Luther: »in den Netzen und Hunden des Jägers sah er die Bischöfe und Anwälte des Antichrist, die den armen Seelen nachstellen.« Auch an den 10. Psalm ist zu denken: »Er [der Gottlose] lauert im Verborgenen wie ein Löwe in der Höhle; er lauert, daß er den Elenden erhasche, und er hascht ihn, wenn er ihn in sein Netz zieht.«

264 Vgl. LV 2 *Keller/Goetze*, Bd. III, S. 494.

265 Vgl. dazu die Anmerkungen in LV 67 *Luther*, Bd. 6, S. 280: am 5. Mai 1520 veröffentlicht ein Schüler Luthers ein Pamphlet gegen Alfeld. Dort heißt es am Ende: »ipse Lutherus in eum scripsisset, at melioribus occupatus noluit coram asino frustra philosophari.« Damit korrespondieren einige Briefstellen Luthers in denen vom »Lipsensis Asinus« die Rede ist.
Vgl. auch ebda. S. 323: »Da das grobe mullers thier kan noch nit sein ika ika singē«, was mit dem »groben leßmeister« bei Sachs übereinstimmt; und LV 69 *Luther*, I, S. 323: »Ego vernaculum absolvi in Alveldensem asinum«.

266 Z. B. gegen Emser: »Meynistu aber nit, das ich deynem leichtfertigen drewen antwortten mocht, vnd sagen, Lieber Esel leck nit. (LV 36 *Enders*, I, S. 149) und schon 1514 gegen den Kölner Ortwin im Reuchlin-Streit: »Hactenus ego Doctissime Spalatine Ortuinum istum Coloniensem Poetistam Asinum aestimaui ...« (LV 67 *Luther*, 1. Briefband), aber auch ungezielt: »... Wie man jetzt sieht an ... Tölpel, Knebel, Filtz, Rülz, Sau, Esel.« (LV 68 *Luther*, II, S. 144).

267 Der Waldesel ist zwar aus dem »Buch der Natur« bekannt (LV 61 *Konrad*, S. 153: »Onager haizt ain waltesel«), für den Schimpfwortkatalog der Reformationszeit aber außerhalb der WN unbekannt.

268 Zum »Papstesel« vgl. LV 335 *Lepp*, S. 136. Geht zurück auf ein 1496 im Tiber ge-

fundenes »Monstrum«. Über Böhmen gelangt die Beschreibung dieser Gestalt nach Deutschland, wo Melanchthon 1524 eine antipäpstliche Interpretation verfaßte. Zu verteufelnden Deutungen der Eselsfigur vgl. LV 80 Schade, II, S. 190 ff.: »Darnach do kam von sinnen / Ein grauer Esel auf den berk: / ... Und machet also lose schrift. / Di selbig was vormist mit gift.«. Als Todsündentier (Trägheit) erscheint der Esel auf dem Flugblatt LV 111 *Schreiber*, Nr. 1862 – die gleiche Bedeutung s. bei LV 363 *Schmidtke*, S. 281 f. (4 Beispiele). Dort auch die Deutung auf die »üppigen Pafffen«, die schwach sind »im Fasten, Beten und im Gottesdienst ... aber stark in Unkeuschheit und aller ›unfuor‹«. Zur Bedeutung des Esels als vom Teufel mit Sünden beladener Jude [!] und Heide vgl. edba., S. 280 f.

269 Spätestens seit Brants »Narrenschiff« galt Esel als synonymer Begriff für Narr (mit allen mittelalterlichen Bedeutungsnuancen des Begriffes von Teufel – Tölpel).

270 Greiffenberger hält Kritikern wie Cochläus und deren Naserümpfen über den theologisierenden Schuster entgegen, er habe noch nie einen Esel wie eine Nachtigall singen hören (vgl. LV 378 *Uhland*, S. 479).

271 Vgl. LV 335 *Lepp*, S. 135. »Choresel« entsteht dabei aus dem Wortspiel aus »choralis«. Vgl. auch LV 80 *Schade*, III, S. 67: »etlich sind von der armen rot, priester uf den stiften, die nennet man caplön, zů tütsch choresel.« und ebda., S. 216: »Ja, mir ist kain zweifel, ir eßen oft förhenen und höcht, so die koresel kaum ain hering eßen.«

272 Vgl. auch Luther gegen Emser (LV 36 *Enders*, II, S. 80): »wie feyn stymt Emßer mit S. Paulo wie der Esell mit der nachtgall.«

273 Sachs brauchte allerdings einen Tiernamen, und Luthers Prägung »Eckechse« (LV 67 *Luther*, II, S. 292) ist späteren Datums.

274 Im Text der »Luth. Strebkatz« heißt es zudem: »Dein Rüssel stoß auch in den Dreck. Mein lieber dr. Eck, wie gfällt dir das ...« (vgl. LV 186 *Kalkoff*, S. 73). Auch Luther hat häufiger diese grobe Beschimpfung gebraucht: LV 68 *Luther*, II, S. 144 und LV 67 *Luther*, LI, S. 469.

275 Z. B. LV 71 *Manuel*, S. 234: »Sodann die altarschellen gib ich den süwen, so die bed doctor Eck und Faber ... mit disputieren gewunnen hand.« und LV 80 *Schade*, II, S. 152: »so hab ich gehört, daß diser Eck mit doctor Luther zů Leipzig gedisputiert hab und hab ain große sau darvon getragen.« Diese Redensart leitet sich von dem ma. Brauch ab, beim Pferderennen als letzten Preis eine Sau auszusetzen. Daher jede Form des Verlierens: »Wer schyessen will / vnd fålt des reyn / Der dreit die suw jm ermel heyn.« (LV 28 *Brant*, Nr. 72). Vgl. auch Murner in »Von Dr. Martinus luters leren«: »Und wo ir ie meinten, ir wellent dem schreiber ein suw schenken, so behalten uwer suw, daz ir den bottenlon nit dürffen geben ...« (LV 312 *Held*, S. 115).

276 Vgl. LV 77 *Riederer*, S. 132: »... der Ehrentitel, monstrum, muß ihm bey Pirkheimer Freunden ganz eigen geworden sein.« Thomas Venatorius nennt Eck in einem Brief an Pirckheimer »Eccio impuro Theologo« (*Riederer*, S. 47), und Spengler berichtet ihm, Eck sei bei seinem Aufenthalt am bischöflichen Hof in Bamberg »völler worden, denn ein Sau« (LV 267 *Roth*, S. 83) – vgl. auch LV 264 *Ranke*, I, S. 304.

277 Spengler an Pirckheimer: »Doctor Vnflat« (vgl. LV 186 *Kalkoff*, S. 75). Zu dieser Assoziationenreihe vgl. auch Murners »Schelmenzunft« Kap. 21 (»Die sauw kronen«): »Sus, sauw / grobians heißt eyn schweyn, / Der nüt kan, den eyn vnflat seyn ...«.

278 Schon in der Antike: »Sauboöthier« (LV 325 *Keller*, I, S. 404); und bei Horaz: »Epicuri de grege porcus«, was im 16. Jh. als »epikurische Säw« bekannt war (vgl. LV 350 *Osborn*, S. 164).

279 In der »Auctio Lutheromastigum« wird ein Hubius aus Köln von einem Schwein genährt (LV 194 *Merker*, S. 50).

280 Vgl. LV 363 *Schmidtke*, S. 405 f.

281 Vgl. *Bächthold-Stäubli* (LV 282), Bd. 8, Sp. 801. Ebenso das Fastnachtspiel »Der Fallend Jud« (LV 57 *Keller*, I, S. 26 f.): »Dann all die tier, die gift inn han, / Vnser stifveter sollen sein, / Und effin, eslin und schwein / Unser stifmutter nun war / Und

die ganz teuflisch hellisch schar ...«. Und im »Isengrimus« befiehlt man Salaura: »Vertreib diese Wildschweine ... sie sind die schlimmsten Ungeheuer, die der Satan aus seinem Kot erzeugen konnte.« (LV 83 *Schönfelder*, S. 141).

282 Vgl. S. 331 *Künstle*, I, S. 134; danach Darstellungen der »Judensau« in Magdeburg, Basel, Heilbronn, Regensburg, Wimpfen, Köln, Nordhausen, Freising. Siehe auch LV 111 *Schreiber*, Nr. 1961 und 1961a.

283 Nicht erst Luthers Schrift »Von den Juden und ihren Lügen« (LV 67 *Luther*, LIII, S. 482 ff.) kommt hier infrage, sondern schon antijüdische Schriften von J. Teuschlein (LV 30 *Clemen*, I, S. 379 ff.) und während des Bauernkrieges (LV 239 *Bezold*, S. 489 f.).

284 LV 34 *Eberlin*, S. 85: »ware lerer [müssen] anzeigen, das der rômisch hoff nit sy die christenlich kirch, meer die synagoga Sathane« und Kettenbach (LV 30 *Clemen*, II, S. 40): »... aber der teufel ist bey seyner Synagoge« und: »Ich red wider des teufels vnd entchristen aposteln vnd wider die kirchen der synagogam sathane« (ebda., S. 68); Osiander nennt in einer Predigt »Papst, Kardinal und Bischof ... öffentlich Antichrist, Widerchristen, Selbstmörder und Teufelskinder, wie auch Christus die Juden benenne« (LV 195 *Möller*, S. 14). Aleander wurde jüdischer Abstammung bezichtigt und wehrte sich mit der Publikation eines Stammbaums (LV 54 *Kalkoff*, S. 9). Diese Vorwürfe haben Tradition: schon im 15. Jh. wurden Pfaffen und Juden gleichgesetzt, vgl. die Beispiele bei LV 223 *Klöss*, S. 83, 97 und 161 ff. Staupitz 1515: »Viele Menschen leben nach jüdischer Art, sie bauen auf ihre Werke, auf ihr Fasten, Beten, Almosengeben und dergleichen.« (LV 191 *Keller*, S. 34).

285 Siehe LV 36 *Enders*, I, S. 1.

286 Siehe *Wander, K. F.* (Hrsg.): Dt. Sprichwörterlexikon (Leipzig 1867), Stichwort »Bock«.

287 Vgl. LV 80 *Schade*, II, S. 121: »Nun wie ist dann das widerköpflin? das dunkt sich doch gar witzig sein?«

288 Siehe *Wander* (a. a. O.): »Gaile böck stossen« und LV 282 *Bächthold-Stäubli*, IX, S. 911.

289 Vgl. EOV Nr. 4, 9, 13, 21, 23, usf.; im R. d.V. Vs. 2711 ist der Bock Kaplan; vgl. LV 58 Klosterspiegel, S. 25: »Müßig geh ich nie, sagte der Mönch, entweder mach ich Nonnentröster oder Flöhfallen.«, etc.

290 Luther: »Ey du heylige heylige Jungfraw Sanct Emßer« und: »Da mordschreyestu keuscher Bock« (LV 36 *Enders*, II, S. 110).

291 Vgl. LV 57 *Keller*, I, S. 5 und LV 183 *Hagen*, S. 109 (dort aber Eck als »stinkender Bock«), ebenso Luther in »Obelisci« (vgl. LV 259 *Lortz*, I, S. 214). Redewendungen dieser Art waren offensichtlich sehr verbreitet, sie sind mehrfach als Spitznamen belegt (vgl. LV 288 *Bock*).

292 Zum Bock als Teufelstier vgl. LV 282 *Bächthold-Stäubli* und DWB unter »Bock«. In der Ausgabe des NT von 1522 ist das »andere Tier« der Apok. (= Papsttum) als ein Mischwesen aus Schwein und Bock dargestellt (LV 182 *Grisar*, II, Tafel 2). In LV 111 *Schreiber*, Nr. 1871p reitet die Synagoge auf einem Esel und hält einen Bockskopf in der Hand.

293 Vgl. LV 30 *Clemen*, IV, S. 1 und LV 348 *Needon*, S. 83: »... wohl eine Namensverdrehung von Emser« –in der Tat!

294 Vgl. LV 73 *Murner*, darin das Vorwort von *P. Merker*, sowie LV 194 *Merker*, S. 22 und LV 312 *Held*, S. 113.

295 1523 wird Murner von den Nürnberger Gassenjungen mit dem Ruf »Murnarr – Katzenkopf« durch die Stadt gehetzt, vgl. LV 139 *Kawerau*, S. 67.

296 Vgl. LV 312 *Held*, S. 113.

297 Geht auf ein Epigramm Wimphelings im »Germania«-Streit (1502) zurück; vgl. LV 194 *Merker*, S. 18 und LV 189 *Kawerau*, S. 95. LV 1 *Ellis* führt Merkers Buch zwar im Lit.-Verz. auf, zitiert ihn auch mehrfach, entwickelt zur Entstehung von »Murnar« aber ganz abenteuerliche Theorien (S. 80).

298 Aus der Drachenfigur des »Murnarus Leviathanus« soll sich 1521 die Katzengestalt entwickeln (LV 1 *Ellis*, S. 80).

299 H. Burckhard in LV 30 *Clemen*, IV, S. 15: »Noch weniger braucht die Identifizierung des Mönchs mit einem Kater Kenntnis von Murners Gesicht vorauszusetzen, da doch der Name Murner nach DWb 6, 2723 Katze und Kater bedeutet.« Die Belege, die Grimm an dieser Stelle anführt, stammen aber alle aus späterer Zeit. Das gilt auch für den in den »Deutschen Wörterbüchern« von *Campe* (Wien 1809), *Heinsius* (Wien 1830) und *Heyse* (Magdeburg 1849) enthaltenen Hinweisen auf den »Namen des Katers im Reineke Fuchs«. Eher ist schon aus dem verbreiteten Katzennamen für Murner der Name Murners für den Kater geworden.

300 Die Bezeichnung »rölling« (Karsthans – LV 64 *Lenk*, S. 68) gilt nach dem »Schweizer Idiotikon« im 16. Jh. als Titel für »geile Mönche«, ebenso *Brant* (LV 28), Nr. 73: »Solch kloster katzen sint gar geyl«; LV 34 *Eberlin* im Vorspr. zum 10. Bundsgenossen: »Wañ man annåm diß reformatz, / So geschweigt man manche kloster katz, / Die vornen låckt vnd hinden kratzt.«

301 Vgl. das Flugblatt »Das Rad und die Geistlichkeit«, (s. o. Anm. 207) das schon 1470 einen Franziskaner in Kutte und mit Katzenkopf zeigt.

302 Das »Wolfsgesang« (LV 80 *Schade*, III, S. 221) zeigt einen lautenschlagenden Mönch mit Katzenkopf schon ein halbes Jahr vor dem Karsthansdialog, den *Merker* (in: LV 73 *Murner*, S. 291) für den ersten Beleg hält.

303 Die Katze gilt bis heute als Unheilskünder. Für die Bedeutung im MA vgl. LV 282 *Bächthold-Stäubli*, VIII, Sp. 801. Volksetymologisch begründet wird die Katze als Ketzer gedeutet (LV 363 *Schmidtke*, S. 324); Deutungen auf den Sünder und den Teufel sind ebenso häufig (ebda.); vgl. auch LV 70 *Luther*, IV, S. 592: »Aber das sey Scherzens eine Masze. Wir wissen fast wohl, dasz des Teufels Scherz uns Christen einen Ernst gilt, wie man spricht: Der Katzen Spiel ist der Mäuse Tod.«; vgl. auch LV 111 *Schreiber*, Nr. 1981 und 1981a »Warnung vor den Katzen«.

304 Vgl. auch die Tendenz zur völligen Identifikation bei Stiefel (in: LV 380 *Wackernagel*, Nr. 118): »Der Murnar hat ein zeitlag gesprochen biß er darob ist zů einer katzen worden, vnd zů einem drachen.«

305 Vgl. auch Murners »Luth. Narr«, in dem Murner die kath. Burg verteidigt.

306 Im »Luth. Narr« (Vs. 3425 ff.) sagt Luther über Murner: »Dan ich ietz in der kaffig han / Den fogel, der nit weichen kan«.

307 Katze und Vogel sind außerdem so unvereinbar nicht: vgl. LV 80 *Schade*, II, S. 153, Murners dort »rölling«, ihm wird geraten: »sing er nach seins schnabels art«.

308 In der Fassung der »Nachtigal« fehlt die Schnecke noch.

309 Vgl. LV 363 *Schmidtke*, S. 403 f. = sündiger Mensch.

310 Der Lärm des Froschrufes wird seit der Antike hervorgehoben, vgl. LV 325 *Keller*, Stichwort. Ein mhd. Fabellied beschreibt den Gegensatz von Froschgequak und Nachtigallengesang (vgl. LV 75 *Pfeiffer*, S. 363).

311 »Sind etlich, wonen in den schůlen, schrien tag und nacht, ... die schrien wie die schäferhund.« (LV 80 *Schade*, III, S. 24 f.).

312 In der Ausgabe des NT von 1522, Illustr. zu Apok. 16, speit der Papstdrache »unreyne geyster gleych den froschen« aus (vgl. LV 182 *Grisar*, II, S. 5 und Tafel 3).

313 Aus der Bedeutung Hus = Gans (böhmisch) gewannen doch vor allem kath. Propagandisten polemische Munition. Z. B. Murner, »Luth. Narr«, Vs. 3764 ff.

314 Vgl. LV 30 *Clemen*, II, S. 159: »do plern die gens-prediger vff der Canceln«. LV 194 *Merker*, S. 32: Titel des »Murn. Lev.« »... Vulgo dictus Geltnar, oder Genß Prediger«; LV 30 *Clemen*, I, S. 366 (über die Pfaffen): »Vnd kan nit mer dann zelen geldt, / jm kor heülen wie die eßel im veldt, / Sein horas schnattern wie ein genß.«; vgl. auch LV 80 *Schade*, II, S. 42.

315 Murner (Geuchmatt, Vs. 4930): Ein ganss hatt ein dorechten synn / Dar für solt ir halten yn«.

316 Sachs 1524 (LV 2 *Keller/Goetze*, I, S. 282): »Die gans singt nicht und schnattert stet; / Also der gotloß im todt-beth.

317 Vgl. EOV 46, 5: »et vocant eum ›quacculator‹ et ... ›auca caput‹ ...«; *Brant* (Narrensch. Nr. 91) bezeichnet ein Schwatzmaul als »genßmerkt«; vgl. auch Sprichwörter wie: »Wenn die Gänse schnattern, schweigt die Nachtigall« (*Wander*: Dt. Sprichwörterlexikon. Stichwort »Gans«) und: »Fleugt ein ganss vber mer, So kompt ein gagag wieder her« (LV 84 *Seiler*, S. 86).

318 Vgl. z. B. LV 80 *Schade*, II, S. 165.

319 Vgl. LV 363 *Schmidtke*, S. 353: »= Welttoren, die sich um weltlicher Ehren willen so abmühen, daß sie ein frühzeitiger Tod ereilt«. – das paßt wohl kaum auf Luther.

320 Z. B. die Fabel von Juno, Pfau und Nachtigall.

321 Schon bei Hesiod (vgl. LV 325 *Keller*, S. 310), vgl. auch Tristan, Vs. 4749: »der nahtegalen [Liederdichter] der ist vil«.

322 Vgl. zu dem folgenden vor allem LV 377 *Uhland*.

323 Vgl. LV 44 *Hagen*, I, S. 24: »diu vrie nahtegal«.

324 Ebda., S. 342: »nahtegal diu vrîe«; ebda., S. 344: »mit der vrîen nahtegal«. Noch aus dem Jahre 1532 ist ein Gesetz erhalten, das den Nachtigallenfang ausdrücklich verbietet (vgl. LV 325 *Keller*, S. 307).

325 Man könnte sogar soweit gehen und in der Tatsache, daß in Italien Nachtigallen gefangen und verspeist wurden, ein zusätzliches Motiv für die Darstellung von »römischer schinterey« in der WN sehen.

326 Das Motiv der »Nachtigall im Hag« spricht ebenfalls dafür: der Baum bedeutet göttlichen Schutz (LV 363 *Schmidtke*, S. 166) oder auch das Kreuz Christi (vgl. LV 111 *Schreiber*, Nr. 370).

327 Vgl. »Karsthans« (LV 64 *Lenk*, S. 71): »MURNAR: Er [Luther] ist eyn bo̊se krey, kreyt bo̊ß ding. « Vgl. auch LV 30 *Clemen*, III, S. 53: »Bey dem sůsten nachtigellel sollt jr verstan vns arme geistliche brůder ...«

328 Vgl. LV 264 *Ranke*, II, S. 92 Anm. 3.

329 Aus dem Jahre 1512, vgl. LV 46 *Hartmann*, S. 6. Ebda., S. 5: »Sy Ampschel, sy Troschel, frau Nachtigal / Mit ihrem hellen Gesange.« Ähnliche Lieder in LV 65 *Liliencron*, Nr. 237 (1504), 268 (1512), 269 (dto.) und 428 (dto.). Nr. 355: »die Nachtegal allain zůmal / hett dise stat ersungen« (1521), ebenso Nr. 317 und 356.

330 Vgl. *Grimm*, DWb VII, 190/91. Dort auch ein Lied von 1525: »nachtigal, karthaunen / auch schlangen, valkenet busaunen.« und ein Text von 1542: »dann die nachtigaln falken und schlangen hetten etliche tag dafür also angefangen zů singen mit erschröcklichem donnerlichen ton.«

331 Vgl. *Janssen*, a. a. O., Bd. VI, S. 234: »Zur Besserung der verkommenen Zustände konnte es aber nicht beitragen, daß Hans Sachs alle Gesetze und Andachtsübungen der katholischen Kirche der Verachtung preiszugeben trachtete.«

332 Vgl. LV 259 *Lortz*, I, S. 176. Nur an solchen Oberflächlichkeiten konnte sich Kirchentreue erweisen; wer im Kirchenvolk hatte schon Fähigkeit oder Gelegenheit zu programmatischen Erklärungen.

333 Im Spätmittelalter waren solche Stilformen durchaus beliebt, ebenso in der Reformationszeit. Vgl. LV 292 *Catholy*, S. 46; s. als Beispiel auch LV 80 *Schade*, II, S. 232 f.

334 Aleander klagt: »... das deutsche Volk wirft diese Dinge [bekannte Mißstände im kirchl. Bereich] in einen Topf mit der Sache Luthers ... und werden leichten Herzens Gottesleugner, nur um für diese ... Uebergriffe sich zu rächen.« (LV 54 *Kalkoff*, S. 25).

335 Vgl. *Janssen*, II, S. 232: »Der gesamte Klerus, vom Papste angefangen bis zum letzten Bettelmönche, sowie jede Vorschrift und fromme Übung der Kirche wurde in der rohesten, unflätigsten Weise beschimpft und verhöhnt ...«.

336 Zu der verbreiteten Übung, das römische Antichristentum mit Gregor VII. beginnen zu lassen, vgl. LV 352 *Preuss*, S. 133 und S. 160. Siehe auch LV 80 *Schade*, III, S. 136.

337 In der Wächter- und Erlöserrolle Luthers in der WN und in dem Bild vom Vogel auf dem Baum hatten wir Züge dieser Tendenz zur Verchristlichung gesehen. In den

Flugschr. ist das üblich: Aleander (1520): »So hat man ihn auch neuerdings mit dem Sinnbilde des heiligen Geistes über dem Haupte und mit dem Kreuze ... dargestellt« (LV 54 *Kalkoff*, S. 34), vgl. auch LV 179 *Centgraf*, S. 31. Kurfürst Friedrich schrieb aus Worms: »nicht allein Annas und Kaiphas sondern auch Pilatus und Herodes seien wider Martinus« (LV 239 *Bezold*, S. 350); vgl. auch »Doctor M. Luthers Passion« (LV 80 *Schade*, II, S. 108 ff.) und das Blatt »Luther mit der Taube des hl. Geistes« von Baldung Grien (LV 113 Von d. Fr., S. 17).

338 Vgl. LV 178 *Buddensieg* und LV 352 *Preuss*.

339 In dem Blatt »Das 7-häuptig Papsttier« (LV 373 *Stuhlfauth*, S. 465) spricht Sachs von dem »regnum diaboli«. Wir haben hier eines der frühesten Beispiele einer Teufelshierarchie, wie sie bei prot. Autoren (Musculus) nach 1550 Mode werden.

340 Zur Bedeutung des *einen* Gegners vgl. LV 398 *Burke*, S. 9.

341 Vgl. LV 298 *Flemming*, S. 15: »Durch die Ausweglosigkeit der Pein im Fegefeuer und Hölle wurde die Ausweglosigkeit der Seelennot noch gewaltig verstärkt, wahrhaftig materiell eine ›Höllenangst‹ ergriff die Massen.« Die heftigsten Vorwürfe der Löwener Theologen gegen Erasmus richteten sich gegen seine angebliche Leugnung des Höllenfeuers (vgl. *Schutte*, Kap. I, Anm. 88). S. a. LV 365, *Siebenschein*, S. 30.

342 »Communication and Persuasion«, New Haven/London 1964.

343 Aber auch nicht das einzige! Vgl. *Schutte*, S. 17: »Gelingt es dem Agitator, diesen [den Massen] eine Interpretation ihres Leids anzubieten, die sie psychisch entlastet, so hat er schon gewonnen.«

344 Vielfach wird nur nach dem Muster der spätma. Moralsatire auf Gegner und Mißstände eingeschlagen, ohne daß die Aufforderung zur prolutherischen Parteinahme ausdrücklich enthalten wäre.

345 Dollart und Miller, zit. nach LV 454 *Hovland*, u. a., S. 61.

346 Joh. Dietenberger 1524: »Die verdammte und greuliche lutherische Lehre ist ohne allen Zweifel durch den Teufel in die Welt kommen ... Es teufelt hier alles untereinander, was der teuflische Mensch schreibt; es muß unzweifelhaft ohne den Teufel nicht sein, der all seine Schriften verteufelt.« (LV 205 *Walther*, S. 19). Vgl. gegen diese bloße Häufung von Invektiven den Beweis päpstl. Antichristentums durch bibl. Realprophetie und alleg. Identifikation.

347 LV 54 *Kalkoff*, S. 14: Luther ist dort »Basislisk, Hund, Mahomet, Satan ...«.

348 *Hovland*, S. 13: »In extreme instance, merely perceiving a particular source as advocating the new opinion will be sufficient to induce acceptance.«

349 Vgl. LV 437 *Noelle-Neumann*, S. 360 ff. über die Beeinflußbarkeit von Meinungen über Personen.

350 Vgl. LV 238 *Baur*, S. 10: »jene [anonymen Fl.] dagegen sind Werke aus dem Volke selbst, unwillkürliche Äußerungen aus seiner Mitte, der Wiederhall [sic!] dessen, was zu ihm als zündendes Wort der Führer gedrungen ist.«; LV 215 *Dunken*, S. 220: »Das Volk griff selbst zur Feder und sprach im Ton des Volkes derb und deutlich zum Volk selbst« [!]; LV 234 *Werner*, S. 219: »... und bleiben die Flugschriften im Reformationszeitalter eine der markantesten Lebensäußerungen des deutschen Volksgeistes.«.

351 Vgl. LV 224 *Kolodziej*, S. 4: »Werden Pseudonyme verwendet, so geschieht es in erster Linie, um den Eindruck zu erwecken, ein Vertreter des einfachen Volkes zu sein ... die humanistisch gebildeten Verfasser wollen, um eine größere Wirkung zu erzielen, sich auf die Stufe des Volkes stellen.«

352 LV 286 *Bezold*, S. 2: »Und diese Literatur redet nicht nur in der Sprache des Volkes, sie bringt geradezu den gemeinen Mann in einen bewußten scharfen Gegensatz zu den höheren Ständen und ergreift seine Partei; er erscheint als Kritiker, nicht selten als der berufene Reformator des Bestehenden, als das auserlesene Werkzeug Gottes gegenüber einer gealterten ... Welt.«

353 Vgl. dazu LV 307 *Gysi*, S. 94, wo auch von einer »privilegierten Schicht« der Leser gesprochen wird.

354 Vgl. LV 256 *Kofler*, S. 275: »Es ist im Grunde ein Sichzufriedengeben mit der Ordnung, wie sie ist, mit ihrer ständischen Schichtung und der Fesselung des Individuums an seinen Platz ...«.

355 Selbst in dem antikath. Spiel »Der Ablaßkrämer« von Manuel (LV 64 *Lenk*, S. 224 ff.) fehlt nicht die antibäuerliche Satire, was schon die Namen zeigen: »Trine Filzbengel«, »Anne Suwrüssel«, »Bertschi Schüchdenbrunnen«.

356 Vgl. Aleander in LV 54 *Kalkoff*, S. 118, der von »poetischen Künsten« und »schriftstellerischer Fertigkeit« spricht.

357 Es spielten auch Prognostiken vom Ende des 15. Jh. eine Rolle. Der »Spiegel« von J. Grünbeck stellte z. B. die Verfolgung und Tötung des Klerus durch die Bauern dar. Ein anderes Bild zeigt einen Bauern, der die Messe zelebriert, während Mönch und Pfarrer pflügen (LV 286 *Bezold*, S. 23).

358 Gespräch zwischen Pfarrer und Schultheiß (LV 64 *Lenk*, S. 128).

359 Vgl. LV 197 *Roth*, S. 41: »Besonderen Anstoß erregte, wie man aus dieser Zuschrift [Eck an den Bischof v. Bamberg] entnehmen kann, bei Leuten von der Gesinnung Ecks, der Umstand, daß die beiden Gebannten [Prickheimer und Spengler] als Laien sich erkühnt hätten, sich in geistlichen Dingen ein Urteil anzumaßen.«

360 LV 232 *Uhrig*, S. 76: »... mehr Wunschbild als Wirklichkeit«, von derartigen Wünschen kann wohl keine Rede sein!

361 Vgl. LV 251 *Jecht*, S. 78: »Weder in der Gesamtbewohnerschaft der mittelalterlichen Stadt noch innerhalb der Handwerkerschaft noch auch zwischen den Angehörigen einer einzigen Zunft hat es jemals völlige Gleichheit des Besitzes und Einkommens gegeben.« – Vgl. auch LV 333 *Lämmert*, S. 112 f.

362 Vgl. die Einleitung dieser Arbeit.

363 Die Einschätzung dieses Teils der Handwerkerschaft zeigt eine Predigt, die Staupitz 1516 in Nürnberg hielt: »... Got streicht aber dobey sein zaichen an, das ist das sie [die zum Regieren geeignet sind] auch stathafft Erbers herkomens Vnd Vermogens sein. Dann wie ist es moglich, das ain schlachter handtwercksman mit frucht Vnd nutz andern regiren mag? dann der bedenckt mer schicklikait seiner arbait Vnd handtwercks, wie er auch prot In das Hauss hab, sich vnd sein weib Vnd kinder ernere, dann den gemainen nutz« (LV 59 *Knaake*, S. 37). Vgl. auch LV 267 *Roth*, S. 56.

Kapitel 3

Weiterführung und Ausbau

364 LV 297 *Fischer/Tümpel*, II, S. 186 nennen für das Lied »O Jesu zart« 1523 als Datum der Publikation, ebenso LV 143 *Kulp*. Der Spruch von den »12 reynen vögel« wird von Keller (LV 2 *Keller/Goetze*, I, S. 478) in das Jahr 1523 verwiesen; LV 158 *Röttinger*, S. 37 bestreitet seine Publikation vor 1534.

365 Vgl. LV 167 *Stiefel*, S. 227.

366 Vgl. LV 161 *Schottenloher*.

367 Wir zitieren den Text nach LV 106 *Geisberg*, Nr. 222, der dem bei LV 151 *Mummenhof* abgedruckten Faksimile entspricht. Der Text in der Ausgabe LV 2 *Keller/Goetze* enthält zu viele Abweichungen gegenüber dem Original.

368 LV 151 *Mummenhof* nennt den Zeitraum 1524–1530 und schreibt den Bildschnitt Hans Schäufelein zu. Goetze versieht im Generalregister (LV 2 *Keller/Goetze*, Bd. 25) die Angabe 1525 mit einem Fragezeichen. LV 119 *Beifus* glaubt, »daß es wohl etliche Jahre später anzusetzen ist« (S. 17). LV 374 *Stuhlfauth* weist als Bildschneider Sebald Beham nach und hält 1524, eventuell auch 1525 für das Jahr der Veröffentlichung. LV 161 *Schottenloher* ermittelt den Drucker anhand der Typen und kann nachweisen, daß der 2.–4. Dialog und die Kirchenlieder »O Jesu zart« und »Christum von hymmel ruff ich an« aus der gleichen Druckerei stammen, setzt aber den Spruch an den Schluß

dieser Reihe. Nachdem so 1524 allgemein als das wahrscheinliche Publikationsjahr akzeptiert war, wird in LV 113 Von der Fr., S. 68 wieder für ein späteres Datum plädiert mit der phantastischen Schlußfolgerung, daß Beham nach seiner Maßregelung 1525 sich auf dem Holzschnitt »in einer Art Selbstironie unter den Gottlosen eingereiht« habe.

369 Vgl. unten Kapitel 4.

370 Siehe LV 2 *Keller/Goetze*, Bd. 23, S. 508 Anm.

371 Vgl. LV 321 *Jantzen*.

372 Vgl. LV 229 *Schottenloher*, S. 140 und LV 259 *Lortz*, I, S. 353.

373 Auch Sachs hat nach 1526 eine Reihe solcher Reimparaphrasen der Bibel verfaßt mit ganz ähnlichen Überschriften: »Die verfolgung der apostel: Im zehend capitel Matheus« (LV 2 *Keller/Goetze*, Bd. 25, S. 15).

374 Vgl. *Edert, E.*: Dialog und Fastnachtspiel bei H. S. Diss. Kiel 1903, S. 12 und 19.

375 Vgl. LV 5 *Stuhlfauth*, S. 2: »von diesen Widersachern droht der erste, ein Mönch, mit Bogen, der zweite (ein Kanonist?) mit dem Feuer, der dritte in bürgerlich-weltlicher Tracht mit dem Schwert, während von links hinter dem Hause her, ... ein Kardinal mit einer päpstlichen Bulle heranschreitet.«

376 Heute ist diese Eindeutigkeit verblaßt, was einerseits Texte wie das Lutherlied (»... der alt böse Feind« = Papst) auch heute noch verwendbar macht, auf der anderen Seite zur Verkennung polemisch-propagandistischer Gehalte führt.

377 Ausnahme ist eine Stelle aus den Decretalen, wobei hinterhältigerweise eine Unterstellung – »Han selbs erdicht leer vnd gebot« – als Zitat ausgegeben wird.

378 Diese Legitimation ist nach der ma. Predigttheorie akzeptabel: die zitierte Psalmenstelle ist in ihrem ursprünglichen Kontext gegen »die Toren« gerichtet (Ps. 14, 1); da die Engel ebenfalls den Vorwurf der Torheit erheben, handelt es sich bei der Heranziehung des Zitats um einen legitimen modus der »dilatatio«, der »concordantia in verbo« (vgl. LV 359 *Roth*, S. 73).

379 Nicht: »ein Wörtlein kann ihn fällen«, sondern: »Sy ist gefallen Babilon« (Schriftstreifen a. d. Holzschnitt).

380 Michael Stiefel begrüßt Luther 1522 als den Engel der Apokalypse (LV 22 *Berger*, S. 36).

381 Der Text wird zitiert nach LV 6 *Stuhlfauth*. Dort S. 202 findet sich der Hinweis, daß das Bild eine Kopie »nach einer Zeichnung des Meisters« sein kann. Das könnte ein Indiz für unsere Reihenfolge sein, da kaum anzunehmen ist, daß Schön bei der ersten geschäftl. Verbindung mit Sachs die Arbeit an einen Schüler weitergegeben hat.

382 Ganz ähnlich in der »Klage der Handwerker«: »Hőr mein antwort des ist kein schertzen.«, sowie im »Hauß des Weysen ...«: »Dein wort des lebens haben wir nun.«

383 Zwei Meisterlieder mit den Titeln »Der schaffstal« (*Goetze*, Nr. 159) 1527 und »Schafstal Christi« (*Goetze*, Nr. 2229) 1547.

384 Im Januar des gleichen Jahres wurde die »Wunderliche Weissagung« von Sachs und Osiander veröffentlicht, die beiden einen Verweis des Rates eintrug.

385 Wir haben den von Goetze (LV 2 *Keller/Goetze*, Bd. 25) unter 89 im Generalregister geführten Spruch »Suma der theologie« nicht berücksichtigt. Er ist sicher nicht 1524 entstanden, sondern etwa 1530 (vgl. auch *Drescher*, in: LV 167 *Stiefel*, S. 228).

386 In einer Schrift für Nicolaus Hausmann in Zwickau, »Formula missae ...« in der Übers. v. Speratus heißt es: »Das rede ich derhalb, daß, so irgend teutsche Poeten wåren, dadurch beweget wůrden, uns geistliche Lieder zu machen« (vgl. LV 354 *Riederer*, S. 34).

387 In einem Brief an Spalatin, s. LV 354 *Riederer*, S. 96.

388 Der Rat wollte klären lassen, inwieweit die katholischen Kultformen beibehalten werden sollten. Melanchthon empfahl Einschränkung der Messen, an deren Stelle deutsche Psalmen gesungen werden sollten.

389 Der Kantor der Spitalschule Sebastian Heyden hatte das Salve Regina so abgeändert, daß Christus Marias Stelle einnahm. Diese Änderung riß Schatzgeyer »und die Kar-

meliter zu den ausschweifendsten Äußerungen über Maria und ihr Verhältnis zu Christo hin.« (LV 267 *Roth*, S. 142 und 146) u. a.

390 LV 317 *Hoffmann*, S. IV betont, »daß das *deutsche* Kirchenlied von jeher der Träger und Verbreiter neuer Lehren war und deshalb von der Kirche überwacht und oft als ketzerisch verboten und verpönt war.« Vgl. auch LV 354 *Riederer*, S. 41: »Der größte Haufe der Gemeine nahm dadurch an einem beträchtlichen Stücke des öffentlichen Gottesdienstes wirklichen Antheil. Waren Verse und Reime leichter für sie zu behalten, als ein anderer Vortrag, so bekamen sie dadurch einen Vorrath und Kenntnis von vielen wichtigen Glaubenslehren und Lebenspflichten.«

391 Vgl. LV 179 *Centgraf*, S. 25 zur Sloganbildung.

392 LV 24 *Berger*, S. 26 bestreitet den polemischen Charakter: »Die kämpferische Auseinandersetzung hatte Luther dem evangelischen Liede bis auf leise Anklänge ... ferngehalten.« – das ist schlicht falsch! Vgl. dagegen LV 307 *Gysi*, S. 74: »es [das ev. Gemeindelied] ist vielmehr durch die programmatische Kampfansage gegen die Papstkirche, durch seinen Gemeinschaftscharakter, die Verkündigung des neuen Glaubens und biblischer Glaubensgrundsätze gekennzeichnet.«

393 Vgl. LV 351 *Plitt*, S. 309: »So sehen wir, wie ... an sehr vielen Punkten das öffentliche Singen der deutschen Kirchenlieder das entscheidende Zeichen war für die Einführung und Durchführung der Reformation.«

394 LV 380 *Wackernagel*, Nr. 133 berichtet über einen Vorfall in einer mitteldeutschen Stadt, in der ein »alter armer Tuchmacher am 6. Mai 1524 2 lutherische Lieder als fliegende Blätter feilbot und dem Volke vorsang, was den Rat der Stadt in helle Aufregung versetzte.«.

395 Vgl. LV 2 *Keller/Goetze*, Bd. 24, S. 88 f.

396 Über die weitere Verbreitung vgl. LV 314 *Hennig*, S. 33, 49 und 53.

397 Als »Kontrafaktur« gilt gemeinhin nur die »geistliche Parodie eines weltlichen Liedes« (*Hennig*, S. 8), wir zählen aber auch die protestantischen Umdichtungen katholischer geistlicher Lieder dazu.

398 »christlich verändert« kann ganz neutral die Ersetzung Marias oder anderer Heiliger durch Christus bedeuten. In diesem Sinne war das Salve Regina des Seb. Heyden »christlich verändert«. Auf der anderen Seite wird durch die Parallelisierung solcher Änderungen mit der Kontrafaktur von »Buhlliedern« die »christliche Veränderung« von Heiligenliedern zur antikath. Polemik.

399 Vgl. LV 24 *Berger*, S. 27: »Sehr beliebt sind Anklänge an bekannte Volkslieder, die womöglich gleich mit der Anfangszeile einsetzen und durch ihren schmeichlerischen Klang die Aufmerksamkeit des Hörers gefangennehmen sollen ...«

400 Parodie hier im Sinne *Rotermunds* (LV 358), S. 9: »... ein literarisches Werk, das aus einem anderen ... formal-stilistische Elemente, vielfach auch den Gegenstand übernimmt, das Entlehnte aber teilweise so verändert, daß eine deutliche ... Diskrepanz zwischen den einzelnen Strukturschichten entsteht.« Verzicht also auf die Notwendigkeit der Komik, vgl. LV 334 *Lehmann*, S. 13.

401 Vgl. LV 24 *Berger*, S. 26.

402 Dies läßt sich in allen Liedern nachweisen (zit. nach LV 2 *Keller/Goetze*, Bd. 22): 1. »Auff daß mich nit verlaitte / Die menschen-ler« (87/39 f.); 2. »Und mich nit ker / An menschen-leer (90/12 f.); 3. »Vor menschen-leer hab grawen (92/12); 4. »Doch bleyb in got bestane« (95/2); 5. »Mich kaim menschen vertrawen« (99/4); 6. »Auff das nicht werd verloren / Wer in dich glaubt« (100/27 f.); 7. »Wer deinen namen rüffet an, / Dem thustu hilff beweisen.« (102/4 f.); 8. »Meyd gar all menschen-gsetz und -leer« (108/22 f.).

403 1. »O Jesu rein ...« (s. o.); 2. »O Christe, ker / Sein zorn von mir; / Mein zuflucht ist allein zu dir«; 3. »... allain Christus / Sey dein eyniger troste«; 4. »Thu im wort gots verharren, / So bistu außerwelt!«; 5. »So het er dir / Der gnaden zir / Für all ding zu-gemessen,«; 6. »Christe, du anfencklichen bist / Ain wurtzl unser seligkait; / Auß deinem todt gewachsen ist / Ein ewig-werend sicherhait«; 7. »Wann du bist

der / Eynig mitler / Gen got, dem vater herre;«; 8. »Herr, nu, wiltu, so wirdt ich heyl,«.

404 Es handelt sich hier um ein Meisterlied, vgl. LV 317 *Hoffmann*, S. 454. Lied Nr. 2 ist ebenfalls ein Marienlied, Nr. 6 hatte ein Annenlied und Nr. 7 ein Christophlied zur Vorlage.

405 Beweis für die Beliebtheit sind die vielen von LV 93 *Wackernagel*, Bd. II gesammelten Fassungen. Für die Popularität dieses und der übrigen Heiligenlieder vgl. LV 143 *Kulp*, S. 253: »Der Joachimstaler Kantor Nikolaus Herman hat uns in der Vorrede zu seinen »Historien von der Sintflut usw.« 1563 die verbreitetsten Lieder jener Zeit genannt: »Es werden die alten noch eins teils die Gesenge kennen: Maria zart von edler art. Item, Die Fraw von Himel ruff ich an. Item, St. Christoph du viel heiliger Mann ... vnd dergleichen Lieder, die dazumal hefftig im schwang giengen in Deudscher sprach.« (Vgl. auch S. 254ff.). Allein die Vorlage zum Annenlied ist nicht überliefert, der gerade gegen Ende des 15. Jh. geradezu übertriebene Annenkult läßt aber auch hier eine ziemliche Bekanntheit vermuten (vgl. auch LV 317 *Hoffmann*, S. 472).

406 LV 93 *Wackernagel*, III, S. 56 Anm.: »die 6. Strophe scheint unmittelbar von Hans Sachs zu sein« – das ist ein Irrtum, in Bd. II, Nr. 1036 findet sich auch für diese Strophe eine Vorlage. Auch dieser Irrtum hält sich mit der üblichen Zählebigkeit, s. LV 143 *Kulp*, S. 253: »Nur eine Strophe scheint von Hans Sachs selbständig gedichtet zu sein ...«

407 Das gilt für alle Lieder.

408 1. Str.: »got vatter« statt »sandt gabriel«; 3. Str.: »Sandt Johannes« ist weggelassen, ebenso »Anna« in der 4. Strophe. Auch typische Begriffe aus dem katholischen Vorstellungsbereich werden ersetzt oder getilgt: im 2. Lied ist »Ablaß« (3. Str.) durch »mein gewissen mach mir reyn« ersetzt; das »freyer wil« der Vorlage ist ganz vermieden.

409 Ebenso im 2. Lied: obwohl der Charakter des Notrufs der Anfangszeile der Etablierung protestantischen Heilsbewußtseins Schwierigkeiten entgegensetzt, kommt Sachs auch hier zu seinem Ziel:

des bit ich dich, du junckfraw reyn:	So stat zu dir all mein hoffnung.
Gib mir dein trost	Ayniger trost,
so mein hertz stost	Hast mich erlost
der bitter todt,	Von aller not.

(5. Str. Z. 4ff., Vorlage: LV 93 *Wackernagel*, II, S. 799ff.)

Im 7. Lied wird die Allmacht Christi mit der beschränkten Macht des Heiligen konfrontiert:

Du hast auch macht von got gewert	Got-vater hat dir geben gwalt
dan gachen tod vertreiben,	In hymel und auff erde,
Des doners krafft wirdt gantz verhert	Sündt, todt, teüffel hastu gefalt,
ab kainem ort zu pleiben	Die hell hastu zerstörde.

(LV 93 *Wackernagel*, II, Nr. 1239, Str. 2, Z. 1ff.)

ebenso Str. 3:

Du hast noch mer der tugent groß	Die füll der gnad hastu on maß
als vns die schrifft erzelet	Die schrifft thut zeügknuß geben.

Im Sinne von Luthers »es streit für uns der rechte Mann« wird dem katholischen Nothelfer der allmächtige Gott gegenübergestellt.

410 Ebenso im 2. Lied: die »teufels glut« der Vorlage ist ersetzt durch »menschen-leer«, die wiederum als »gleyßnerei« gekennzeichnet wird. Auch hier wird mit dem Gegensatz von Licht und Dunkelheit (bzw. falschem Licht) die Tageliedmotivik einbezogen.

411 Vgl. LV 297 *Fischer/Tümpel*, II, S. 186.

412 LV 314 *Hennig* zitiert S. 311 eine Reihe von Vorreden aus Gesangbüchern des 16. Jh.

Dort wird in ähnlicher Weise gegen die »schentlichen« weltlichen Lieder polemisiert. Vgl. auch LV 143 *Kulp*, S. 434.

413 Vgl. LV 336 *Liede*, S. 16, der bestätigt, daß Kontrafakturen als »Ersatz für Buhllieder, aber sehr selten mit direkter Polemik gegen den Text des Originals« verfaßt wurden.

414 Sachs: S. 91 ff., Vorlage: LV 92 *Wackernagel*, S. 839 f.

415 Vorlage war das weltl. Lied, allerdings ist anzunehmen, daß Sachs auch die frühere Kontrafaktur von Martin Weiß (LV 93 *Wackernagel*, II, Nr. 1400) gekannt hat, obwohl direkte Hinweise darauf natürlich nicht zu belegen sind.

416 Vgl. dazu einen Brief der böhm. Brüder Stefan und Kalef an d. Kurf. Friedrich III. vom 12. 10. 1574: »Unsere Melodieen sind mitunter solche, nach denen andere weltliche Lieder gesungen werden. Daran nehmen Ausländer leicht Anstoss. Aber unsere Sänger haben sie mit Bedacht aufgenommen, um das Volk durch den gewohnten Klang um so leichter zum Ergreifen der Wahrheit anzulocken, und wir wollen die gute Absicht nicht tadeln.« (zit. nach LV 314 *Hennig*, S. 312), vgl. auch LV 351 *Plitt*, S. 314 und LV 153 *Odebrecht*, S. 7 f. Es handelt sich auch bei Sachs um »agitatorische Parodien« (LV 336 *Liede*, S. 14).

417 Was in anderen Kontrafakturen durchaus häufig der Fall ist; vgl. die Beispiele bei LV 314 *Hennig*, S. 126–131.

418 Vgl. die Synopse bei *Hennig*, S. 225.

419 Vgl. *Hennig*, S. 226: »Diese wechselseitigen Beziehungen sind bedingt durch die Anlehnung an den Anfang jeder Str. des O.[riginals]. VV. 3 ff. führen dann in freier Weise dieses Motiv entweder aus oder erweitern es.«

420 Vgl. LV 297 *Fischer/Tümpel*, Stichwort.

421 Es gibt zahlreiche wörtliche Entsprechungen:

WN:	*Lied:*
Es leuchtet her des tages prunst (370/22)	Es leucht recht als der helle tag (91/8)
Und des tages gelentz her dringet (369/17)	Durch gottes güt her dringet (91/9)
Nun last uns auff die mordstrick mercken / Bedeuten uns des bapstes netz (372/20 f.), etc.	Mit gelt-strick und seelnetzen (91/21)

422 Vgl. LV 38 *Erk*, II, S. 604, LV 297 *Fischer/Tümpel*, u. a.

423 LV 143 *Kulp*, S. 256.

424 Wenn man von der theriomorphen Einkleidung absieht, ist die Interpretation der Tageliedsituation in der WN die gleiche: Hirte – Herde = Christus – Braut; in dem »Christus amator« der WN ist dies auch im Klartext ausgesprochen.

425 1.: Tagesanbruch = Luthers Verkündigung (2. Str.)
2.: Liebesnacht = Verführung und Ausbeutung (3. Str.)
3.: »morgentriuten« = Verfolgungsmaßnahmen der Papstkirche (4. Str.)
4.: Erwachen = Rettung (8. Str.)

426 LV 163 *Schultheiß*, S. 26, LV 119 *Beifus*, S. 17.

427 Vgl. LV 65 *Liliencron*, Nr. 559.

428 »Wolauf, ihr Landsknecht alle,« »Wol auf, ir frommen Deutschen« (vgl. LV 38 *Erk*, Bd. III, S. 175 f.).

429 LV 119 *Beifus*, S. 17. Vgl. auch LV 297 *Fischer/Tümpel*, II, S. 313: »Während der Nürnberger Schuster bei seinen geistlichen Liedern sonst wie in Schnürstiefeln geht, schlägt er hier, offenbar von dem ersten Wehen des reformatorischen Geistes mächtig ergriffen, einen frischen, tapferen Ton an.«

430 Was wir anläßlich der WN über den Schlagwortcharakter solcher Wendungen gesagt haben, gilt dabei auch hier.

431 Vgl. LV 119 *Beifus*, S. 17, der gleichzeitig die ersten protestantischen Märtyrer (Voes und Esch, Antwerpen im Juli *1523*) nennt.

432 Die Vorlage ist abgedruckt bei LV 92 *Wackernagel*, S. 842 und LV 38 *Erk*, III, S. 472. Zur Popularität s. LV 143 *Kulp*, S. 254 f.

433 Vgl. LV 314 *Hennig*, S. 231: »In dem ganzen Kontrafakte läßt sich eine merkwürdige Übereinstimmung der Reime ... mit dem O. feststellen. Diese war einerseits bedingt durch das häufige Beibehalten der Worte der weltlichen Vorlage, erscheint aber andererseits möglicherweise gesucht, ...«.

434 Vgl. LV 163 *Schultheiß*, S. 26.

435 Hiermit, wie mit dem »geystes glast« der 2. Strophe, wird wieder einmal die Licht-Dunkelheit-Thematik des Tageliedes polemisch genutzt.

436 LV 143 *Kulp*, S. 256; s. a. LV 314 *Hennig*, S. 305.

437 *Kulp*, S. 255: »Das weltliche Lied ist offenbar in Nürnberg sehr beliebt gewesen; es findet sich nämlich ... auch in dem in Nürnberg gedruckten Liederbuch von ... 1544.« Der Text der Vorlage in LV 92 *Wackernagel*, S. 842.

438 Vgl. *Goedeke*, Grundr. II, S. 414; vgl. auch *Kulp*, S. 256.

439 Vgl. dazu unten Kap. 4.

440 Vgl. LV 260 *Ludewig*, S. 30 u. a.

441 Der 1. erlebte im gleichen Jahr mindestens 10 Auflagen, der 2. 8, der 3. 4 und der letzte wiederum 10 Auflagen; vgl. LV 3 *Spriewald*, S. 45 ff.

442 1546 und 1547 erschienen zwei engl. Übers. des 1. Dialogs, 1565 eine niederländische; der 2. Dial. wurde 1629 noch einmal aufgelegt (ebda.).

443 Schon bei LV 156 *Ranisch*.

444 LV 316 *Hirzel*, LV 347 *Niemann*, LV 348 *Needon*, LV 181 *Gewerstock*, LV 64 *Lenk*.

445 LV 173 *Wernicke*, und *Edert, E.*: Dialog und Fastnachtspiel bei Hans Sachs. Diss. Kiel 1903.

446 Ebda.

447 Von LV 64 *Lenk*, S. 40. Auch LV 22 *Berger*, S. 42 erweist sich als Angehöriger der »Dramatikerfraktion«.

448 LV 165 *Schweitzer* behauptet die Aufführung Sachsscher Dialoge (vgl. LV 173 *Wernicke*, S. 59); LV 348 *Needon*, S. 41 besteht darauf, daß »alle dem Drama ähnlichen Züge ... innerhalb des Dialogs als nicht zu seinem eigenen Wesen gehörend angesehen« werden müssen; LV 181 *Gewerstock*, S. 165 will gar eine Beeinflussung des Dramas durch den Dialog eher zugeben als einen umgekehrten Einfluß.

449 Vgl. *Lenk*, S. 23: »Dieser Übergang zum deutschsprachigen Dialog bezeichnet nämlich nicht nur eine Änderung des Sprachgewandes; vielmehr ist es offensichtlich, daß der deutschsprachige Dialog der zwanziger Jahre ... auf anderen Voraussetzungen beruht ...«; vgl. auch *Wernicke*, S. 63; dagegen LV 307 *Gysi* fälschlich: »... der humanistischen Tradition folgend ...« (S. 434).

450 LV 316 *Hirzel*, II, S. 392: »Wie eine Sturmfluth braust es namentlich von protestantischer Seite her über Deutschland: in alle Kreise wirkt es, wie an der Abfassung dieser Gespräche Menschen aller Stände und Arten betheiligt sind, nicht bloß die Gelehrten, sondern auch die Laien ... wie der Volksgesang ältester Zeiten strömt es hervor. Eine solche Bewegung konnte natürlich nicht künstlich gemacht werden, am wenigsten von Einem allein; sie ist nur der papierne Ausdruck dessen, was in der Wirklichkeit vorging.«; LV 450 *Edert*, S. 20: »... dagegen wird der neue, von den humanisten dem altertum entlehnte dialog ins *reale leben* eingeführt und zu einem getreuen abbild des *echten gesprächs* entwickelt.«; LV 64 *Lenk*, S. 13: »Der Dialog vermochte jetzt das Disputationsfeld für diese neue, vielfältige, lebensechte und die Lebensinteressen des Menschen tief ergreifende Problematik zu werden; in ihm konnte der Widerstreit neuer gesellschaftlicher Gegensätze ausgefochten werden.«

451 LV 173 *Wernicke*, S. 62. Ebenso LV 348 *Needon*, S. 10 f.: »Die subjektive Kampfstimmung der Reformation war sicher nicht allein geeignet, das Aufkommen einer so objektiven Literaturgattung, wie der Dialog ist, zu begünstigen.«

452 *Needon*, S. 33 meint, der Dialog habe sich aus Disputationsbericht und Verhör entwickelt und beruft sich dafür auf Titelzusätze einzelner Dialoge.

453 *Wernicke*, S. 63; vgl. auch LV 161 *Schottenloher*, S. 249: »Vielleicht liegt der Flugschrift [einem anonymen Dial.] ein wirkliches Gespräch zwischen einem entlaufenen Barfüßer und dem unbekannten Verf. zugrunde.«

454 Allein LV 181 *Gewerstock*, S. 11 sieht richtig: »Seine [des Dialogs] Entwicklung entbehrt ja auch sonst der Kontinuität, besonders bei historischer Betrachtung. ... die Entwicklung war keine aufsteigende Linie, kein ruhiges Fortschreiten.« Allerdings zieht sie keine Konsequenzen aus dieser Erkenntnis.

455 LV 348 *Needon*, S. 39: »Wir möchten sie als dem eigentlich Dialogischen wesensfremd bezeichnen.« Dagegen *Wernicke*, S. 56: »Als die einzigen Verwandten, die die Brücke zwischen dem epischen Prosaschwank und dem dialogischen Gespräch bilden, sind die Kampfgespräche zu nennen, deren durchaus epischer Charakter ja feststeht. So liegt es nahe, auch für unsere Dialoge eine epische Grundlage zu suchen.«

456 *Needon* nennt alles undialogisch, was nicht wirkliche Erörterung zwischen gleichwertigen Partnern ist, also auch das Lehrer-Schüler-Gespräch (S. 13); *Lenk* dagegen (S. 40) hebt gerade die dialogischen Möglichkeiten dieser Form hervor.

457 *Hirzel*, zit. nach *Wernicke*, S. 61.

458 Die Vorstellung eines Literaturgattungen produzierenden Zeitgeistes ist aber auch allgemein verstanden etwas eigentümlich.

459 Vgl. auch LV 181 *Gewerstock*, S. 19 und LV 347 *Niemann*, S. 11.

460 *Niemann*, S. 92, *Wernicke*, S. 66, etc.

461 Sachs als letztes Glied einer humanistischen Dialogentwicklung ist dabei allerdings sehr fragwürdig.

462 Vgl. *Lenk*, S. 11 und *Wernecke*, S. 56.

463 LV 3 *I. Spriewald* hebt vor allem die Besonderheiten der Prosaform hervor: »*Prosatexte entstanden* von vornherein nur, wenn eine solche (propagandistische) Absicht vorlag und den Autor zur Darlegung drängte ... Es kommt hinzu, daß in der Reimsprache sich immer wieder stereotype Formeln als stilistische Versatzstücke einstellten, während die Prosa unmittelbarer den Gedanken ausspricht,« (S. 42) und: »gerade die frühen Jahre der Reformation mit ihrem publizistischen Meinungskampf hatten der Entwicklung einer literaturfähigen Prosa Vorschub geleistet« (S. 43). Vgl. dagegen LV 222 *Kieslich*, S. 100: »Dieses magische, zwingende und beschwörende Wesen der Spruchdichtung ist dem Wesen der Publizistik, vornehmlich der agitatorischen Publizistik, vor anderen literarischen Gattungsformen gemäß.« Siehe auch *Goedeke*, Grundriß II, S. 247: »Dialoge ... in Vers und Prosa«; auch *Jantzen* (LV 321) zählt »Rätselspiele, Weisheitsproben, gelehrte Gespräche« (S. 19 ff.) zu den Streit*gedichten*.

464 Vgl. *Schade*, I, S. 55 ff.; 99 ff. und 159 ff.; LV 347 *Niemann*, S. 85 f. und LV 90. *Lenks* Terminus »dialogische Behandlungsweise« (S. 12) ist angebrachter als »Prosadialog«.

465 Vgl. LV 316 *Hirzel*, II, S. 289 über eine Lukiansche Parodie auf den sokratischen Dialog; ebenso LV 194 *Merker*, S. 2, der die satirischen Dialoge Lukians »im Grunde eine Parodie des sokratischen Dialogs« nennt.

466 Auch die Suche *Olga Gewerstocks* (LV 181) nach neuen Einteilungskriterien verrät das Unbehagen an der Fiktion der homogenen Gattung.

467 Der »Phalarismus«-Dialog hat einen privaten Hintergrund. Vgl. unter anderem LV 181 *Gewerstock*, S. 52.

468 Wie sehr die Disputationen in dem Augenblick, als sie nicht mehr akademisch, sondern engagiert geführt wurden, von der Vermittlung von Argumenten zu ihrer bloßen Konfrontation denaturierten, zeigen die Berichte über die Leipziger Disputation und über andere Religionsgespräche. Vgl. LV 267 *Roth* über das Nürnberger Religionsgespräch von 1525: »In Wirklichkeit konnte man freilich nicht wohl an eine Verständigung der einander so schroff entgegenstehenden Parteien glauben. Das ganze Kolloquium erscheint nur wie eine letzte Gerechtigkeit und summarische Wiederholung dessen, was man längst wußte. Spruch und Sentenz waren schon vor Beginn des Gesprächs reif und fertig.«

469 LV 348 *Needon*, S. 24: »echt volkstümlich«; *Edert*, S. 21: »Auf dem schauplatz des

öffentlichen lebens erscheinen wirkliche personen, nicht mehr die blassen typen des ›gesprächs‹, sondern menschen aus fleisch und blut ...«; LV 232 *Uhrig*, S. 114: »... voll wirklicher Lebensnähe«; vgl. auch LV 137 *Jantzen*, S. 302; LV 22 *Berger*, S. 62 und *Lenk*, S. 38.

470 Vgl. LV 181 *Gewerkstock* über Huttens »Bulla«: »Dieser Dialog bietet wieder einen Beweis dafür, daß man im 16. Jh. mit der Bezeichnung ›volkstümlich‹ sehr vorsichtig sein muß. Manche Züge der ›Bulla‹, denen man zunächst dieses Prädikat beilegen möchte, gehen auf die Antike zurück.«; vgl. auch LV 348 *Needon*, S. 82: »Ferner darf ein Auftreten von Handwerkern und anderen Typen des Volkes im Dialog nicht als Neuerung gewertet werden, es ist ganz der Brauch ... der Literatur des 15 u. 16. Jh.«; auch der Titelzusatz »Disputation« sagt nichts über den Realitätsgrad, da er sich aus der Tradition des Streitgedichtes herleitet (vgl. LV 321 *Jantzen*, S. 18).

471 Vgl. LV 173 *Wernicke*, S. 63: »Der Grund zu dem späten Einsetzen [der dt. Dialoge] liegt ... darin, daß die Jahre von 1517 bis 1520 für den gemeinen Mann erst allmähliche Klarheit brachten.« Nein!, eher schon umgekehrt.

472 Vgl. LV 22 *Berger*, S. 33: »So geben sich denn viele Schriften dieser Art als treue Nachzeichnung wirklicher Ereignisse oder besonders gern als selbstbelauschte Gespräche, was freilich gar nicht möglich gewesen wäre, wenn Gespräche ähnlichen Inhalts nicht tatsächlich ... hundertfach stattgefunden hätten. Dabei wird freilich nicht selten im Auftrag der Farben des Guten zuviel getan ...«.

473 Vgl. LV 348 *Needon*, S. 70: »... daß er [der Bauer] als der Bedrückteste zum Verkünder ... ausersehen ist. Es ist sein Auftreten wohl der stärkste Beweis für die Volkstümlichkeit des Reformationsdialoges vor 1525.«

474 *Edert*, a. a. O., S. 21: »Der dialog will überzeugen; hier gilt es die eigene meinung zu begründen, die fremde schritt für schritt zu widerlegen ... der dialog entwickelt die entscheidung aus dem thema selbst; aus seinem verlaufe soll der teilnehmer sich eine selbständige überzeugung bilden.« *Wernicke* (S. 77) und *Lenk* (S. 32) machen allerdings Einschränkungen.

475 Vgl. *Needon*, S. 91, Anm., sowie S. 77: »Eben weil das satirische Moment im dt. Dialog zurücktritt [sic!] und auch die Polemik sich in ruhigeren Bahnen bewegt, sich mehr gegen die Sache als die Personen richtet ... bemerken wir in dem dt. Reformationsdialog nicht das Bestreben und das Vermögen zu charakterisieren.«

476 Vgl. auch LV 369 *Spriewald*, S. 696: »Im Dialog bot sich Gelegenheit, auch den Gegner zu Wort kommen zu lassen, um ihn dann um so sicherer zu widerlegen.«

477 Vgl. LV 22 *Berger*, S. 18 und LV 194 *Merker*, S. 6, die diesen Begriff ebenfalls anhand der EOV definieren. Ebenso LV 26 *Böhmer*, I, S. 67.

478 Daß einige der in den EOV persiflierten Personen die Satire erst mit einiger Phasenverschiebung durchschauten, spricht nicht dagegen.
Den Unterschied zwischen mimischer Satire und Ethopoiie macht ein Vergleich etwa der Sachsschen Dialoge mit Manuels »Ablaßkrämer« deutlich, der sich »durch die Überzeichnung ... wieder der eigentlichen komischen Figur nähert« (LV 292 *Catholy*, S. 93), während die Dialoge gerade auf Glaubwürdigkeit aussind.

479 LV 299 *Gaiers* Zusatz »moralische Ethopoiie« (S. 301) scheint uns nicht unbedingt notwendig.

480 Vgl. LV 3 *Spriewald*, S. 20: »So bleibt der Gesprächspartner der katholischen Seite unüberzeugt – und seine Argumente, seine Anklage ... bleiben *unwiderlegt*, obwohl es Sachs gerade darum ging ...« und S. 27: »Wenn man dagegen die heftigen, zupackenden Diskussionsbeiträge des Meisters Peter überblickt, so erkennt man deutlich, wieviel Zündstoff sich damals angesammelt hatte.«

481 Vgl. LV 242 *Denifle*, I/1, S. 339: »Wohl berechnet ließ man den Priester oder Ordensmann in diesen Dialogen die Rolle eines Tölpels spielen, der auf die Entstellungen der katholischen Lehren durch seinen Gegner nur dumme Antworten zu geben weiß, die Einwürfe nicht zu lösen versteht, seinem Gegner fortwährend immer mehr nachgeben muß ...«

LV 230 *Schottenloher*, S. 90 ist einer der wenigen, die die Technik durchschauen: »... daß der Kampf von vornherein einseitig zugunsten des Angriffs geführt wird, ist durch die Wucht der Bibelstellen geschickt verdeckt.«

482 Vgl. LV 173 *Wernicke*, der in der Straßendisputation eine der »Wurzeln der Gesprächsprosa« sieht.

483 Diese Charakterisierung ist zwar grundsätzlich richtig und gilt auch für den 4. Dialog, doch enthalten alle vier auch Elemente des Lucidargesprächs; vgl. auch *Wernicke*, S. 94 über den 1. Dial.: »Von jetzt ab ist der Dialog weniger sorgfältig, die Reden des Schusters haben öfters nicht nur durch ihre Länge den Charakter einer dozierenden Belehrung.«

484 Vgl. LV 348 *Needon*, S. 89; *Edert*, a. a. O., S. 36, Anm. 1; LV 181 *Gewerstock*, S. 54 u. a.

485 Mit Ausnahme des Cajetan-Sol-Gesprächs in »Die Anschawenden«. Vgl. auch LV 181 *Gewerstock*, S. 54.

486 Schon 1522 gab es böse Worte Melanchthons gegen Hutten (LV 239 *Bezold*, S. 432), und in einem Dialog von 1524 wird Erasmus als Papstschmeichler diffamiert (LV 30 *Clemen*, I, S. 323).
Damit soll allerdings nicht Huttens Rolle als Initiator der dialogischen Darstellungsweise geschmälert werden.

487 Das ist sehr überzeugend von LV 181 *Olga Gewerstock* nachgewiesen worden (S. 152).

488 »Kampff-gesprech von der lieb« (1515) in: LV 2 *Keller/Goetze*, Bd. 25, Nr. 33.

489 *Wernicke* führt sein eigenes Argument ad absurdum, indem er über die Figur Meister Ulrichs im 4. Dialog bemerkt: »Technisch könnte man von weitem an die dritten Personen in Kampfgesprächen denken ... Seine letzte zusammenfassende Sentenz scheint darauf zu deuten.«

490 Vgl. LV 64 *Lenk*, S. 36: »Allegorische Figuren werden ins Gespräch gezogen ...«

491 Vgl. auch LV 181 *Olga Gewerstock*, S. 12: »Das Erbteil aus dem Mittelalter ist während der raschen und reichen Blüte des Dialogs im 16. Jahrhundert unverkennbar.«, ebenso S. 163 über die »epischen Dialoge«, zu denen sie auch die des H. S. zählt; sie »zeigen noch in vielen Einzelheiten den mittelalterlichen Charakter.«. LV 230 *Schottenloher*, S. 88 räumt immerhin ein: »Nicht ganz ohne Einfluß sind die mittelalterlichen Schülergespräche und Streitgedichte geblieben.«; s. a. LV 212 *Böckmann*, S. 195.

492 Vgl. 321 *Jantzen*, S. 89 ff., sowie LV 44 *Hagen*, III/351 und LV 21 *Bartsch*, S. 134.

493 Vgl. »Die alt und die neu Ee«, in: LV 57 *Keller*, I, Nr. 1.

494 Vgl. die »Disputatio Mundi [= Laienstand] et Religionis [= Mönchsorden]« aus dem 13. Jh. (LV 321 *Jantzen*, S. 18).

495 Vgl. »Doctrina Christiana« 4, 9: »Es ist nicht ratsam, die höhere Weisheit (alta) der großen Masse vorzusetzen« – zit. nach LV 359 *Roth*, S. 29.

496 S. o. Anm. 146: dazu auch eine Fl.-schr. von P. Amnicola Kemnicianus von 1524: »Wir schreyben all itz yn gemeyn / Geleert vnd unglert, gros vnd kleyn / Menner vnd weyber, jung vnd alt / Schuster vnd Schneyder manigfalt« (LV 232 *Uhrig*, S. 113).

497 Goetze (in: LV 2 *Keller/Goetze*, Bd. 26, S. 59) hat das richtig erkannt: »Der dichter freilich hat sich nie schuster genannt, außer in der kampfesfrohen stimmung, wo er seinen ersten Dialog schuf. Dort aber liegt der grund klar zu tage: Hans Sachs nahm stolz den ausdruck für sich auf, den ihm die gegner schimpfweise entgegenriefen.« – statt »stolz« wohl besser »geschickt«.

498 Vgl. Zeile 155, 225, 242, 257, 286, 300, 309, 943. Auch LV 173 *Wernicke*, S. 93 ist das, wie er sagt, »monotone« dieser Wiederholungen aufgefallen.

499 »Chorherr« Zeilen 1051 ff.

500 Vgl. dazu LV 64 *Lenk*, S. 37, der meint, »daß der Dialog nicht fertige Überzeugung, sondern den Prozeß des Überzeugens und Überzeugtwerdens selbst widerspiegelt«; ebenso LV 387 *Wildbolz*: »Die Erkenntnis tritt nicht als absolut fertiges Denkergebnis, vielmehr als Prozeß auf, und dies auch dann noch, wenn das Ergebnis von Anfang an

feststeht.« Hier wird in der Tat propagandistische Vorspiegelung mit Realität verwechselt.

501 Vgl. LV 21 *Bartsch*, S. 562: dort streiten ein Priester und eine Frau um den Vorrang – die Frau bleibt Sieger; s. a. LV 321 *Jantzen*, S. 59 f. über Stephan Vohpurks Streit zwischen einem Wolf und einem Priester sowie S. 86 über die conflictus zwischen Salomon und Markolf; auch in der erwähnten »Disputatio Mundi et Religionis« (*Jantzen*, S. 18) erweisen sich die Laien den Ordensbrüdern überlegen.

502 Es erübrigt sich wohl, hier Beispiele dafür anzuführen; schon anläßlich der WN haben wir mit R. d. V. und den EOV und anderen kirchenkritischen Schriften des Spätmittelalters genügend Beispiele gegeben, die das Bild des Priesters in solchen Schriften gezeigt haben.

503 Die Notwendigkeit des propagandatheoretischen Image-Konzepts zeigt sich auch hier ganz deutlich.

504 Obwohl der Schuster des Dialogs von Sachs als einem anderen spricht (Z. 21), ist natürlich klar, wer mit dem »meister Hans« (Z. 2) gemeint ist.

505 Vgl. Z. 470 f.: »... rechtes fastens fasten die handtwerckßleüt mer, ob sy gleich im tag viermal essen, ...«

506 Vgl. LV 64 *Lenk*, S. 33 über das positive »Leitbild« in den Dialogen.
Nicht uninteressant ist auch, daß der »Schuster« eine nicht unbedeutende satirische Tradition verkörpert: sowohl der Mikyllos in Lukians »Gallus« als auch Pasquino, der den Paquillen den Namen gab, waren Schuster.

507 LV 173 *Wernicke*, S. 52, der allerdings später, ohne es zu merken, den Imagecharakter eingesteht: »... wie er selbst [Sachs] denn überhaupt viel schärfer ist, als sein Vertreter im Dialoge, als der Meister Hans« (S. 96).

508 Selbst die Friedfertigkeitsformel Z. 926 ff. »Wolan alde, der frid sey mit eüch ... hand mir nichts verübel vnnd verzeycht mir.« ist stereotyp, vgl. LV 64 *Lenk*, S. 140: »Lieber herr Pfarrer, so trinckent da mit vns allen vnd sey alles ab vnd verzygen«; und LV 161 *Schottenloher*, S. 241, der mehrere ähnlicher Passagen zitiert.

509 Allerdings vermeidet Sachs den Fehler der Sprüche, sich allzu plump selbst zu zitieren.

510 Ebenso Z. 1046: »O du lausiger bachant«, was angesichts des geplanten »panget« (1069) auf den Chorherrn besser paßt als auf den »Calefactor«.

511 Auch die Redensart »Wie die gens am wetter.« (177) ist durch die WN in ihrer antikatholischen Bedeutung festgelegt.

512 Vgl. LV 299 *Gaier*, z. B. S. 344: »Selbst wo das Objekt der Satire ein sich als Wahrheit ausgebender Schein oder eine sich als löblich aufspielende Verwerflichkeit ist, muß hinter dem Schein das Chaos, hinter der Verstellung das Urböse lauern ...«

513 Z. 47 ff.: dreimal »sündigen« in sechs Zeilen.

514 In ähnlicher Weise desavouiert sich der Chorherr Z. 1010: »Ja, daselbs braucht man nur schulerische leer, was die menschen haben geschriben vnnd gemacht,«. Die vordergründig naiven Tröstungen der Köchin in der Schlußepisode, die im Grunde nur Bestätigung der luth. Position sind, werden vom Chorherrn ebenso naiv akzeptiert und damit bestätigt: »nach dem ir jn mit der schrift nit vberwinden kundt« (949); »Mich nymbt groß wunder, wie die leyen so geschickt werden« (958); »yederman veracht eüch, wie dann yetzund auch der Schůster than hat« (987). LV 173 *Wernickes* Beurteilung dieser Episode zeigt, wie wenig er den polemisch-fiktiven Charakter des Dialogs und die Intention Sachsens begriffen hat: »Gewöhnlich und grob, begreift sie die Zurückhaltung des Geistlichen so wenig wie die Kühnheit des Schusters ... Ein gutmütiger Anteil an dem Geschick des Chorherrn ist ihr nicht abzusprechen« (S. 92).

515 LV 67 *Luther*, Bd. 66, S. 40.

516 Zwar schreibt LV 173 *Wernicke*, S. 93: »Mit der Matthäistelle über die Priester der Juden blamiert ihn der Schuster«, spricht aber S. 88 von seinem »Geschick« im Zitieren.

517 So wurde im Religionsstreit auch tatsächlich argumentiert, vgl. LV 36 *Luther/Emser*.

518 Pervertiert, weil assoziatives Konkordieren nur mit anderen Bibelstellen gestattet

war, hier jedoch handelt es sich um eine profane Bemerkung: »Die juden wissen jr gesetz vnd propheten frey außwendig,«.

519 Vgl. auch ebenso Z. 994 ff.

520 Z. 577: »... darumb sein wir euch nit schuldig zu hőrenn.«

521 Z. 790: »Ir seyt halt vnnütz leüt, kündt vil gespayß ...«

522 Auch LV 173 *Wernicke*, S. 36 muß angesichts dieser Stelle gegen seine eigene Objektivitätsthese argumentieren: »Es ist charakteristisch für Hans Sachs, daß auch dieses Thema [Erbsünde] dazu benutzt wird, die Gleichheit der Menschen vor Gott zu betonen, d. h. es ist ihm mehr Waffe als durchdringendes Gefühl.

523 Vgl. den Titelholzschnitt, der einen beleibten Priester zeigt; aber auch das Schlußmotto: »Ir brauch ir got«, Z. 1079.

523 LV 173 *Wernicke*, S. 31: »Fast alles, was dazu geäußert wird, hat sich Hans Sachs aus zwei Schriften zusammengesucht, ... dem Sendbrief an den christlichen Adel ... und der kurzen Verantwortung: Warum des Papstes und seiner Jünger Bücher von D. Martin Luther verbrannt sind.«

524 Vgl. LV 139 *Kawerau*, S. 56, der ebenfalls auf »An den christl. Adel« verweist und überdies an »Von der Freiheit eines Christenmenschen« erinnert.

525 WN S. 377–379 und »Chorherr« Z. 685 sind inhaltlich gleich und teilweise sogar wörtlich übereinstimmend: WN 379/25: »Diß ist die lehr kurtz in der sum, / Die Luther hat an tag gebracht.«; »Chorherr« Z. 685: »Da hat er ewer menschenn gebot, leer, fünd und auffsatzung an tag gebracht.«; auch die biblischen Belegstellen sind die gleichen.

526 LV 173 *Wernicke*, S. 52: »So sehen wir bei ihm das religiöse Moment ähnlich gewandt wie bei den Humanisten, aber es kam etwas hinzu, was sie ... nicht kannten: das war das soziale Empfinden. Jene unendliche Güte ...«

527 Z. 898 ff.: »... vnnd meinet ye, die kinder von Isreal solten ziegel prennen, daz er mit seinem volck feyern mőcht. Also auch ir halt vns, weil ir vns halten mőgt.«

528 Z. 877 und Z. 208 ff.

529 Das Urteil von LV 3 *Spriewald*, S. 17 – »Der Chorherr bleibt, ohne daß Schwarz-Weiß gemalt wird, auf der ganzen Linie unterlegen« – ist in sich ein Widerspruch und von dem Klischee Sachsscher Milde beeinflußt.

530 LV 289 *Böckmanns* Ansicht, der auch hier wieder einen Beweis für den Umschlag vom »Pathos« zum »Ethos« sucht, läßt sich am Text nicht verifizieren: »Aber der Streit geht doch mehr nur um Lehrmeinungen ..., während die weltliche Macht der Kirche kaum in Frage steht.« (S. 276)

531 Ein gesonderter Abschnitt über den propagandistischen Ertrag dialogischer Mittel erübrigt sich nach der einleitenden Darstellung über die Reformationsdialoge.

532 Vgl. LV 173 *Wernicke*, S. 37 und LV 3 *Spriewald*, S. 15, aber auch *Edert*, a. a. O., S. 23: »Die ›nachtigall‹ war aber nur ein präludium zu den mächtiger klingenden und wirkenden dialogen.«

533 Aus Spenglers (?) »Apothekendialog«, LV 80 *Schade*, III, S. 56. Aus dem gleichen Text stammte auch die oben (S. 103) zitierte Beschreibung der Vorteile dialogischer Formen.

534 Z. 743 dieses Dialogs scheint dem zu widersprechen: »Ey lieber, der gemein hauf gibt auch des weniger teyl dem Luther recht.« *Wernicke* (S. 36) will hierin einen Reflex der »zweideutigen Verhältnisse« in Nürnberg sehen. Es scheint, daß es Sachs hier nur darum geht, das von kath. Seite so oft ins Spiel gebrachte Argument der Mehrheitspartei unschädlich zu machen, was ihm auch mit Hinweis auf Matth. 5 und 12 gelingt. Von »zweideutigen Verhältnissen« kann man um diese Zeit nicht mehr sprechen (vgl. Wernicke selbst – S. 12!).

535 Außerdem mit der Flugschrift »Eine treue Vermahnung ...«.

536 Vgl. LV 34 *Eberlin*, II, S. 39 ff.

537 Vgl. auch Luther in »Eine treue Vermahnung ...«: »Wie woll nu ich nit ungerne hore, das die geystlichen yn solcher furcht vnd sorge stehen, ob sie da durch wolten yn

sich selb schlahen und yhr wutende tyranney senfften, und wolt got, solch schrecken und furcht were noch grosser: szo dunckt mich doch, ich sey des gewisz, byn auch on alle sorge eyniges tzukunfftigenn auffrurhisz odder entporunge« (LV 67 *Luther*, VIII, S. 676).

538 Die Glaubwürdigkeit solcher Drohungen beweist ein Gutachten der Städte auf dem 2. Nürnberger Reichstag, in dem Anfang April davor gewarnt wurde, den Reichstagsabschied von 1523 abzuändern, weil dies einen »Aufruhr hervorrufen würde, der den Städten am meisten gefährlich werden müsse« (vgl. LV 260 *Ludewig*, S. 32); tatsächlich beugte sich die katholische Mehrheit dieser Drohung.

539 Auch Osiander, der später im Jahr im Sinne des Rats für eine Beruhigung der Situation wirkte, spielt noch im März die Drohung mit dem Aufruhr aus (vgl. LV 195 *Möller*, S. 15).

540 Wernicke glaubt aus einer Bemerkung des Chorherrn – »es ist zůspat im jar«, Z. 20 (für den Gesang der Nachtigall) – schließen zu müssen, daß der Dialog »nicht vor Juli« (1524) entstanden sein muß. Wie unsinnig es ist, der Theorie der Darstellung von »Erlebtem« (*Wernicke*, S. 103) zu folgen und den Abfassungstermin aus der fiktiven Dialogwirklichkeit bestimmen zu wollen, zeigen die widersprüchlichen Ergebnisse dieses Spiels: Da es beim Zusammentreffen von Chorherr und Schuster »zůspat im jar« ist, für die Nachtigallen aber noch warm genug für eine Gebetsübung »im sommerhauß«, muß man auf den Spätsommer schließen. Da der Schuster behauptet, seine Nachtigall habe erst »angefangen zů singen«, kann er nicht Luther meinen, der seine Thesen schon sechseinhalb Jahre zuvor publiziert hat sondern die WN. Dann müßte der Dialog gar schon im Spätsommer 1523 verfaßt worden sein.

541 LV 173 *Wernicke*, S. 103; S. 86 meint er, »es ist ein Weg zur Tiefe.«

542 Den Text s. LV 3 *Spriewald*, S. 123 ff.

543 Vgl. LV 312 *Held* über die Identität von Narr und Teufel.

544 2. Timoth. 3 über »Die Verderbnis in den letzten Tagen« »Denn es werden die Menschen viel von sich halten, geldgierig sein, ruhmredig, hoffärtig, Lästerer ... gottlos, lieblos, unversöhnlich, Verleumder, zuchtlos, wild, ungütig, Verräter, Frevler ... Aber sie werden's in die Länge nicht treiben; denn ihre Torheit wird werden offenbar ...«

545 LV 173 *Wernicke*, S. 41: »So stehen wir hier schon dem Leben näher.«, LV 139 *Kawerau*, S. 52: »Wie rund und plastisch und von vollem Leben durchströmt steht beispielsweise im zweiten Dialog die Figur des armen, einfältigen Barfüßermönches vor uns.«

546 Vgl. *Wernicke*, S. 90: »Durchbrochen wird das [die Friedfertigkeit] nur am Ende, als der Schuster schimpft.«

547 Wernicke bezeichnet diesen zutreffend als »Vorläufer« Peters (S. 86).

548 LV 191 *Keller*, S. 182 glaubt sogar an einen manifesten Gegensatz von »linkem« und »rechtem« Protestantentum in den beiden Handwerkern.

549 Der von *Wernicke* (S. 2 und 3) so gescholtene *Schultheiß* (LV 163) wird diesem Dialog weit eher gerecht als er selber (S. 18 ff.).

550 Vgl. *Wernicke*, S. 86: »... wo der Dichter sich geradezu über ihn lustig macht.«

551 Auch *Wernicke* muß die »geschickte Wendung« zugeben (S. 96).

552 Karsthans ist auf der einen Seite der überlegene Diskutant, der durch das Argument siegt, andererseits droht er ständig mit dem »pflegel«.

553 Daß auch Hans polemisch wird, haben wir S. 117 gezeigt.

554 Vgl. auch *Wernicke*, S. 96 f.: »Es ist charakteristisch, daß Hans bei der theoretischen Erörterung bleibt, während Peter stets einspringt, wenn es sich um praktische Mißstände handelt, die Gelegenheit geben, persönlich beleidigend zu werden.«

555 Die wörtliche Übereinstimmung mit der WN ist bezeichnend!

556 Vgl. LV 3 *Spriewald*, S. 18: »Die Kritik am Mönchsstand war bereits früher von den Humanisten aufgegriffen worden; sie läßt sich von Lorenzo Valla bis Jakob Wimpheling und Erasmus von Rotterdam verfolgen.«; LV 239 *Bezold*, S. 353: »Man

vergegenwärtige sich allein die unerschöpflichen Variationen über das alte Thema des gefräßigen und sittenlosen Bettelmönchs; Käsjäger, Käshabichte, Käskörbe und Käsbäuche, Wurstbuben, Kuttelsäcke, heilige Väter im Sauermilchhafen, des Teufels Mastschweine, ...«; die EOV machen sich über gebrochene Gelübde lustig (LV 26 *Böhmer*, S. 26), ebenso Bebel in seinem »Triumph der Venus« (vgl. LV 219 *Hagen*, I, 385 ff.) und in seinen Facetien (ebda., S. 394 ff.); Flugblätter von Baldung Grien karikieren den geilen Mönch (LV 106 *Geisberg*, Nr. 140), den Mönchsesel (ebda., Nr. 133); andere zeigen ihn als Exkrement des Teufels (LV 33 *Eberhardt*, S. 43), als Verkörperung von Todsünden (*Geisberg*, Nr. 225: der Mönch, getragen von Superbia, Luxuria, Avaritia – ein Bauer hält ihm die Bibel vor); vgl. auch LV 312 *Held*, S. 154, Anm. 6: »Es war gebräuchlich, die Mönchskapuze mit der Narrenkappe, die Tonsur mit der Kahlköpfigkeit des Narren in Beziehung zu setzen.«

557 Vgl. LV 348 *Needon*, S. 43: »Mehrfach zu belegen ist die folgende Situation: ein oder zwei Bettelmönche treten bei einem einfachen Handwerker ein, heischen eine Gabe ... und werden so mit jenen in ein Gespräch verwickelt.« N. nennt 2 Beispiele. Dazu LV 80 *Schade*, III, S. 213 ff., sowie das Gespräch zwischen einem Barfüßermönch und einem Löffelmacher (LV 161 *Schottenloher*, S. 239) und LV 64 *Lenk*, S. 190 ff. LV 225 *Lucke*, S. 191. Auch die 30 Artikel in Butzers Neu-Karsthans sind zu beachten.

558 Vgl. das Flugblatt »Von der München ursprung« (1523) in: LV 33 *Eberhardt*, S. 43: »Sôlten auch teglich geben brot / Daß man den armen helff auß not / Auch speiß die vberblieben wer / So kommens mit eym geschlepper her / Ich glawb daß nur spülwasser sey ...«

559 Ebenso wird das Gehorsamsgelübde des Mönches von ihm in einer Weise illustriert, die durch die Diskrepanz zur beschworenen Heiligkeit des Gelübdes (Z. 340) der Kritik den Weg weist und der These vom Gehorsam, wo er bequem ist, selbst jedes denkbare Gegenargument aus dem Weg räumt: »Wie, halt wir nit volkhomenlichen gehorsam? Es geet vnser kayner für das Closter on erlaubnüß des wirdingen vatters Gardian« (Z. 359 ff.).

560 LV 34 *Eberlin*, II, S. 119 ff.: aus dem Kloster sollen nur die gehen, denen es ihr Gewissen befiehlt; bleiben sollen diejenigen, die den Schutz des Klosters brauchen, weil sie in der Welt nicht zurechtkommen. Solche, die aus dem Kloster drängen »das sy mügen jren mûtwillen ersåttigen«, solle man besser zurücktreiben (S. 129).

561 Der bloße Friedfertigkeitstopos beim Abgang des Schusters im ersten Dialog wird hier exemplifiziert und dadurch erst eigentlich glaubhaft.

562 Vgl. LV 64 *Lenk*, S. 195; LV 187 *Kawerau* über den Güttelschen Dialogus und LV 161 *Schottenloher*, S. 239, die sämtlich Beispiele für die Bekehrung des Mönches enthalten. In jedem Fall wird davon gesprochen, daß der Mönch, »die Kutte an den Zaun hängt«. Eine stereotype Redewendung also. Dazu LV 161 *Schottenloher*, S. 246: »Solche Übereinstimmungen sind doch zu häufig, als daß sie allein durch den Sprachgebrauch und Wortschatz jener Zeit bedingt sein können. Der Barfüßer ... kündigt seinen Austritt an mit den Worten: ›Hab auch im synn, so bald ich haym khum, wöll die khutten an ayn zaun hencken und mit staynen darzu werffen.‹« Wegen dieser Formulierung vermutet Sch. die Verfasserschaft Sachsens.

563 *Wernicke*, S. 38. Auch LV 163 *Schultheiß* spricht von einem »specielleren Gegenstand« (S. 16).

564 Vgl. LV 267 *Roth*, S. 177: »... in ihnen [den Orden] erblickten ihre Gegner das letzte und stärkste Bollwerk des Papsttums, das erst unschädlich gemacht werden mußte, bevor der Sieg als errungen gelten konnte.«; LV 269 *Schubert*: »Die letzte Phase der Nürnberger Reformation war eine Art Klosterkrieg«. Der Rat mußte mehrfach Verbote gegen die »schentlichen lieder« und »andere schmachtruckereien«, insbesondere gegen »unzüchtige lieder von münichen, pfaffen und nunnen« erlassen (LV 310 *Hampe*, S. 25); in dem »gesprech zwischen / eynem Parfusser münch ... vnd einem Lôffelma-/cher« (1524 in Nürnberg) werden unter denjenigen, die der »Wahrheit widerstreiten« zuerst ein Nürnberger Barfüßer (Jeremias Mielich) genannt: »Dyser

plint plintenfürer wolt auch andere mitsampt jm in die hellen füren« (LV 161 *Schottenloher*, S. 241 f.).

565 Vgl. den fast gleichen Wortlaut in dem anderen nürnberger Dialog (s. o. Anm. 564).

566 Unglücklicherweise will Wernicke diese Entwicklung auch noch anhand der Schlußsprüche beweisen! (S. 102).

567 Vgl. LV 173 *Wernicke*, S. 37 ff. und LV 139 *Kawerau*, S. 40 ff. und S. 57 ff., die vor allem auf Luthers »Sendbrief an den christlichen Adel« verweisen. Luthers Schrift »Von den Geistlichen und Klostergelübden« (1521) wäre ebenfalls zu nennen.

568 Z. B. Dialog von »Mönch und Beck« und »Prior, Laienbruder und Bettler« (*Wernicke*, S. 40 f.); Dialogus von Kaspar Güttel (LV 187 *Kawerau*) u. a.

569 Vgl. LV 267 *Roth*, S. 182 ff.: »... der Rat von Nürnberg ... fürchtete, daß die Aufregung, die damals gegen die Mönche herrschte, bei der allgemeinen Gährung – die Schrift erschien in der zweiten Hälfte des Jahres 1524, als schon die Unruhen der Bauernschaft begonnen hatten – zu gefährlichem Ausbruch kommen würde.«

570 Vgl. LV 161 *Schottenloher*, S. 241 ff.

Kapitel 4

Ein Wechsel der Strategie

571 Mit Überraschung registrieren wir die gleiche Ansicht bei LV 307 *Gysi*, S. 445: »Diese entschiedene Parteinahme für die revolutionären Inhalte der reformatorischen Bewegung [sic!] wich nach 1525 als Folge einer ausgeglichenen Gesinnung einer Haltung, die mehr auf Bewahrung und Propagierung des errungenen Glaubens als auf gesellschaftliche Veränderung aus war.«

572 Vgl. LV 148 *Mettetal*, S. 15: PÊRIODE POLÉMIQUE: elle va de 1523 à 1527.«; ebenso auch LV 307 *Gysi*, S. 447.

573 Z. B. das »Siebenhäuptig Papsttier« (1529); »Inhalt zweierlei Predigt« (1529), aber auch die beiden letzten, allerdings unveröffentlichten Dialoge.

574 Nach LV 139 *Kawerau*, S. 34 hat der »schlichte Handwerksmann in diesen Gesprächen« »seinen lutherischen Glaubensgenossen« »einen sittlichen Wegweiser« aufgerichtet. Vgl. auch LV 267 *Roth*, S. 124.

575 LV 302 *Götze*, S. 195: »sie [Luthers Freunde] brauchen ... das Wort evangelisch, wenn sie im eigenen Namen sprechen, lutherisch nur im Citat oder vom Standpunkt des Gegners.«

576 Vgl. LV 30 *Clemen*, I, S. 23; ebda., S. 143; Bd. II, S. 199; LV 80 *Schade*, III, S. 197; LV 187 *Kawerau* (Kaspar Güttels Dialog vom 1. Januar 1522); LV 64 *Lenk*, S. 181. Auch die Geschäftsverbindung Sachsens mit den drei »gottlosen Malern« ist kein Beweis für seine Angehörigkeit zur gleichen Partei.

577 Ähnlich LV 161 *Schottenloher*, S. 245: »Diese den niederen Volksschichten zugewandte Grundstimmung finden wir nirgends stärker entwickelt als in Nürnberg; sie klingt durch die Dialoge von Hans Sachs ebenso deutlich hindurch wie durch die Schriften Osianders, Greiffenbergers und Korns.«; und LV 267 *Roth*, S. 125: »Er streift damit in bedenklichster Weise die Forderungen auf sozialem Gebiete, wie sie damals in den unteren Ständen allenthalben geltend gemacht wurden.«

578 Vgl. das in dieser Hinsicht unverdächtige Dürersche Tagebuch: »... so bitten wir dich, o himmlischer Vater, dass du deinen heiligen Geist wiederum einem gebest, der da deine heilige christliche Kirche wieder allenthalben versammle, auf daß wir wieder einig und christlich zusammenleben« (zit. nach LV 267 *Roth*, S. 93).

579 Wie weit im Romanusdialog tatsächlich »linke« Positionen zur Diskussion gestellt werden, bleibt zu untersuchen, in keinem Fall nimmt Sachs jedoch für sie Partei.

580 Vgl. dazu auch Schappelers »Verantwortung ...« (LV 30 *Clemen*, II, S. 385).

581 Vgl. dazu LV 254 *Kamann*, S. 8 ff.

582 Zu dem gesamten Komplex s. LV 252 *Jörg, Kamann*, LV 267 *Roth* und LV 280 *Zimmermann*.

583 Lichtenberger, Torquatus u. a. hatten für das Jahr 1524 eine neue Sintflut oder auch Aufstände prognostiziert (vgl. LV 250 *Friedrich*, S. 58, 79, 87, 95 ff.), Joh. Virdung von Haßfurt sagt in seiner 1521 gedr. Schrift »Practica, deutsch ...« eine besondere Gefahr für Nürnberg voraus (*Friedr.*, S. 98), daß man daran glaubte, beweist ein Brief Luthers an Wenzeslaus Link vom 14. 1. 1521, in dem er die vorhergesagte Sintflut mit der durch seine Lehre hervorgerufenen Bewegung in Beziehung bringt.

584 LV 409 *Fromm*, S. 85: »... er [Luther] mußte die Bundesgenossenschaft lösen, sobald sich die Bauern nicht mehr damit begnügten, die kirchliche Obrigkeit anzugreifen ... sondern eine revolutionäre Klasse zu bilden begannen, die jede Obrigkeit über den Haufen zu werfen und die Grundlagen einer Gesellschaftsordnung zu zerstören drohte, deren Erhalt dem Bürgertum lebenswichtig schien.«; ebenso LV 256 *Kofler*, S. 272: Luther hatte »zwar die Säkularisation des kirchlichen Eigentums verlangt, das weltliche Eigentum aber unangetastet gelassen.«

585 Vgl. *Roth*, S. 165: »Die Prediger standen ... ganz auf Seite des Rates. Sie wurden öfter von diesem beauftragt, die Freiheit eines Christenmenschen wohl zu verdeutschen und darauf hinzuweisen, ›dass die Freiheit ... sich nicht auf die äußerlichen Bürden und Schulden ziehen lasse.‹«

586 Zu Osianders Rolle zu dieser Zeit vgl. LV 195 *Möller*, S. 62 f.; außerdem LV 53 *Jegel*, S. 71: Osiander empfiehlt dort dem »weltlichen Regiment«: »Zum andern, das man die, so solch geschray außgeben, erforsch und straff ...«.

587 Vgl. LV 274 *Strobel*, S. 28: »In der Fasten dieses Jahres haben etliche Burger der Christlichen Freyheit mit Fleischessen sich gebraucht, welches man ihnen für einen Trutz und Frevel ausgerechnet, weil es andern zum Aergerniß gereichet.«
LV 257 *Lochner*, S. 26: »Am 11. Juni schreibt der Rat an die Pröbste wegen der geänderten Zeremonien: ... sie sollten daher einen Theil der abgeschafften Ceremonien wieder herstellen, bis man sehe, wie sich in diesem Falle die Läufte erzeiget ...«

588 So ging es dem »Bauern von Wöhrd« und etwas später im Jahr Thomas Müntzer, Heinrich Schwertfeger und Dr. Reinhard.

589 Vgl. z. B. die ständige Weigerung des Rates in der Zeit zwischen 1521 und 1523, das Wormser Edikt zu vollziehen, was erfolgreich mit der Unruhe der Bürgerschaft begründet wurde.

590 Schon 1520 hatte es von katholischer Seite ähnliche Vorwürfe gegeben. Ein Flugblatt mit dem Titel »Luthers Ketzerspiel« (LV 106 *Geisberg*, Nr. 1579) behauptet, »Das auß Lothers leere ward geschehen / Groß aufrůr vnd blůt vergiessen ...«.

591 Vgl. LV 161 *Schottenloher*, S. 252.

592 Ähnliche Versuche in anderen Gegenden waren ebenso erfolglos. So versuchte Lachmann in einem Brief an die Bauern im Odenwald am 5. 4. 1525, Frieden zu stiften: »Die Worte Lachmanns verhallten« (*G. Bossert* in: LV 30 *Clemen*, II, S. 420).

593 In: LV 30 *Clemen*, I, S. 98 ff.

594 Vgl. LV 192 *Köstlin*, S. 493: »Wohl aber versetzte ihn jetzt die Art, wie in der Wittenberger Gemeinde durch seine eigenen Anhänger seit Weihnachten (1521) die Reform betrieben wurde, in steigende Spannung und Besorgnis.« Die »Zwickauer Propheten« hielt er zu dieser Zeit noch für ungefährlich.

595 Vgl. Luther selbst im ersten Sermon: »Ich hätte es nicht so weit getrieben, als geschehen ist, wenn ich hier gewesen wäre« (LV 68 *Luther*, I, S. 324).

596 Vgl. *Boehmer, H.*: Der junge Luther, 6. Aufl. Leipz. 1954, S. 222.

597 Wie real diese Gefahr war, zeigt der relativ starke Erfolg katholischer Gegenpropaganda, die mit eben diesem Argument operierte: »Und trotzdem entblödete man sich nicht, solchen Männern, ›die nicht beten, noch fasten, noch Mass halten‹, sondern ›flüchtige, treulose Bösewichte, Jungfrauenschänder, zuchtlose Bluthunde‹ etc. seien,

wie Butzer und Osiander, als diejenigen zu bezeichnen, welche die Bauern, ›die meineidigen, treulosen Bösewichte‹ zum Rauben und Morden anreizten.« (*Roth*, S. 166). Solche Behauptungen waren offenbar so glaubhaft, »daß auch die scharfblickendsten Zeitgenossen selbst die ausschweifendsten Pläne der Empörer der Gesamtheit der neuen Lehrer zuzuschreiben kein Bedenken trugen.«, die Bauernbewegung wurde als »lutherische Sache« angesehen (vgl. LV 270 *Schubert*, Anm. 69). Man ging sogar so weit, in Nürnberg den Anstifter des Forchheimer Aufstandes zu sehen. So schreibt der Bischof von Bamberg am 30. Mai 1524 an den Markgrafen Kasimir: »... dieweil zu besorgen ist, daß die von Nürnberg diese Empörung und Versammlung auf die Bahn gebracht haben.« (LV 252 *Jörg*, S. 149).
Der Charakter der lutherischen Propaganda vor dieser Zeit ließ sich natürlich sehr leicht gegen den Protestantismus wenden.

599 Vgl. LV 307 *Gysi*, S. 253: »... in seinen berüchtigten Schriften zum Bauernkrieg ..., in denen er das Vertrauen der bäuerlichen Massen enttäuschte, konnte er auf den Beifall des Stadtbürgertums rechnen.«

600 Die These von Steinmetz, daß »der Sieg einer gemäßigten Gruppierung bei Unterstützung durch die Kraft der revolutionären Massen, das heißt der Volksreformation« möglich gewesen wäre, setzt die Möglichkeit von Handlungen voraus, die gegen die subjektiven und objektiven Interessen der bürgerlichen Protestanten gewesen wären. Das Motiv hinter dieser These gibt Steinmetz auch selbst an: »Wenn man die Möglichkeit eines Erfolges von vornherein in Frage stellt, so gibt man der bürgerlich-reaktionären Historiographie recht,«. (*Max Steinmetz*: Probleme der frühbürgerlichen Revolution. In: LV 278 *Werner*, S. 51).

601 Vgl. LV 252 *Jörg*.

602 »Der zwölff reynen vögel eygenschafft, zu den ein Christ vergleichet wirdt. Auch die zwelff unreynen vogel, darinn die art der gottlosen gebildet ist.« (LV 2 *Keller/Goetze*, I, S. 377 ff.).

603 Enr. 16, nach *Goetze* etwa 1550, nach LV 102 *Geisberg*, Nr. 1194 etwa 1534.

604 Enr. 17, etwa 1555.

605 *Drescher* (in: LV 167 *Stiefel*, S. 210 und 215) nimmt an, daß ein Druck aus dem Jahre 1524 verlorengegangen ist. Dagegen LV 158 *Röttinger*, S. 37: »Das 1524 gemachte Gedicht von 96 Versen war zunächst ungedruckt geblieben.« Beides ist möglich.

606 Zum Palmbaumtraktat vgl. *Schmidtke*, S. 116 ff. Dort soll sich der fromme Mensch vergleichen: Pfau, Schwan, Harpyie, Nachtigall, Schwalbe, Phönix (an zweiter Stelle werden unterschiedliche Tiere genannt, die mit Sachsens Spruch nicht in Verbindung zu bringen sind. Im Maibaumtraktat (*Schmidtke*, S. 117) werden genannt: Phönix, Adler und Nachtigall, Sittich. Sachsens Vorliebe für Zahlenmystik motiviert die Auffüllung zu einer doppelten Zwölferreihe.

607 Vgl. das Verzeichnis der Bücher Sachsens von 1562: »Naturpuch fisch, fogel, tüer und edel gstain« (LV 2 *Keller/Goetze*, Bd. 26, S. 154).

608

Sachs	*Konrad*
Der adler in die sunnen sicht; (377/5)	er hât ain starch scharpf gesicht, alsô daz er die sunnen in ir clârhait angesehen mag. (166)
Der sittich seinen herren grüst; (377/15)	er grüezt den menschen und spricht ave chere (211)
Die turtel on gallen ist (378/10)	... ist ân gallen (179) (hier ist es aber die Taube)
Die fledermaus fleugt bey der nacht; Also der gotloß wirdt geacht, Der sein werck heimlich dückisch thut. (381/14 ff.)	Pei der fledermaus verstên ich die valschen nâchreder, die den läuten in der vinster, daz ist haimleichen ... verderbent (227).

Vgl. ähnliche Parallelen bei den übrigen Vögeln mit Ausnahme von Lerche, Biene, Henne und Hahn, die bei Konrad zwar als Tugendtiere gelten, aber mit anderen Eigenschaften ausgestattet sind, ebenso wie Geier, Ente und Kuckuck unter den Lastertieren (LV 61 *Konrad v. Megenberg*).

609 *Konrad:* »Pei der nahtigal verstên ich die rehten maister der geschrift, die tag und naht mit überigem grôzem gelust lesent die geschrift und tihtent new lêr.« (S. 221) Sachs: »Die nahtigal singt gehn dem tag; / Also ein Christ nicht schweygen mag, Verkündt Christum das ewig liecht.« Konrad: »... gar ain schœner vogel ... Pei dem pfâwen verstêt man ainen iegleichen hailigen prelâten, der ist gar schœn und rain an aller gaistlicher wirdichait und an hailigen werken.« (S. 212f.); Sachs: »Der pfab gar schön gespigelt ist; / Also auch ein warhaffter Christ / Ergert niemandt auß argem mut, / All seine werck sind christlich gut.«

610 LV 139 *Kawerau*, S. 29. Vgl. auch LV 230 *Schottenloher*, S. 139, der ebenfalls der Ansicht ist, daß es Sachs nur um »innere Einkehr und ... sittliche Besserung seiner Mitmenschen ging.«

611 Vgl. dazu LV 409 *Fromm* (S. 98).

612 Vgl. »Chorherr« Z. 305: »Wir aber sollen nit sorgen, sonder got vertrawen.«

613 Vgl. »Scheinwerke« Z. 294ff.: »So můß ich mit meinen knechten den gantzen tag arbaiten, vbel essen, vnd legen vns oft kaum metten zeit nider ... ich hab vil ain hertern orden dan ir.«

614 Dieses Ethos wurde nach dem Bauernkrieg und später noch mehr für den Calvinismus ein konstitutives Element bürgerlicher Ideologie (vgl. auch LV 409 *Fromm*, S. 99ff.).

615 Es ist im Sinne unserer Chronologie nicht uninteressant, daß der vierte Dialog die gleiche Formulierung enthält: »Hie horstu, das mann auß Christlicher lieb ... on alle gallen handeln muß« (Ev./Luth. Z. 646ff.).

616 Aus: »Ein scharpff Metz«, LV 30 *Clemen*, I, S. 119.

617 »Ein Dialogus des inhalt ein argument der Rômischen wider das Christlich heüflein; den Geytz, auch ander offenlich laster etc. betreffend« (LV 3 *Spriewald*, S. 123ff.).

618 Vgl. dazu LV 173 *Wernicke*, S. 43ff.

619 Ähnliche Selbstzitate mit intentionaler Umkehr sind Z. 273ff. (Wucher): = WN 373/ 35ff.; Z. 642 (allgemeine Sündhaftigkeit): = »Chorherr« Z. 786ff.; Z. 586ff. (Barmherzigkeit): = »Scheinwerke« Z. 208ff.; Z. 662ff. = »Chorherr« Z. 882ff. Es handelt sich ausnahmslos um Bibelstellen, die – zuvor als protestantischer Trumpf gegen die Katholiken verwendet – jetzt gegen den protestantischen Vertreter Reichenburger gespielt werden.

620 Vgl. LV 69 *Luther*, Bd. 5, S. 1/15: »weyl der vnfal so weyt eyngerissen« (= »Romanus« Z. 320); S. 1/10: »Geytz ist die wurzel alles vbels« (= Z. 638); S. 9/15: »Ihr sollt leihen, das yhr nichts davon hoffet« (Z. 256); S. 12/35: Monopole und Fürkauf (= Z. 120); S. 13/16: legitimer Fürkauf (= Z. 114); S. 14/10: Notwendigkeit der Obrigkeit (= Z. 423); S. 17/35: Wucher (= Z. 290ff.); S. 18/25: falsche Ware, Maße, Gewichte (= Z. 175ff.); S. 19/11: Gesellschaften (= Z. 148ff.), etc.

621 Vgl. LV 197 *Roth*, S. 60.

622 LV 3 *Spriewald*, S. 23f. und LV 173 *Wernicke*, S. 45: nachdem er die Ähnlichkeit der »alttestamentarischen Vorstellung« der Ausführungen des Romanus mit denen Müntzers festgestellt hat, schreibt er: »Damit soll keineswegs gesagt sein, daß Hans Sachs ein Anhänger des lutherfeindlichen Münzer [sic!] gewesen sei, es soll nur eine Erklärung für den starken alttestamentarischen Einschlag geben, der sehr wohl aus dieser Stimmung heraus zu verstehen ist.«

623 Es ist dabei wichtig zu betonen, daß die Forderung nach Einheit von Leben und Lehre von Sachs vor allem an der Polemik gegen den »Eigennutz« exemplifiziert wird, womit schon der Grund gelegt ist für eine Distanzierung von der »linken« Kritik; denn Eigennutz wurde von der gemäßigten Seite gerade den Bauern als Motiv unterstellt (vgl. »Ein scharpff Metz«, sowie den Spottnamen »Hans Eeigennutz« für Utz Eckstein – DWB IV, Sp. 3203).

624 Das wäre auch ganz gegen die Sachssche Gewohnheit, der zu schweigen pflegte, wenn er sich seiner Sache nicht sicher war (vgl. die Zeit zwischen 1520 und 1523).

625 Immerhin zeigt ihn schon das Jahr 1526 in seinen Psalmen als unerschütterten lutherischen Agitator.

626 Diese Interessen waren auf breiter Ebene gefährdet, da die Kritik an kapitalistischen Mißbräuchen allgemein war. So berichtet der kaiserl. Gesandte Hannart 1524 vom 2. Nürnbg. Reichstag, »die Münz- und Monopolien-Sache erwecke große Unzufriedenheit unter dem Volke und der Ruf um Abhilfe sei allgemein« (LV 252 *Jörg*, S. 115).

627 Diese unterschiedlichen Richtungen charakterisiert der bayerische Kanzler Leonhard von Eck so: »... indem ist eine große Spannung in den Städten; die Lutherischen, so arm sein, geben den Bauern recht; die nit lutherisch und die lutherisch, aber reich sein, geben den Bauern unrecht« (LV 252 *Jörg*, S. 112 und LV 239 *Bezold*, S. 488).

628 Die diesen Zeilen folgenden konkreteren Anschuldigungen wiegen ebenfalls nicht schwer, da sie als »die vorigen haidnischen laster« (Z. 762) – also als allgemein menschlich im Sinne der spma. Moralsatire – bezeichnet werden.

629 Diese Identifikation ist nicht unüblich: Luther sieht schon 1522 in »Ein treue Vermahnung ...« Papismus und Aufruhr nur als unterschiedliche Taktiken der gleichen teuflischen Absicht. Ebenso im »Brief an die Fürsten zu Sachsen« (LV 37 *Enders*, S. 3); vgl. auch LV 30 *Clemen*, I, S. 97.

630 In der Literatur zu diesem Dialog spricht man von einem »Pater« (LV 3 *Spriewald*, S. 19), bzw. von einem »römischen Geistlichen« (LV 139 *Kawerau*, S. 44), dem Text nach muß man auf einen Ordensgeistlichen schließen: »vnns Münich vnd Pfaffen« Z. 69), »jr Closterleüt« (Z. 635), auch der Holzschnitt zeigt einen (fetten!) Mönch.

631 S. o. Anm. 556.

632 *Wernicke, Kawerau, Spriewald.*

633 Vgl. LV 365 *Siebenschein*, S. 44: »Es tut nichts zur Sache, daß Priester Romanus nicht das Sprachrohr für Sachsens persönliche Überzeugung ist« – eben doch!

634 Es ist für die wahre Intention Sachsens bezeichnend, daß hier wieder der kirchliche Fiskalismus im Mittelpunkt steht.

635 Vgl. dazu die dem Romanusdialog ganz ähnliche Vorrede zu Schappelers »Verantwurtung vnnd Aufflösung etlicher vermayntlicher Argument ...« (1523/24) in: LV 30 *Clemen*, II, S. 352 ff.

636 Der angeblich »leidenschaftliche« Ton erweist sich bei näherer Überprüfung häufig genug als bloßes Bibelzitat!

637 Dieser Aspekt ist weniger von moralischer Relevanz als vielmehr von propagandistischer Bedeutung, da hiervon natürlich die Glaubwürdigkeit abhing.
Wie erfolgreich Sachs auch hierin war, zeigt nicht zuletzt die wissenschaftliche Rezeption, die eine ungebrochene Manifestation bürgerlicher Wohlanständigkeit in den Sachsschen Flugschriften konstatiert.

638 Im Gegenteil wird auch hier gemäß bürgerlich-lutherischer Sprachregelung Eigennutz mit den »Pawren« und »Hantwercksleüt« in Verbindung gebracht.

639 Zur Kritik am Rechtswesen vgl. LV 80 *Schade*, II, S. 45, s. 55: Kammergericht als Hölle. Ebenso LV 106 *Geisberg*, Nr. 941: »Der Jurist mit seinem bůch / Der Jud mit seinem gsuch / ... Machen die ganntzen welt yr.«

640 Im Nürnberger Rechtsbuch (, das vom patrizischen Rat verabschiedet wurde,) war Wucher mit Strafe bedroht (vgl. LV 365 *Siebenschein*). Eine Polizeiverordnung aus dem 16. Jh. kündigt für Fürkauf eine einjährige Verbannung an (vgl. LV 85 *Siebenkees*, IV, S. 736).

641 Z. B. Z. 156 f.: »Es ist auch vnrecht; wann alles das jr wôlt, das euch die leüt thůn, das thůt jn auch widerumb, Matth. vij.«

642 Der reiche Bürger als positive Gestalt ist etwas durchaus Ungewöhnliches; das Spätmittelalter kennt eigentlich nur den »bösen Reichen« gemäß der biblischen Charakterisierung (vgl. auch LV 365 *Siebenschein*, S. 15 f.).

643 Vgl. auch Z. 598 ff.

644 Hier dokumentiert sich auch die säkulare Instrumentalisierung des Protestantismus im Stadtbürgertum. Luther schrieb im gleichen Jahr: »Was sollt nun gutts ym kauffhandel seyn? was sollt on sunde seyn / wo solch vnrecht das heubtstuck vnd regel ist des gantzen handels? Es kan damit der kauffhandel nichts anders seyn / denn rawben vnd stelen den andern yhr gutt.« (LV 69 *Luther*, S. 3). Sachs dagegen polemisiert nur gegen den Wucher!

645 Nach »den anderen« brauchte man auch nicht weit zu suchen: wie selbstverständlich ist »der Wucher« stets ein Jude. Vgl. das Titelblatt von Luthers »Sermon von dem Wucher« (LV 275 *Thulin*, S. 15) und Sachsens »arm gemein Esel« (LV 4 *Stuhlfauth*, S. 236).

646 Vgl. LV 3 *Spriewald*, S. 23 f.

647 Seit 1521 wurde eine Regelung zur Unterstützung von »Hanndel vnd handtwerck so in abnemen wer« praktiziert, 1522 die »Ordnung des großen allmusens haussarmer leut« beschlossen (LV 173 *Wernicke*, S. 19).

648 Z. 794–823 und 828–870.

649 *Keller* und *Beifus*, aber auch – mit Einschränkungen – *I. Spriewald*.

650 Vgl. auch LV 434 *Lumsdaine* und *Janis*, S. 311: »Various propaganda strategists have put forth the claim that in appealing for acceptance of any specific belief or policy, no opposing arguments should be discussed because mentioning rival ideas invites comparison, hesitation and doubt.« Lumsdaine und Janis können diese These auch nur in einer ganz speziellen Situation experimentell widerlegen.

651 Chieregati trug auf dem 2. Nürnberger Reichstag ein »offenes Sündenbekenntnis des Papsttums vor« (LV 239 *Bezold*, S. 416), »Aleander hat kurz nachher das Eingeständnis der eigenen Schuld als eine höchst verfehlte Politik gerügt, womit man nur die Lutheraner noch trotziger und die übrigen Deutschen verstimmt mache« (ebda., S. 417).

652 »Ain gesprech eins Ewangelischen christen mit einem Lutherischen ... = Ev./Luth. (LV 3 *Spriewald*, S. 150 ff.).

653 Es ist bemerkenswert, daß *Ranisch* (LV 156) das 1765 schon richtiger gesehen hat: »Ob das Gespråch durchgehends erdichtet gewesen sey, und daher nicht den geringsten Beweis der Wahrheit in sich enthalte; bedarf noch erst einer deutlichern Erklårung. Daß die Einkleidung ... von dem Witze der Schriftsteller abgehangen habe, gebe ich ... zu« (S. 92 f.).

654 Nicht »Karwoche«! (vgl. LV 327 *Klaus*, S. 39).

655 Vgl. auch ähnliche Äußerungen in Z. 275 ff., 300 ff., 483 ff., 753 ff., 652 ff.

656 Vgl. dazu LV 348 *Needon*, S. 49, der entsprechende Beispiele für die Dialoge gesammelt hat.

657 Vgl. dazu LV 34 *Eberlin*, II, S. 40, 43 und 44.

658 Siehe die gleiche Forderung in Luthers 1. Sermon (LV 68 *Luther*, Bd. 1, S. 323).

659 Vgl. Luthers 4. Sermon und *Eberlin*, II, S. 44, sowie LV 264 *Ranke*, II, S. 17: »Man hielt es für ein Zeichen besserer Christlichkeit, daß man eben an den Fasttagen Eier und Fleischspeisen genoß.«

660 Z. B. Verweigerung des Zehnten (LV 267 *Roth*, S. 162) und Gewalttätigkeiten (LV 99 *Will*, S. 135).

661 Ebenso LV 34 *Eberlin*, II, S. 39 ff.

662 Z. 432, vgl. dazu Luthers 1. Sermon: »Zum dritten müssen wir auch die Liebe haben ... Zum vierten ist uns auch noth die Gedult ... Darnach bringt die Gedult Hoffnung.« (vgl. den gleichen Wortlaut Ev./Luth. Z. 415 ff.) a. a. O., S. 321 f.

663 Ev./Luth. Z. 386 und 417.

664 Vgl. den Schluß von Luthers 4. Sermon: »Aus dieser Geschichte sollt ihr lernen, daß wir unsere Freiheit gebrauchen sollen zu rechter und bequemer Zeit, damit der christlichen Freiheit nichts abgebrochen und unsern Brüdern und Schwestern, die noch schwach sind und dieser Freiheit unwissend, kein Aergerniß gegeben werde.« (a. a. O., S. 346).

665 Vgl. LV 139 *Kawerau*, S. 65: »Die mannigfachen, fast wörtlichen Anlehnungen unseres vierten Dialogs an diese ›treue Vermahnung‹ liegen klar vor Augen.«; ebenso LV 173 *Wernicke*, S. 49 f.

666 Vgl. LV 173 *Wernicke* über die Abschaffung von Prozessionen und Osterspielen, etc. (S. 11), sowie LV 267 *Roth*, S. 176.

667 Vgl. dazu LV 365 *Siebenschein*, S. 17 f.

668 Vgl. auch LV 249 *Fabricius*, der Eberlin von Günzburg unter die »Adversarii Lutheri« einreiht wegen dessen Kritik in »Vom Mißbrauch ...«

669 Vgl. die Anschuldigungen gegen Osiander und Butzer (LV 267 *Roth*, S. 166).

670 Hans Sachs: »Der arm gemein Esel« (In: LV 4 *Stuhlfauth*, S. 236).

671 »Ermahnung zum Frieden auf die 12 Artikel der Bauernschaft in Schwaben.«

672 Außerdem verband Luther nichts mit den Bauern, die er als »grobe Esel« ansah (LV 338 *Martini*, S. 297); vgl. auch die Äußerung: »Der Esel will Schläge haben und der Pöbel will mit Gewalt regiert sein« (LV 239 *Bezold*, S. 501).

673 Würzburg, Bamberg, Neustadt, Rothenburg, u. a.

674 Es boten Bündnisse an: Markgraf Kasimir, die Bischöfe von Würzburg und Eichstädt, der Pfalzgraf bei Rhein. (vgl. *Roth*, S. 169).

675 Die Bauern boten am 13. Mai 1524 ein formelles Bündnis an (ebda.).

676 Goetze (LV 2 *Keller/Goetze*, Bd. 24, S. 94) kannte nur den Einzeldruck Enr. 22, der 1526 herauskam. Erst seit LV 4 *Stuhlfauth* ist das Abfassungsjahr korrekt bestimmt.

677 LV 4 *Stuhlfauth*, S. 236.

678 Die Abhängigkeit von Luthers »Ermahnung zum Frieden« (LV 69 *Luther*, Bd. 3, S. 48 ff.) liegt klar vor Augen. Luther: »Dazu ym welltlichen regiment nicht mehr thut / denn das yhr schindet vnd schatzt / ... bis der arme gemeyne man nicht kan noch mag lenger ertragen. ... noch meynet yhr / yhr sitzt so feste ym satel / man werde euch nicht můgen ausheben / etc.«

Literaturverzeichnis

Das Verzeichnis enthält die gesamte Literatur, die zur Abfassung dieser Arbeit herangezogen wurde mit Ausnahme von Bibliographien und allgemeinen Nachschlagewerken. Es ist nach Sachgebieten geordnet, aber durchnumeriert zur Vereinfachung der Literaturhinweise im Text, die nur den Verfassernamen und die jeweilige Nummer dieses Verzeichnisses angeben.

A. Quellen

I. Hans Sachs

Zitiert wird nach

1. *Ellis, F. H.:* H. S. Studies I. Das Walt got: A Meisterlied. Indiana 1941.
2. *Keller, A. v.* und *Goetze, E.:* H. S. Werke. 26 Bde. Tübingen 1867–1908.
3. *Spriewald, I.:* Die Prosadialoge von H. S. Leipzig 1970.
4. *Stuhlfauth, G.:* Drei zeitgeschichtliche Flugblätter des H. S. In: Zschr. f. Bücherfreunde, NF 10 1918 S. 233 ff.
5. *Ders.:* Das Hauß des Weysen vnd das haus des vnweisen manß. Math. VII. In: Zschr. f. Bücherfreunde, NF 11 1919 S. 1 ff.
6. *Ders.:* Neue Beiträge zum Schrifttum des H. S. In: Zschr. f. Bücherfreunde. NF 11 1920 S. 200 ff.

daneben wurden benutzt:

7. *Arnold, B.:* H. S. Werke. Dt. National-Litteratur Bd. 20. Berlin und Stuttgart o. J.
8. *Drescher, K.:* Das Gemerkbüchlein des H. S. Halle 1898.
9. *Geisberg, M.:* H. S. Des Dichters 107 originale Holzschnittbilderbogen. München 1928.
10. *Goedeke, K.:* Dichtungen von H. S. Leipzig 1870.
11. *Goetze, Edmund:* Sämtliche Fastnachtsspiele von H. S. 7 Bde. Halle 1883–86.
12. *Ders.:* Sämtliche Fabeln und Schwänke von H. S. 6 Bde. Halle 1893–1913.
13. *Hopf, G. W.:* H. S. – Eine Auswahl. Nürnberg 1856.
14. *Kinzel, K.:* H. S. – Eine Auswahl. Halle 1919.
15. *Tittmann, J.:* Dichtungen von H. S. Leipzig 1885.
16. *Zoozmann, R.:* H. S. und die Reformation. Dresden 1904.

II. Literatur des Mittelalters und der Reformationszeit

17. *Arnim, A. v.* und *Brentano, C. v.:* Des Knaben Wunderhorn, hrsg. von W. A. Koch, München 1957.
18. *Baader, J.:* Zusammenstellung der vom Nürnberger Rat zu Beginn der Reformation erlassenen Pressmandate. In: Anz. f. Kunde d. dt. Vorzeit 1861.
19. *Bäumker, W.:* Das katholische deutsche Kirchenlied in seinen Singweisen. 4 Bde. Freiburg 1883–86.
20. *Bartsch, K.:* Deutsche Liederdichter des 12.–14. Jahrhunderts. 3. Aufl. Stuttgart 1893.
21. *Ders.:* Meisterlieder der Kolmarer Handschrift. Stuttgart 1862.
22. *Berger, A.:* Die Sturmtruppen der Reformation. Leipzig 1931.
23. *Ders.:* Satirische Feldzüge wider die Reformation. Leipzig 1933.
24. *Ders.:* Lied-, Spruch- und Fabeldichtung im Dienste der Reformation. Leipzig 1938.
25. *Bergmann, J.:* Das Ambraser Liederbuch vom Jahre 1582. Stuttgart 1845.
26. *Böhmer, A.:* Epistolae obscurum virorum. 2 Bde. Heidelberg 1924.
27. *Bolte, J.:* Zum deutschen Volksliede. In: Zschr. d. Vereins f. Volkskunde. 21 1911.
28. *Brant, Seb.:* Das Narrenschiff. Hrsg. v. M. Lemmer. Tübingen 1962.

29. Chroniken der deutschen Städte. Hrsg. durch die hist. Kommission b. d. Bayrischen Akademie d. Wissenschaften. Bd. 10 und 11 (Nürnberg) 2. Aufl. Göttingen 1961.
30. *Clemen, O.:* Flugschriften aus den ersten Jahren der Reformation. 4 Bde. Leipzig und New York 1907.
31. *Ders.:* Alte Einblattdrucke. Bonn 1911.
32. *Dresler, A.:* Newe Zeitungen, Relationen, Flugschriften, etc. Katalog d. Halleschen Antiqu. München 1929.
33. *Eberhardt, H.* und *Schlechte, H.:* Die Reformation in Dokumenten. Weimar 1967.
34. *Eberlin, J. v. Günzburg:* Ausgewählte Schriften. Hrsg. von L. Enders. Halle 1896–1902.
35. *Elselein, J.:* Die Sprichwörter und Sinnreden des dt. Volkes. Freiburg 1840.
36. *Enders, L.:* Luther und Emser. Ihre Streitschriften aus dem Jahre 1521. Halle 1892.
37. *Ders.:* Aus dem Kampf der Schwärmer gegen Luther. Halle 1893.
38. *Erk, L.* und *Böhme, Fr.:* Deutscher Liederhort. 3 Bde. Leipzig 1893.
39. *Goedeke, K.:* Elf Bücher dt. Dichtung. Bd. 1. Leipzig 1849.
40. *Götze, A.:* Frühneuhochdeutsches Lesebuch. 2. Aufl. Göttingen 1925.
41. *Ders.* und *Schmidt, L. E.:* Aus dem sozialen und politischen Kampf. Halle 1953.
42. *Gottfried v. Straßburg:* Tristan. Hrsg. von K. Marold. Leipzig 1912.
43. *Groote, E. v.:* Die Lieder Muskatblüts. Köln 1852.
44. *Hagen, Fr. v. d.:* Minnesinger. 4 Bde. Aalen 1963 (Rep.).
45. *Haltaus, C.:* Liederbuch der Clara Hätzlerin. Leipzig 1840.
46. *Hartmann, A.:* Historische Volkslieder und Zeitgedichte vom 16.–19. Jh. Bd. 1. München 1907.
47. *Hatto, A. T.:* Eos. London, den Haag, Paris 1965.
48. *Heinrich v. Veldeke:* Eneide. Hrsg. v. O. Behagel. Heilbronn 1882.
49. *Hoffmann v. Fallersleben:* Das Antwerpener Liederbuch vom Jahre 1544. Hannover 1855.
50. *Hohenemser, P.:* Flugschriftensammlung Gustav Freitag. Frankfurt/M. 1925.
51. *Hutten, U. v.:* Schriften. Hrsg. v. E. Böcking. Aalen 1963 (Rep.).
52. *Ders.:* Klagschrift an den Kurfürsten Friedrich von Sachsen. In: S. Szamatólski, Ulrichs von Hutten Deutsche Schriften. Straßburg 1891.
53. *Jegel, A.:* Ein ungedrucktes Gutachten Andreas Osianders von der rechten Gestalt des weltlichen Regiments. In: Arch. f. Ref.Gesch. 40, 1943, S. 62 ff.
54. *Kalkoff, P.:* Die Depeschen des Nuntius Aleander vom Wormser Reichstage 1521. Halle 1886.
55. *Cranach, L. (d. Ä.):* Passional Christi. Hrsg. von G. Kawerau. Berlin 1885.
56. *Keller, A.:* Altdeutsche Gedichte. Tübingen 1846.
57. *Ders.:* Fastnachtspiele aus dem 15. Jh. Darmstadt 1966 (Rep.).
58. Klosterspiegel in Sprichwörtern, Spitzreden, Anekdoten und Kanzelstücken. Bern 1841.
59. *Knaake, J. K. F.:* Operi Staupitzi. Potsdam 1867.
60. *Knepper, J.:* Eine alte Verdeutschung lateinischer Sprichwörter. In: ZfdPh. 36, S. 128 ff. und 387 ff.
61. *Konrad von Megenberg:* Das Buch der Natur. Hrsg. von F. Pfeiffer. Stuttgart 1861.
62. *Körte, Wilh.:* Die Sprichwörter und sprichwörtl. Redensarten der Deutschen. 2. Aufl. Leipzig 1861.
63. *Kraus, C. v.:* Deutsche Liederdichter des 13. Jh. Tübingen 1952.
64. *Lenk, W.:* Die Reformation im zeitgenössischen Dialog. Berlin 1968.
65. *Liliencron, R. v.:* Die historischen Volkslieder der Deutschen vom 13.–16. Jh. 4 Bde. Leipzig 1865.
66. *Lucianus Samosatensis:* Werke. Übers. von C. M. Wieland, bearb. v. H. Floerke. 5 Bde. München/Leipzig 1911.
67. *Luther, M.:* Kritische Gesamtausgabe. Weimar 1883 ff.
68. *Ders.:* Werke für das christliche Haus. Hrsg. von Buchwald, Kawerau, Köstlin u. a. Braunschweig 1889–1893.

69. *Ders.*: Werke in Auswahl. Hrsg. v. O. Clemen. Berlin 1950.
70. *Ders.*: Briefe. Hrsg. v. De Wette und Seidenmann. Berlin 1825–28.
71. *Manuel, Niklaus:* Werke. Hrsg. v. J. Baechtold. Frauenfeld 1878.
72. *Mayer, M. M.*: Spengleriana. Nürnberg 1830.
73. *Murner, Th.*: Von dem großen lutherischen Narren, hrsg. v. P. Merker. Straßburg 1918.
74. Minnesangs Frühling. Hrsg. v. F. Vogt. 3. Ausg. Leipzig 1920.
75. *Pfeiffer, F.*: Altdeutsche Beispiele. In: ZfdA 7, 1849, S. 318 ff.
76. *Prien, Fr.*: Reinke de vos. Halle 1887.
77. *Riederer, J. B.*: Beytrag zu den Reformationsurkunden ... Altdorf 1762.
78. *Ders.*: Nützliche u. angenehme Abhandlungen aus d. Kirchen-, Bücher- und Gelehrtengeschichte. 4 Bde. o. O. 1768–69.
79. *Rochholz, E. L.*: Eidgenössische Lieder-Chronik. Bern 1842.
80. *Schade, O.*: Satiren und Pasquille aus der Reformationszeit. Hildesheim 1966 (Rep.).
81. *Scheible, J.*: Das Kloster. Weltlich und geistlich ... 12 Bde. Stuttgart 1845–49.
82. *Scheunemann, E.*: Texte z. Geschichte d. dt. Tageliedes. Hrsg. v. F. Ranke. 2. Aufl. Bern 1964.
83. *Schönfelder, A.* (Übs.): Ysengrimus. In: Niederdeutsche Studien 3. Münster/Köln 1955.
84. *Seiler, Fr.*: Die kleineren dt. Sprichwörtersammlungen der vorreform. Zeit u. ihre Quellen. In: ZfdPh. 48, 1920, S. 81 ff.
85. *Siebenkees, J. Ch.*: Materialien z. Nürnbergischen Geschichte. Nürnberg 1792.
86. *Soden, Fr. v.* und *Knaake, J. K. F.*: Christoph Scheurls Briefbuch. Aalen 1962 (Rep.).
87. *Soltau, Fr. L. v.*: Ein Hundert Deutsche Historische Volkslieder. Leipzig 1836.
88. *Ders.*: Deutsche Historische Volkslieder. Zweites Hundert. Hrsg. v. H. R. Hildebrand. Leipzig 1856.
89. *Thausing, M.*: Dürers Briefe, Tagebücher und Reime. Wien 1872.
90. *Thiele, E:* Luthers Sprichwörtersammlung. Weimar 1900. – *Rez.* v. H. M. Schulz in: AfdA, 27, S. 102.
91. *Uhland, Ludwig:* Alte hoch- und niederdeutsche Volkslieder. Stuttgart 1850.
92. *Wackernagel, Ph.*: Das dt. Kirchenlied von Martin Luther bis auf Nicolaus Herman und Ambrosius Blaurer. Stuttgart 1841.
93. *Ders.*: Das deutsche Kirchenlied von der ältesten Zeit bis zu Anfang des XVII. Jh. 5 Bde. Leipzig 1864–77.
94. *Wäscher, H.*: Das dt. illustrierte Flugblatt. o. O. 1955.
95. *Wolff, O. L. B.*: Sammlung histor. Volkslieder u. Gedichte. Stuttgart 1830.
96. *Waldis, B.*: Esopus. Hrsg. v. H. Kurz. Leipzig 1862.
97. *Wander, K. F. W.*: Deutsches Sprichwörter-Lexikon. Darmstadt 1964 (Rep.).
98. *Wiclif, J.*: De Christo et suo adversario Antichristo. Hrsg. v. R. Buddensieg. Gotha 1880.
99. *Will, G. A.*: Beyträge zur fränk. Kirchenhistorie. Nürnberg 1770.
100. *Wolfram v. Eschenbach:* Hrsg. v. K. Lachmann. 5. Ausg. Berlin 1891.
101. *Wrede, A.*: Deutsche Reichsakten. Jüngere Reihe, Bd. 2 und 4. Gotha 1896.
102. *Zingerle, I. v.*: Die dt. Sprichwörter im Mittelalter. Wien 1864.

III. Holzschnitte und Kupferstiche

103. *Baer, J.*: Katalog 500, II. Teil. Frankfurt/Main 1907.
104. *Drugulin, W.*: Historischer Bilderatlas. Leipzig 1867.
105. *Friedländer, M. J.*: Der Holzschnitt. Berlin 1917.
106. *Geisberg, M.*: Der dt. Einblattholzschnitt in der 1. Hälfte des 16. Jh. München 1922–30.
107. *Ders.*: Die dt. Bücherillustration im Anf. d. 16. Jh. München 1930–32.
108. *Heitz, P.*: Einblattdrucke d. 15. Jh. Straßburg 1901–16.
109. *Hirth, G.*: Kulturgeschichtliches Bilderbuch aus drei Jahrhunderten. Leipzig/München 1882–90.
110. *Könnecke, G.*: Bilderatlas z. Gesch. d. dt. Nationallit. Marburg 1895.

111. *Schreiber, H. L.:* Handbuch der Holz- und Metall-schnitte des 15. Jh. Leipzig 1926 –1930.
112. *Stammler, W.:* Allegorische Studien. In: DVjs 17, S. 1 ff.
113. Von der Freiheit eines Christenmenschen. Katalog d. Ausst. z. 450. Jahrestag der Reformation. Berlin 1967.
114. *Worringer, W.* und *Benz, R.:* Buch u. Leben d. hochberühmten Fabeldichters Aesopi. München 1925.

B. Sekundärliteratur

I. Hans Sachs

115. *Bainton, R. H.:* Eyn wunderliche Weyssagung. In: Germ. Rev. 21, S. 161 ff.
116. *Beare, M.:* H. S. manuscripts. An account of their discovery and present locations. In: MLR 52, S. 50 ff.
117. *Dies.:* The later Dialogues of H. S. In: MLR 53, S. 197 ff.
118. *Dies.:* Some H. S. Editions. A critical evaluation. In: MLR 55, S. 51 ff.
119. *Beifus, J.:* H. S. und die Reformation bis zum Tode Luthers. In: Mitt. d. Vereins f. d. Gesch. d. Stadt Nürnberg 19. Nürnberg 1911.
120. *Blaschka, A.:* »Wittenbergische Nachtigall«, Sternstunde eines Topos. In: Wiss. Zschr. d. M. Luther Univ. Halle. Nr. 10, 1961, S. 897 ff.
121. *Bösch, H.* und *Schmidt, R.:* H. S. als Kapitalist. In: Mitt. a. d. germ. Nat.-Mus. Jg. 1884, S. 174 ff.
122. *Böttcher, H. M.:* In Nürnberg singen die Nachtigallen. [Roman] Berlin 1960.
123. *Bolte, J.:* H. S. und seine Stellung zur Reformation. In: Daheim 20, 1883, S. 83 f.
124. *Ders.:* (Hrsg.) Festschrift zur Hans Sachs Feier. Weimar 1894.
125. *Drescher, K.:* Studien zu H. S. Marburg 1891.
126. *Duflou, G.:* H. S. als Moralist in den Fastnachtspielen. In: ZfdPh 25, 1893, S. 343 ff.
127. *Genée, R.:* H. S. und seine Zeit. Leipzig 1902.
128. *Goedeke, K.:* Die Lieder des H. S. In: Wagners Archiv 1873, S. 67 ff.
129. *Gohrisch, Ch.:* H. S. – sein Werk und seine Zeit. In: H. S.: Zeitgedichte und Schwänke. Hrsg. v. K. M. Schiller. Leipzig 1960.
130. *Goldmann, K.:* H. S. und der Meistergesang. Nürnberg 1955.
131. *Haupt, O.:* Leben und dichterische Wirksamkeit des H. S. Posen 1868.
132. *Heinemann, F. K.:* Das Scheltwort bei H. S. Diss. Gießen 1927.
133. *Hilsenbeck, Fr.:* H. S. In: Nürnberger Gestalten aus neun Jh. Nürnberg 1950.
134. *Hoffmann, J. L.:* H. S. – Sein Leben und Wirken. Nürnberg 1847.
135. *Hopf, D.* und *Holz, G.:* H. S. In: Realencyklopädie für protestantische Theologie u Kirche. 3. Aufl. Leipzig 1906, Bd. 17, S. 304 ff.
136. *Huber, A.:* H. S. und die Geschichte. Diss. Heidelberg 1938.
137. *Jantzen, H.:* Das Streitgespräch bei H. S. In: Zschr. f. vgl. Litgesch. NF 11, 1897, S. 287 ff.
138. *Kaufmann, P.:* Kritische Studien zu H. S. Diss. Breslau 1915.
139. *Kawerau, W.:* H. S. und die Reformation. Halle 1889.
140. *Kiy, V.:* H. S. – Sein Leben und Wirken. Leipzig 1893.
141. *Könneker, B.:* H. S. Stuttgart 1971.
142. *Kopp, A.:* H. S. und das Volkslied. In: Zschr. f. d. Deutschunterr. 14, 1900, S. 433 ff.
143. *Kulp, J.:* H. S. und das dt. ev. Kirchenlied. In: Mschr. f. Gottesdienst u. kirchl. Kunst 39, 1934, S. 251 ff.
144. *Lochner, G. W. K.:* Lebensläufe berühmter u. verdienter Nürnberger. Nürnberg 1861.
145. *Lucae, K.:* Zur Erinnerung an H. S. In: Preußische Jahrb. 58, 1886, S. 1 ff.
146. *Lützelberger, J.:* H. S. Sein Leben und seine Dichtung. Nürnberg 1891.
147. *Mende:* Ueber die Wittenbergisch Nachtigall. In: Neues Lausitzisches Magazin. 1868, S. 44 und 478.

148. *Mettetal, L.:* H. S. et la reformation. Thèse. Paris 1895.
149. *Moser, H.:* Die wittembergisch Nachtigal. In: Luther – Mitt. d. Lutherges. 1925, S. 87 ff.
150. *Münch, J.:* Die sozialen Anschauungen des H. S. in seinen Fastnachtspielen. Diss. Erlangen 1936.
151. *Mummenhof, E.:* H. S. zum 400jähr. Geburtstag d. Dichters. Nürnberg 1894.
152. *Niemeyer, C.:* H. S. als Gehilfe zur Kirchenverbesserung. In: Die Vorzeit 2, 1818, S. 263 ff.
153. *Odebrecht, K. Th.:* H. S., ein Mahner und Warner der Deutschen. Diss. Berlin 1860.
154. *Oppel, H.:* Neue Wege der H. S.-Forschung. In: Dichtg. u. Volkst. 39, 1938, S. 238 ff.
155. *Pagel:* H. S. In: ADB Bd. 30, S. 113 f. Leipzig 1890.
156. *Ranisch, M. S.:* Hist. Krit. Lebensbeschreibung Hans Sachsens, ehemals berühmter Meistersänger zu Nürnberg. Altenburg 1765.
157. *Rochholz, E. L.:* Zu den vier Dialogen von H. S. In: Germania 4, 1859, S. 97 ff.
158. *Röttinger, H.:* Die Bilderbogen des H. S. Straßburg 1927.
159. *Schönhut, O. F.:* Die Wittenbergisch Nachtigall des H. S. Stuttgart 1846.
160. *Scholz, W.:* H. S. der Sänger des Volkes. In: Die Deutschland suchten. Stuttgart und Berlin 1942, S. 85 ff.
161. *Schottenloher, K.:* H. S. und H. Höltzel. In: Beitr. z. Bibliotheks- u. Buchwesen, Paul Schwencke z. 20. März 1913 gewidmet. Berlin 1913.
162. *Ders.:* Ein H. S.-Fund in der kgl. Hof- u. Staatsbibl. zu München. In: Zschr. f. Bücherfreunde. NF 9, 1917, S. 141.
163. *Schultheiß, F.:* H. S. in seinem Verhältnisse zur Reformation. München 1897.
164. *Schumann, O.:* H. S. Leipzig 1894.
165. *Schweitzer, Ch.:* La vie et les œuvres de H. S. Nancy 1887.
166. *Siegfried, Th.:* Luthers Botschaft bei H. S. In: Christl. Welt 52, 1938, Sp. 650 ff.
167. *Stiefel* (Hrsg.): H. S.-Forschungen. Fschr. z. 400. Geburtstagsfeier des Dichters. Nürnberg 1894.
168. *Strich, F.:* H. S. und die Renaissance. In: Fschr. f. H. R. Hahnloser. Basel 1961.
169. *Theiss, W.:* Exemplarische Allegorik. München 1968.
170. *Thon, F. W.:* Das Verhältnis des H. S. zur antiken und humanistischen Komödie. Diss. Halle 1889.
171. *Weller, E.:* Der Volksdichter H. S. und seine Dichtungen. Nürnberg 1868.
172. *Wendeler, H. U.:* H. S. – Einführung in Leben und Werk. Leipzig 1953.
173. *Wernicke, S.:* Die Prosadialoge des H. S. Diss. Berlin 1913.
174. Rezension Wernickes: *Petsch, R.* in: AfdA 41, 1922, S. 97.

II. Andere Flugschriftenverfasser der Reformationszeit

175. *Barge, H.:* Luther und der Frühkapitalismus. Gütersloh 1951.
176. *Baring, G.:* Hans Denck und Thomas Müntzer in Nürnberg 1524. In: Arch. f. Ref.-Gesch. 50, 1950, S. 145 ff.
177. *Bornkamm, H.:* Luther als Schriftsteller. Heidelbg. 1965.
178. *Buddensieg, R.:* Wiclif und seine Zeit. Halle 1885.
179. *Centgraf, A.:* Martin Luther als Publizist. Diss. Frankfurt/M. 1940.
180. *Cohrs, A. F.:* Martin Luther, dargestellt von seinen Freunden und Zeitgenossen. Berlin 1933.
181. *Gewerstock, O.:* Lucian und Hutten. Berlin 1924.
182. *Grisar, H.* und *Heege, F.:* Luthers Kampfbilder. Freiburg 1921 und 22.
183. *Hagen, Rudolf:* Wilibald Pirckheimer in seinem Verhältnis zur Reformation und zum Humanismus. In: Mitt. d. Vereins f. d. Gesch. d. Stadt Nürnberg 1882.
184. *Kalkoff, P.:* U. v. Hutten und die Reformation. Leipzig 1920.
185. *Ders.:* Huttens Vagantenzeit und Untergang. Weimar 1925.

186. *Ders.:* Die Reformation in der Reichsstadt Nürnberg nach den Flugschriften ihres Ratsschreibers Lazarus Spengler. Halle 1926.
187. *Kawerau, G.:* Kaspar Güttel. In: Zschr. d. Harz-Vereins f. Gesch. u. Altertumsk. 14, 1881, S. 33 ff.
188. *Kawerau, W.:* Thomas Murner und die dt. Reformation. Halle 1891.
189. *Ders.:* Thomas Murner und die Kirche des Mittelalters. Halle 1880.
190. *Keller, L.:* Ein Apostel der Wiedertäufer. Leipzig 1882.
191. *Ders.:* Joh. v. Staupitz und die Anfänge der Reformation. Leipzig 1888.
192. *Köstlin, J.* und *Kawerau, G.:* Martin Luther, sein Leben und seine Schriften. 5. Aufl. Berlin 1903.
193. *Kortzfleisch, S. v.:* Die publizistische Bedeutung von Luthers Thesenanschlag. In: Publizistik 5, 1960, S. 131 ff.
194. *Merker, Paul:* Der Verfasser des Eckius Dedolatus. Halle 1923.
195. *Möller, W.:* Andreas Osiander. Elberfeld 1870.
196. *Pressel, Th.:* Lazarus Spengler. Elberfeld 1862.
197. *Roth, Fr.:* Wilibald Pirckheimer. Halle 1887.
198. *Schubert, H. v.:* Lazarus Spengler u. d. Reformation in Nürnberg. In: Quellen u. Forschungen z. Ref.-Gesch. 17. Leipzig 1934.
199. *Soden, Fr. v.:* Beiträge zur Gesch. d. Reformation und den Sitten jener Zeit mit bes. Hinblick auf Christoph Scheurl. Nürnberg 1855.
200. *Spahn, M.:* Johannes Cochläus. Berlin 1898.
201. *Stopp, F.:* Der religiös-polemische Einblattdruck ›Ecclesia militans‹ (1569) des Joh. Nas und seine Vorgänger. In: DVjs. 39, 1965, S. 588 ff.
202. *Szamatólski, S.:* Ulrichs v. Hutten Deutsche Schriften. Straßburg 1891.
203. *Strauß, D.:* Ulrich v. Hutten. Leipzig 1858.
204. *Walser, Fr.:* Die politische Entwicklung Ulrichs v. Hutten während der Entscheidungsjahre der Reformation. München und Berlin 1928.
205. *Walther, W.:* Luther im neuesten römischen Gericht. Halle 1884 und 1886.
206. *Wendeler, C.:* M. Luthers Bilderpolemik gegen das Papsttum von 1545. In: Arch. f. Litteraturgesch. XIV, 1910, S. 17.
207. *Woltmann, A.:* Holbein und seine Zeit. 2. Aufl. o. O. 1874.
208. *Zeeden, E. W.:* M. Luther und die Reformation im Urteil des Luthertums. 2 Bde. 1950 u. 52.

III. Flugschrift und Flugblatt

209. *Bebermeyer, G.:* Flugschrift. In: Reallexikon, 2. Aufl. Berlin 1958.
210. *Becker, H.:* Die Flugschriften der Reformationszeit. Gotha 1926.
211. *Blochwitz, G.:* Die antirömischen Flugschr. der frühen Reformationszeit in ihrer religiös-sittlichen Eigenart. In: Archiv f. Ref.-Gesch. 27.
212. *Böckmann, P.:* Der gemeine Mann in den Flugschr. der Reformation. In: DVjs. 22, 1944, S. 186 ff.
213. *Bossert, G.:* Zur Flugschriftenliteratur der Reformationszeit. In: Theol. Lit-blatt. 18, 1897.
214. *Bücher, K.:* Die Entstehung d. Zeitungswesens. In: Die Entstehung der Volkswirtschaft. Bd. 1, Tübingen 1917.
215. *Dunken, G.:* Revolutionäre dt. Publizistik vor Ausbruch des Großen Bauernkrieges. In: Wiss. Annalen 4, 1955, S. 219 ff.
216. *d'Ester, K.:* Flugblatt u. Flugschrift. In: Handb. d. Zeitungswschft. Bd. 1, Leipzig 1940, Sp. 1041 ff.
217. *Fehr, H.:* Massenkunst im 16. Jh. o. O. 1924.
218. *Goeters:* Flugschr. aus den ersten Jahren der Reformation. In: Dt.-ev. Blätter Bd. 32, 1907.

219. *Hagen, K.:* Deutschlands literarische und religiöse Zustände im Reformationszeitalter. Erlangen 1841.
220. *Heine, G.:* Reformatorische Flugschr.-literatur als Spiegel der Zeit. In: Dt.-ev. Blätter Bd. 21, 1896.
221. *Hess, W.:* Himmels- u. Naturerscheinungen in Einblattdrucken d. 15.–18. Jh. Leipzig 1910.
222. *Kieslich, G.:* Das »Hist. Volkslied« als publizistische Erscheinung. Diss. Münster 1958.
223. *Klöss, H.:* Publizistische Elemente im frühen Flugblatt. Diss. Leipzig 1943.
224. *Kolodziej, I.:* Die Flugschr. aus den ersten Jahren der Reformation. Diss. (masch.) Berlin 1956.
225. *Lucke, W.:* Dt. Flugschr. aus den ersten Jahren der Ref. In: Dt. Geschichtsbl. IX, Gotha 1908.
226. *Praschinger, I.:* Beitr. zur Flugschr.-literatur der Ref. u. Gegenref. in Wien. Diss. Wien 1950.
227. *Richter, A.:* Über einige seltenere Ref.-Flugschr. aus d. Jahren 1523–25. Hamburg 1899.
228. *Saxl, F.:* Illustrated Pamphlets of the Reformation. London 1957.
229. *Schottenloher, K.:* Beschlagnahmte Druckschriften aus der Frühzeit der Ref. In: Zschr. f. Bücherfr. NF 8, 1916/17.
230. *Ders.:* Flugblatt und Zeitung. Berlin 1922.
231. *Stopp, F.:* Reformation Satire in Germany. In: Oxford German Studies 3, 1968, S. 53 ff.
232. *Uhrig, K.:* Der Bauer i. d. Publizistik der Ref. bis zum Ausgang des Bauernkrieges. In: Arch. f. Ref.-Gesch. 33, 1936, S. 70 ff. und 125 ff.
233. *Voigt, J.:* Über Pasquille etc. i. d. 1. Hälfte d. 16. Jh. Raumers Hist. Taschenbuch 9. Jg., 1838.
234. *Werner, J.:* Eigenart und Wirkung der Flugschr. im Reformationszeitalter. In: Akad. Blätter 35, 1921.
235. *Werner, K.:* Geschichte der apologetischen und polemischen Literatur der christl. Theologie. 4 Bde. Schaffhausen 1861–67.

IV. Geschichte und Sozialgeschichte

236. *Arnold, G.:* Unparteyische Kirchen- und Ketzer-Historie / von Anfang des neuen Testamentes ... Frankfurt 1699.
237. *Bainton, R. H.:* The Ref. of the 16th. Cent. Boston 1952.
238. *Baur, A.:* Deutschland i. d. Jahren 1517–25. Ulm 1872.
239. *Bezold, Fr. v.:* Geschichte der dt. Reformation. Berlin 1890.
240. *Bock, J.:* Die Entwicklung d. dt. Schuhmachergewerbes bis zum 16. Jh. Diss. Freiburg 1922.
241. *Clemen, O.:* Beiträge z. Reformationsgesch. 1900–03.
242. *Denifle, H.:* Luther und das Luthertum in der ersten Entwicklung. Mainz 1904–09.
243. *Döllinger, J. J. I. v.:* Die Reformation. Bd. I, Regensburg 1846.
244. *Durant, W. I.:* Das Zeitalter d. Reformation. Bern 1959.
245. *Eisen, L.:* Wie Nürnberg protestantisch wurde. 3. Aufl. Nürnberg 1925.
246. *Elert, W.:* Morphologie d. Luthertums. 2. Aufl. München 1952.
247. *Engelhardt, A.:* Die Ref. in Nürnberg. In: Mitt. d. Vereins f. d. Gesch. d. Stadt. Nürnberg 33–36, 1936–39.
248. *Engels, Fr.:* Der deutsche Bauernkrieg. 6. Aufl. Berlin 1951.
249. *Fabricius, J. A.:* Centifolium Lutheranum. Hamburg 1728–30.
250. *Friedrich, J.:* Astrologie und Reformation. München 1864.
251. *Jecht, H.:* Studien zur gesellschaftl. Struktur der ma. Städte. In: Vjs. f. Soz.- u. Wirtschaftsgesch. 19, 1926, S. 48 ff.

252. *Jörg, J. E.:* Deutschland in der Revolutionsperiode von 1522–1526. Freiburg 1851.
253. *Hampe, Th.:* Nürnberger Ratsverlässe über Kunst und Künstler im Zeitalter der Spätgotik und der Renaissance. In: Quellenschriften f. Kunstgesch. u. Kunsttechnik d. MA u. d. Neuzeit. NF 11–13. Wien und Leipzig 1904.
254. *Kamann, J.:* Nürnberg im Bauernkrieg. Nürnberg 1877.
255. *Keller, L.:* Aus den Anfangsjahren der Reformation. In: Monatsh. d. Comeniusges. 1899, S. 176 ff.
256. *Kofler, L.:* Zur Geschichte der bürgerl. Gesellschaft. Neuwied 1966.
257. *Lochner, G. W. K.:* Die Reformationsgesch. d. Reichsstadt Nürnberg. Nürnberg 1845.
258. *Löhe, V.:* Erinnerungen aus der Ref.-Gesch. von Franken. Neuenburg 1847.
259. *Lortz, J.:* Die Ref. in Deutschland. 4. Aufl. Basel/Wien 1962.
260. *Ludewig, G.:* Die Politik Nürnbergs im Zeitalter d. Ref. Diss. Göttingen 1891.
261. *Mehring, F.:* Dt. Gesch. vom Ausg. d. MA. Berlin 1947.
262. *Mottek, H.:* Wirtschaftsgesch. Deutschlands. Bd. I, Berlin 1968.
263. *Müller, A.:* Zensurpolitik der Reichsstadt Nürnberg. In: Mitt. d. Vereins. f. d. Geschichte d. St. Nürnberg 49, 1959, S. 66 ff.
264. *Ranke, L. v.:* Dt. Geschichte im Zeitalter der Ref. Hrsg. v. P. Joachimsen. München 1925.
265. *Reicke, R.:* Gesch. d. Reichsst. Nürnberg. Nürnberg 1896.
266. *Ritter, G.:* Die Neugest. Europas im 16. Jh. o. O. 1950.
267. *Roth, F.:* Die Einf. d. Ref. in Nürnberg. Würzburg 1885.
268. *Schmoller, G.:* Dt. Städtewesen in älterer Zeit. Bonn 1922.
269. *Schubert, H. v.:* Die Reichsst. Nürnbg. u. d. Ref. In: Die Zeitwende I, 1925, S. 577 ff.
270. *Ders.:* Revolution u. Reformation im 16. Jh. In: Sammlg. gemeinverständl. Vortr. u. Schr. a. d. Gebiet d. Theol. und Religionsgesch. Nr. 128.
271. *Ders.:* Lazarus Spengler u. d. Ref. in Nürnbg. Leipzig 1934.
272. *Skaskin, S. D.* u. a.: Geschichte d. MA. Bd. II. Berlin 1959.
273. *Smirin, M. M.:* Die Volksref. d. Th. Müntzer u. d. große Bauernkrieg. 2. Aufl. Berlin 1956.
274. *Strobel* (Hrsg.): Müllners Reformationsgesch. Nürnbergs. Nürnberg 1770.
275. *Thulin, O.* (Hrsg.): Reformation in Europa. Leipzig 1967.
276. *Waldau, G. E.:* Vermischte Beyträge zur Gesch. der Stadt Nürnberg. Bd. II, Nürnberg 1787.
277. *Weber, M.:* Die protestantische Ethik. Hrsg. v. J. Winckelmann. München und Hamburg 1965.
278. *Werner, E.* und *Steinmetz, M.:* Die frühbürgerl. Revolution in Deutschland. Berlin 1961.
279. *Wolff, G.:* Quellenkunde der dt. Ref.gesch. Gotha 1915.
280. *Zimmermann, W.:* Allg. Gesch. d. großen Bauernkriegs. 2 Bde. Stuttgart 1841–44.

V. *Literaturgeschichte und -theorie*

281. *Auerbach, E.:* Typologische Motive i. d. ma. Literatur. Krefeld 1953.
282. *Bächthold-Stäubli, H.:* Handwörterbuch d. dt. Aberglaubens. Berlin/Leipzig 1927–42.
283. *Bauer, G.:* Zur Poetik des Dialogs. Darmstadt 1969.
284. *Bebermeyer, G.:* Die dt. Dicht- u. Bildkunst im Spätma. In: DVjs. 7, 1929, S. 305 ff.
285. *Becker, A. W.:* Kunst und Künstler des 16. Jh. Leipzig 1863.
286. *Bezold, F. v.:* Die »armen Leute« und die dt. Lit. d. späten MA. In: Hist. Zschr. 41, 1879.
287. *Blume, F.:* Gesch. d. evangelischen Kirchenmusik. 2. Aufl. Kassel, Basel, Paris, London, New York 1965.
288. *Bock, F.:* Nürnberger Spitznamen von 1200–1800. In: Mitt. d. Vereins f. d. Gesch. d. St. Nürnbg. 45, 1954 und 49, 1959.
289. *Böckmann, P.:* Formgesch. d. dt. Dichtung. Hamburg 1949.

290. *Böhmer, A.:* Die lat. Schülergespräche der Humanisten. o. O. 1897.
291. *Brandes, H.:* Die Jüngere Glosse zum R. De Vos. Halle 1891.
292. *Catholy, Eckehard:* Das dt. Lustspiel. Darmstadt 1968.
293. *Cruel, R.:* Gesch. d. dt. Predigt. Detmold 1879.
294. *De Gruyter, W.:* Das dt. Tagelied. Diss. Leipzig 1887.
295. *Dornseif, A.:* Das ev. Kirchenlied i. d. ersten Phase seiner Entw. Diss. (masch.) Bonn 1950.
296. *Fabian, B.:* Das Lehrgedicht als Problem der Poetik. In: Poetik u. Hermeneutik III, hg. v. H. R. Jauss, München 1968.
297. *Fischer, A.* und *Tümpel:* Kirchenliederlexikon. Gotha 1878.
298. *Flemming, W.:* Das dt. Schrifttum von 1500–1700. In: Handb. d. dt. Schrifttums 2. Potsdam 1943.
299. *Gaier, U.:* Satire. Tübingen 1967.
300. *Gervinus, G. G.:* Gesch. d. dt. Dichtung. Bd. 2. 4. Aufl. Leipzig 1853.
301. *Goedeke, K.:* Zur Gesch. d. Meistersanges. In: Germania 15, S. 197ff.
302. *Götze, A.:* »lutherisch« In: Zschr. f. dt. Wortforschung Jg. 3, 1902, S. 183ff.
303. *Ders.:* Volkskundliches bei Luther. Weimar 1909.
304. *Grimm, J.:* Über den altdt. Meistergesang. Göttingen 1811.
305. *Ders.:* Reinhart Fuchs. Berlin 1834.
306. *Gruenter, R.:* Zum Problem d. Allegorischen in der dt. Minneallegorie. In: Euphorion 51, 1957, S. 2ff.
307. *Gysi, K.* u.a.: Gesch. d. dt. Literatur. Bd. 4: 1480–1600. Berlin 1961.
308. *Hampe, Th.:* Meistergesang u. Reformation. In: Monatsh. d. Comeniusges. 1898, S. 148ff.
309. *Ders.:* Spruchsprecher, Meistersinger u. Hochzeitslader vornehmlich in Nürnberg. In: Mitt. a. d. germ. Nat.-Mus. Nürnberg 1894.
310. *Ders.:* Volkslied u. Kriegslied im alten Nürnberg. In: Mitt. d. Vereins f. d. Gesch. d. St. Nürnbg. 1919, S. 1ff.
311. *Hassenstein, G.:* Ludw. Uhland. Seine Darstellung d. Volksdichtung und das Volkstümliche in seinen Gedichten. Leipzig 1887.
312. *Held, M.:* Das Narrenthema in d. Satire am Vorabend u. i. d. Frühzeit der Ref. Diss. Marburg (masch.) 1945.
313. *Hempel, W.:* Parodie, Travestie und Pastiche. In: GRM NF 15, 1965, S. 150ff.
314. *Hennig, K.:* Dic geistl. Kontrafaktur im Jh. d. Ref. 1909.
315. *Herford, Ch. H.:* Studies in the literary relations of England and Germany in the 16th century. Cambridge 1886.
316. *Hirzel, R.:* Der Dialog. Leipzig 1895.
317. *Hoffmann v. Fallersleben:* Gesch. d. dt. Kirchenliedes bis auf Luthers Zeit. 3. Ausg. Hannover 1861.
318. *Holstein, H.:* Die Ref. im Spiegelbilde d. dramat. Litt. Halle 1886.
319. *Huber, M.:* Mensch u. Tier. Zürich 1951.
320. *Husner, P.:* Vom Autorenhonorar bei Reformatoren und Humanisten. In: Theol. Zschr. 1, Basel 1945.
321. *Jantzen, H.:* Gesch. d. dt. Streitgedichtes im MA. Breslau 1896.
322. *Jauss, H. R.:* Untersuchungen zur ma. Tierdichtung. Tübingen 1959.
323. *Ders.:* Literaturgesch. als Provokation der Literaturwissenschaft. Konstanz 1967.
324. *Kapp, Fr.:* Gesch. d. dt. Buchhandels I. Leipzig 1886.
325. *Keller, O.:* Thiere d. classischen Alterthums in culturgeschichtl. Beziehung. Innsbruck 1887.
326. *Ders.:* Die antike Tierwelt. Leipzig 1909–13.
327. *Klaus, B.:* Die Nürnberger deutsche Messe 1524. In: Jahrb. f. Liturgik und Hymnologie I, Kassel 1955.
328. *Knortz, K.:* Die Vögel in Geschichte, Sage, Brauch u. Lit. München 1913.
329. *Koch, E. E.:* Gesch. d. Kirchenliedes u. Kirchengesangs. Bd. 1. Stuttgart 1866.

330. *Kochs, Th.:* Das dt. geistl. Tagelied. Münster 1928.
331. *Künstle, K.:* Ikonographie der christl. Kunst. Freibg. 1928.
332. *Kurz, H.:* Geschichte d. dt. Lit. Bd. 2. Leipzig 1856.
333. *Lämmert, E.:* Reimsprecherkunst im Spätma. Stuttgart 1970.
334. *Lehmann, P.:* Die Parodie im MA. München 1922.
335. *Lepp, Fr.:* Schlagwörter des Ref.-zeitalters. Leipzig 1908.
336. *Liede, Alfred:* Parodie. In: Reallexikon. 2. Aufl. Bd. 3, Sp. 12ff.
337. *Lipps, H.:* Die menschliche Natur. Frankfurt 1941.
338. *Martini, Fr.:* Das Bauerntum im dt. Schrifttum von den Anfängen bis ins 16. Jh. In: DVjs. 27, 1944.
339. *Merker, P.:* Reformation u. Literatur. Weimar 1918.
340. *Mey, C.:* Der Meistergesang in Gesch. u. Kunst. 2. Aufl. Leipzig 1901.
341. *Müller, G.:* Dt. Dichtung v. d. Renaissance bis z. Ausg. d. Barock. Darmstadt 1957.
342. *Nagel, B.:* Der frühe Meistersang u. d. Christentum. In: GRM 23, 1935, S. 348ff.
343. *Ders.:* Meistersang. Stuttgart 1962.
344. *Nelle, W.:* Gesch. d. dt. ev. Kirchenliedes. Hildesheim 1962.
345. *Newald, R.:* Humanismus u. Ref. In: Annalen d. dt. Lit. Hrsg. v. H. O. Burger, Stuttgart 1952.
346. *Nicklas, Fr.:* Untersuchung über Stil u. Gesch. d. dt. Tageliedes. Berlin 1929.
347. *Niemann, G.:* Die Dialogliteratur der Reformationszeit. Diss. Leipzig 1905.
348. *Needon, H.:* Technik u. Stil d. dt. Reformationsdialoge. Diss. (masch.) Greifswald 1922.
349. *Ohly, Fr.:* Vom geistigen Sinn des Wortes im MA. In: ZfdA 89, 1958/59, S. 1ff.
350. *Osborn, M.:* Die Teufellitteratur d. 16. Jh. Berlin 1893.
351. *Plitt, G. L.:* Die Bedeutung d. Kirchenliedes f. d. Ref. In: Zschr. f. Protestantismus u. Kirche. NF 46, 1863.
352. *Preuss, H.:* Die Vorstellungen vom Antichrist im späten MA, bei Luther u. i. d. konfessionellen Polemik. Diss. Leipzig 1906.
353. *Reinthaler:* Die dt. Satire in ihren Beziehungen zur Ref. In: Deutsch-ev. Blätter Jg. 25, 1900.
354. *Riederer, J. B.:* Abhandlung von der Einführung d. dt. Gesanges in die ev. Kirche. Nürnberg 1759.
355. *Roethe, G.:* Das dt. Tagelied von W. De Gruyter. (Rez.) In: AfdA 16, 1890, S. 75ff.
356. *Ross, W.:* Die »Ecbasis Captivi« u. d. Anfänge der ma. Tierdichtung. In: GRM 35, 1954.
357. *Rotermund, E.:* Gegengesänge – lyrische Parodien vom MA bis zur Gegenwart. München 1963.
358. *Ders.:* Die Parodie i. d. mod. Lyrik. München 1963.
359. *Roth, D.:* Die ma. Predigttheorie. Basel 1956.
360. *Roth, P.:* Die Neuen Zeitungen in Deutschland im 15. u. 16. Jh. Leipzig 1914.
361. *Schaller, H.:* Parodie u. Satire der Renaissance u. Ref. In: Forschungen u. Fortschr. 33, 1959, S. 183ff.
362. *Schirokauer, A.:* Die Stellung Aesops i. d. Lit. d. MA. In: Festschr. f. W. Stammler. Berlin/Bielefeld 1953.
363. *Schmidtke, D.:* Geistliche Tierinterpretationen i. d. deutschsprachigen Lit. d. MA. (1100–1500) Diss. Berlin 1968.
364. *Seiler, Fr.:* Dt. Sprichwörterkunde. München 1922.
365. *Siebenschein, H.:* Abhandlungen zur Wirtschaftsgermanistik. Prag 1936.
366. *Smend, J.:* Die ev. dt. Messen bis zu Luthers dt. Messe. Göttingen 1896.
367. *Sommer, D.* und *Löffler, D.:* Soziologische Probleme der lit. Wirkungsforschung. In: Weimarer Beitr. 16, 1970.
368. *Spitta, Fr.:* Ein Danklied f. d. Ref. In: Monatsschr. f. Gottesdienst u. kirchl. Kunst 23, 1918, S. 51ff.
369. *Spriewald, I.:* Reformation und Literatur. In: Weimarer Beitr. 1967, S. 687ff.

370. *Stammler, W.:* Die Wurzeln des Meistersanges. In: DVjs. 1, 1923, S. 529 ff.
371. *Stempel, W.:* Mittelalterl. Obszönität als literaturästh. Problem. In: Poetik u. Hermeneutik III, hg. v. H. R. Jauss, München 1968.
372. *Strobel, G. Th.:* Beiträge zur Lit. besonders d. 16. Jh. Nürnberg 1784–86.
373. *Stuhlfauth, G.:* Das Bild als Kampflosung u. als Kampfmittel in der Kirchengesch. In: Wege u. Ziele 2, 1918, S. 469 ff.
374. *Ders.:* Die beiden Lutherausstellungen in Berlin. In: Monatsschr. f. Gottesdienst u. kirchl. Kunst. 23, 1918, S. 105 ff.
375. *Ders.:* Ludw. Heilmanns »Lobt Gott, ihr frommen Christen« In: Monatsschr. f. Gottesdienst u. kirchl. Kunst 27, 1922, S. 182 ff.
376. *Suchier, W.:* Tierepos u. Volksüberlieferung. In: Arch. f. d. Studium d. neueren Sprachen 143, 1922.
377. *Uhland, L.:* »Rath der Nachtigall« In: Germania 3, 1858, S. 129 ff.
378. *Ders.:* Schriften zur Gesch. d. Dichtung u. Sage. Bd. 2, Stuttgart 1866.
379. *Voertzsch, K.:* Einleitung zum »Reinart Fuchs«, hrsg. v. G. Baesecke. Halle 1925.
380. *Wackernagel, Ph.:* Bibliographie z. Gesch. d. dt. Kirchenliedes im 16. Jh. Frankfurt/Main 1855.
381. *Wackernagel, W.:* Gesch. d. dt. Dramas bis z. Anf. d. 17. Jh. In: Kleinere Schriften Bd. 2, Leipzig 1873.
382. *Ders.:* Gesch. d. dt. Litteratur. Bd. 2, 2. Aufl. Basel 1879.
383. *Wagner, R.:* Ges. Schriften u. Dichtungen Bd. 7, 2. Aufl. Leipzig 1888.
384. *Weber, R.:* Zur Entw. u. Bedeutung d. dt. Meistergesangs im 15. u. 16. Jh. Diss. Berlin 1921.
385. *Wehrli, M.:* Vom Sinn d. ma. Tierepos. In: German Life & Letters 10, 1956/57, S. 219 ff.
386. *Weller, E.:* Die ersten deutschen Zeitungen. Tübingen 1872.
387. *Wildbolz, R.:* Dialog. In: Reallexikon.

VI. Theorie der »öffentlichen Meinung«, Werbung und Propaganda

388. *Bahr, H.-E.:* Verkündigung als Information. Hamburg 1968.
389. *Bauer, W.:* Die öffentliche Meinung und ihre geschichtl. Grundlagen. Tübingen 1914.
390. *Ders.:* Die öffentliche Meinung i. d. Weltgeschichte. Berlin und Leipzig 1930.
391. *Berelson, B.* und *Janowitz* (Hrsg.): Reader in Public Opinion and Communication. Glencoe 1950.
392. *Berelson, B.:* Content analysis in communication research. Glencoe 1952.
393. *Bergler, R.:* Psychologie des Marken- und Firmenbildes. Göttingen 1963.
394. *Bernays, E. L.* (Hrsg.): The Engineering of Consent. Oklahoma 1955.
395. *Berth, Rolf:* Wähler- u. Verbraucher-Beeinflussung. Stuttgart 1962.
396. *Brown, J. A. C.:* Techniques of persuasion. London 1968.
397. *Buchli, H.:* 6000 Jahre Werbung. Berlin 1962–66.
398. *Burke, K.:* Die Rhetorik in Hitlers »Mein Kampf« u. andere Essays zur Strategie der Überredung. Frankfurt/M. 1967.
399. *Cherry, C.:* Kommunikationsforschung. Frankfurt/M. 1967.
400. *Clausse, R.:* Publikum und Information. (= Kunst u. Kommunikation 6). Köln 1962.
401. *Dichter, E.:* Strategie im Reich der Wünsche. Übs. v. M. Rosé. München 1964.
402. *Dieckmann, W.:* Information oder Überredung. Zum Wortgebrauch der politischen Werbung in Deutschland seit der Frz. Revolution. Marburg 1964.
403. *Ders.:* Sprache i. d. Politik. Heidelberg 1969.
404. *Doob, L.:* Public Opinion and Propaganda. Cresset Press 1966.
405. *Domizlaff, H.:* Die Gewinnung d. öffentlichen Vertrauens. Hamburg 1951.
406. *Dovifat, E.:* Handbuch der Publizistik. Berlin 1968–69.
407. *Ders.:* Zeitungslehre Bd. 1, 5. Aufl. Berlin 1967.
408. *Feldmann, E.:* Theorie d. Massenmedien. München 1962.

409. *Fromm, E.:* Die Furcht vor der Freiheit. Frankfurt/M. 1966.
410. *Gillert, K.:* Auf dem Wege zu einer Theorie der Marktbeeinflussung. In: Die Anzeige 1961, H. 5, S. 38 ff.
411. *Habermas, J.:* Strukturwandel der Öffentlichkeit. 2. Aufl. Neuwied 1965.
412. *Hagemann, W.:* Grundzüge d. Publizistik. Münster 1966.
413. *Hofstätter, P.:* Die Psychologie der öffentlichen Meinung. Wien 1949.
414. *Ders.:* Gruppendynamik. Hamburg 1957.
415. *Ders.:* Das Denken in Stereotypen. Göttingen 1960.
416. *Just, L.* (Hrsg.): Handb. d. dt. Geschichte. Bd. 2, Konstanz 1956.
417. *Klaus, G.:* Die Macht des Wortes. 5. Aufl. Berlin 1969.
418. *Kleining, G.:* Die Bedeutungsanalyse. In: Zschr. f. Markt- und Meinungsforschung 1958/59, S. 343 ff.
419. *Ders.:* Zum gegenwärtigen Stand der »Imageforschung«. In: Psychologie u. Praxis 3, 1959, S. 198 ff.
420. *Ders.:* Publikumsvorstellungen von Adenauer u. Ollenhauer. In: Psychologie u. Praxis 3, 1959, S. 250 ff.
421. *König, R.:* »Massenkommunikation« In: Fischer-Lexikon Soziologie. Frankfurt/M. 1967.
422. *Ders.:* Praktische Sozialforschung. 1952.
423. *Kortzfleisch, S. v.:* Verkündigung und öffentliche Meinungsbildung. Diss. Göttingen 1958.
424. *Kropff, H. F. G.:* Die Werbemittel u. ihre psychologische, künstlerische und technische Gestaltung. Essen 1961.
425. *Lasswell, H. D.:* Describing the contents of communications., und: Describing the effects of communications. In: Propaganda, communication, and public opinion, hrsg. v. B. L. Smith. Princeton 1945.
426. *Ders.* und *Leites, N.:* Language of Politics. 2. Aufl. Cambridge (Mass.) 1965.
427. *Lazarsfeld, P.* (Hrsg.): Communication Research. N.Y. 1949.
428. *Lenz, F.:* Werden und Wesen der öffentlichen Meinung. München 1955.
429. *Levine, J. M.* und *Murphy, G.:* The learning and forgetting of controversial material. In: Journal of Abnormal and Social Psychology 38, 1943, S. 507 ff.
430. *Löffler, M.* (Hrsg.): Die Öffentliche Meinung. München und Berlin 1962.
431. *Löwenthal, L.:* Literatur u. Gesellschaft. Das Buch i. d. Massenkultur. Neuwied 1966.
432. *Ders.* und *Gutermann, N.:* Agitation u. Ohnmacht. Neuwied 1966.
433. *Lübbe, H.:* Der Streit um Worte. Sprache u. Politik. Bochum 1967.
434. *Lumsdaine, A. D.* und *Janis, J. L.:* Resistance to »Counterpropaganda«. Produced by One-Sided and Two-Sided »Propaganda« Presentations. In: Public Opinion Quarterley 17, 1953, S. 311 ff.
435. *Maletzke, G.:* Psychologie der Massenkommunikation. Hamburg 1963.
436. *Munson, G.:* 12 decisive battles of the mind. New York 1942.
437. *Noelle-Neumann, E.:* Die Wirkung der Massenmedien. In: Publizistik 5, 1960, S. 532 ff.
438. *Dies.:* Information u. öffentl. Meinung. In: Publizistik 11, 1966, S. 356 ff.
439. *Packard, V.:* Die geheimen Verführer. Berlin 1962.
440. *Plate, H.:* Werbung oder Information? Zur Sprache moderner Propaganda. In: Sprache im techn. Zeitalter 7, 1963.
441. *Prakke, Dröge,* u. a.: Kommunikation d. Gesellschaft. Münster 1968.
442. *Sauvy, A.:* Vom Einfluß der Meinung auf die Macht. In: Diogenes 1957, S. 224 ff.
443. *Segerstedt, T. T.:* Die Macht des Wortes. Eine Sprachsoziologie. Zürich 1947.
444. *Spiegel, Bernt:* Die Struktur der Meinungsverteilung im sozialen Feld. Bern 1961.
445. *Spitzer, L.:* Amerikanische Werbung als Volkskunst verstanden. In: Eine Methode, Literatur zu interpretieren. München 1966.
446. *Sturminger, A.:* 3000 Jahre politische Propaganda. Wien und München 1960.

VII. Nachträge

447. *Beare, M.:* Observations on some of the Illustrated Broadsheets of H. S. In: GLL 16, 1962/63, S. 174ff.
448. *Boehmer, H.:* Der junge Luther. 6. Aufl. Leipzig 1954.
449. *Curtius, E. R.:* Europ. Lit. und Lat. MA. 5. Aufl. Bern und München 1965.
450. *Edert, E.:* Dialog u. Fastnachtspiel bei H. S. Diss. Kiel 1903.
451. *Freud, S.:* Der Witz und seine Bez. z. Unbewußten. 3. Aufl. Frankfurt 1961.
452. *Herford, Ch. H.:* Studies in the literary relations of England and Germany in the 16th century. Cambridge 1886.
453. *Horkheimer, M.:* Egoismus u. Freiheitsbewegung. In: Kritische Theorie II, Frankfurt/M. 1968.
454. *Hovland, C. J.* u. a.: Communication and Persuasion. New Haven/London 1964.
455. *Humbel, F.:* U. Zwingli u. seine Ref. ... Leipzig 1912.
456. *Janssen, J.: Gesch. d. dt. Volkes,* Bd. 2 und 7. Freibg. 1915.
457. *Lippmann, W.:* Die öffentl. Meinung. München 1964.
458. *Schutte, J.:* Schympff red. Frühformen bürgerl. Agitation in Thomas Murners »Großem Lutherischen Narren«. Diss. Berlin 1971. Unter gleichem Titel: Stuttgart 1972.
459. *Schwab, U.:* Zur Datierung und Interpretation des Reinhart Fuchs. Neapel 1967.

Namensverzeichnis